Administración
de empresas

Coordinador
GONZALO SÁNCHEZ VIZCAÍNO
PROFESOR TITULAR DE LA UNIVERSIDAD DE GRANADA

VANESA BARRALES MOLINA
JAVIER TAMAYO TORRES
PROFESORES AYUDANTES DOCTORES DE LA UNIVERSIDAD DE GRANADA

MARÍA AMPARO CASADO MATEOS
ANDRÉS JOSÉ NAVARRO PAULE
PROFESORES COLABORADORES DE LA UNIVERSIDAD DE GRANADA

MARÍA ÁNGELES ESCUDERO TORRES
MANUEL RÍOS DE HARO
PROFESORES ASOCIADOS LABORALES DE LA UNIVERSIDAD DE GRANADA

CARLOS ANTONIO ALBACETE SÁEZ
PROFESOR CONTRATADO DOCTOR DE LA UNIVERSIDAD DE GRANADA

Administración de empresas

EDICIONES PIRÁMIDE

COLECCIÓN «ECONOMÍA Y EMPRESA»

Director:
Miguel Santesmases Mestre
Catedrático de la Universidad de Alcalá

Diseño de cubierta: Anaí Miguel

© Gonzalo Sánchez Vizcaíno (Coord.)
 Carlos Antonio Albacete Sáez, Vanesa Barrales Molina, María Amparo Casado Mateos, María Ángeles Escudero Torres, Andrés José Navarro Paule, Manuel Ríos de Haro, Javier Tamayo Torres
© Ediciones Pirámide (Grupo Anaya, S. A.), 2011, 2016, 2017, 2019
Juan Ignacio Luca de Tena, 15. 28027 Madrid
Teléfono: 91 393 89 89
www.edicionespiramide.es
Depósito legal: M. 29.850-2011
ISBN: 978-84-368-2542-8
Printed in Spain

Relación de autores

Carlos Antonio Albacete Sáez
Profesor contratado doctor. Universidad de Granada.

Vanesa Barrales Molina
Profesora ayudante doctor. Universidad de Granada.

María Amparo Casado Mateos
Profesora colaboradora. Universidad de Granada.

María Ángeles Escudero Torres
Profesora asociada laboral. Universidad de Granada.

Andrés José Navarro Paule
Profesor colaborador. Universidad de Granada.

Manuel Ríos de Haro
Profesor asociado laboral. Universidad de Granada.

Gonzalo Sánchez Vizcaíno (coord.)
Profesor titular de universidad. Universidad de Granada.

Javier Tamayo Torres
Profesor ayudante doctor. Universidad de Granada.

Índice

© Ediciones Pirámide

Introducción

Vivimos en un mundo de organizaciones. Esta contundente afirmación no hace sino reflejar un hecho incontestable: las organizaciones son las protagonistas absolutas de cualquier tipo de actividad —y no sólo la económica— desarrollada en las sociedades más avanzadas. Así, casi todos nosotros hemos pertenecido, pertenecemos o perteneceremos a diferentes organizaciones a lo largo de nuestra vida, desempeñando en ellas diferentes papeles y aspirando a alcanzar con su concurso diferentes objetivos. En este contexto de predominio de la acción organizada frente a la individual, resulta imprescindible articular de forma sistémica y científica los conocimientos orientados a su dirección y administración, a fin de hacer de las organizaciones instrumentos eficaces y eficientes para alcanzar los objetivos compartidos por sus miembros.

Con estas premisas, el objetivo del presente libro es dotar al estudiante de los conocimientos y capacidades necesarios para poder administrar de forma eficaz y eficiente todo tipo de organizaciones, y en particular de las empresas. Para ello, el libro ha sido estructurado en relación a las cuatro funciones administrativas clásicas: planificación, organización, dirección y control, introduciéndose, además, otros temas de actualidad que afectan a la gestión de las organizaciones, como son la ética y responsabilidad social, la cultura empresarial, los procesos de cambios organizacionales, la toma de decisiones, y los procesos y sistemas de comunicación.

Los escándalos empresariales ligados a prácticas de gestión éticamente reprobables, unidos a un cambio de actitud de la sociedad en cuanto a las repercusiones sociales de la actividad empresarial, han dado lugar a que los conceptos de ética y responsabilidad social se hayan colocado en el punto de mira de la investigación, de los profesionales de la gestión e incluso de los poderes públicos. Es por ello que se dedica un capítulo a hacer un repaso de aquellos conceptos imprescindibles para entender, por un lado, la problemática relacionada con la ética empresarial, y por otro lado, los beneficios e inconvenientes de la responsabilidad social.

Las organizaciones, al igual que los individuos, van configurando a lo largo del tiempo su propia cultura. La cultura de la organización afecta, por un lado, a las decisiones organizativas, y por otro, al comportamiento de los miembros que la componen. Por tanto, la existencia de una cultura adecuada puede convertirse en un recurso intangible de un incalculable valor estratégico para la organización. En el capítulo que aborda esta cuestión se expondrán los principales rasgos de la cultura, sus efectos en la organización, y algunos aspectos clave de su gestión que el directivo ha de tener en cuenta para incrementar la eficacia y eficiencia organizacional.

Que el entorno afecta al funcionamiento de las organizaciones es algo evidente. No obstante, la forma en que se hace frente a estos cambios u otros de origen interno puede afectar a los resultados futuros de la organización. En el capítulo dedicado al cambio organizacional se analizan los desencadenantes del cambio y las distintas formas de afrontarlo con éxito. Especial relevancia presenta el estudio de las barreras que dificultan cualquier proceso de cambio, así como los mecanismos para superarlas.

Cuando se analizan las organizaciones para mejorar sus procesos y sus tasas de éxito, en muchas ocasiones se coloca el acento en el comportamiento de los directivos para comprender la forma en que éstos actúan y conducen a las organizaciones. En este sentido, el proceso de toma de decisiones se erige como una actividad básica y fundamental del trabajo directivo, llegando incluso a definir su propia naturaleza, tal y como argumentó Herbert Simon. La compresión del proceso de toma de decisiones permite que el directivo pueda desarrollar esta actividad bajo unos parámetros que le ayuden a mejorar la calidad de sus decisiones. De forma adicional, se analizan ventajas e inconvenientes de la toma de decisiones realizada individualmente o en grupo, ofreciendo al lector la posibilidad de discriminar fácilmente en qué casos utilizar una u otra.

El capítulo donde se abordan los procesos de comunicación y los sistemas de información de las organizaciones pone de manifiesto que, sin unos sistemas adecuados de información y comunicación, resulta prácticamente imposible para el directivo desarrollar las funciones administrativas de planificar, organizar, dirigir o controlar. Asimismo, se hace una mención especial a la tipología y funcionamiento de las nuevas tecnologías de la información y la comunicación, explicando cómo han revolucionado completamente los flujos de comunicación dentro de la empresa, produciendo inmediatez, exactitud y, en algunos casos, una excesiva producción de información.

La planificación supone fijar objetivos organizacionales y articular los medios necesarios para alcanzarlos, siendo una función que actúa como referente para el resto de las funciones administrativas. Por ello, se analizan los conceptos relacionados con la fijación de la misión, visión y objetivos de la organización, así como los tipos de planes que pueden ser desarrollados. El capítulo realiza una aproximación al proceso de planificación, de tal modo que el lector sea capaz de identificar y desarrollar las actividades necesarias para realizar una adecuada planificación de su organización.

Definidos los objetivos de la organización y sus correspondientes planes de ejecución, es necesario desarrollar una estructura que permita su desarrollo y consecución. El diseño de la estructura supone buscar la combinación y disposición más adecuada de los recursos organizacionales (monetarios, materiales y humanos), no existiendo una combinación estándar que sea aplicable a cualquier objetivo, organización o contexto. El capítulo centrado en la función organizativa muestra las diferentes herramientas de que dispone el directivo para construir la estructura de una organización, así como las diferentes decisiones que deberá adoptar en función de factores tales como su estrategia, la tecnología que utilice o las características del entorno en el que se encuentra inmersa. Finalmente, el lector podrá encontrar algunas de las configuraciones básicas que habitualmente adoptan las organizaciones.

La función de dirección, dada la complejidad que presenta, ha sido desarrollada en cuatro capítulos. El primero de ellos se dedica a analizar la motivación de los individuos, en concreto los factores y las circunstancias que hacen que estén dispuestos a esforzarse más y, consiguientemente, a mejorar la eficacia y eficiencia de la organización. El segundo capítulo se centra en la figura del responsable o supervisor de los grupos de trabajo. Bajo el título de liderazgo, el lector podrá encontrar los diferentes enfoques que tratan de explicar qué es lo que constituye un liderazgo eficaz dentro de las organizaciones. A continuación se analiza el funcionamiento de los grupos de trabajo, eje sobre el que se vertebra cualquier organización, siendo necesario conocer cómo funcionan internamente y las implicaciones que tienen sobre su propio desempeño y el de la organización. Para finalizar el análisis de la función de dirección, se estudia una casuística muy común dentro de las organizaciones, como es la existencia de conflictos. Se introduce al lector en el concepto, causas y tipos de conflictos, ofreciéndose técnicas de negociación para la solución de los mismos.

El libro concluye con el análisis de la función de control, última etapa lógica del proceso administrativo. Este capítulo presenta un marco de referencia para guiar los esfuerzos de los directivos en la evaluación de las actividades desarrolladas en la organización, comprobar hasta qué punto todo está funcionando tal y como se ha planificado, y poder realizar los cambios oportunos que permitan una adaptación eficaz al entorno empresarial.

Guía para la utilización de este libro

Este libro se ha estructurado en trece capítulos, presentados en un orden lógico para profundizar en el conocimiento de la disciplina de dirección y administración de empresas.

Todos los capítulos siguen la misma estructura, para facilitar al lector su seguimiento, siendo la siguiente:

— *Objetivos de aprendizaje.* De forma escueta se ilustra al lector sobre los contenidos básicos que va a encontrar en el capítulo y, consiguientemente, lo que debe aprender una vez finalizada su lectura.
— *Introducción.* Tras los objetivos de aprendizaje se indica la justificación, importancia y temas tratados en el capítulo, ofreciendo un marco de referencia de éste.
— *Desarrollo del capítulo.* En este bloque se desarrollan los contenidos teóricos del capítulo, ofreciéndose al lector algunos ejemplos para una mejor comprensión. Se utiliza un lenguaje sencillo pero a la vez riguroso y de fácil seguimiento por cualquier persona que se acerque a esta disciplina.
— *Resumen.* Al finalizar cada capítulo el lector encontrará un breve resumen que contiene los aspectos más relevantes de aquél.
— *Preguntas de repaso.* Las preguntas de repaso se formulan sobre los conceptos clave y tienen una doble finalidad. Por un lado, mediante su resolución y comprobación, permiten al lector hacer un ejercicio de comprensión del capítulo, y por otro lado, llaman la atención sobre cuáles son los conceptos que deben ser manejados con fluidez.
— *Caso práctico.* A través del caso que se presenta al final de cada capítulo, se pretende que el lector trate de asimilar los contenidos teóricos identificándolos con una situación que es real en la mayoría de los casos, acercando así la teoría a la práctica.

Para facilitar el seguimiento y comprensión de todos y cada uno de los capítulos, el libro contiene un *glosario* con los términos que comúnmente son utilizados en esta disciplina, ofreciendo unas definiciones breves, claras y concisas que pueden solucionar al lector algunas dudas de comprensión y facilitar así el seguimiento fluido de cada capítulo.

Por último, el libro contiene una serie de referencias bibliográficas, estructuradas por capítulos, que ofrecen al lector la posibilidad de acudir a ellas en caso de que desee profundizar en algunos de los temas tratados.

1

La administración de empresas y su evolución

OBJETIVOS DE APRENDIZAJE

1. Comprender la importancia del estudio de la dirección y administración de empresas.
2. Definir y distinguir los conceptos fundamentales de la administración de empresas: organización, administración de organizaciones, administradores de organizaciones.
3. Describir y analizar la naturaleza del trabajo directivo, así como las habilidades de todo buen administrador.
4. Conocer y comparar la evolución histórica de la ciencia de la administración de empresas haciendo hincapié en la naturaleza incremental de las sucesivas aportaciones teóricas hasta nuestros días.

La administración es el gobierno racional del esfuerzo cooperativo del hombre establecido en organizaciones. Como vivimos en una sociedad donde la base fundamental son las organizaciones, la administración se convierte en una de las áreas más importantes de la actividad humana, siendo imprescindible para la existencia, la supervivencia y el éxito de dichas organizaciones.

La eficacia con que las personas trabajan en conjunto depende directamente de la capacidad de quienes ejercen la función administrativa. No existe una manera única de dirigir o de actuar, pero en cualquier organización que quiera ser competitiva, la esencia del trabajo básico del administrador es la misma: conseguir que la cooperación entre las personas se vuelva organizada y formal para alcanzar los objetivos comunes de manera eficiente.

La Revolución Industrial trajo consigo el crecimiento acelerado y desorganizado de las empresas y la necesidad de mejorar tanto la eficiencia como la competencia de las mismas. La complejidad de la administración aumentó, por lo que se hizo necesario un conocimiento más científico que reemplazara la improvisación y el empirismo hasta entonces dominantes. Surgió la necesidad de una teoría de la administración que permitiese ofrecer a los directivos los modelos y estrategias adecuadas para solucionar los problemas empresariales.

A comienzos del siglo XX se desarrollan los primeros trabajos teóricos sobre administración, modelos utilizados por empresas estadounidenses y europeas, con la intención de incrementar la productividad en las tareas realizadas por los obreros y optimizar el funcionamiento de la estructura organizativa. Las nuevas pautas de actuación ofrecen una deshumanización del trabajo en las grandes fábricas, que al poco tiempo dan lugar a un cambio conceptual en el enfoque administrativo, prestando mayor atención a las personas y a los grupos sociales de trabajadores. Se pasa del análisis del trabajo y de la adaptación del trabajador, a la adaptación del trabajo al trabajador dentro de un contexto organizacional.

Desde los inicios de la teoría administrativa hasta los tiempos actuales han pasado poco más de cien años, pero es tiempo suficiente para tener una amplia variedad de enfoques. A lo largo de ese tiempo han ocurrido grandes transformaciones, enfrentándose ahora el mundo empresarial a la fuerte turbulencia de la era de la información. Se está pasando por un período de intensa y profunda revisión en el que todo está interrelacionado, cada organización pertenece a un sistema mayor y las contingencias del entorno afectan al comportamiento de las organizaciones. El intercambio de información y el uso de nuevas tecnologías ayuda a los administradores a tomar decisiones, pero éstas cada vez se hacen más complejas.

1.1. LAS ORGANIZACIONES Y SU ADMINISTRACIÓN

Las personas necesitan cooperar unas con otras para alcanzar objetivos comunes, sean industriales, comerciales, militares, religiosos, caritativos o educativos, que jamás conseguirían por separado. De esta cooperación surgen las organizaciones como unidades sociales deliberadamente constituidas para promover objetivos específicos[1]. Hoy en día, vivimos en un entorno donde predominan las organizaciones y donde el esfuerzo cooperativo del hombre es la base fundamental de la sociedad. En una época de complejidades, cambios e incertidumbres, la administración o dirección de las organizaciones se convierte en una de las áreas más importantes de la actividad humana. El trabajo del administrador o gerente se hace emocionante y lleno de retos. Cada organización debe alcanzar objetivos en un ambiente de competencia acérrima, donde los gerentes de las organizaciones deben tomar decisiones, coordinar múltiples actividades, dirigir personas, asignar recursos, evaluar el desempeño y conseguir los objetivos con los mejores resultados.

---

[1] Etzioni, A. (1972).

1.1.1. Características de la administración

La administración es el conjunto de funciones y procesos básicos encaminados a coordinar los distintos elementos y actividades de trabajo de las organizaciones para que alcancen sus objetivos de manera eficaz y eficiente. La administración resulta un fenómeno universal, pues es aplicable a cualquier tipo de organización, ya sea empresa privada o institución pública, e incluso tiene sentido dentro de las familias y hogares. Por tanto, no es necesario ser gerente de una empresa para obtener provecho de los estudios sobre administración.

La administración debe ser eficaz, es decir, su propósito es que la organización alcance las metas propuestas, aunque no a cualquier precio. El personal, el dinero, los equipos y, en definitiva, los recursos con que cuenta la organización son limitados y, por tanto, el buen administrador debe dirigir las actividades de la organización de manera eficiente, es decir, empleando para ello el mínimo de recursos posible. La mala administración tiene lugar cuando la eficacia no se consigue mediante la eficiencia[2].

La administración es un instrumento, un medio para lograr de forma eficiente los objetivos establecidos. Aunque el administrador no sea el ejecutor, sino el responsable del trabajo de las personas subordinadas a él, no puede cometer errores o recurrir a estrategias de ensayo, ya que podría conducir a sus subordinados a seguir el camino menos eficiente. Cualquier clase de organización necesita ser administrada para ser competitiva y alcanzar sus objetivos con economía de acción y de recursos.

La administración es universal[3], es necesaria en organizaciones de todo tipo y tamaño, ya sean empresas privadas o instituciones públicas, en todos sus niveles o áreas de trabajo. Los principios y técnicas administrativas se pueden adaptar a las diferentes necesidades de cada organización, pues son flexibles.

La ciencia de la administración es, tanto en su origen como en su desarrollo, interdisciplinar. Hace uso de principios, procedimientos o métodos de otras ciencias, está relacionada con las matemáticas, el derecho, la economía, la sociología y con la psicología. Pero aunque la administración vaya acompañada de otras ciencias o técnicas, el fenómeno administrativo es específico, y tiene características propias que permiten diferenciarlo. Por ejemplo, se puede ser, a la misma vez, un magnífico ingeniero de producción y un pésimo administrador del departamento responsable de la misma.

1.1.2. Análisis del trabajo directivo

Existen diversas maneras de abordar el análisis del trabajo directivo, pero es lógico que se empiece por definir lo que se entiende por administrador y las clases

---

[2] Robbins, S. y Coulter, M. (2005).
[3] Ibíd.

de administradores, para continuar con las funciones básicas o generales que todo administrador debe ejercer, así como las habilidades que debe desarrollar.

1.1.2.1. *Concepto y tipos de administradores*

Los administradores, directivos o gerentes, son personas responsables de planificar, organizar, dirigir y controlar la totalidad de la organización, o bien algunas de sus unidades organizativas, para que se lleven a cabo de manera eficiente las actividades que ayudarán a las organizaciones a alcanzar sus metas[4]. Establecen la dirección a seguir, asignan personas y recursos para las tareas, supervisan el rendimiento individual, del grupo y de la organización, y también evalúan el progreso hacia las metas y los objetivos.

Se encuentran en todo tipo de organizaciones, ya sean privadas o públicas, grandes o pequeñas, y atienden un volumen muy extenso de trabajo a un ritmo agotador, pues es un trabajo variado que requiere muchas horas, formación amplia y constantes cambios de actitud, donde las interacciones con clientes, subordinados, compañeros o superiores están presentes de manera constante. Al administrador se le juzgará por su manera de realizar el trabajo y por los resultados obtenidos con los recursos disponibles. Se debe tener en cuenta que no existe una única manera de dirigir o actuar, sino que existen varias formas de llevar a cabo las tareas de la empresa en condiciones específicas, por dirigentes de temperamentos diversos y modos de actuar propios. Cuando todo cambia y las reglas del cambio son complicadas, el papel del administrador no sólo se centra en mantener la situación, sino en innovar y renovar continuamente a la organización. Una identidad de todo administrador es que posee subordinados, a los que dirige y sobre los que tiene autoridad formal para decirles lo que deben hacer. Los directivos son responsables de realizar una serie de actividades, entre ellas, responder de la actuación de quienes están bajo su mando. Aunque, en esencia, todos los administradores realizan las mismas funciones, no todos los administradores son iguales.

Los administradores se pueden clasificar siguiendo dos criterios: según el nivel en el que se encuentren en la organización (diferenciación vertical) o según el alcance de las actividades que administran (diferenciación horizontal). La manera más tradicional de representar a los administradores siguiendo la diferenciación vertical es mediante un esquema piramidal, formando una unidad jerárquica administrativa desde el alto directivo hasta el último supervisor de línea. Todo personal que tiene carácter de jefe en la organización participa en distinto grado y modalidad de la administración.

---

[4] Stoner, J. A. F., Freeman, R. E. y Gilbert, D. R. (1996).

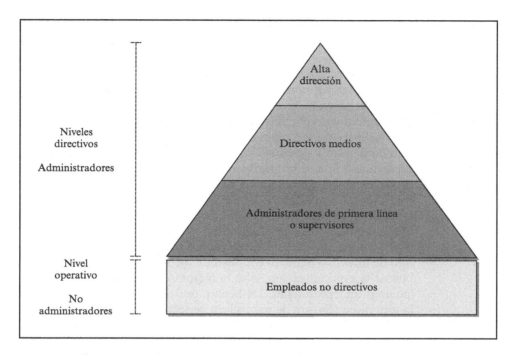

Figura 1.1. La jerarquía administrativa. (FUENTE: Elaboración propia.)

Según la diferenciación vertical, se distinguen cuatro niveles dentro de la organización, correspondiendo tres de ellos a los administradores y uno a los operarios. Dentro de los niveles administrativos, los administradores de primera línea, supervisores o capataces, son los únicos directivos que dirigen a personal no directivo. Se involucran directamente con los empleados que obtienen los bienes y servicios de la organización. Es la clase más numerosa entre los administradores e instrumentan los planes específicos que desarrollan con los administradores medios. Mediante su trabajo buscan lograr una producción eficiente, asegurar el flujo de bienes y servicios en la organización y responder a los problemas técnicos que surgen en el día a día.

Por encima de los supervisores se extiende la red de directivos medios. Sus jefes y sus subordinados son administradores. Son responsables de otros gerentes y, en ocasiones, de algunos empleados operacionales. Su principal actividad es la de enlazar los niveles de la alta dirección con los supervisores, canalizando el flujo de información para coordinar a todas las personas y grupos, manteniendo la armonía y la colaboración. Su horizonte temporal de actuación se sitúa en el medio plazo.

La alta dirección, compuesta por uno o varios directivos, al encontrarse en la cúspide, es la responsable de toda la organización y tiene como principal actividad la de fijar sus principales objetivos a largo plazo. Su labor es de naturaleza estratégica; diseñan la estructura y seleccionan a las personas más adecuadas para los puestos de mayor responsabilidad. La alta dirección introduce y, en cierto modo, encarna los valores y actitudes que impulsan a la organización y se encarga de pilotar su interacción con el entorno.

Por su parte, la diferenciación horizontal distingue entre directivos funcionales y con directivos generalistas. Los directivos funcionales son aquellos que responden de personas, secciones o departamentos que realizan tareas similares en cuanto a contenido y orientación, para las que se requiere una cierta especialización profesional. Son responsables de un área funcional, por ejemplo, los directivos de producción, los de finanzas o los comerciales. Por otro lado, un directivo generalista es responsable de personas, secciones o departamentos que ejecutan conjuntamente las tareas básicas de una empresa (el director de una oficina bancaria). Dirige una unidad completa, como es, por ejemplo, una división de producto o servicio específico y es responsable de todas las actividades de esa unidad. Este tipo de directivo tiene mayor posibilidad de promoción hacia la cúspide y no debe buscar la especialización, sino la mejora de sus cualidades de coordinación y relaciones interpersonales. De hecho, por definición, los directivos que componen la alta dirección son de naturaleza generalista.

Estas clasificaciones son relativas y consisten en una simplificación de la realidad. La denominación del puesto administrativo y las responsabilidades atribuidas dependerán de las características y consideraciones de cada organización.

1.1.2.2. *Funciones del administrador*

El estudio del trabajo de los administradores se puede realizar según un enfoque funcional, el cual clasifica sus actividades en torno a cuatro funciones administrativas o gerenciales diferenciadas: planificación, organización, dirección y control:

— *Planificar.* Consiste en la fijación de los objetivos o metas de la organización y de la manera de alcanzarlos. Los objetivos deben ser realistas con la situación económica de la organización y de su entorno, para que se encauce el desempeño futuro sin sobresaltos. La planificación abarca dos partes, saber dónde se quiere ir y desarrollar la forma en que se puede llegar a ese destino. «Si hay un lugar al que uno quiera ir, hay que planificar la mejor manera de llegar ahí»[5]. Durante el proceso de planificación, las organizaciones utilizan múltiples tipos de planes (misiones, estrategias, políticas, procedimientos, reglas, programas, presupuestos), distintos en naturaleza y amplitud, que es preciso jerarquizar e integrar[6].

---

[5] Robbins, S. y Coulter, M. (2005).
[6] Díez de Castro, J. y Redondo, C. (1999).

— *Organizar.* Consiste en establecer una estructura material y humana capaz de ejecutar los planes establecidos. Se basa en diseñar los puestos de trabajo, determinar qué tareas hay que hacer, quién las debe hacer, cómo se deben agrupar las tareas y personas, determinar el grado de delegación de autoridad, quién rinde cuentas a quién, cuáles son los mecanismos de coordinación y dónde se toman las decisiones.

— *Dirigir.* Consiste en influir en las personas de la organización para que aporten su máximo esfuerzo en el trabajo. Hay que capacitar y motivar al personal para que aporten sus energías y sus cualidades intelectuales en todo lo que hacen, atentos siempre a nuevas ideas y metodologías. Para cumplir con una buena función de dirección se hace necesario el liderazgo, conocer el comportamiento humano y elegir los mejores canales de comunicación.

— *Controlar.* Función de la administración que consiste en vigilar el desempeño real, compararlo con las metas fijadas con antelación y emprender las acciones que hicieran falta para corregir, lo antes posible, las desviaciones significativas. No importa lo bien que se hagan las cosas en una organización, siempre existe la posibilidad de que algo salga mal. El control servirá para tener confianza en la rectificación oportuna de la marcha errónea. Los cambios en la empresa, sean pequeños o grandes, son inevitables, lo que significa que se hace necesario hacer revisiones y reevaluaciones periódicas. Las funciones de planificación y control están ligadas al concepto de flujo de información o retroalimentación sobre el desempeño organizacional.

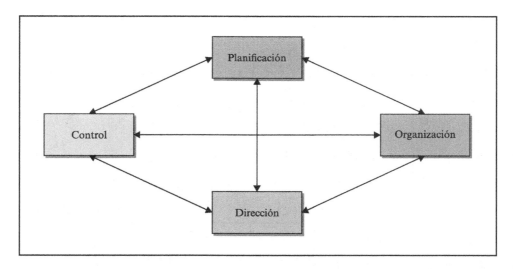

Figura 1.2.   Las funciones administrativas secuenciales. [FUENTE: Stoner, J. A. F., Freeman, R. E. y Gilbert, D. R. (1996).]

Desde un punto de vista académico, estas cuatro funciones suelen presentarse siguiendo cierto orden cronológico que implica una secuencialidad en su desarrollo. En la práctica, no importa el orden en que se lleven a cabo, pero todo administrador, tarde o temprano, desarrollará las cuatro funciones secuenciales, aunque sea distinto el tiempo que le dedique a cada una de ellas. Estos elementos están presentes y latentes en toda actividad gerencial, son básicos, pero esto no quiere decir que todos los gerentes practiquen la administración de la misma manera. Que dos gerentes administren de diferente manera es cuestión de grado y de énfasis, pero no de función. Todos los gerentes, ya sean supervisores de primera línea, o altos directivos, tendrán que planificar, organizar, dirigir y controlar, aunque lo hagan de modo diferente. En esencia, en una empresa no sólo es administrador el gerente, sino que cada persona en su área, independientemente del cargo o nivel que ocupe, tendrá que administrar su trabajo.

Estas funciones están interrelacionadas, afectándose unas actividades a otras. Aunque se distinguen etapas, fases o elementos, no hay linealidad en el proceso administrativo. El trabajo administrativo es único y las funciones se dan en todo momento, en mayor o menor grado. Al hacer los planes no se deja de organizar, dirigir o controlar. Se puede considerar que el porcentaje de tiempo de la jornada laboral dedicado a planificar, organizar y controlar aumenta según se asciende en la pirámide administrativa (figura 1.3), mientras que la función de dirección, que es claramente dominante para los administradores de primera línea, decrece ostensiblemente en los niveles superiores[7].

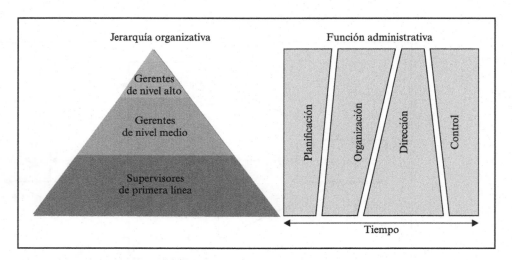

Figura 1.3. La importancia de las funciones administrativas a través de la jerarquía organizativa. [FUENTE: Mahoney, T. A., Jerdee, T. H. y Carroll, S. J. (1965).]

---

[7] Mahoney, T. A., Jerdee, T. H. y Carroll, S. J. (1965).

Asimismo, existen otras funciones administrativas, que se denominan continuas porque no se adscriben a una secuencia particular de desempeño, sino que se desarrollan durante todo el proceso de gestión. Están referidas a la resolución de problemas y toma de decisiones, por lo que se consideran intrínsecas a las funciones secuenciales vistas anteriormente. Las funciones continuas, que se analizan con mayor detalle en los capítulos 5 y 6 del presente libro, son:

— Análisis de problemas. El administrador, ante los sucesos que le acontecen en su gestión diaria, opera reuniendo datos, información y hechos a fin de encontrar las soluciones más convenientes.
— Toma de decisiones. Función mediante la cual el administrador selecciona alternativas, tras haber analizado el campo de las opciones posibles y su contribución a la resolución del problema o problemas que afectan a su unidad.
— Comunicación. Con esta función el administrador intenta conseguir y asegurar la comprensión de todas las personas implicadas en la ejecución de la alternativa elegida.

1.1.2.3. *Habilidades administrativas*

El administrador es un profesional de formación amplia y variada, que necesita conocer disciplinas heterogéneas como las matemáticas, el derecho, la sociología o la psicología para tratar con personas que están en posiciones subordinadas, iguales o superiores a la suya. Maneja eventos internos y externos a la organización. Precisa ver más allá que los demás para lograr, mediante la acción conjunta de todos, los objetivos de la organización. Debe estar atento a eventos pasados, presentes y previsiones futuras, ya que de él depende la dirección que tomen las personas que siguen sus órdenes. El administrador es un agente educador y orientador que modifica los comportamientos y actitudes de las personas, a la vez que un agente cultural, pues con su estilo de administración transforma la cultura organizacional de las empresas[8].

Del administrador interesa estar al tanto de sus conocimientos, capacidades, actitudes, personalidad, formación académica, pasado profesional, valores morales, éxitos, fracasos, e incluso su estabilidad emocional. Todo ello determinará su modo de actuar y filosofía de trabajo. En definitiva, son el conjunto de cualidades que un gerente posee y que está dispuesto a actualizar constantemente para desempeñar sus deberes y actividades con éxito. Se sabe que las cualidades que posee un administrador cambian según la posición y el cargo que ocupa en la organización. Robert L. Katz[9], en sus investigaciones sobre administración, las clasificó en tres tipos, denominándolas habilidades conceptuales, humanas y técnicas:

---

[8] Chiavenato, I. (2004).
[9] Katz, R. L. (1974).

— *Habilidad conceptual.* Es la capacidad mental de coordinar e integrar los diversos intereses y actividades de la organización. Es la habilidad que debe poseer el gerente para pensar y conceptuar situaciones abstractas y complicadas. Se trata de la formulación de ideas, entender relaciones teóricas, desarrollar nuevos conceptos o resolver problemas de forma creativa. Con las habilidades conceptuales, los gerentes contemplan la organización en su totalidad, comprenden las relaciones entre sus unidades y ven el lugar que ocupa la organización en el entorno general.

— *Habilidad humana.* Es la capacidad de interactuar con las personas, de trabajar positivamente con compañeros y subordinados, tanto de forma individual como en grupo. Un gerente interactúa y coopera principalmente con los empleados a su cargo, pero muchos también tratan directamente con clientes, proveedores o aliados, por lo que las habilidades humanas resultan cruciales. Un buen administrador sabe cómo comunicarse, motivar, dirigir e infundir entusiasmo y confianza a otras personas.

— *Habilidad técnica.* Son los conocimientos y competencias necesarias para realizar una actividad en un campo específico. Se trata, ni más ni menos, que de conocer el oficio. Se hace necesaria la instrucción, experiencia y destreza en la realización de la tarea concreta.

La importancia de las habilidades varía según el nivel gerencial que se ocupe[10]. A medida que un administrador asciende jerárquicamente en los niveles de la organización, disminuye su necesidad de habilidades técnicas y aumenta la necesidad de las conceptuales. En los niveles administrativos superiores es más importante la habilidad conceptual, puesto que los directivos no se ocupan de cuestiones de detalle y se les responsabiliza de la organización en su conjunto. Temas como la coordinación de las partes de la organización, las relaciones de ésta con su entorno, o la previsión a largo plazo, son competencia de la alta dirección, y su adecuada resolución implica elevadas dosis de capacidad conceptual.

El trabajo diario de todo administrador implica numerosos contactos con personas pertenecientes o ajenas a la organización. La habilidad humana se hace importante en todos los niveles administrativos, pero predomina en el nivel medio porque los directivos medios mantienen una gran cantidad de contactos con compañeros, superiores y subordinados. Debido a su posición, deben equilibrar las necesidades de personas con intereses diferentes.

En los niveles inferiores, los administradores de primera línea requieren considerable habilidad técnica para enfrentar los problemas operacionales concretos y cotidianos de la organización. Aunque sean los subordinados los encargados de materializar la obtención de bienes y servicios, será responsabilidad del supervisor lograr que el trabajo se haga de forma correcta. Para eso, el administrador debe

---

[10] Hersey, P. y Blanchard, K. H. (1976).

conocer los métodos, los procedimientos y el uso de las herramientas empleadas en el proceso productivo.

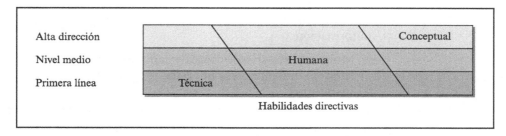

Figura 1.4. Importancia de las habilidades directivas en los niveles directivos. [FUENTE: Katz, R. L. (1974).]

1.1.2.4. *Los roles administrativos de Mintzberg*

El profesor de estudios de administración Henry Mintzberg analizó a los gerentes en la práctica y postuló que desempeñan diez roles o comportamientos administrativos distintos[11]. Es otro enfoque, distinto al funcional, que establece lo que hacen los administradores. Esos diez papeles que tiene que asumir un directivo se agrupan en tres categorías, según sean afines a las relaciones interpersonales, a los comportamientos de transferencia de información o los relacionados con la toma de decisiones:

— *Roles interpersonales:* El administrador tiene contactos con otras personas. Todo gerente posee autoridad formal sobre las unidades que administra, y esa autoridad le confiere un estatus o posición dentro de la organización que le permite relaciones interpersonales de índole protocolaria o simbólica con sus subordinados, compañeros, superiores y personas de fuera de la organización.

• Representante o figura de autoridad: Sirve como cabeza visible de la organización. Es el papel que ostenta el directivo cuando representa a la empresa en el exterior y ante actos protocolarios. Es la autoridad visible, la imagen de la empresa que está obligada a realizar deberes rutinarios de índole legal o social. Cuando surge un problema con la empresa, los clientes, proveedores y terceros acuden a este jefe simbólico.

• Líder: Responsable de la motivación de sus subordinados, a los que premia, sanciona, alienta o reprende. Transmite valores y comportamientos aceptados por la organización.

---

[11] Mintzberg, H. (1983).

- Enlace: Crea y mantiene una red de contactos internos y externos a la organización. La finalidad es enlazar a la organización entre sus unidades y con el entorno para establecer canales de comunicación.

— *Roles informativos:* Consisten en recibir, almacenar y difundir todo tipo de información.

- Monitor o supervisor: Busca y capta información interna o externa a la empresa que pueda ser útil para comprender a fondo la organización y su entorno.
- Difusor: Transmite internamente, de forma total o parcial, la información acumulada en la organización.
- Portavoz: Cuando el directivo transmite información sobre los planes de la organización, sus políticas, acciones o resultados, a personas ajenas a la organización.

— *Roles decisionales:* Giran en torno a la toma de decisiones. El administrador debe tomar decisiones, es decir, elegir e implantar la solución a algún tipo de problema.

- Emprendedor: Es el papel que adopta el directivo cuando identifica las fortalezas y debilidades de la empresa con la intención de buscar oportunidades en el entorno para iniciar proyectos de mejora en la organización.
- Gestor de anomalías: Cuando el directivo es responsable de analizar y llevar a cabo acciones correctivas para resolver los problemas graves e inesperados a los que se enfrenta la organización.
- Asignador de recursos: Decide cómo se emplearán los distintos tipos de recursos de la organización. Para ello, evalúa la importancia de cada elemento y establece prioridades de asignación.
- Negociador: Realiza pactos con otras personas. El directivo argumenta y negocia con otras personas con el propósito de obtener ventajas para su equipo.

Los roles se han descrito aisladamente, pero en la práctica no pueden separarse, ya que forman un todo integrado. En general, los administradores desempeñan roles semejantes cualquiera que sea la organización a la que pertenecen[12], pero su importancia varía ostensiblemente según sea el nivel directivo que se ocupe. Así pues, los roles de representante, enlace, difusor, portavoz y negociador son más importantes en los niveles jerárquicos superiores, mientras que el rol de líder predomina en los niveles inferiores[13].

---

[12] Lau, A. W. y Pavett, C. M. (1980).
[13] Robbins, S. y Coulter, M. (2005).

1.2. EL PENSAMIENTO ADMINISTRATIVO A PARTIR DEL SIGLO XX

Aunque el hombre siempre ha tenido la necesidad de agruparse para conseguir lo que necesitaba, y nadie parece discutir la idea de que el progreso económico y social depende de la capacidad de organización para poder realizar en común grandes acciones de interés social, no siempre se ha entendido la administración como una disciplina que debiera expresarse mediante principios, reglas escritas o leyes claramente definidas que faciliten su transmisión y enseñanza. Antes de la Segunda Guerra Mundial la administración interesaba solamente a un grupo reducido de personas. Prueba de ello es que hasta entonces las enseñanzas de administración de negocios se hacían en escuelas de comercio, y la administración de empresas no se ofrecía en absoluto o se hacía bajo la forma de ingeniería de la producción y administración de personal[14]. Pero a partir de la gran contienda bélica, se comenzó a hablar de administración de empresas por todas partes y muchos se dispusieron a estudiarla, primero en Estados Unidos y luego en Europa, con fines de reconstrucción económica y social. El reconocimiento social de los empresarios aumentó considerablemente y se reconoció que por medio de las empresas se podría alcanzar el cambio social, aunque para ello se necesitaba la capacidad organizativa de buenos administradores, directivos o gerentes capaces de movilizar recursos económicos y hacer que funcionaran tanto las empresas privadas como las administraciones públicas. Sin una administración eficiente no puede haber progreso económico. No en vano Peter Drucker afirma que más que de países subdesarrollados hay que hablar en realidad de países subadministrados[15].

Las organizaciones y el pensamiento administrativo son fruto de un momento concreto de la historia y un contexto social que marca la manera de proceder. La forma de resolver los problemas de la organización en cada época histórica ha dado lugar a una evolución de la teoría administrativa (tabla 1.1) que permite desarrollar capacidades para aprender de la experiencia.

1.2.1. Enfoque clásico de la administración

El repaso de las obras de los principales autores clásicos de administración permite ver que gran parte de sus aportaciones, despojadas de términos y problemas ceñidos a su época, están plenamente vigentes hoy en día. Los problemas de administración, en el fondo, son muy similares y están en perpetua revisión, al no haber una respuesta definitiva a los mismos[16].

---

[14] Suárez, A. (2003).
[15] Drucker, P. F. (1969).
[16] Díez de Castro, J. y Redondo, C. (1999).

TABLA 1.1

Evolución del pensamiento administrativo

Enfoque clásico de la administración	Administración científica	Frederick Taylor (1856-1915), Henry L. Gantt (1861-1919), Frank y Lillian Gilbreth (1868-1924 y 1878-1972)	Tareas
	Teóricos de la administración general	Henry Fayol (1841-1925)	Estructura
	El modelo burocrático	Max Weber (1864-1920)	Estructura
Enfoque de las relaciones humanas	Estudios Hawthorne (1924 y 1933)	Elton Mayo (1880-1949)	Personas
Enfoque del comportamiento en la administración	Psicólogos	Fred Fiedler, Victor Vroom, Frederick Herzberg, Edwin Locke, David McClelland y Richard Hackman	Personas
	Sociólogos	Jeffrey Pfeffer, Kenneth Thomas y Charles Perrow	
Enfoques actuales	Enfoque de sistemas		Entorno
	Enfoque de contingencias		Entorno-tecnología

FUENTE: Elaboración propia.

Dos hechos genéricos centraron los orígenes del enfoque clásico a comienzos del siglo xx: el crecimiento acelerado y desorganizado de las empresas, que produjo la necesidad de un enfoque científico para sustituir la improvisación en su administración, y la necesidad de aumentar la eficiencia, es decir, mejorar el rendimiento de los recursos para hacer frente al aumento de la competencia entre empresas.

Las bases de la escuela administrativa clásica o tradicional fueron puestas por dos autores singulares, cuya vida y obra es objeto de estudio en las secciones siguientes de este capítulo. Se trata del norteamericano Frederick Taylor y el francés Henri Fayol, con aportaciones distintas pero complementarias. Los estudios de Taylor dan lugar a la escuela de la administración científica que busca aumentar la eficiencia mediante la racionalización del trabajo del obrero, mientras que Fayol, con su teoría de la administración general o teoría clásica, se interesó por mejorar la eficiencia de la empresa a través de su organización y el uso de principios generales de administración. Asimismo, en el enfoque clásico no se puede obviar al alemán Max Weber, contemporáneo de Taylor y Fayol, cuyas principales aportaciones desde una perspectiva intelectual mucho más general se centraron en el estudio de la burocracia y en temas relacionados con el poder y la autoridad.

1.2.1.1. *El enfoque de la administración científica de Taylor*

Frederick Winslow Taylor nace en Filadelfia en el año 1856 al amparo de una familia acomodada, y muere en la misma ciudad en 1915. Por problemas de visión tuvo que abandonar sus estudios a los diecinueve años y trabajó como mecánico en diferentes talleres, entre ellos las siderúrgicas *Midvale & Bethlehem Steel* en Pensilvania, donde realizó la mayor parte de su labor y donde ascendió de operario a ingeniero jefe en pocos años. Era una persona de formación disciplinada, tenaz y con devoción al trabajo, al cual le asombraban las pérdidas que ocasionaba la ineficiencia de las acciones cotidianas de los trabajadores, ya que éstos usaban métodos muy diferentes para llevar a cabo las mismas tareas. Observó, además, que los trabajadores eran ubicados en los puestos sin que hubiera preocupación alguna por adaptar sus capacidades y aptitudes a las tareas que se les asignaban. Para Taylor, la solución a estos problemas no estaba en buscar hombres extraordinarios, sino en hallar «la mejor manera» de hacer cada trabajo, que debía plasmarse en principios, reglas y leyes claramente definidas, como una ciencia, olvidando la rutina o práctica empírica. Ciencia para Taylor significa observación sistemática y medida. La tarea de cada trabajador queda totalmente planificada por la dirección, con instrucciones completas por escrito, describiéndole detalladamente la labor que tiene que llevar a cabo y los medios a emplear para realizar el trabajo en un tiempo ya cronometrado. Taylor terminó materializando su método científico de movimientos y tiempos de ejecución, con la publicación, en 1911, del libro *Principios de la administración científica*[17], que obtuvo un gran éxito tanto dentro como fuera de Estados Unidos.

Por la importancia de su metodología y sus principios, Taylor ha sido considerado el precursor de la administración científica. Su revolucionaria perspectiva de aumento de la productividad se basa en el estudio de tiempos y movimientos de cada tarea y en el análisis riguroso de las combinaciones de procedimientos, técnicas y herramientas a utilizar en el trabajo. De este modo es posible situar en cada puesto a la persona idónea para ocuparlo, que contará con las herramientas y el equipo más adecuado, así como de las instrucciones exactas para realizar su trabajo de la forma más eficiente. La contraprestación para el trabajador por esta elevada especialización es un aumento de su salario en forma de retribución por productividad.

---

[17] Taylor, F. W. (1987).

Taylor, al definir las reglas para mejorar la productividad, provocó una revolución mental en patrones y obreros, de los cuales no pensaba que sus intereses fundamentales fueran forzosamente antagónicos: no puede haber prosperidad para el patrón a menos que vaya acompañada de la prosperidad para los empleados, y viceversa. La administración debe asegurar el máximo progreso, tanto para el patrón como para los empleados, a los que considera motivados principalmente por cuestiones económicas. Con su administración sistemática consiguió alcanzar niveles de producción nunca vistos, disminuir costes, mejorar la calidad del trabajo y elevar las retribuciones al proponer un sistema de incentivos salariales para aquellos trabajadores más eficientes.

La administración científica centró sus esfuerzos en aumentar la eficiencia mediante la racionalización del trabajo del obrero (énfasis en las tareas), aunque esto condujo inevitablemente a cambios en toda la estructura de dirección y supervisión del trabajo. Se trata, por tanto, de comprender un enfoque ascendente desde los trabajadores hacia el gerente y desde las partes, los obreros y sus tareas, hacia la organización empresarial como un todo. Encontrar la mejor forma de realizar cada tarea, seleccionando a la persona indicada para cada labor y entrenándola para producir de la mejor forma.

Si bien los métodos de Taylor produjeron un sustancial aumento de la productividad, y en algunos casos mejores sueldos, los trabajadores y sindicatos empezaron a oponerse a este enfoque, por temor al mito de que trabajar más y a mayor velocidad agotaría el trabajo disponible y conduciría a recortes de personal. Asimismo, Taylor ignoró la importancia del grupo informal y la vida social de los obreros al considerarlos como individuos aislados, restringiendo sus relaciones tan sólo a sus herramientas y a sus compañeros inmediatos o a sus superiores directos. La administración científica considera a la organización como un conjunto rígido y estático de piezas, como si fuera una máquina en la que el obrero superespecializado es una simple sección más del engranaje. En este sentido, los trabajos resultan degradantes y humillantes por la monotonía, por la disminución del razonamiento y por la destrucción del significado psicológico del trabajo.

El taylorismo es un enfoque prescriptivo y normativo que busca estandarizar ciertas situaciones, y crear recetas en determinadas circunstancias para que el administrador tenga éxito. Tan sólo muestra cómo debe funcionar la organización en vez de explicar su funcionamiento. Al mismo tiempo, entiende a la empresa como una entidad autónoma, como un sistema cerrado a cualquier influencia externa y cuyo comportamiento depende de pocas variables.

Pese a las limitaciones y críticas expresadas sobre el enfoque de Taylor, hay que reconocer su carácter pionero en los estudios de administración. El taylorismo fue un gran paso para la administración que solucionó problemas concretos de su época, y aún hoy, muchos de sus conceptos y métodos siguen vigentes, aunque su abuso es negativo para cualquier sistema económico por el trato tan simple que se hace del comportamiento humano.

1.2.1.2. *Teoría clásica de la administración de Henri Fayol*

Henri Fayol nació en Constantinopla (1841) en el seno de una familia burguesa. Fue un notable director de empresas, a quien se le atribuye su éxito debido a la aplicación sistemática de una serie de principios universales, sencillos pero eficaces, que pueden enseñarse para ejercer correctamente la función administrativa. Se graduó como ingeniero civil de minas a los diecinueve años y trabajó en un importante grupo minero-metalúrgico francés, la *Compagnie Commentry Fourchamboult et Decazeville*, del que llegó a ser presidente con cuarenta y siete años. Por costumbre, anotaba diariamente en un cuaderno todos aquellos hechos que le llamaban la atención en su trabajo, y fruto de estas notas de experiencia personal fue su prestigioso libro *Administración industrial y general*[18], publicado en Francia en 1916, donde expuso los principios fundamentales en los que se debe apoyar la correcta función administrativa de cualquier empresa. Vivió las consecuencias de la Revolución Industrial y de la Primera Guerra Mundial antes de jubilarse, en 1918, y dedicó sus últimos años de vida a la tarea de la divulgación de sus conocimientos administrativos, de forma que cuando falleció en París (1925) había sentado las bases de una corriente administrativa[19] seguida por diversos discípulos como Lyndall Urwick y Luther Gulick[20].

A diferencia de Taylor, del que fue contemporáneo, la aportación de Fayol se sustenta más en la experiencia que en la ciencia. Su interés se centra más en las actividades de los gerentes de medio y alto nivel que en las tareas de taller realizadas por el operario de primera línea como hizo Taylor, de ahí que se dijera que el *fayolismo* era en realidad «una escuela de jefes». Fayol insistía en que sus estudios no eran opuestos a los de Taylor, sino que eran aportaciones complementarias, pues ambos procuraban la mejora administrativa y la eficiencia en las organizaciones, pero por distintos caminos de análisis. Para Taylor, la forma de alcanzar este objetivo es a través de la racionalización del trabajo del operario y por la suma de la eficiencia de cada individuo, mientras que Fayol parte de la organización como un todo y de su estructura para garantizar la eficiencia de las partes que la componen, ya sean departamentos, secciones o personas que desempeñan cargos o ejecutan tareas. Por tanto, se trata de un enfoque descendente,

---

[18] Fayol, H. (1987).

[19] Gulick, L. y Urwick, L. (1937).

[20] Luther Gulick y Lyndall Urwick son dos autores ingleses, con amplia experiencia en la práctica de la gerencia y la consultoría, que realizaron en colaboración una meritoria labor, durante las décadas de 1920 y 1930, de divulgación y sistematización del pensamiento administrativo, siguiendo principalmente a Taylor y a Fayol, aunque sin olvidar a otros autores. Fueron ellos quienes dieron a conocer en el mundo anglosajón la obra de Fayol. También a ellos se deben conceptos tan fundamentales para el diseño organizativo cono los de *staff* o *estado mayor, alcance o tramo de control, longitud de la cadena de mando*, etc. La denominación de estos términos se debe a la condición de militar de Lyndall Urwick.

desde la dirección a la ejecución, del todo hacia las partes, y de la organización a los departamentos y a las personas.

La teoría administrativa de Fayol recurre al método experimental, según el cual hay que observar, recoger, clasificar e interpretar los hechos para luego deducir de ellos reglas y principios. Es una teoría que surge de la necesidad de encontrar acciones específicas para administrar empresas complejas como las industriales, para las cuales establece operaciones o funciones que siempre tienen lugar, para más tarde aplicarlas a cualquier empresa, sea cual sea su tamaño o actividad. En consecuencia, identifica seis funciones empresariales básicas: 1) operaciones técnicas o de producción, relacionadas con la transformación u obtención de productos o prestación de servicios; 2) operaciones comerciales, asociadas con las transacciones de compra, venta o intercambio; 3) operaciones financieras, relativas a la captación y uso óptimo del capital; 4) operaciones de seguridad, orientadas a la protección de las personas, la propiedad y los bienes de la organización; 5) operaciones de contabilidad, relacionadas con los inventarios y balances destinados a facilitar los controles, los registros y las estadísticas de la empresa, y 6) operaciones administrativas[21], relacionadas con la coordinación de actos, sincronización de esfuerzos e influencia sobre todas las operaciones anteriores de la organización. Según Fayol, las funciones administrativas (previsión, organización, dirección, coordinación y control) son las más importantes y están siempre por encima de las otras cinco operaciones.

Fayol insiste en que el conocimiento administrativo, como cualquier otra habilidad, se puede enseñar mediante principios prescriptivos, ya que el administrador «se hace» y no tiene por qué poseer habilidades innatas. De este modo, sintetiza[22] el resultado de su dilatada experiencia profesional en 14 principios administrativos básicos que toda organización debería aplicar. Entre ellos cabe destacar los siguientes:

— *División del trabajo.* Consiste en la especialización de las tareas para producir más y mejor.

— *Relación entre autoridad y responsabilidad.* La autoridad es concebida como el derecho a mandar y ser obedecido. Fayol considera la responsabilidad como la consecuencia natural de la autoridad, su contrapeso indispensable. Nadie tiene que responder de aquello que no tiene autoridad de hacer, ni tampoco puede recibir autoridad sin quedar obligado a responder.

— *Unidad de mando.* Cada trabajador debe recibir órdenes de un solo jefe, para así evitar conflictos y malos entendidos de autoridad.

— *Unidad de dirección.* Toda la organización debe tener un único plan de acción que guíe a gerentes y empleados en una dirección única para conseguir un objetivo común.

---

[21] Kast, F. E. y Rosenzweig, J. E. (1992).
[22] Hernández, S. (2002).

— *Centralización o descentralización.* La autoridad debe ser delegada en proporción a la responsabilidad.
— *Jerarquía o cadena de mando.* Es la línea de autoridad, comunicación y transmisión de instrucciones que debe existir desde la alta dirección hasta los operarios y que no se puede romper.

En relación con estos principios el propio autor especifica que han de ser contemplados desde una cierta flexibilidad, tanto en lo relativo a su número —sólo enumera aquellos con los que está más familiarizado y no descarta que puedan ampliarse siempre y cuando se demuestre su valía— como a su aplicación.

La principal aportación de Henri Fayol descansa en el uso de generalizaciones universales respecto a la administración, señalando que la teoría administrativa es aplicable, tanto a las empresas, sea cual sea su tamaño o actividad, como a los gobiernos e incluso a los hogares. En cuanto a las limitaciones[23] de este enfoque destacan las siguientes: 1) ofrece una visión incompleta de la organización, ya que la circunscribe al ámbito de lo formal, ignorando su vertiente informal y los aspectos psicológicos y sociales de las personas; 2) la ausencia de trabajos experimentales capaces de dar base y comprobación científica a sus afirmaciones o principios, y 3) representa un enfoque incompleto de la organización a la que visualiza como un sistema cerrado y mecánico, afectado por unas pocas variables conocidas y previsibles. Sin embargo, las críticas a la teoría clásica no desvirtúan el hecho de que a ella se deben las bases de la teoría administrativa moderna.

1.2.1.3. *Teoría de la burocracia de Max Weber*

Max Weber (1864-1920) es considerado uno de los más destacados teóricos de la administración general y padre de la sociología moderna. Nació en la región central de Alemania, bajo el dominio de Prusia, en un ambiente liberal, protestante y con preocupaciones universales. Poseía una sólida formación en derecho, historia, psicología, teología, filosofía y filología. Pasó su vida como profesor universitario, pero destacó por su enfoque como sociólogo al elaborar el análisis de las estructuras de autoridad en las organizaciones. Cuando murió, sus investigaciones presentaban un estado caótico y ninguno de sus trabajos estaba escrito en inglés, por lo que sus obras fueron traducidas y armadas a partir de manuscritos fragmentados. Es conocido sobre todo por su obra *La ética protestante y el espíritu capitalista.* Sus principales aportaciones a la teoría administrativa son valiosas, aunque su trabajo sobre la burocracia y otros temas relacionados, como los de poder y autoridad, no fueron reconocidos en Estados Unidos hasta veinte años después de su muerte.

---

[23] Chiavenato, I. (2004).

Al igual que la teoría de la administración científica de Taylor y la teoría clásica de Fayol, la teoría de la burocracia de Weber considera a la organización como un sistema mecanicista de racionalización de las actividades colectivas, mediante un conjunto ordenado de reglas impersonales y precisas dictadas por una autoridad o superior jerárquico con facultades para ello[24]. Surge por la necesidad de estructurar las organizaciones que rebasan un determinado tamaño y complejidad, haciéndose necesario un modelo racional de organización que abarque gran cantidad de variables y también el comportamiento de sus participantes. La obediencia en este tipo de organizaciones no se fundamenta en la costumbre ni en las características personales del superior jerárquico, sino en un conjunto de normas, reglamentos e instrucciones racionalmente definidas y previamente establecidas. El modelo burocrático trata de imponer los tipos exactos de relaciones humanas necesarias para incrementar la productividad en la organización, ofrecer el medio más eficiente de realizar el trabajo, pues para cada trabajador queda definida con precisión su actividad y su relación con otras actividades, y termina forjando la racionalización del trabajo colectivo. Los estudios de Weber, a diferencia de Taylor y Fayol, que escriben desde el punto de vista del jefe de taller o gerente, se hacen desde una perspectiva intelectual mucho más general.

El modelo ideal de burocracia comprende las siguientes características:

— *Máxima división del trabajo:* Las actividades de toda organización se descomponen en tareas simples, de tal modo que cualquier persona, de cualquier tipo de organización, se puede convertir en alguien especializado en un tiempo mínimo.

— *Jerarquía de autoridad:* Los puestos de trabajo deben organizarse bajo una cadena de mando. Todo empleado inferior debe estar sujeto al control y supervisión del superior con autoridad legal.

— *Cualificación técnica y seguridad en el trabajo:* Todo empleado debe ser seleccionado en base a una cualificación técnica que le permita alcanzar el desempeño adecuado. Se debe desarrollar y ascender al trabajador en función de su desempeño, méritos y antigüedad.

— *Reglas y normas:* El trabajo debe regirse por órdenes y reglas precisas, claras y sencillas que emanen de la dirección general para lograr la uniformidad y coordinación de la ejecución de toda la organización.

— *Impersonalidad:* Las reglas y los procedimientos son aplicados de modo uniforme e imparcial, evitando consideraciones personales o emocionales.

— *Compromiso profesional del administrador:* Los administradores serán entrenados para realizar sus actividades de manera imparcial, aplicando principios democráticos que alcancen la eficiencia organizacional.

---

[24] Suárez, A. S. (1987).

1.2.2. Escuela de las relaciones humanas de Elton Mayo

El psicólogo australiano Elton Mayo (1880-1949), que trabajó la mayor parte de su vida en el *Harvard Business School,* fue el pionero y el investigador más relevante de la escuela de las relaciones humanas. Su libro *Problemas humanos de una civilización industrial*[25], publicado en 1933, sirvió de estímulo al movimiento de las relaciones humanas. Las teorías administrativas desarrolladas hasta entonces otorgaban importancia a la tarea (Taylor), a la estructura (Fayol) y a la autoridad (Weber), pero con el enfoque de las relaciones humanas la importancia es transferida a las personas que forman la organización. Los esfuerzos se centran ahora en la persona y en su grupo social, en detrimento de las cuestiones técnicas y formales.

Elton Mayo fue el encargado de realizar y coordinar[26] los experimentos de Hawthorne, llamados así porque fueron realizados en una fábrica de la *Western Electric Company* situada en el barrio de Hawthorne, en Chicago, entre los años 1924 y 1932. Estos experimentos han tenido gran importancia para los estudios de administración porque los investigadores comenzaron a percibir que las tareas de los grupos, las actitudes y las necesidades de los empleados afectaban a su motivación, a su comportamiento y a su productividad.

Las principales conclusiones del experimento de Hawthorne, que configuraron el esqueleto teórico de la escuela de las relaciones humanas, son las siguientes[27]:

1. *El nivel de producción del individuo depende de su nivel de integración social,* es decir, cuanto más integrado esté socialmente el grupo (unión, buen ambiente, relaciones afectivas, unidad de objetivos, etc.), mayor será la disposición para producir.

2. *El comportamiento individual se apoya en el grupo,* de tal forma que los trabajadores no actúan de forma aislada como individuos, sino que lo hacen como miembros del grupo. De este modo, dado que el poder del grupo para provocar cambios en el comportamiento individual es muy grande, la administración no puede tratar a los trabajadores por separado, sino que necesita tratarlos como miembros de grupos de trabajo.

3. *El comportamiento de los trabajadores está condicionado por las normas y estándares sociales.* Mayo y sus seguidores consideran que la motivación económica es secundaria a la hora de determinar el rendimiento; para esta teoría, las personas son motivadas por la necesidad de reconocimiento,

---

[25] Mayo, E. (1977).

[26] Las investigaciones de Hawthorne no fueron coordinadas sólo por E. Mayo, sino también por G. A. Pennock, y expuestas el 9 de marzo de 1938, por H. A. Wright y M. L. Putnam, de Western Electric, y por Fritz J. Roethlisberger (1898-1974), el más destacado de los colaboradores de E. Mayo y durante mucho tiempo profesor de Relaciones Humanas en la Escuela Superior de Administración de Empresas de Harvard.

[27] Chiavenato, I. (1981).

aprobación social y participación en las actividades de los grupos sociales en los que conviven; de esta forma aparece el concepto de «hombre social».

4. *Descubrimiento y énfasis en la organización informal.* La escuela de las relaciones humanas se centra en los aspectos informales de la organización. De esta forma, la empresa se considera una organización social formada por grupos sociales informales cuya estructura no siempre coincide con la formal.

5. *La importancia del contenido del puesto de trabajo.* Para la escuela de las relaciones humanas, la extrema especialización del trabajo no es la única ni la mejor solución a la búsqueda de la eficiencia productiva. Por el contrario, se postula que los trabajos con un mayor contenido, tanto en variedad de tareas como en el grado de control sobre las mismas, tienen una enorme influencia en la moral del trabajador y en su productividad. Este enfoque es el precursor de las numerosas investigaciones que, a partir de entonces, se centraron en las repercusiones del enriquecimiento y ampliación de los puestos de trabajo sobre la productividad y la eficiencia.

A pesar de la relevancia de sus aportaciones, la escuela de las relaciones humanas no ha estado exenta de críticas[28]. En primer lugar hay que destacar su visión parcial sobre la organización al referirse sólo a su dimensión informal y sobrevalorar la importancia de la cohesión grupal en los aumentos de productividad. En segundo lugar, presenta una concepción ingenua y romántica del trabajador, para quien las recompensas económicas tienen escasa importancia y cuya motivación laboral descansa en la satisfacción derivada de su aceptación social en el grupo. Desgraciadamente, las investigaciones posteriores no han sido capaces de corroborar la relación entre el bienestar personal y productividad, de modo que no resulta descabellado afirmar que un trabajador feliz puede ser improductivo, del mismo modo que uno infeliz puede ser productivo. Por último, la crítica más sutil que ha recibido este enfoque apunta a que, si bien se desarrolla para proponer una mayor humanización en el trabajo, al final deriva hacia una refinada forma de explotación de los trabajadores al restar importancia a sus legítimos intereses económicos. Desde este punto de vista, la escuela de las relaciones humanas es vista como un enfoque manipulador que desarrolla una estrategia para inducir a los trabajores a trabajar más a cambio de recompensas sociales en lugar de monetarias.

1.2.3. Enfoque del comportamiento administrativo: teoría de las decisiones de Simon

El conductismo puede ser definido como una doctrina que pretende explicar los fenómenos sociales por medio del comportamiento de los individuos

---

[28] Ibíd.

y del estudio de las causas que influyen sobre éste[29]. Con este enfoque se abandonan las posiciones normativas y prescriptivas de las teorías anteriores y se adoptan posiciones explicativas y descriptivas. El énfasis permanece en las personas, pero dentro de un contexto organizacional más amplio. Las teorías del comportamiento representan un desdoblamiento de la teoría de las relaciones humanas, con la que comparte algunos de sus conceptos fundamentales, utilizándolos únicamente como punto de referencia, pues el enfoque del comportamiento rechaza su concepción ingenua y romántica de entender al obrero. Por otro lado, algunos autores ven en el conductismo una verdadera antítesis a la teoría de la organización formal, a los principios generales de administración, al concepto de autoridad formal y a la posición mecanicista de los autores clásicos.

La perspectiva conductista estudia la organización como un sistema de intercambio que recibe contribuciones de los participantes bajo la forma de dedicación o trabajo y a cambio ofrece alicientes e incentivos (salario, beneficios, premios de producción, gratificaciones, elogios o reconocimiento), todo ello dentro de una compleja trama de decisiones.

Herbert Alexander Simon (1916-2001), economista y científico social estadounidense, es considerado el teórico más influyente de esta escuela de pensamiento. En los años cincuenta inició estudios sobre la conducta de los tomadores de decisiones, por los cuales posteriormente, en 1978, obtuvo el premio Nobel de Economía. Con la publicación en 1947 de su libro *Comportamiento administrativo*[30], sienta las bases de la teoría de las decisiones, que marca el inicio de la escuela del comportamiento en la administración. Simon utilizó la teoría de las decisiones para explicar la conducta humana en las organizaciones, basada en la racionalidad limitada de las personas. Concibe a la organización como un sistema de decisiones[31], donde cada persona participa de forma racional y consciente tomando decisiones individuales.

Frente al concepto clásico de «hombre económico», movido sólo por su propio interés y poseedor de una racionalidad perfecta que le permite maximizar el resultado de sus decisiones, Simon propone el concepto de «hombre administrativo», más humano, consciente de sus limitaciones para conocer toda la información necesaria para resolver un problema o para desarrollar todas las posibles alternativas; en definitiva, dotado de una racionalidad limitada o parcial. El «hombre administrativo» no busca por tanto maximizar sus resultados, sino adoptar un curso de acción que sea aceptable o lo suficientemente bueno; está dispuesto a asumir una solución adecuada, dentro de sus posibilidades, en lugar de buscar siempre la óptima.

---

[29] Oliveira da Silva, R. (2002).
[30] Simon, H. A. (1976).
[31] Véase capítulo 5, sobre la toma de decisiones.

Dentro del conductismo pueden señalarse dos corrientes[32]: una centrada en los aspectos psicológicos, que ha contribuido al conocimiento actual sobre el liderazgo, la motivación y el diseño de puestos; y por otro lado, la corriente que destaca los aspectos sociológicos que ayudan a comprender el poder, el conflicto y el diseño de la organización.

1.2.4. Perspectivas recientes de la administración

Las décadas que siguieron a la conclusión de la Segunda Guerra Mundial han sido una época caracterizada por el cambio social acelerado, la diversidad y la complejidad creciente. El progreso económico en gran parte del mundo ha venido condicionado por el espectacular desarrollo de las tecnologías productivas. Todo ello, junto con la revolución en el campo de las comunicaciones y las tecnologías para el tratamiento de la información, ha incidido de forma notable en el comportamiento de las empresas y sus estructuras organizativas tradicionales, que han tenido que ser adaptadas a las nuevas realidades y circunstancias[33]. Desde la teoría de la administración han surgido nuevos desarrollos de naturaleza integradora y coherentes con este nuevo escenario. El enfoque de sistemas entiende a la empresa como una serie de partes interrelacionadas e interdependientes que configuran un todo que a la vez forma parte del ambiente externo. La incidencia del entorno, no sólo externo sino también interno, que cada vez es más complejo e imprevisible, configura el enfoque contingente de la administración.

1.2.4.1. *Enfoque de sistemas*

El enfoque sistémico o de sistemas en el estudio de las organizaciones tiene su origen en los trabajos del biólogo alemán Ludwig von Bertalanffy, que en la década de los años cincuenta del pasado siglo desarrolló la teoría general de sistemas. La base de su concepción era concebir a los organismos vivos no como un conglomerado de elementos separados, sino como un conjunto definido que posee organización y totalidad y en constante interrelación con su entorno.

La teoría general de sistemas es esencialmente una teoría interdisciplinaria, capaz de trascender los problemas exclusivos de cada ciencia y de proporcionar principios y modelos generales para todas las ciencias involucradas. El concepto fundamental de esta teoría es el de sistema, que se define como *un conjunto de elementos que interaccionan de forma dinámica para alcanzar un objetivo, realizando para ello una actividad que transforma unos insumos (información, energía o materia) en unos resultados (información, energía o materia).*

---

[32] Oliveira da Silva, R. (2002).
[33] Suárez, A. S. (2003).

El enfoque de sistemas surgió gracias al trabajo de los biólogos, pero fueron E. J. Miller y A. K. Rice[34] quienes lo aplicaron al campo de las organizaciones industriales. Este enfoque concibe a la organización como un conjunto de partes interdependientes, que no pueden ser separadas sin que se pierdan sus características esenciales, y en constante interrelación con el entorno con el que intercambia información, material o energía. Cualquier actividad, sea técnica o social, que se lleve a cabo en una parte de la organización provoca consecuencias en el resto del sistema en su conjunto. De este modo, cuando la dirección toma decisiones que implican a un determinado elemento, suelen derivarse una serie de consecuencias que afectan a la totalidad del sistema organizativo.

La organización está compuesta por subsistemas jerarquizados y diferenciados que pueden ser observados de forma independiente, pero sin perder de vista su interrelación con otros subsistemas y con el medio exterior[35]. Esta visión permite contemplar a un operario como miembro de un equipo o unidad, a éstos dentro de un departamento, a éste dentro de una empresa, a ésta dentro de una región y sector, incluida en una economía nacional y mundial.

El enfoque de sistemas ha desarrollado un léxico propio, dando lugar a términos como el de *sinergia,* que describe una situación donde el todo es mayor que la suma de sus partes. En el ámbito de la organización puede significar, por ejemplo, que los departamentos que interactúan de forma cooperativa son más productivos que si trabajaran de forma independiente. La sinergia no sólo se da en el interior de una organización, pues se pueden encontrar también esos efectos multiplicadores en los acuerdos entre empresas, así como en sus fusiones y adquisiciones. Otro término propio del enfoque de sistemas es el de *retroalimentación,* que se utiliza para indicar que los resultados del sistema vuelven al mismo en forma de insumos de información que permiten el control del proceso de transformación.

El estudio de la organización desde un enfoque de sistemas se centra, por tanto, en las interconexiones y las interdependencias entre sus elementos (materiales y humanos), utilizando los procesos de decisión organizativos y los sistemas de información y control como sus puntos centrales de análisis. Las organizaciones se conciben como procesos dinámicos de interacciones entre sus elementos y partes, y como sistemas adaptativos que deben ajustarse a los cambios de su entorno si desean sobrevivir.

1.2.4.2. *Enfoque de las contingencias*

El enfoque contingente o teoría de las contingencias[36] aplicado al estudio de las organizaciones es una concreción de la teoría general de sistemas que se basa en la consideración de las posibles contingencias o condiciones del entorno de la

---

[34] Miller, E. J. y Rice, A. K. (1967).
[35] Kast, F. E. y Rosenzweig, J. E. (1992).
[36] Lawrence, P. R. y Lorsch, J. W. (1967).

organización para establecer, en función de las mismas, el diseño estructural o las acciones administrativas más adecuadas a cada situación o caso. Según este enfoque, la tarea del administrador consistirá en identificar los factores contingentes que definen una situación dada, observar cómo interaccionan entre ellos y con la situación, y tratar de encontrar la respuesta administrativa más adecuada o ajustada a ese conjunto de variables concretas.

El enfoque de contingencias establece la ausencia de recetas universales y válidas para todo tiempo y lugar. En la literatura administrativa, el término contingencia implica que algo guarda relación con otra cosa. Esto significa aceptar el carácter complejo e interrelacionado de las características de las organizaciones. Es un enfoque que se opone a la visión clásica que pretendía desarrollar principios generales y rígidos para administrar. Los principios administrativos quedan relativizados debido a que se modifican continuamente las circunstancias en las que han de ser aplicados.

Las variables de contingencia que han sido tratadas con más frecuencia por la investigación son:

— Tamaño de la organización. El número de personas en una organización ejerce una gran influencia en lo que los gerentes hacen. Conforme el tamaño se incrementa, aumentan los problemas de coordinación (puede que la estructura apropiada para una empresa de 50.000 empleados sea ineficiente para otra con 50 trabajadores).

— Tecnología de operaciones. Para que una organización consiga su propósito utiliza tecnología (transforma las entradas en salidas). Diferentes tipos de tecnología requieren unas estructuras, estilos de liderazgo y sistemas de control diferentes.

— Incertidumbre del entorno. El grado de incertidumbre provocado por los cambios políticos, tecnológicos, socioculturales y económicos tiene efecto en el proceso administrativo. Lo que funciona mejor en un entorno estable y previsible puede ser inapropiado en un ambiente cambiante e imprevisible.

— Diferencias individuales. Las personas difieren en cuanto a su deseo de crecimiento, autonomía, tolerancia a la incertidumbre y expectativas. Tales diferencias son esenciales cuando el gerente selecciona técnicas de motivación, estilos de liderazgo y diseño de puestos.

RESUMEN

Las organizaciones, sean con objetivos lucrativos o no, tienen muchas repercusiones en la sociedad actual. El grado en que puedan alcanzar sus metas dependerá del desempeño gerencial, de la eficacia y eficiencia en la dirección racional de sus actividades. Por ello, es primordial presentar los conceptos básicos de su administración. Las organizaciones son unidades sociales deliberadamente constituidas para promover objetivos específicos para lo cual se hace necesario el proceso de administración. Administrar implica el desarrollo de una serie de funciones continuas, como tomar decisiones, y de funciones secuenciales, esto es, planificar, organizar, dirigir y controlar. Los administradores se pueden clasificar por niveles: de primera línea, directivos medios y alta dirección; pero también se pueden clasificar, según su papel dentro de la organización, en directivos funcionales y generalistas. A su vez, los gerentes, al dirigir a las organizaciones hacia sus metas, adoptan una amplia serie de roles interpersonales, informativos y de decisión. La experiencia y las relaciones humanas son parte fundamental de estos roles. Por otra parte, el desarrollo del proceso de administración requiere de los gerentes ciertas habilidades conceptuales, humanas y técnicas.

La administración y las organizaciones son fruto de un momento, a la vez que de su contexto histórico y social. Por tanto, es importante conocer las principales teorías de pensamiento administrativo desde una perspectiva temporal, lo cual permite mostrar sus avances graduales y el efecto acumulativo de los distintos enfoques, así como sus principales contribuciones. La administración científica, la teoría clásica, la dirección burocrática, el enfoque de las relaciones humanas, la escuela del comportamiento administrativo, la teoría de sistemas y el enfoque contingente tendrán cabida en el campo del conocimiento humano que se ocupa del estudio de la administración de empresas.

PREGUNTAS DE REPASO

1. ¿Qué es una organización?

2. Establezca las relaciones existentes entre las funciones administrativas y los roles directivos propuestos por Mintzberg.

3. Describa las habilidades que deben tener los buenos administradores.

4. Defina la eficiencia y la eficacia del trabajo directivo.

5. Explique la universalidad del concepto de administración.

6. Realice un esquema de cómo las diferentes teorías de la administración han contribuido al conocimiento actual de las organizaciones y su administración.

7. Describa la visión de la organización desde el punto de vista de la teoría de sistemas.

8. ¿Qué se entiende por *hombre económico*, *hombre social* y por *hombre administrativo*?

CASO PRÁCTICO

¿Cuáles son los ingredientes del éxito de un gerente?

El trabajo de cualquier gerente comienza con el esbozo de la visión de futuro para su empresa, y continúa, posteriormente, teniéndola que renovar cada día. *«Gestionar tiene mucho que ver con tener un sueño y vivir con pasión esa idea»* (Juan Arena, presidente de Bankinter). *«La visión de futuro y la capacidad de ejecución en el presente son dos factores primordiales del gerente»* (Xavier de Irala, ex presidente de iberia y presidente de Bilbao Bizkaia Kutxa). El aprendizaje continuo, el observar las tendencias y adaptar el negocio a las nuevas ideas que germinan en otros mercados más avanzados se ha convertido en una permanente necesidad.

Para convertir las ideas en resultados y amplificar la energía del gerente a través de la organización, se requiere una estructura flexible y unos procesos que permitan actuar con la máxima rapidez, coordinación y eficacia. *«Se debe conseguir que todo el personal trabaje para obtener resultados concretos, definir cómo medirlos y, sobre todo, cómo instituir una organización que aprenda de su experiencia»* (Ignasi Carreras, director general de Intermón Oxfam). Para asegurar la eficacia es imprescindible que todo el mundo esté involucrado con los objetivos de la empresa, que se extienda el sentido de propiedad, se comparta la responsabilidad y se haga a todos partícipes del éxito del proyecto. Involucrando a todos, se consigue un alto nivel de compromiso.

El directivo moderno es alguien que sabe rodearse de los mejores profesionales y confiar plenamente en ellos. *«La grandeza está en los equipos, el líder solitario de antiguos tiempos no tiene ahora cabida»* (Álvaro Videgain, presidente y consejero delegado de Tubacex). *«Siempre he intentado rodearme de personas que, en lo suyo, sean mejores que yo»* (Ana Patricia Botín, presidenta de Banesto). Rodearse de los mejores profesionales es necesario, pero no es condición suficiente para tener éxito, pues conviene vencer toda resistencia a delegar y confiar plenamente en ellos. *«Muchos gerentes no progresan porque tienen miedo a la gente, tiene miedo a dar, tienen miedo a entregarse y están más preocupados de controlar que de dirigir. Dirigir hoy es convencer y tener fe en la capacidad de las personas más que dar órdenes»* (Juan Arena). Asimismo, el éxito surge cuando el gerente logra crear una organización donde el talento y la innovación fluyen, las ideas y mejores prácticas se comparten, y aparece la crítica constructiva y el espíritu de mejora entre todos los empleados. *«La empresa ha de estar al servicio de las personas, y la labor del gerente está en ser el primer servidor de la empresa»* (Juan Manuel González Serna, presidente del Grupo Siro).

No obstante, para actuar con la máxima coordinación y eficacia, se necesitan unos procedimientos y sistemas que permitan compartir la información de manera fluida e integrada entre todos los escalones y funciones de la cadena de mando. Asimismo, los procesos de información y la tecnología son parte esencial de la estrategia de la empresa. *«Para ser líder en innovación comercial y mantener una mejora continua* en la eficiencia operativa y en el coste por transacción es clave tratar a la tecnología como una herramienta competitiva y que así lo entienda toda la organización» (Ana Patricia Botín). De la misma manera, una delegación de la toma de decisiones en los niveles más cercanos a la operación asegura flexibilidad y rapidez de reacción.

Igualmente, las estructuras eficientes y de calidad son las que miran al mercado más que al producto, y disponen los recursos y capacidades de la organización de manera óptima para resolver las necesidades de sus clientes. *«La única calidad que importa es la calidad que percibe el cliente»* (Josep Tarradellas, presidente de Casa Tarradellas). El gerente debe implicarse personalmente en la relación con sus clientes y asegurar que toda la organización se mueve con una vocación de excelencia en el servicio al cliente. *«Siempre he visto a mis clientes como socios»* (Pilar Zulueta, directora general de *Warner Brothers Consumer Products* en Europa, Oriente Medio y África). *«Para cumplir el objetivo empresarial de maximizar el beneficio, se debe tener en cuenta a cinco protagonistas: clientes, empleados, proveedores, sociedad y capital han de ser iguales en importancia, pero el cliente es El Jefe»* (Juan Roig, presidente de Mercadona). El espíritu de colaboración y respeto mutuo trasciende las fronteras de la empresa e incluye, por extensión, a los suministradores y colaboradores de la compañía. El éxito en las negociaciones se asegura poniéndose en el lado del otro, *«de esta manera es fácil llegar a un acuerdo. Siempre intento que, al final de la negociación, el otro quede igual de satisfecho que yo»* (Florentino Pérez, presidente ejecutivo de ACS y presidente del Real Madrid, Club de Fútbol).

De entre todos los valores del directivo, es el coraje, sinónimo de valor, la virtud universalmente más admirada. Un alto nivel de confianza y seguridad en sí mismo le dotan de una inapreciable capacidad de decisión y acción. Ante esta fuerza interior nada se rinde: las oportunidades parecen brillar con luz propia y los riesgos se minimizan. No obstante, la habilidad para reconocer las propias equivocaciones es una de las virtudes más difíciles de encontrar en cualquier persona; sin embargo, el gerente debe concebir que el dinero perdido en los errores no deja de ser dinero invertido en aprender. Fracaso es el error que no se ha sabido convertir en aprendizaje. Asimismo, la paciencia es un valor indiscutible que también se ha de cultivar, aunque se necesitan éxitos tempranos en la vida profesional para afianzar la confianza en uno mismo y ganarse la credibilidad de la organización.

El directivo excelente contagia su energía y el entusiasmo por su proyecto a toda la organización, al mismo tiempo que compagina el trabajo con otras ocupaciones que equilibran el resto de sus facetas personales. *«A lo largo del tiempo, he aprendido a ser más estricta a la hora de marcar mis prioridades, entendiendo que no se puede pretender abarcar todo, que hay que apagar los fuegos importantes, pero dejar que otros te ayuden a apagar el resto, o sencillamente, dejar arder los temas menos relevantes»* (Pilar Zulueta).

Fuente: Adaptado de *Retratos de liderazgo. Claves de éxito de 25 líderes españoles,* Gran Enciclopedia de la Gestión Empresarial, McGraw-Hill, Madrid, 2006.

PREGUNTAS

1. Asocie algunos comentarios con las funciones de planificación, organización, dirección y control del administrador.

2. ¿Qué habilidades debe desempeñar un directivo? Relaciónelas con el texto.

3. Enlace comentarios del texto con los roles administrativos de Mintzberg.

4. ¿Se le ocurren algunas otras recomendaciones para mejorar la eficiencia y eficacia de los gerentes?

2

Ética y responsabilidad social

OBJETIVOS DE APRENDIZAJE

1. Conocer el concepto de ética en los negocios y la implantación de programas éticos dentro de las organizaciones.
2. Analizar los diferentes instrumentos de que dispone la organización para intensificar el compromiso de sus miembros con los programas éticos.
3. Identificar y comprender las diferentes guías para la toma de decisiones éticas.
4. Describir lo que entiende por un comportamiento socialmente responsable de una organización.
5. Comprender y analizar las distintas perspectivas de la responsabilidad social de las organizaciones.
6. Conocer las ventajas e inconvenientes que pueden derivarse de un programa de responsabilidad social.
7. Identificar las diferentes actuaciones en materia de transparencia informativa.
8. Conocer el concepto de auditoría social, sus tipos y proceso.

Ética y responsabilidad social son dos aspectos que han adquirido gran importancia para la dirección estratégica de la empresa, de tal modo que las empresas están realizando notables esfuerzos en los últimos años para demostrar que aplican estos principios a sus decisiones[1]. Tanto la ética como la responsabilidad social se relacionan con la bondad o moral de las organizaciones, siendo la ética en los negocios un concepto más estrecho que se aplica a la moral de las decisiones y las conductas de un individuo, mientras que la responsabilidad social es un concepto más amplio que se relaciona con las repercusiones que una organización produce en la sociedad, más allá de hacer lo ético[2].

---

[1] Guadamillas Gómez, F. (2005).
[2] Bounds, G. M., Dobbins, G. H. y Fowler, O. S. (1995).

En este capítulo se abordarán ambos conceptos. Para ello el capítulo se estructura en torno a dos bloques perfectamente diferenciados. En el primero, se aborda la problemática relacionada con la ética en los negocios y se tratan temas como los diferentes instrumentos para conseguir el compromiso con los valores éticos, es decir, los códigos de ética, los comités de ética, el defensor de ética, las auditorías éticas, la realización de una adecuada selección de personal y los programas de capacitación. Además se analizan las guías existentes para la toma de decisiones éticas. En el segundo bloque, se aborda la responsabilidad social. En esta parte, se analizan cuestiones como el origen y el porqué de la responsabilidad social, su concepto e importancia. Adicionalmente, se enumeran los beneficios e inconvenientes de la responsabilidad social, se muestran los diferentes enfoques existentes al respecto, y se finaliza con algunos de los aspectos más visibles de la responsabilidad social, como son los balances sociales y las correspondientes auditorías.

2.1. ÉTICA EN LOS NEGOCIOS

Para que se pueda hablar de ética en los negocios, la organización y los individuos que la componen deben comportarse conforme a las reglas morales. Por ello, puede decirse que una organización ética es aquella que *se rige por un conjunto de valores éticos aceptados y asumidos por todos los miembros de la organización*[3]. Estos valores éticos establecen normas en cuanto a lo que es correcto o incorrecto y sirven para guiar la conducta de los individuos cuando se enfrentan a dilemas éticos[4]. Sólo se puede considerar ética a una organización cuando actúe de forma ética, tanto en sus relaciones con los accionistas como con el resto de grupos o individuos que poseen interés en el resultado de la empresa *(stakeholders)*.

Pero no basta con que la organización establezca sus valores éticos, sino que para poder aplicarlos debe contar con el apoyo, participación y compromiso de todos sus miembros. Por ello, para conseguir que las personas sean capaces de actuar éticamente y de forma congruente con los valores éticos de la organización, ha de llevarse a cabo un programa ético. Un programa de ética es un proceso continuo que incluye todas las actividades que se realizan para prevenir y detectar las conductas no éticas[5].

Para que un programa ético sea eficaz se tienen que cumplir dos requisitos[6]: 1) que las personas tengan la capacidad necesaria para actuar éticamente, y 2) que

---

[3] Reidenbach, R. E. y Robin D. P. (1991).
[4] Shea, G. F. (1988); Trevino, L. K. (1986).
[5] Ferrell, O. C., LeClair, D. T. y Ferrell, L. (1998); Shaub, M. K., Finn D. W. y Munter P. (1993).
[6] McDonald, G. y Nijhof, A. (1999).

tengan la intención de hacerlo. El primer requisito viene condicionado por la organización al fijar sus propias normas, los procedimientos para la toma de decisiones y la distribución de los recursos, y el segundo depende de cada individuo, de la capacidad e intención de cada uno.

Por tanto, cuando la organización plantee un programa ético debe tener en cuenta las siguientes condiciones:

— Debe identificar las normas y valores de la organización para aclarar si facilitan o impiden el comportamiento ético. No basta con observar las normas formales, sino que también se debe tener en cuenta que los individuos a la hora de tomar decisiones se ven influidos por sus creencias acerca de su entorno, sobre lo que es ético o no. Así, si un superior tiene unas creencias de lo que es ético diferentes a los valores de la organización, este hecho influirá en el comportamiento de sus subordinados porque, aunque sean conscientes de los valores de la organización, pueden actuar siguiendo los criterios de su superior por miedo a represalias (él será el que presente los informes sobre su desempeño). Lo mismo puede ocurrir con los compañeros: si entre ellos hay un determinado comportamiento aceptado por todos, un empleado que crea que ese comportamiento va en contra de los valores de la empresa puede seguir realizándolo para no verse excluido. Por tanto, un programa ético debe basarse en las normas formales y a la vez debe tener en cuenta la existencia de normas informales.

— La organización establece los procesos de toma de decisiones, asignando tareas, responsabilidades, etc., para su desarrollo, y cuando diseña y aplica un programa ético debe hacerlo en base a ello, es decir, teniendo en cuenta los distintos tipos de responsabilidad que tienen todas las personas que participan en dicho proceso. Además, debe facilitar que los problemas o dilemas éticos que surjan en su desarrollo se vayan solucionando.

— La organización debe disponer de los recursos necesarios para que se actúe de manera responsable. Si los empleados no disponen de dichos recursos, difícilmente podrán comprometerse con los valores éticos. Por tanto, deben tener toda la información necesaria, conocer las distintas alternativas, y sus posibles consecuencias y riesgos. Además, deben poseer los medios financieros y el tiempo necesarios.

— También debe facilitar a los empleados la formación necesaria para que cuenten con los conocimientos y habilidades requeridos para tomar una decisión ética.

— Por último, los empleados deben poseer una intención de actuar moralmente. Las intenciones de los empleados, aunque es algo personal y propio de cada uno (dependen de su educación, valores familiares, etc.), pueden estar influidas por determinados factores, como, por ejemplo, la comunicación de las normas de organización. Así pues, si hay una buena comunicación y se justifica suficientemente un determinado comportamiento, se promoverá una determinada actitud que afectará a la intención personal.

2.2. INSTRUMENTOS PARA EL COMPROMISO ÉTICO

El punto anterior conduce a señalar la importancia de conseguir un compromiso por parte de todos los miembros de la organización, desde la alta dirección hasta los puestos inferiores. Por tanto, no basta con que la alta dirección esté implicada y comprometida con los valores éticos, sino que hay que conseguir el compromiso del resto del personal de la empresa, ya que éste va a determinar su intención de actuar éticamente. Para institucionalizar la ética y conseguir dicho compromiso las organizaciones utilizan como parte de sus programas éticos, los códigos de ética, los comités de ética, el defensor de ética, las auditorías éticas, la realización de una adecuada selección de personal y los programas de capacitación[7]. Gráficamente pueden verse estos aspectos en la figura 2.1.

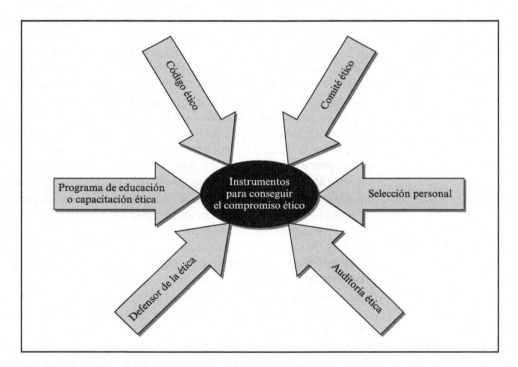

Figura 2.1. Instrumentos para conseguir el compromiso ético. (FUENTE: Elaboración propia.)

---

[7] Weber, J. (1993); Stevens, B. (1994); Wood, G. (2002).

2.2.1. Código de ética[8]

La duda de si un comportamiento es ético o no puede crear problemas en una organización, pues es posible que provoque que un empleado no actúe adecuadamente debido a la incertidumbre sobre lo que es o no correcto. Con los códigos de ética, la organización intenta aclarar qué comportamientos se consideran éticos para aquélla. Los códigos de ética también son conocidos como códigos de conducta.

El contenido de los códigos éticos no es algo estático, sino que ha ido evolucionando a medida que han cambiado los objetivos que se pretenden conseguir con ellos.

En un principio, con los códigos éticos se perseguía tener buena reputación y conseguir la confianza de los clientes, ya que ello facilitaría el mantenimiento de los beneficios. Si hay confianza entre las partes, se realizará una gestión y asignación de recursos más eficiente, lo cual redundará en mayores beneficios. De igual manera, la reputación también puede afectar a los beneficios. Una empresa con mala reputación puede perder clientes, ya que éstos tendrán miedo a que la mala reputación repercuta en la suya propia y se considere que no actúan éticamente (recuérdese, por ejemplo, cómo ha afectado a la reputación de grandes multinacionales el haber subcontratado a organizaciones que contratan mano de obra infantil).

Más tarde se han incluido otros objetivos, como, por ejemplo, protegerse de las consecuencias penales debidas a la mala conducta de los empleados y facilitar la internalización de los valores y cultura de la empresa[9]. Por ello, a medida que los demás *stakeholders* han ido consiguiendo más importancia dentro de la organización, los códigos de conducta han ido incluyendo temas relacionados con las necesidades y derechos de los empleados, los consumidores y los proveedores, y no sólo temas que pudieran perjudicar a la organización, como la extorsión, los pagos ilegales, las violaciones de la ley, el conflicto de intereses, la honestidad, la equidad, el destino inapropiado de los fondos y la contabilidad fraudulenta[10].

Así pues, un código de ética debe desarrollarse tanto a nivel interno como externo, ya que pretende proporcionar una guía moral a los empleados y a sus *stakeholders* en general[11]. En el ámbito externo debe guiar las relaciones de la organización con sus clientes, proveedores, rivales y con la sociedad en general. Y en el ámbito interno debe basarse en los valores éticos de la organización y facilitar a los empleados la toma de decisiones éticas. En definitiva, los códigos éticos son una declaración mediante la que se establece la filosofía de la empresa y los valores éticos que guiarán la conducta de los miembros de la organización en sus

---

[8] McDonald, G. M. (2009).
[9] Stevens, B. (1994); Svensson, G., Wood, G. y Callaghan, M. (2006).
[10] Hite, R. E., Bellizi, J. A. y Fraser, C. (1988); Webley, S. (1993).
[11] Fraedrich, J. P. (1992); Gellerman, S. W. (1989).

relaciones con los accionistas, los empleados, los consumidores, el medio ambiente y la sociedad, teniendo en cuenta las necesidades y derechos de los empleados[12].

En el cuadro 2.1 pueden verse, a modo de ejemplo, algunos párrafos del código de ética o conducta de una importante empresa constructora española.

CUADRO 2.1

Ejemplo de códigos de ética o conducta de una empresa constructora

Lealtad a la empresa: Durante el desempeño de sus responsabilidades profesionales, los empleados y directivos deben actuar con lealtad y atendiendo a la defensa de los intereses del grupo. Asimismo, deben evitar situaciones que puedan dar lugar a un conflicto entre los intereses personales y los de la empresa.

No discriminación: Los directivos del grupo deben mantener un entorno de trabajo libre de toda discriminación y de cualquier conducta que implique un acoso de carácter personal.

Calidad e innovación: El grupo se compromete a la máxima calidad de sus productos y servicios. Asimismo, pondrá a disposición de sus empleados los recursos necesarios para la innovación, el desarrollo y la mejora continua de los mismos, a fin de alcanzar la máxima calidad desde criterios de rentabilidad.

Erradicación del trabajo infantil: Ninguna empresa del grupo ni proveedores recurrirán al trabajo infantil y se velará por el cumplimiento de las disposiciones de la Organización Internacional del Trabajo (OIT) en relación con el trabajo de menores de edad.

FUENTE: Elaboración propia.

Para que un código ético sea eficaz se deben cumplir una serie de requisitos, respecto a su contenido y aplicación, entre los que, sin ánimo de ser exhaustivos, se pueden señalar los siguientes[13]:

— Debe ser aplicable a todos los niveles de la organización y tener un contenido adecuado a los valores de la organización.
— Debe aclarar qué se considera problema ético dentro de la organización y determinar qué se entiende por conducta ética.
— El código debe estar redactado de forma que sea fácil de entender.
— Los empleados deben participar en el diseño del código, ya que cuanto más implicados estén en su elaboración, mayor será su compromiso con él.
— Debe ser familiar para los miembros de la organización. Esta familiaridad se consigue mediante la comunicación: a través de folletos informativos, reuniones donde se discute el código, memorándums, comités de ética, defensor de ética, buzones de sugerencias, etc.

---

[12] Langlois, C. C. y Schlegelmilch, B. B. (1990).
[13] Wotruba, T. R., Chonko, L. B. y Loe, T. W. (2001); Jose, A. y Thibodeaux M. S. (1999).

— Se debe implementar facilitando la formación de los empleados para su aplicación.

— Se debe contemplar la posibilidad de imponer sanciones y de otorgar recompensas para así fomentar el comportamiento ético y el compromiso con los valores que propugna.

— Los directivos deben ejercer un liderazgo que fomente y apoye los valores éticos. Los empleados se mostrarán escépticos acerca de los códigos de ética si las acciones de los gerentes no son compatibles o incluso son contrarias a sus principios fundamentales básicos[14]. La alta dirección deberá actuar de tal forma que el resto de empleados perciban que están comprometidos con el comportamiento ético que promueve la organización. De esta forma facilitarán el mayor compromiso de sus subordinados con los valores éticos, ya que de nada serviría establecerlos si luego las personas encargadas no los aplican y se quedan en una mera declaración de intenciones.

Además de todo lo anterior, la eficacia de los códigos éticos se verá favorecida cuando la cultura nacional apoye los valores básicos de la organización.

Los expertos indican que una de las razones del fracaso de los códigos de conducta debe situarse en la falta de implicación del departamento de recursos humanos para comunicarlo, formar a los trabajadores, controlar su cumplimiento, asesorar y crear canales de denuncia ante las irregularidades que se detecten. Esta falta de implicación a la que se alude se debe fundamentalmente a la poca fuerza que tienen dichos responsables dentro del organigrama de la empresa.

En España, más del 70 % de las empresas cotizadas han desarrollado un código de conducta completo y lo aplican de forma activa. Mientras que entre las no cotizadas, esta proporción apenas llega al 50 %[15]. Y en las empresas familiares apenas existen dichos códigos de conducta, pues están acostumbradas a la administración por decreto.

Conviene resaltar que en la actualidad, la importancia de los códigos de ética se debe a la globalización, la mejora de la formación ética de los altos directivos, la importancia de los aspectos ambientales, la reputación corporativa, la vulnerabilidad a la mala publicidad, el cambio de las actitudes del público y la mayor sensibilidad social[16]. Por otra parte, a medida que pasa el tiempo cambian los valores, creencias, leyes, etc., que determinan si un comportamiento es ético o no, lo cual hace inevitable que haya que modificar y adaptar su contenido a lo que en cada momento se deba considerar ético para los empleados, la organización y la

---

[14] Fisher, C. (2001); Stead, E. W., Worrell, D. L. y Stead, J. G. (1990); Wimbush, J. S. y Shepard, J. M. (1994).

[15] *El País*. http://www.elpais.com/articulo/carreras/capital/humano/Etica/directivos/elpepuecone g/20100905elpnegser_1/Tes (consultado el 5 de septiembre de 2010).

[16] Berenbeim, R. E. (2000); Jenkins, R. (2001).

sociedad en general. Hoy en día, el clima empresarial es cambiante y los códigos de conducta, al igual que el resto de la estructura de la organización, deben adaptarse al cambio[17].

2.2.2. Comité de ética empresarial

El comité de ética debe vigilar la ética de la organización centrándose en aquellos temas que están incluidos en su código ético y debe intervenir en cualquier asunto para el que se le requiera cuando se plantee un asunto ético. Se pueden señalar ocho funciones principales del comité de ética[18]: 1) participar en reuniones sobre cuestiones éticas, 2) aclarar las dudas referentes al código ético, 3) difundir el código entre todos los miembros de la organización, 4) investigar las posibles violaciones de las normas éticas, 5) hacer cumplir el código a través de sanciones, 6) recompensar a las personas que cumplan con las normas del código e imponer acciones disciplinarias a aquellas que las violen, 7) examinar y revisar el código, y 8) informar a la junta directiva sobre todas las acciones del comité.

El comité de ética ayuda a que los empleados se comprometan con el código, ya que el simple hecho de su existencia les muestra que los valores éticos son importantes para la organización y además les permite plantear y debatir sus dudas y preocupaciones sobre dilemas éticos. Estos comités serán más eficaces si garantizan la confidencialidad.

2.2.3. Defensor de la ética

El defensor ético u *ombudsman* supervisará el funcionamiento ético de la organización[19]. El defensor de la ética, al igual que el comité ético, escuchará las preocupaciones y dudas que los empleados tengan sobre temas éticos, garantizando la confidencialidad y sin tomar partido. Sus funciones serán principalmente de consulta y asesoramiento.

2.2.4. Auditorías de conducta ética

Para conseguir un comportamiento ético, además de declarar los valores éticos de la organización, a través de los códigos éticos, y de establecer distintos medios para ayudar a los empleados en su aplicación (comité ético, defensor de ética, etc.), la organización necesita vigilar el desempeño ético de sus empleados

---

[17] Puede verse más respecto al cambio organizacional en el capítulo 4.

[18] Weber, J. (1981).

[19] McDonald, G. M. y Zepp, P. A. (1989).

para asegurarse de que están comprometidos con los valores éticos de la misma. Por ello, es conveniente realizar auditorías éticas y revisiones periódicas. Además, también deben llevarse a cabo auditorías éticas ante incidencias específicas, y no limitarse sólo a las establecidas con carácter periódico.

Las auditorías éticas garantizan que las conductas se basen en los valores que propugna una organización en su código de conducta. Consisten en la observación de los procesos y prácticas, entrevistas con los miembros de la organización y revisión de la información. Las auditorías éticas más comunes examinan, entre otros, los conflictos de interés, problemas de discriminación de los empleados, el acceso a la información de la empresa, licitación y adjudicación de contratos, abuso de poder y si se dan y reciben regalos[20].

2.2.5. Selección de personal

La organización, al seleccionar el personal que va a contratar, también debe tener en cuenta los valores éticos de los aspirantes, ya que si éstos coinciden con los de la organización, tendrá que invertir menos tiempo y será más probable que consiga su compromiso con los valores de la misma. En la fase de selección se puede incorporar, junto con las demás pruebas (psicológicas, de conocimiento, de capacitación), una de ética que se centre en determinar si los valores del futuro empleado son afines con los de la organización[21].

2.2.6. Programa de educación o capacitación ética

Una vez que los individuos pasan a formar parte de la organización, ésta puede lograr su compromiso con los valores éticos mediante la comunicación y explicación de dichos valores. Esto se puede conseguir utilizando un programa de educación ética que ayude a los empleados a comprender la filosofía de la empresa sobre las prácticas y comportamientos éticos y que les permita mejorar sus capacidades. Este tipo de programa no sólo debe comunicar los valores éticos de la organización, sino que debe ir dirigido a mejorar la toma de decisiones y el razonamiento ético. Debe resaltar la importancia de actuar con valores éticos, tanto para la organización como para la sociedad, además de permitir y fomentar el diálogo para conseguir una sensibilidad ética, es decir, que los empleados tengan la capacidad de reconocer el carácter ético de una situación concreta[22].

Si el programa ético se inicia en el momento de contratar a los empleados, será más fácil lograr su compromiso, ya que en ese momento el empleado estará más

---

[20] Krell E. (2010).

[21] Fraedrich, J. P. (1992); Gellerman, S. W. (1989); McDonald, G. M. y Zepp R. A. (1990).

[22] Shaub, M. K., Finn, D. W. y Munter, P. (1993).

abierto a asimilar los valores y cultura de la organización, pues le moverá el deseo de encajar y sentirse integrado en ésta[23].

2.3. GUÍAS PARA TOMAR DECISIONES ÉTICAS

Una misma decisión se puede valorar como ética o no según los principios en los que nos basemos. Para valorar la ética de las decisiones se han utilizado diferentes perspectivas[24].

— *Teoría del utilitarismo.* Según esta perspectiva, las decisiones se toman en base a sus consecuencias. Así pues, una conducta es ética cuando proporciona el mayor bienestar al mayor número de personas. Para evaluar el bienestar que produce una determinada conducta hay que analizar todos los costes y beneficios sociales que se derivarán de ella, es decir, hay que considerar todas las ventajas y desventajas posibles de un acto, y si el resultado neto es positivo, dicho acto es moralmente aceptable. Si hay varias alternativas de actuación, se elegirá aquella que genere mayores beneficios. Siguiendo esta perspectiva, el principal problema que se encuentran los administradores es la forma de medir los beneficios o perjuicios de cada *stakeholder,* así como determinar si los beneficios y perjuicios de todos los *stakeholders* deben tener la misma importancia o deberíamos ponderarlos al considerar que alguno o algunos *stakeholders* deben tener mayor importancia, por ejemplo, la organización o los accionistas.

— *Teoría de los derechos morales de la ética.* Esta perspectiva considera que una decisión será ética si respeta y defiende los derechos y libertades de los distintos *stakeholders.* Debe tratar de respetar derechos tales como la libertad de expresión, seguridad, propiedad, etc. Se trata de una teoría no *consecuencialista,* no depende de los resultados, sino de la motivación de la acción. Los administradores deben valorar las distintas alternativas de actuación y llevar a cabo aquella que mejor defienda los intereses de los distintos *stakeholders.* Esta perspectiva se encuentra con el problema de determinar qué decisión es más ética cuando una alternativa beneficia a unos y perjudica a otros y una segunda alternativa beneficia y perjudica a los contrarios que la alternativa anterior. ¿Hay algunos *stakeholders* que tienen más importancia que otros?

— *Teoría de la justicia de la ética.* Según esta teoría, una conducta ética requiere que se actúe de una forma justa, equitativa e imparcial. Se trata también de una teoría no consecuencialista, y al igual que la teoría de los derechos morales de la ética, tampoco depende de los resultados, sino de la motiva-

---

[23] Wood, G. (2002).

[24] Baron, M., Slote, M. y Pettit, P. (1997); Taylor, N. (2009); Jones, G. R. y George, J. M. (2006); Robbins, S. y Coulter, M. (2005); Rawls, J. (1971).

ción. Por ejemplo, los administradores deben tratar a todos sus subordinados de forma justa —recompensándolos cuando tengan un buen desempeño—, de forma equitativa —a igual desempeño, igual recompensa— y de forma imparcial, sin que sus decisiones se vean influidas por sus preferencias personales o relaciones de amistad.

El problema que encuentran los administradores para actuar de forma justa es el establecimiento de reglas que determinarán lo que es justo. Por ejemplo, ¿qué nivel de objetivos tengo que exigir a los comerciales para que mi decisión sea ética?

— *Teoría de los contratos sociales integradores.* El modelo de contrato social funciona en dos niveles: a nivel microsocial, que comprende las normas que surgen entre los individuos para hacer un negocio, y a nivel macrosocial, que incluye las normas establecidas por la comunidad. En esta teoría, los administradores deben tener en cuenta las normas éticas existentes en el entorno del negocio para saber si un comportamiento es ético o no. En una misma organización, un mismo comportamiento puede ser considerado ético según las normas de uno de los países donde actúa, y ese mismo comportamiento puede no considerarse ético según las normas de otro país. Por ello, esta teoría plantea el problema de que las normas económicas y culturales de cada comunidad son diferentes y, sin embargo, no proporciona ninguna dirección para la integración social de las distintas comunidades. En este sentido, se ha observado que los administradores dan más importancia a las normas microsociales —si no están en desacuerdo con las normas de la comunidad—, si han tenido experiencia internacional (por ejemplo, expatriados), y dan más importancia al nivel macro si no han tenido experiencia internacional.

En la tabla 2.1 se muestran de forma resumida las cuatro perspectivas utilizadas como guías para la toma de decisiones.

TABLA 2.1

Guías para la toma de decisiones

Teoría del utilitarismo	Determina si una conducta es ética basándose en que proporcione el mayor bienestar al mayor número de personas.
Teoría de los derechos morales de la ética	Las decisiones serán éticas si respetan y defienden los derechos y privilegios de los distintos *stakeholders*.
Teoría de la justicia de la ética	Una conducta es ética si es justa, equitativa e imparcial.
Teoría de los contratos sociales integradores	Para determinar si una conducta es ética hay que tener en cuenta las normas que surgen entre los individuos para hacer un negocio y las normas establecidas por la comunidad.

FUENTE: Elaboración propia.

2.4. RESPONSABILIDAD SOCIAL

El concepto de responsabilidad social se encuentra íntimamente vinculado al concepto de ética empresarial ya analizado. Sus orígenes se sitúan en 1953 con la obra de Howard R. Bowen[25]. Concretamente surge en Estados Unidos a finales de los años cincuenta y principios de los sesenta a raíz de la guerra de Vietnam y otros conflictos como el *apartheid*. Éstos y otros acontecimientos dieron lugar a que los ciudadanos comenzaran a pensar que, a través de su trabajo en determinadas empresas o comprando algunos productos, estaban colaborando con el mantenimiento de determinados regímenes políticos, o con ciertas prácticas políticas o económicas éticamente censurables. Así pues, la sociedad comenzó a pedir cambios en los negocios y una mayor implicación de las empresas en los problemas sociales[26].

En España, la responsabilidad social corporativa empieza a adquirir relevancia a finales de los años noventa a través de la Asociación de Instituciones de Inversión Colectiva y Fondos de Pensiones (INVERCO), que introduce el concepto de inversión social responsable. Durante estos años surge un movimiento social que trata de fomentar el ahorro responsable, el cual iría canalizado a través de las diferentes instituciones de inversión colectiva y fondos de pensiones que invertían en empresas socialmente responsables. Esta corriente hacia los productos de inversión o financieros de carácter ético supuso un revulsivo para las empresas españolas, si éstas querían formar parte de dichas carteras. Por otro lado, la mayor internacionalización de las empresas españolas ha dado lugar a que la sociedad se preocupe por el comportamiento de estas empresas fuera de nuestras fronteras. Así pues, las circunstancias anteriores, junto con las presiones de los diferentes grupos de interés, han dado lugar a un aumento de la conciencia de los empresarios de que el éxito comercial y los beneficios duraderos para sus accionistas no se obtienen únicamente con una maximización de los beneficios a corto plazo, sino con un comportamiento orientado por el mercado, pero responsable.

Se puede afirmar que hasta hace unos años, la aplicación de los principios éticos y de la responsabilidad social a las decisiones empresariales ha sido algo voluntario. Sin embargo, la responsabilidad social corporativa se plantea hoy como un imperativo para las empresas, que va más allá de una simple moda pasajera[27], pues muchas han tomado conciencia de su responsabilidad social cuando han visto la importante respuesta del público hacia este tipo de acciones. Así, con respecto a la responsabilidad social, no se trata de parecer bueno, sino de hacer algo bueno y beneficiarse de las consecuencias positivas.

---

[25] Bowen, H. R. (1953).

[26] Cátedra Nebrija Grupo Santander en «Análisis de la responsabilidad social de la empresa» (http://www.nebrija.com/nebrija-santander-responsabilidad-social/index.htm – Consultado el 24 de octubre de 2010).

[27] Trullenque, F. (2008).

Son múltiples las razones por las que las empresas han comenzado a dar importancia a este concepto:

— La búsqueda de una mejor imagen ante la sociedad.
— La mayor importancia que están dando los accionistas al comportamiento responsable y ético de las empresas.
— La mayor exigencia, tanto de los mercados de valores como de los mercados globales, en aspectos de ética y responsabilidad social, exigiendo a las empresas más transparencia informativa, más respeto por el medio ambiente, una mayor preocupación por la explotación de los trabajadores y la seguridad en el trabajo, y mayor respeto a los derechos humanos, entre otros aspectos.
— La creencia de que la aplicación de los principios de responsabilidad social lleva consigo, en alguna medida, un comportamiento responsable que conduzca a una mejora a largo plazo de los beneficios empresariales.

Por todo ello, las empresas son cada vez más conscientes de la necesidad de incorporar las preocupaciones sociales, laborales, medioambientales y de derechos humanos como parte de su estrategia de negocio, tomando así la responsabilidad social una deriva hacia lo rentable, siendo necesaria su incorporación a todos los ámbitos de la empresa.

2.4.1. Concepto de responsabilidad social

Con respecto al concepto de responsabilidad social corporativa, son muchas las definiciones que pueden encontrarse en la literatura. Quizá lo primero sea distinguir terminológicamente entre responsabilidad social corporativa (RSC) y responsabilidad social empresarial (RSE). Si bien ambos conceptos son en algunas ocasiones utilizados indistintamente, hay que indicar que la diferencia radica en que el concepto responsabilidad social corporativa se extiende a todo tipo de organizaciones, es decir, va más allá de las estrictamente empresariales. En el caso de la responsabilidad social empresarial, las diferentes definiciones que surgen sobre la misma son consecuencia de los diferentes posicionamientos que han surgido a lo largo del tiempo.

Así, hay un primer posicionamiento que entiende la responsabilidad social de la empresa como un proceso a través del cual las empresas asumen la responsabilidad de las consecuencias sociales, económicas y medioambientales de su actividad, y ello a través de dos mecanismos fundamentales: la rendición de cuentas en los tres ámbitos anteriores y ejerciendo el diálogo con los grupos interesados o afectados por tal actividad. Puede observarse que esta definición hace énfasis en el carácter reactivo de la responsabilidad social, es decir, que ésta se centra en la responsabilidad que se deriva de sus acciones.

No obstante, hay un segundo posicionamiento que es el que presenta una mayor aceptación[28], el cual indica que la responsabilidad social empresarial está constituida por acciones que se aproximan a la idea de bien social, más allá de los intereses de la empresa y de lo requerido por la ley. En esta línea se enmarcaría la definición dada por la Comisión de la Comunidad Europea, según la cual define la responsabilidad social de la empresa como la integración voluntaria por parte de la empresa de las preocupaciones sociales y ambientales en sus operaciones comerciales y en sus relaciones con los interlocutores. Por tanto, puede concluirse que la responsabilidad social se refiere a la actitud de la empresa ante las demandas de la sociedad y de los distintos grupos con los que se relaciona como consecuencia de su actividad, a la valoración y compensación de costes que ocasiona y a la ampliación de sus objetivos para incluir los de tipo social[29]. No obstante, es necesario tener en cuenta los siguientes aspectos para delimitar el concepto:

— Cada empresa delimita su campo de responsabilidad social en función de sus objetivos estratégicos y de su entorno.
— La responsabilidad social no se limita a cuestiones informativas[30], sino que va más allá e incluye actuaciones positivas en las decisiones de gobierno de la empresa, el respeto al medio ambiente, los mercados, los clientes y en el resto de los ámbitos de actuación de la empresa.

Si bien es amplio el dominio de la responsabilidad social de la empresa, pueden enumerarse las siguientes grandes áreas sobre las que los directivos han de solucionar diversos dilemas éticos y de responsabilidad social:

— Los relacionados con los mercados y precios. En este sentido, la cuestión a resolver es si los mercados deberían estar regulados o liberalizados. En este caso existen tres soluciones diferentes: 1) los mercados deben ser libres; 2) los mercados deben estar totalmente intervenidos, y 3) los gobiernos han de intervenir en aquellos momentos en los que la situación lo requiera.
— Los relacionados con la protección del medio ambiente. Los problemas con el medio ambiente proceden de: 1) la contaminación, y 2) el agotamiento de los recursos naturales. Con respecto a la contaminación, hay que indicar, por un lado, que la existencia de un medio ambiente limpio es un derecho de todo ser humano, y por otro, hay que tener en cuenta que la contaminación puede provocar consecuencias negativas sobre la población como el denominado «efecto invernadero», entre otras. Hablar de contaminación, en definitiva, supone hablar de costes medioambientales (internos y externos), los cuales resultan difíciles de cuantificar, y en caso

---

[28] McWilliams, A. y Siegel, D. (2001).
[29] Guerras Martín, L. A. y López Hermoso, J. J. (2002).
[30] Elaboración de indicadores y balances sociales.

de detraerlos de los beneficios empresariales, podría suponer una traslación de éstos a los clientes vía precios.

— Los relacionados con los clientes. En este caso, los problemas son de dos tipos: 1) los perjuicios provocados por los bienes consumidos, y 2) la ética de la publicidad.

— Los relacionados con los recursos humanos. Las decisiones relacionadas con las personas tienen una dimensión ética que hay que considerar, por lo que dada la gran cantidad de relaciones que se producen con las personas dentro de la empresa éstas han de ser tenidas en cuenta. En concreto, algunas de las cuestiones más relevantes son las siguientes: 1) la discriminación en el mundo laboral; 2) la racionalidad en las decisiones sobre recursos humanos; 3) los deberes del empleado hacia su empresa; 4) los deberes de la empresa hacia el empleado, y 5) los grupos dentro de la empresa.

Más allá de las áreas mencionadas hay que indicar que la responsabilidad social empresarial es un concepto transversal, es decir, que afecta a todos los sectores y a todas las áreas de actividad de una empresa.

2.5. ENFOQUES SOBRE LA RESPONSABILIDAD SOCIAL EMPRESARIAL

A la hora de analizar la responsabilidad social empresarial son varios los enfoques que pueden surgir. Así, en una primera aproximación, puede analizarse la responsabilidad social desde el punto de vista del accionista o desde el punto de vista de los grupos de interés.

El *punto de vista del accionista* constituye el enfoque tradicional sobre la responsabilidad social y sostiene que las empresas sólo son responsables ante sus propietarios y accionistas. Así pues, los administradores deben tratar de satisfacer los intereses económicos de los accionistas.

El *punto de vista de los grupos de interés* considera que las empresas deben asumir su responsabilidad en relación a la calidad de vida de los diversos grupos que son afectados por sus actos. Estos grupos de interés están conformados por dos categorías: los grupos internos, compuestos por empleados y accionistas, y los grupos externos, compuestos por clientes, sindicatos, instituciones financieras, proveedores, gobierno, etc. Así, desde este punto de vista, muchas empresas consideran que los grupos de interés deben ser considerados sus socios, en lugar de adversarios, para lograr el éxito mutuo.

Otra forma de considerar la responsabilidad social empresarial es la ofrecida por S. Prakash Sethi[31], el cual presenta tres enfoques gerenciales para cumplir con las responsabilidades sociales:

---

[31] Sethi, S. P. (1975).

— El *enfoque de la obligación social* considera que las empresas tienen en primer lugar propósitos económicos y, consiguientemente, reducen sus actividades de responsabilidad social a la legislación existente.

— El *enfoque de la responsabilidad social* ve a las empresas tanto con objetivos sociales como con objetivos económicos.

— El *enfoque de la respuesta social* considera que las empresas tienen tanto objetivos económicos como sociales, y además tienen la obligación de anticipar los posibles problemas sociales que pudieran surgir, así como trabajar de forma activa para evitar que se produzcan.

Los enfoques propuestos por Sethi conforman un continuo que va desde una posición muy restrictiva de lo que se entiende por responsabilidad social (obligación social) a un enfoque más amplio (respuesta social). Así pues, hay que entender que el enfoque de respuesta social abarca al de responsabilidad social y al de obligación social. Igualmente, el enfoque de responsabilidad social abarca al de obligación social. Por tanto, las empresas se sentirán identificadas con uno u otro enfoque, situándose así en uno u otro punto del continuo que representan los tres enfoques.

Finalmente, se presenta el modelo de responsabilidad afirmativa[32]. Este modelo consiste en aceptar cinco categorías de obligaciones:

— *Criterios de desempeño amplios.* El modelo sostiene que tanto directivos como empleados deben considerar y aceptar criterios de medida del desempeño y de la función social de la empresa que vaya más allá de los límites marcados por la ley y los mercados.

— *Normas éticas.* La sociedad demanda en ocasiones un posicionamiento público de las organizaciones con respecto a determinados asuntos de interés general. Así, es necesario que existan estas normas éticas y que se defiendan aun cuando parezcan ir en contra de los beneficios a corto plazo de la organización.

— *Estrategia operativa.* Las organizaciones deben compensar a las personas o entes que se vean perjudicados por las acciones desarrolladas por la empresa, aun cuando la ley no prohíba dichas acciones. Por tanto, será obligación de administradores y empleados hacer una evaluación de los posibles perjuicios derivados de la empresa, para posteriormente tratar de eliminarlos o minimizarlos sustancialmente.

— *Respuesta a las presiones sociales.* Tanto administradores como empleados han de asumir la responsabilidad de resolver los problemas que les planteen los diferentes grupos de interés.

---

[32] Mahoney, J. T., Huff, A. S. y Huff, J. O. (1994).

— *Actividades legislativas y políticas.* Finalmente, este modelo plantea la necesidad de que los administradores estén dispuestos a colaborar con los diferentes agentes externos en la mejora de las leyes.

2.6. BENEFICIOS E INCONVENIENTES DE LA RESPONSABILIDAD SOCIAL

Hablar de beneficios e inconvenientes de la responsabilidad social es probablemente hablar de defensores y detractores de la misma.

Como se ha indicado con anterioridad, la responsabilidad social supone que las empresas deben perseguir un amplio abanico de objetivos, incluyendo el de ser socialmente responsables. Así, las investigaciones indican mayoritariamente que centrarse únicamente en la producción de bienes y servicios para obtener mejores beneficios puede perjudicar, a largo plazo, el rendimiento de la compañía, además de afectar a su supervivencia. Es decir, existe evidencia empírica que muestra que la responsabilidad social está relacionada positivamente con elevados resultados financieros y con la facilidad para obtener candidatos de mejor calidad para las vacantes de los puestos de trabajo. Por tanto, los efectos positivos de la responsabilidad social sobre la empresa han de ser considerados a largo plazo.

La interacción de las empresas con su entorno suele provocar conflictos con aquellos grupos con los que se relaciona, como pueden ser los ecologistas, consumidores o gobiernos. En este sentido, la responsabilidad social establece que la empresa debe desarrollar estrategias que tengan en cuenta los intereses de estos grupos, con lo que se reducirá la amenaza de posibles conflictos.

Además de lo indicado, se pueden señalar los siguientes argumentos a favor de la responsabilidad social:

— Aumento progresivo de las expectativas de la sociedad con respecto a las empresas.
— Las empresas responsables socialmente hablando suelen obtener ganancias a largo plazo.
— Las acciones responsables de las empresas no sólo redundan en la sociedad, sino que repercuten positivamente en ellas mismas.
— A través de la responsabilidad social, las empresas pueden mejorar su imagen pública, lo cual redundará en mayores cifras de ventas, mejores empleados, mejor acceso a la financiación, etc.
— Anteriormente se ha indicado que la responsabilidad social aumenta los beneficios de las empresas a largo plazo; consiguientemente, dicha responsabilidad social aumentará a largo plazo el precio de las acciones y, en consecuencia, afectará positivamente a los intereses de los accionistas.

En cuanto a los detractores de la responsabilidad social y, por tanto, los que ven los principales inconvenientes de la misma, se encuentran economistas como Milton Friedman, el cual es considerado uno de los grandes críticos de la responsabilidad social. Éste y otros economistas argumentaron que los directivos no son los propietarios de los negocios que dirigen y que, en consecuencia, deben actuar en beneficio de sus accionistas, los cuales desean la mayor ganancia posible sobre sus inversiones. Así pues, cuando una empresa destina parte de sus recursos para resolver algún problema social, lo que hace es alejarse del objetivo empresarial de producción eficiente. Por tanto, esta corriente de pensamiento indica que la responsabilidad social hace que las empresas sean menos eficientes.

En definitiva, se pueden señalar como argumentos en contra de la responsabilidad social los siguientes:

— Se viola el principio de maximización de los beneficios, pues cuando una empresa es socialmente responsable, debe detraer parte de sus recursos para desarrollar actividades a favor de la sociedad.
— La búsqueda de fines sociales puede hacer que se diluya el fin básico de cualquier empresa, es decir, la eficiencia económica.
— La mayoría de las acciones sociales tienen unos costes, que en algunos casos no se consiguen cubrir. En este caso no queda más remedio que transferir estos costes a los clientes vía precios.
— Las empresas son centros de poder en la sociedad. En este sentido, los detractores de la responsabilidad social sostienen que dejar esta actividad en manos de las empresas es conferirle una cuota de poder aún mayor.
— Por el lado de los directivos, se indica que éstos poseen capacidades y habilidades orientadas hacia la dimensión económica de la empresa, por lo que no estarían capacitados para dedicarse a aspectos sociales.
— Resulta difícil la rendición de cuentas, pues no existen líneas directas de responsabilidad social entre lo empresarial y lo público.

2.7. ASPECTOS RELACIONADOS CON LA APLICACIÓN DE LA RESPONSABILIDAD SOCIAL

Como consecuencia de los múltiples escándalos sucedidos en los últimos años, uno de los aspectos a destacar en cuanto a la aplicación de la ética y la responsabilidad social está relacionado con la transparencia de la información, tanto de tipo financiero como no financiero. Así pues, las empresas han comenzado a elaborar y publicar informes con las actuaciones responsables en los ámbitos laboral, social y medioambiental que han llevado a cabo durante el año. Estos informes reciben generalmente el nombre de *memorias de sostenibilidad o balances sociales.*

En este sentido, son diversos los esfuerzos que se realizan para conseguir una mejora en la transparencia informativa. Destacan los siguientes:

— *El informe Aldama.* Dicho informe es elaborado por la Comisión Especial para el Fomento de la Transparencia y la Seguridad en los Mercados y en las Sociedades Cotizadas. Este documento propugna el incremento de la transparencia de forma voluntaria. Así pues, coloca el acento en la necesidad de suministrar información relativa a la estructura de la propiedad de la empresa y a las decisiones de administración y gobierno corporativo a través de instrumentos como el balance social, la web de la empresa, un informe público anual o un código de buen gobierno.

— *Pacto mundial*[33]. Se trata de una iniciativa propuesta por la Organización de las Naciones Unidas con el objetivo de conseguir un compromiso voluntario de las organizaciones en materia de responsabilidad social a través de la conciliación de los intereses empresariales con los valores y demandas sociales.

Esta iniciativa se instrumenta a través de la implantación de diez principios basados en derechos humanos, laborales, medioambientales y de lucha contra la corrupción. En concreto hay dos sobre derechos humanos basados en la Declaración Universal de los Derechos Humanos, cuatro laborales, inspirados en la Declaración de la OIT sobre Principios Fundamentales y Derechos Laborales, tres sobre medio ambiente tomando como referencia la Declaración de Río sobre Medio Ambiente y Desarrollo, y un décimo principio de lucha contra la corrupción, basado en la Convención de las Naciones Unidas contra la Corrupción.

— *Libro Verde de la Comisión Europea.* El objetivo de este documento es el de fomentar un marco europeo para la responsabilidad social de las empresas. Así pues, mediante dicho documento, la Comisión Europea creó un foro de debate para conocer cómo la Unión Europea podría fomentar el desarrollo de la responsabilidad social en las empresas europeas, así como también en las internacionales, aumentar la transparencia y la calidad informativa de las sociedades y mejorar la contribución de las mismas al desarrollo sostenible.

— *Líneas directrices de la OCDE para empresas multinacionales.* Se encuadran dentro de la «Declaración sobre inversión internacional y empresas multinacionales» que la Organización para la Cooperación Económica y el Desarrollo (OCDE) publicó durante el año 2000.

Estas líneas directrices tienen como objetivos: 1) asegurar que las actividades de las empresas multinacionales se encuentran en armonía con las políticas públicas; 2) reforzar las bases de la mutua confianza entre las

---

[33] http://www.pactomundial.org.

empresas multinacionales y las sociedades en las que operan; 3) instaurar un clima favorable para la inversión internacional, y 4) incrementar las aportaciones positivas de las multinacionales en los campos económico, social y medioambiental y, en definitiva, en el desarrollo sostenible.

Las líneas directrices proporcionan recomendaciones generales y específicas con respecto a los siguientes aspectos: 1) principios generales; 2) publicación de información; 3) empleo y relaciones laborales; 4) medio ambiente; 5) lucha contra la corrupción; 6) protección de los consumidores; 7) ciencia y tecnología; 8) competencia, y 9) fiscalidad.

— *Global Reporting Initiative*[34]. Se trata de una iniciativa creada en 1997 por la organización no gubernamental CERES (Coalition for Environmentally Responsible Economies) junto con PNUMA (Programa de las Naciones Unidas para el Medio Ambiente), con el apoyo de numerosas instituciones privadas, empresas, sindicatos, ONG y otras organizaciones. Fue concebido con el fin de aumentar la calidad de la elaboración de las memorias de sostenibilidad, hasta equipararlas con los informes financieros en cuanto a comparabilidad, rigor, credibilidad, periodicidad y verificabilidad. Por tanto, constituye una guía para las empresas a la hora de suministrar información sobre el impacto económico, social y medioambiental de su actuación.

Estos informes tienen la utilidad de servir a la sociedad como instrumento para medir el grado de actuación social de la empresa, esto es, la medida en la que una empresa responde a las demandas de sus grupos de interés para que su comportamiento sea considerado socialmente responsable.

2.8. LA AUDITORÍA SOCIAL

La discusión sobre la responsabilidad social pone en la mesa la pregunta sobre cómo se debe evaluar la actuación social. Esto deriva en el concepto de auditoría social propuesto por primera vez por Howard R. Bowen.

La auditoría social se define como «un compromiso para la evaluación sistemática y para la información sobre algún dominio significativo y definible de las actividades de la compañía que tienen un impacto social»[35].

Los pasos básicos para hacer una auditoría social son la identificación, medición y evaluación de todos los aspectos de la ejecución de responsabilidad social en una organización, es decir, de los efectos de la organización sobre sus participantes y la sociedad en su conjunto. En comparación con la auditoría financiera, una auditoría social se concentra en las acciones sociales más que en la contabilidad fiscal y mide el desempeño en función del concepto de responsabilidad social.

---

[34] http://www.globalreporting.org
[35] Bauer, R. A. y Fenn, D. H. (1973).

En cuanto a los tipos de auditoría se suelen distinguir dos: 1) las auditorías obligatorias, es decir, aquellas que son exigidas por los gobiernos y que suelen centrarse en aspectos como el control de la contaminación y las normas de igualdad de oportunidades para el empleo, y 2) las auditorías voluntarias.

Los problemas fundamentales asociados a este tipo de auditorías son: 1) la determinación de las áreas a auditar; 2) la fijación del nivel de gasto a realizar en cada área, y 3) la obtención de información y la presentación de la misma de modo que ésta refleje con exactitud la participación social de una empresa.

RESUMEN

Los negocios son éticos cuando la organización y los individuos que la integran se comportan siguiendo valores éticos en sus relaciones con los *stakeholders*. Estos valores éticos establecen normas en cuanto a lo que es correcto o incorrecto.

Para conseguir que el comportamiento de los miembros de la organización sea ético, además de establecer los valores éticos que deben regir su conducta, hay que conseguir el compromiso con dichos valores. Para conseguir dicho compromiso la organización puede establecer un programa ético que incluya todas las actividades que se realizan para prevenir y detectar las conductas no éticas. Este programa para ser eficaz debe cumplir dos requisitos: que las personas tengan la capacidad necesaria para actuar éticamente y que tengan la intención de hacerlo.

Como parte de los programas éticos, para conseguir el compromiso de los empleados con los valores éticos promulgados por la organización, se utilizan los códigos éticos, los comités de ética, el defensor de ética, las auditorías éticas, la realización de una adecuada selección de personal y los programas de capacitación. Además, es especialmente importante ejercer un liderazgo basado en los valores, ya que el compromiso del equipo directivo con la cultura y valores éticos de la organización se considera un modelo a imitar por el resto de los trabajadores de la empresa.

Una misma decisión se puede valorar como ética o no según en los principios en los que se apoye. Según la teoría del utilitarismo, una conducta es ética cuando proporciona el mayor bienestar al mayor número de personas. Según la teoría de los derechos morales de la ética, una decisión es ética si respeta y defiende los derechos y libertades de los distintos *stakeholders.* Para la teoría de la justicia de la ética, una conducta ética requiere que se actúe de forma justa, equitativa e imparcial. Y por último, la teoría de los contratos sociales integradores para determinar si una conducta es o no ética tiene en cuenta tanto las normas microsociales como las macrosociales, es decir, tanto las normas internas de la organización como las de la comunidad.

Aspecto vinculado a la ética es la responsabilidad social empresarial. Ésta ha sido considerada desde diferentes perspectivas. Así se encuentran, por un lado, a aquellos que consideran que la empresa tiene una actuación socialmente responsable cuando cumple con sus obligaciones legales. Por otro lado, están aquellos que consideran que la empresa será socialmente responsable si responde a las demandas de la sociedad. Finalmente, se encuentran a aquellos que consideran que la empresa es socialmente responsable cuando fija tanto objetivos económicos como sociales.

La importancia adquirida por este tema en los últimos años ha llevado a las organizaciones a un proceso de rendición de cuentas a la sociedad va más allá de los informes económicos y, por tanto, comienzan a suministrarse los denominados balances sociales. La novedad de estos informes ha provocado el surgimiento de diferentes organismos que presentan recomendaciones en pro de una mayor transparencia y *comparabilidad*.

Finalmente, adquieren especial trascendencia las denominadas auditorías sociales, pues la existencia de unos objetivos sociales obligan a, de algún modo, evaluar su grado de cumplimiento.

PREGUNTAS DE REPASO

1. Enumere algunos requisitos que se tienen que cumplir para que un programa de ética sea eficaz.

2. ¿Por qué es importante desarrollar los códigos éticos tanto a nivel interno como externo?

3. Comente los distintos instrumentos que puede utilizar una organización para conseguir el compromiso ético de sus distintos miembros.

4. ¿Por qué el tipo de liderazgo afecta al comportamiento ético de los miembros de la organización?

5. Si se toma una decisión de forma justa, equitativa e imparcial, pero sin tener en cuenta los derechos de los proveedores, y además habiendo rechazado una alternativa que beneficia a un mayor número de personas, ¿se ha actuado de forma ética? Justifique su respuesta.

6. Defina responsabilidad social empresarial y enumere las áreas de acción de la misma.

7. Enumere los argumentos que los investigadores dan a favor y en contra de la responsabilidad social.

8. Enumere las diferentes acciones llevadas a cabo en aras de una mejor transparencia sobre las acciones de responsabilidad social.

CASO PRÁCTICO

La quiebra de Enron

Enron nació como una compañía de gas. Más tarde entró en el negocio de las infraestructuras de agua y luego se convirtió en una plataforma de negociación de instrumentos financieros. En diciembre de 2001 se declaró en bancarrota. Se acusaba al ex presidente Kenneth Lay y al ex consejero delegado Jeffrey Skilling de haber tratado de enriquecerse falseando los datos de la compañía. La quiebra de Enron arrastró en su caída a la compañía auditora Arthur Andersen, que, por otra parte, ya se había visto comprometida en varias ocasiones anteriores, como en el caso de Waste Management por el que la auditora había sido disciplinada un año antes por la Securities and Exchange Commission.

Sólo dos meses antes de ser declarada en bancarrota, Kenneth Lay había afirmado ante sus empleados que las previsiones de resultados eran muy buenas y que las acciones de Enron eran una ganga. En el momento de declararse la bancarrota las acciones de la compañía fueron confiscadas, lo que impidió la venta de las mismas por parte de los empleados antes de que éstas se hundieran en la bolsa.

Entre las prácticas que llevaron a Enron a esa situación hay que destacar la creación de varias entidades de propósito especial con el fin de ocultar determinadas operaciones financieras. Esto permitió a Enron justificar más beneficios de los reales, y como la política de remuneraciones de los ejecutivos incluía *stock options,* al mantener alto el precio de las acciones, éstos podían obtener altas ganancias al ejecutar sus *stocks options* y luego vender las acciones en el mercado.

Enron alegó que el problema de haber llegado a estar en bancarrota fue que no pudo llevar a cabo la fusión con Dinegy y que como consecuencia de ello tampoco pudo ejercer una opción de compra sobre la filial Northern Natural Gas Pipeline, dedicada al suministro de gas natural. Señaló que Dinegy no tenía derecho a romper el contrato de fusión y que desde el punto de vista operacional Enron actuó con normalidad. Enron afirmó que si no hubiera cundido el pánico, la fusión y la opción de compra se habrían llevado a cabo y no se habría llegado a la situación de bancarrota.

La bancarrota de Enron también afectó a entidades financieras, como fue el caso de Citigroup, la cual registró pérdidas por el caso Enron, aunque su supervivencia no quedó comprometida.

La investigación del caso Enron comenzó por Arthur Andersen, auditora de la compañía. A Arthur Andersen se le acusó de destruir documentación relevante de Enron, además de no facilitar la documentación e información solicitada. La auditora declaró que estaba simplemente deshaciéndose de papeles irrelevantes y sin importancia relacionados con Enron. De esta manera, aunque su reputación se viera comprometida no tendría consecuencias penales. Cuando este argumento no resultó válido, optó por cargar toda la responsabilidad a David Duncan, socio de la auditora, el cual fue el encargado de la destrucción de los documentos de Enron. Sin embargo, Duncan presentó un correo en el que se le ordenaba que guardara lo importante y destruyera lo demás.

Entre las declaraciones realizadas por los empleados de Enron pueden señalarse las siguientes:

El ex director financiero Andrew Fastow, el cerebro del fraude, acusado de quebrantar leyes financieras, declaró bajo juramento que sus jefes mintieron a los inversores, empleados y autoridades reguladoras al ocultar el estado real de las finanzas de la eléctrica. Explicó que contaba con el visto bueno de los dos ejecutivos para crear una contabilidad paralela y establecer una red de sociedades.

Mark Koenig, responsable de las relaciones con los inversores en Enron, y la contable Terry West declararon que los resultados se modificaban en el último momento, para contentar a Wall Street. Koenig aseguró que Skilling y Lay estaban al corriente de los retoques. Además aportaron dos cintas: en la primera cinta, Skilling explicaba a los empleados que las oportunidades de ingresos que se esperaban en la unidad de banda ancha de la empresa habían desaparecido por lo que había que realizar una reorganización de 240 empleados; mientras que en la segunda cinta, grabada ocho días después, Skilling explicaba a un grupo de inversores que la unidad de banda ancha iba bien y que la recolocación de los empleados no se debía a ningún problema y que, por el contrario, era «una buena noticia».

En el turno de la defensa, Enron se centró en que el fraude en el que se había visto envuelta fue fruto de la conducta de algunos malos empleados y que la bancarrota de la empresa se produjo por la histeria que dominó en Wall Street tras descubrirse las primeras irregularidades contables y conocerse el fraude, y señaló que de no ser así la empresa podría haber sobrevivido. La defensa intentó que Fastow y otros dos ex ejecutivos cargaran con las culpas.

En el caso Enron se imputó a los directivos y a algún personal de la empresa pero no a la propia compañía. Sin embargo, Arthur Andersen fue finalmente declarada culpable, aunque la compañía Enron ni siquiera fue imputada.

Fuentes:

El País, 5/7/2006: El caso Enron. http://www.elpais.com/articulo/economia/caso/Enron/elpe-
    pueco/20060705elpepueco_10/Tes.
El Mundo, 25/5/2006: Claves del caso Enron. http://www.elmundo.es/mundodinero/2006/01/30/
    economia/1138592963.html.
Wharton.universia.net, 8/3/2006: Las claves del juicio de Enron. http://www.wharton.universia.
    net/index.cfm?fa=viewArticle&ID=1113.
Wharton.universia.net, 2/1/2003: Enron y Andersen: ¿sólo algunas manzanas podridas o todo
    el cesto? http://www.wharton.universia.net/index.cfm?fa=viewArticle&id=465.

(Consultados el 13 de septiembre de 2010)

PREGUNTAS

1. ¿Cree que influyó el comportamiento ético de ambas compañías en la decisión de imputar a toda la compañía, en el caso de Arthur Andersen, o a algunos de sus empleados en el caso de Enron?

2. En el texto pueden observarse distintos *stakeholders* de Enron que se ven afectados por el comportamiento poco ético que se dio en la eléctrica. Cítelos y explique cómo se ven afectados.

3

Cultura organizacional

OBJETIVOS DE APRENDIZAJE

1. Conocer la importancia de la cultura organizacional en la dirección de empresas.
2. Diferenciar entre valores, creencias y artefactos como principales componentes de la cultura organizacional.
3. Asimilar que el principal efecto de la cultura organizacional es la formalización y regulación del comportamiento de los miembros de la organización.
4. Conocer las características que definen la cultura organizacional.
5. Entender que pueden existir culturas fuertes o débiles y que pueden encontrarse subculturas dentro de una misma organización.

Desde hace algunas décadas, el estudio de la cultura organizacional atrae la atención de los investigadores del comportamiento organizativo. El esfuerzo por definir el concepto y diseñar herramientas de medida es notorio, aunque conseguir un consenso sobre lo que significa, cómo se desarrolla o cómo afecta al funcionamiento de la organización es difícil.

Una de las principales dificultades se deriva de su carácter multidisciplinar. Varias ciencias sociales, como son la sociología, la antropología, la psicología social y la administración de empresas, se interesan por conocer la cultura de las organizaciones. Así, aunar los resultados de la investigación de cada disciplina complica el avance del estudio.

En este libro se estudia la cultura organizacional porque afecta al comportamiento de los miembros de una organización. Por eso, cualquier directivo deberá conocer en cierta medida cómo es la cultura de su organización para poder tomar decisiones acertadas. Algunas estrategias, proyectos o decisiones pueden verse bloqueados si no encajan con la cultura imperante en la organización.

Además de conocer cómo es la cultura, los directivos deben ser conscientes del valor que puede llegar a tener la misma. Algunos autores consideran que la cultura puede convertirse en un recurso intangible que permite que la organización se diferencie de sus competidores. De esta forma, en algunas empresas, la cultura crea un fuerte compromiso entre sus empleados, dando lugar a una relación bastante estrecha entre los valores culturales y el desempeño a largo plazo.

En este capítulo, se exponen los principales rasgos de la cultura, sus efectos en la organización, así como otras implicaciones que el directivo deberá tener en cuenta para tomar decisiones acertadas que incrementen el rendimiento de la organización.

3.1. DESCRIPCIÓN Y CONCEPTO DE CULTURA ORGANIZACIONAL

La interacción entre las personas que trabajan en una organización y el contexto que les rodea va generando una serie de experiencias compartidas a lo largo de la historia de esa organización. Estas experiencias moldean en gran medida el comportamiento de las personas y provocan que todas ellas interioricen esquemas psicológicos similares acerca de lo que es correcto, lo que es justo, lo que no está bien o lo que está mal visto en la organización. Este conjunto de juicios de valor o cultura organizacional es una variable más de la organización (como la estructura organizativa, como la tecnología, etc.) que sus administradores deben considerar y gestionar.

Así como los individuos desarrollan una personalidad a lo largo de sus vidas, las organizaciones también desarrollan una personalidad identificativa. Lo que ocurre es que esta personalidad es compartida por un número determinado de personas, y por ello se llama *cultura.* De esta forma, se pueden encontrar organizaciones formales/informales, permisivas/sancionadoras, conservadoras/progresistas, etc. Estos rasgos dependerán en gran medida de los valores de los individuos que integran la organización, pero también dependerá de las vivencias tenidas a lo largo de su historia. Al igual que la personalidad de los individuos, la cultura organizacional tiene un componente genético (en función de la personalidad de sus fundadores, administradores, trabajadores, etc.) y un componente medioambiental basado en la experiencia, el contexto y otros factores externos que la condicionan.

La cultura organizacional puede definirse como *un sistema de creencias y valores compartidos que desencadenan normas, conductas y actitudes comunes entre los miembros de la organización*[1].

De esta definición se derivan dos premisas básicas de la cultura organizacional:

— *Es compartida,* lo que implica que la mayoría de los miembros de la organización tengan similares puntos de vista cuando se trata de emitir juicios

---

[1] Becker, H. S. (1982).

de valor. Por ejemplo: la mayoría de los miembros de una organización consideran que la ideología política y las creencias religiosas no deben tenerse en cuenta en asuntos de la organización. O la mayoría de los miembros de la organización consideran que es justo que se ascienda en la escala jerárquica en función de su antigüedad en la empresa.

Este hecho no impide que puedan existir algunos miembros de la organización que no compartan estos valores o creencias y tengan puntos de vista distintos. Pero esta disonancia no influye significativamente en el sistema de valores que es ampliamente compartido.

— *Afecta al comportamiento.* Esto supone que los miembros de la organización se vean condicionados por los valores y creencias de la organización[2]. De acuerdo con los dos ejemplos anteriores, los miembros en la organización no iniciarán conversaciones que impliquen hablar de política o religión, o criticarán, penalizarán y desestimarán aquellos incentivos que se han concedido sin atender a la antigüedad de los miembros de la organización.

3.1.1. Elementos que forman parte de la cultura organizacional

En la anterior definición se establece que la cultura es un conjunto de valores y creencias. En este apartado se explicará que los valores y las creencias son dos conceptos distintos que se consideran componentes de la cultura de la organización. Sin embargo, aunque en la mayoría de las definiciones se aluda únicamente a valores y creencias, autores como Schein[3] identifican tres componentes básicos de la cultura: artefactos, valores y creencias.

— *Artefactos:* Son el componente visible y explícito de la cultura. El ambiente físico de la organización, la vestimenta de sus miembros, el lenguaje utilizado o los usos y costumbres son los elementos más superficiales de la cultura organizacional. A través de los artefactos podemos saber cómo se manifiesta la cultura, pero no conocemos su esencia. Además, su influencia sobre el comportamiento es menor que otros elementos que están más arraigados e incrustados en la cultura.

Considerando estos artefactos, la cultura de algunas organizaciones puede ser visible a través de: el tratamiento especial a algunas personas (con «usted», «don», «doña», «doctor», «profesor», etc.), requerir que los miembros de la organización trabajen con traje ejecutivo, el uso de símbo-

---

[2] O'Reilly, C. A. y Chatman, J. A. (1996).
[3] Schein, E. H. (1996).

los en el ambiente de trabajo (como escudos o condecoraciones) que respalden la historia y la tradición de la empresa, etc.

También pueden considerarse artefactos la propia *historia* de la organización, así como sus *héroes,* sus *tabúes* y sus *rituales.* El significado de estos artefactos culturales puede verse en la tabla 3.1.

TABLA 3.1

Artefactos de la cultura

Rituales	Conjunto de celebraciones o ceremonias que se desarrollan con cierta periodicidad para difundir y reforzar la cultura de la organización. (Por ejemplo, el conjunto de acciones que se realizan para dar la bienvenida a un nuevo trabajador.)
Héroes	Miembros de la organización que son reconocidos por cumplir y promulgar los valores de la organización. Frecuentemente, son personas que han desafiado otras leyes internas o externas a la organización a favor de los valores de la cultura.
Tabúes	Delimitaciones de lo que no se debe hacer o lo que no está bien visto entre los miembros de la organización.
Historias	Enseñan comportamientos ejemplares o comportamientos no deseados.

FUENTE: Elaboración propia.

— *Valores:* Son principios duraderos acerca de lo que es correcto o incorrecto, de lo que es justo o injusto, de lo que debería tenerse en cuenta o no, etc. Estos valores sirven de guía para actuar cuando se da una situación de incertidumbre o conflicto. Son también explícitos, y pueden discutirse, defenderse y argumentarse. No obstante, están más arraigados y consolidados que los artefactos y son más difíciles de cambiar.

Por ejemplo, los miembros de una organización creen que el sitio de trabajo debe asignarse según la antigüedad en la empresa; por tanto, la mayoría de los miembros de la organización piensan que la oficina más soleada y con mejores vistas *debe* otorgarse a aquellos miembros de la organización que son más antiguos. Otro valor puede ser que los individuos consideren justo que el trabajador que no fuma también pueda salir cinco minutos a conversar con sus compañeros mientras que los demás fuman.

Su identificación puede ser difícil, e incluso arriesgada, puesto que a veces se pueden manifestar de forma idealizada. En algunas ocasiones se muestran valores para ser coherentes con una postura o situación, aunque las creencias individuales no sustenten esos valores e incluso sean contrarias. Así, por ejemplo, se pueden mostrar valores de cooperación y trabajo en equipo, aunque las creencias personales sean meramente individua-listas.

— *Creencias:* Son invisibles e implícitas y están aún más profundamente asu-midas que los valores. Por ello, se consideran *supuestos inconscientes* que influyen en la manera de percibir, de pensar, de sentir y de actuar. Al en-contrarse tan profundamente asumidas, no suelen ser cuestionadas por los individuos. Se establecen como el terreno donde se asentará el resto de elementos de la cultura organizacional. Algunos autores establecen que son supuestos básicos de la vida, como el egoísmo, individualismo, colec-tivismo, igualdad, solidaridad, etc.

Aunque las creencias no son visibles y residen en el conocimiento táci-to de las personas, conforman la esencia de la cultura de la organización que después genera los valores y se concreta en artefactos visibles. Por ejemplo, el individualismo como creencia básica de una cultura organiza-cional puede estar tan incrustado que no se perciben inicialmente en con-versaciones cotidianas, porque pocas personas reconocerán abiertamente que son individualistas. En cambio, dará lugar a valores como «mejor no juzgar la vida de otros» o «allá cada cual con sus decisiones», que reflejan más explícitamente la creencia donde están apoyados. Y por último, los artefactos reflejarán de una forma menos sutil cuáles son las creencias de la organización. En este ejemplo, se podría notar que las personas no ma-nifiestan abiertamente su opinión en reuniones, que son reservadas y que las comunicaciones internas son siempre muy objetivas, sin expresar las emociones del que escribe.

Comúnmente, la estructura de la cultura organizacional se plantea mediante un árbol (otras veces un iceberg), como aparece en la figura 3.1.

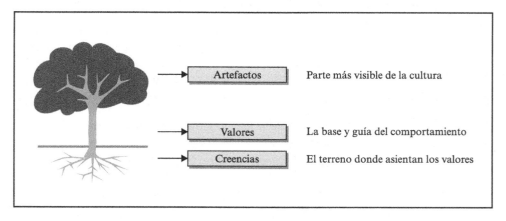

Figura 3.1. Componentes de la cultura organizacional. (Fuente: Elaboración propia.)

3.1.2. Rasgos para definir y evaluar una cultura organizacional

La cultura se ha definido como un concepto intangible que implica dificultad para ser identificado y conocido. Sólo los artefactos y algunas enunciaciones sobre los valores pueden exteriorizar los rasgos de la cultura. Por tanto, diseñar medidas y herramientas para conocer y evaluar cómo es la cultura puede ser una tarea complicada.

Geert Hofstede[4] realizó un estudio en 1980 para identificar empíricamente las variables o rasgos que pueden caracterizar a una cultura. Se entrevistaron a 116.000 empleados de IBM que trabajaban en 40 países distintos con el objetivo de evaluar los valores culturales comunes. Aunque el estudio analizaba la cultura de una organización, los resultados sirvieron para identificar las diferencias culturales entre los países. El resultado fue una lista de puntuaciones por países para cada una de las dimensiones o características teóricamente identificadas. En general, el estudio puede servir para analizar los rasgos de cualquier cultura y/o los rasgos de las culturas nacionales. El estudio también muestra que existe una influencia inevitable entre la cultura nacional y la cultura de la organización.

Los rasgos o dimensiones que Hofstede identificó fueron cinco:

— *Individualismo-colectivismo:* Cuando una cultura es individualista, los valores se basan en respetar y defender los derechos y las libertades individuales. Por eso, se pone énfasis en definir las recompensas, reconocimientos y metas personales. Un ejemplo típico de cultura individualista es la cultura estadounidense. Cuando una cultura es colectivista, la cooperación entre los empleados para obtener metas (incluso personales) se generaliza. El ejemplo común de cultura colectivista es la japonesa.

— *Distancia de poder:* Se refiere al grado de aceptación de la distribución no equitativa de poder. En las culturas que se caracterizan por la distancia de poder, se acepta la existencia de puestos de trabajo que aglutinan bastante poder para castigar, sancionar o premiar. En estos casos, es común encontrar signos distintivos de la posición y el estatus, así como la existencia de prioridades y privilegios otorgados a las personas de más poder. Generalmente, se asocia a las organizaciones sudamericanas y árabes con una mayor distancia de poder, mientras que las escandinavas y germánicas puntúan menos en esta dimensión.

— *Evasión de la incertidumbre:* Se refiere al grado en que los empleados rechazan la incertidumbre y la ambigüedad en las tareas que realizan. En una cultura adversa a la incertidumbre, las personas se sienten muy inse-

---

[4] Hofstede, G. H. (1991).

guras cuando las instrucciones no están totalmente claras y definidas. Por ejemplo, se dice que las culturas mediterráneas y latinas puntúan alto en esta dimensión.

— *Masculinidad-feminidad:* Se refiere al valor que se asigna a las tradiciones sobre los roles de género. En culturas masculinas los roles sexuales están claramente diferenciados, lo que supone que las funciones y tareas de hombres y mujeres sean distintas. En cambio, en culturas femeninas se supone que hombres y mujeres pueden desempeñar las mismas funciones. Hofstede identifica la cultura japonesa como masculina y la cultura sueca como femenina.

— *Orientación al corto-largo plazo:* Grado en que los miembros de la organización se motivan por resultados a corto o largo plazo. Cuando la cultura está orientada al largo plazo, los individuos valoran considerablemente el futuro y, por ejemplo, esto implica que ahorren o que sientan fácilmente vergüenza. Sin embargo, cuando la cultura está orientada al corto plazo, lo más importante para los individuos es el pasado y el presente, siendo más tradicionales e incluso preocupándose por obligaciones sociales. Tradicionalmente, las culturas de los países asiáticos se entienden orientadas al largo plazo, mientras que Pakistán fue el país más orientado al corto plazo según el estudio.

El modelo propuesto por Hofstede introduce estas cuatro dimensiones que pueden servir para catalogar y evaluar una cultura organizacional y/o una cultura nacional. Específicamente para la cultura de una organización, estudios posteriores han identificado 7 dimensiones con las que se puede definir la naturaleza de su cultura[5]:

— *Innovación y aceptación de riesgos:* grado en que la clase directiva de la organización anima a sus miembros a ser innovadores y asumir riesgos.

— *Atención al detalle:* grado en que se anima y se premia que los empleados sean rigurosos y minuciosos en la forma de realizar las tareas.

— *Orientación a los resultados:* grado en que la dirección evalúa y premia los resultados concretos en lugar del proceso llevado a cabo para conseguirlos.

— *Orientación a las personas:* grado en que la dirección considera que sus decisiones afectarán de manera positiva o negativa a los miembros de la organización.

— *Orientación al equipo:* grado en que las tareas o actividades se organizan para que sean realizadas por un equipo, en lugar de favorecer y promover el trabajo individual.

_____
[5] Chatman J. A. y Jehn, K. A. (1994).

— *Agresividad:* grado en que se favorecen y premian comportamientos competitivos en lugar de valorar otros comportamientos caracterizados por la igualdad, la calma o la accesibilidad.
— *Estabilidad:* grado en que la dirección promueve comportamientos para mantener y fortalecer el *statu quo.*

Dentro del sector de la consultoría, es común el desarrollo de estudios que, a través de preguntas a los empleados, emiten un diagnóstico de la cultura, concluyendo sobre el ajuste de la cultura y otras variables de la organización.

3.1.3. Cultura dominante y subculturas

El nivel en que se comparten los valores y creencias de la cultura no siempre es homogéneo en la organización[6]. Por ejemplo, algunos valores organizacionales pueden ser ampliamente compartidos por las personas de más edad, mientras que las nuevas generaciones que forman parte de la organización no los han asimilado tan profundamente.

En este sentido, se pueden identificar creencias y valores profundamente arraigados de manera generalizada en la organización. Estos valores se denominan *valores centrales* y forman la *cultura dominante* de la organización. También puede considerarse que ese conjunto de valores conforma el *núcleo* de la cultura de la organización.

Asimismo, pueden identificarse otros conjuntos de valores y creencias que se comparten en diferentes grupos de la organización. Las personas con una determinada afinidad (edad, nacionalidad, formación académica, experiencia profesional, etc.)[7] compartirán valores similares, aunque no igualmente compartidos con el resto de miembros de la organización. Por eso, se establece el término *subcultura,* entendido como un sistema de valores y creencias que difiere de la cultura dominante, aunque está sustentado, en parte, por los valores centrales.

En la figura 3.2 se muestra gráficamente esta situación. Obsérvese que cada subcultura contiene una parte de los valores centrales de la cultura dominante. Por otro lado, las subculturas de las áreas de finanzas y contabilidad comparten una parte considerable de sus valores, dado que sus miembros pueden haber asimilado creencias y valores parecidos durante su formación académica y experiencia profesional. En cambio, las subculturas de las distintas divisiones geográficas mantienen menos valores en común, dado que se ven afectadas por distintas creencias y valores procedentes del área geográfica a la que pertenecen.

---

[6] Meyerson, D. y Martin, J. (1987).
[7] Allaire, Y. y Firsirotu, M. E. (1984).

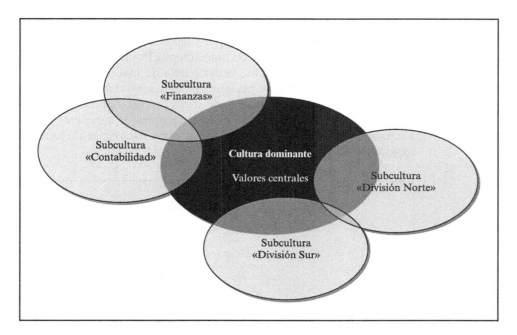

Figura 3.2. Ejemplo de cultura dominante y subculturas. (FUENTE: Elaboración propia.)

3.1.4. Fortaleza de la cultura: culturas fuertes y culturas débiles

Generalmente, se defiende que todas las organizaciones se caracterizan por una cultura. Sin embargo, puede ocurrir que en unas organizaciones los valores estén más arraigados que en otras. Por eso, se puede discriminar entre culturas fuertes y culturas débiles[8].

La fortaleza de la cultura se determina a través de dos dimensiones principales:

— *Amplitud:* Número de miembros de la organización que comparte los valores y creencias de la cultura.
— *Intensidad:* Grado de compromiso que manifiestan las personas con los valores de la organización.

Combinando estas dos dimensiones, puede diseñarse una matriz como la de la figura 3.3. Como puede observarse, la cultura organizacional fuerte es la que contiene valores profundamente asimilados por la mayoría o la totalidad de los

---

[8] Sorensen, J. B. (2002).

miembros de la organización. Este tipo de cultura afecta en gran medida al comportamiento y la actitud de las personas, creando consenso y unanimidad en la manera en que se desenvuelven diariamente. Por tanto, el comportamiento humano será más homogéneo ante la existencia de una cultura fuerte. También se defiende que las personas se encuentran más motivadas y comprometidas cuando pertenecen a organizaciones con culturas fuertes y que existe una menor rotación de los empleados. Finalmente, estudios empíricos han demostrado que las organizaciones con culturas fuertes logran mayores niveles de desempeño, e incluso mejores resultados financieros[9].

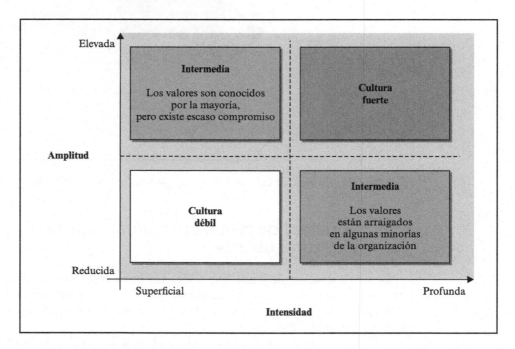

Figura 3.3. Fortaleza de la cultura organizacional. (FUENTE: Elaboración propia.)

3.2. EFECTOS Y FUNCIONES DE LA CULTURA ORGANIZACIONAL

A lo largo del capítulo, las distintas explicaciones sobre la cultura han dejado entrever que es una variable que provoca una serie de efectos sobre los miembros de la organización. De hecho, se establecía como premisa que para entender la cultura hay que tener en cuenta que afecta al comportamiento organizativo. Tales efectos se convierten en funciones cuando implican cierta utilidad para el conjun-

---

[9] Flamholtz, E. (2002).

to de la organización. A continuación, se detallan las principales funciones de la cultura oganizacional:

— *Reguladora.* La cultura formaliza el comportamiento[10] de los miembros de la organización, dado que supone una guía informal que moldea la forma en la que actúan. Las personas se comportan de manera homogénea y previsible, obedeciendo a una serie de normas no escritas que se derivan de la cultura. Este efecto genera más comodidad entre los miembros de la organización, puesto que reduce la incertidumbre a la hora de resolver algunos problemas. Cuanto más fuerte sea la cultura, más regulará el comportamiento.

— *Motivadora.* Cuando los miembros de una organización comparten los valores de su cultura se genera un clima de cooperación y cohesión. Esto permite que los trabajadores manifiesten un compromiso con la organización y se identifiquen con lo que ésta representa. Asimismo, la cultura provoca un sentimiento de estabilidad entre los individuos. Puesto que la cultura establece un marco de normas que ayuda a establecer cómo deben comportarse los miembros de la organización, se reduce la incertidumbre por no saber cómo actuar ante un problema determinado.

Actualmente, los estudios resaltan los efectos positivos de una cultura organizacional fuerte, entre los que se destaca el compromiso que se genera hacia la propia organización como recurso intangible valioso. Por el contrario, cabe destacar que una cultura organizacional fuerte también puede implicar efectos negativos. Las creencias y valores distorsionan la percepción de lo que ocurre fuera de la organización, así como la forma de evaluar cada situación. Asimismo, cuando la alta dirección decide emprender algún cambio de tipo estratégico u organizativo, los miembros de la organización pueden cuestionarlo si no es coherente con los valores y creencias asimilados. Por eso, la cultura organizacional se incluye como una de las *fuerzas de resistencia*[11] que la alta dirección puede encontrar cuando intenta desarrollar un cambio necesario en la organización[12].

3.3. ORIGEN Y DESARROLLO DE LA CULTURA ORGANIZACIONAL

La cultura organizacional es el resultado de la evolución de la propia organización. Cuando la organización se crea no posee una cultura específica, pero se va originando y asentando como resultado de la experiencia, el trabajo en grupo, el contexto, etc. Por tanto, el origen y la consolidación de la cultura son procesos graduales.

---

[10] La formalización del comportamiento como variable de diseño estructural se trata en el capítulo 8.

[11] Las fuerzas de resistencia al cambio organizativo se estudian en el capítulo 4.

[12] Johnson, G. y Scholes, K. (2001).

Las primeras semillas de la cultura organizacional surgen de la cultura y filosofía de los *fundadores* de la organización[13]. Cuando la organización se crea, sus fundadores trasmiten objetivos, intereses y estrategias que, inevitablemente, se encuentran impregnados de valores, creencias y juicios de valor. En esta etapa, los fundadores difunden sus valores al resto de personas que llegan a la organización, y como el número de empleados es reducido y la comunicación más estrecha y directa, estos valores son asimilados rápidamente[14].

Con el tiempo, el asentamiento del conjunto inicial de valores dependerá de muchas variables. A continuación se resaltan algunas que pueden ayudar a entender cómo se desarrolla la cultura de la organización.

En primer lugar, estos valores deben producir *efectos positivos* en la organización, traducidos en términos de rendimiento, satisfacción, buen clima laboral o mayor compromiso de los empleados. En caso contrario, la alta dirección y los empleados se ocuparán de relegar tales valores hasta que dejen de afectar al comportamiento de la organización. En segundo lugar, los valores se asimilarán con más intensidad cuando la *rotación de los empleados* sea baja. Esto supone que en organizaciones donde la vinculación de los empleados es muy duradera o indefinida, la cultura organizacional es más fuerte. En caso contrario, si los empleados dejan de pertenecer a la organización antes de haber asimilado los valores existentes, la cultura será bastante débil[15]. En tercer lugar, las *prácticas de recursos humanos*[16] también pueden provocar el asentamiento de la cultura. En las pruebas de selección, en el diseño de sistemas de promoción e incentivos o en la evaluación del desempeño se trasmiten valores organizativos que moldearán el comportamiento de los miembros de la organización. Los valores de la cultura organizacional también funcionan como filtro en pruebas de selección o aprobación de incentivos[17].

Por último, cuando la cultura se encuentra asentada y consolidada, los *procesos de socialización*[18] contribuyen a comunicar y reforzar aún más la asimilación de los valores y creencias de la organización. Se consideran procesos de socialización aquellos que pretenden comunicar y reforzar la cultura de la organización, persiguiendo el ajuste entre los valores personales y los valores de la organización. Son procesos sutiles y espontáneos que finalmente contribuyen al adoctrinamiento de los miembros de la organización. En la investigación del comportamiento organizativo, se pueden encontrar bastantes estudios que, por ejemplo, analizan cómo son los procesos de socialización que se ponen en práctica cuando se recibe a un nuevo empleado. El momento de entrada a la organización implica importantes actividades de socialización, que aún son más influyentes cuando se trata

---

[13] Schein, E. H. (1996).
[14] Harrison, J. R. y Carroll, G. R. (1991).
[15] Van Maanen y Schein, E. H. (1977).
[16] George, G., Sleeth, R. G. y Siders, M. A. (1999).
[17] Vandenberghe, C. (1999).
[18] Wanberg, C. R. y Kammeyer-Mueller, J. D. (2000).

de ocupar puestos de responsabilidad. Por ejemplo, los opositores que resultan aptos en el examen de oposición al cuerpo de la Policía Nacional, deben asistir de 6 a 9 meses a una academia donde reciben una formación técnica complementaria. Sin embargo, también reciben un importante adoctrinamiento que se rige por el fomento del comportamiento ejemplar, la disciplina horaria, el aseo y la higiene diaria, el compañerismo, etc.

Los rituales o historias (que en este capítulo han sido definidos como artefactos), son herramientas comunes en las distintas actividades de socialización de una organización. Comentando anécdotas o celebrando diferentes eventos, los nuevos empleados conocen y empiezan a asimilar los valores de la cultura organizacional.

3.4. LAS CULTURAS NACIONALES Y LA CULTURA ORGANIZACIONAL

Debe entenderse que la cultura nacional y la cultura organizacional son dos conceptos distintos, pero relacionados. Aunque las organizaciones desarrollan una cultura propia derivada de su identidad, es inevitable que esta cultura esté influida por la cultura nacional. Sin embargo, en el contexto globalizado en que operan las empresas, esta influencia no es tan simple. Por una parte, cabe pensar que la globalización unifica los valores y creencias, pero al mismo tiempo obliga a las empresas a trabajar en un contexto multicultural. En nuestros días, a pesar de la globalización, la presencia de rasgos de la cultura nacional en la cultura organizacional es aún considerable.

La globalización impone la necesidad de dirigir grupos de personas en ambientes multiculturales. Los miembros de una organización pueden pertenecer a distintos países o regiones y frecuentemente se plantea la necesidad de trabajar en equipo.

Sin embargo, a pesar de que la globalización tiende a unificar los rasgos identificativos de cada país, existen valores diferentes que caracterizan a las culturas nacionales. Debe tenerse en cuenta que las personas que trabajan en una organización también pertenecen a una sociedad que comparte unos valores y creencias. La influencia de los valores asimilados en otros contextos (familia, escuela, grupos de amistad, etc.) es inevitable. Por tanto, la cultura organizacional termina quedando impregnada de los valores de las culturas nacionales de sus empleados[19].

La complejidad surge cuando la organización debe tomar decisiones que encajen con los valores culturales de todos sus miembros. Es común encontrar diferencias entre las distintas culturas nacionales sobre valoraciones que afectan al

---

[19] Raz, A. E. (2009).

trabajo en la organización. El trato a las personas, la puntualidad, la espontaneidad, la forma de desarrollar una reunión, etc., pueden ser valorados de manera distinta en cada cultura nacional, y esto puede conllevar diversas barreras para el trabajo en equipo. La percepción diferente de un gesto o comportamiento puede ser interpretada como una falta de respeto o un tratamiento incorrecto. Por tanto, el directivo no sólo debe conocer la cultura propia de su organización sino también admitir los valores culturales de cada empleado como otro condicionante más para la eficacia de sus decisiones.

RESUMEN

En este capítulo se ha planteado que toda organización tiene una cultura que refleja su historia, su experiencia y la forma en que los miembros de la organización valoran las distintas situaciones de la realidad. Las creencias, los valores y los artefactos son los componentes relacionados que finalmente dan lugar a una cultura organizacional. Esta cultura afecta al comportamiento de las personas, dando lugar a que todos estandaricen su forma de comportarse de acuerdo con unos valores. La cultura puede ser un activo muy valioso para la organización, puesto que crea un fuerte compromiso entre las personas. También puede implicar efectos negativos, cuando impide que la organización cambie y se adapte. Esta cultura puede presentar distintos niveles de fortaleza, y así, culturas muy fuertes influirán y determinarán con más fuerza el comportamiento de sus miembros. Asimismo, distintas subculturas pueden coexistir en una organización, compartiendo algunos valores centrales y comunes. Algunas características que definen a una cultura (ya sea organizacional o nacional) son: la distancia de poder, el individualismo o colectivismo, la aceptación de la incertidumbre, la masculinidad-feminidad o la orientación al corto o largo plazo. Aunque la cultura organizacional es un concepto distinto de la cultura nacional, esta última tiene una influencia determinante sobre los valores y creencias de la organización.

PREGUNTAS DE REPASO

1. Explique la distancia de poder como una de las características de la cultura organizacional.

2. Explique por qué la cultura organizacional formaliza el comportamiento de los miembros de la organización.

3. Compare la formalización que se deriva de la cultura de la organización y la formalización que se deriva del diseño organizativo (capítulo 8).

4. ¿En qué consiste el proceso de socialización?

5. Enumere 3 razones que desencadenan la existencia de subculturas organizativas.

6. ¿Cuáles son las dos variables que determinan la fortaleza de una cultura?

7. Explique las diferencias entre los artefactos, valores y creencias.

8. Enumere los principales factores que influyen en la generación y mantenimiento de la cultura organizacional.

CASO PRÁCTICO

Médicos y enfermeros hablan de su hospital

Un proyecto de investigación asignado a una universidad española está destinando sus recursos a estudiar la cultura de distintas organizaciones de su provincia. Una de ellas es el Hospital Provincial del Sur. El diseño del estudio se basa en entrevistas que se formulan a los distintos miembros de la organización. Lógicamente, las preguntas que se plantean no aluden a los términos cultura organizacional, valores o creencias, porque los entrevistados desconocen dichos términos. En cambio, son preguntas genéricas que pretenden acotar los rasgos y naturaleza de la cultura.

Cada entrevista es individual y el entrevistador es un agente externo que se compromete a no difundir la información que obtenga mediante la entrevista. Esto es imprescindible para que el estudio sea válido. Cada una de las entrevistas realizadas es grabada para que después un grupo de investigadores especializados evalúen las respuestas. A continuación se detallan un conjunto de preguntas y respuestas para su análisis.

¿Son rígidas las normas y las reglas vigentes en el hospital?

Médico: Depende de las normas. Existen normas que no admiten flexibilidad, son así y todos estamos convencidos de que deben ser así, aunque en algunos casos, es posible cuestionarlas, e incluso no obedecerlas cuando el contexto así lo exige. Cada situación requiere una respuesta distinta, y a veces algunas normas sólo entorpecen el trabajo diario. Por ejemplo, no está permitido salir fuera del hospital con la bata puesta, pero entre compañeros ya tenemos asimilado que una urgencia fuera del hospital no puede esperar a que el médico se quite la bata y se la ponga después. Por tanto, todos estamos acostumbrados a salir y entrar con bata. Además, las batas de médico llevan un distintivo diferente, y cuando el jefe de planta ve que eres médico, nunca hace comentarios.

Enfermero: Sí, lo son. Las normas están para cumplirlas. Además nos conviene cumplirlas, para evitar problemas. Muchas de esas normas aseguran el trato y cuidado adecuado a los pacientes, no son una broma.

¿Es abierta la comunicación entre los compañeros?

Médico: Sí, claro. La comunicación es siempre necesaria. Personalmente, yo intento animar la comunicación con mis pacientes y con el resto de compañeros. Un compañero de otra especialidad puede resolverte algunas cuestiones que se te plantean. Otras veces el enfermero o enfermera puede comentarte un detalle fundamental para entender un problema. ¡Y qué decir de la comunicación con los pacientes y los familiares! ¡Es muy valiosa!

Enfermero: Bueno, sí... tenemos bastante comunicación entre los enfermeros de la misma planta. A veces no sabemos dónde está algo, o no sabemos los cambios que se han producido en una habitación, así que preguntamos a algún compañero y todos intentamos ayudarnos. ¡Hoy por ti, mañana por mí! La comunicación hace que el trabajo sea más fácil. Y bueno... con los médicos es diferente. Nosotros no debemos interrumpir su trabajo, así que no solemos hacerles muchas preguntas, sólo las necesarias. Ellos nos dicen qué debemos hacer y nosotros intentamos satisfacer sus exigencias.

¿Mantiene una relación de amistad con sus compañeros? ¿Celebran actos informales?

Médico: La relación siempre es cordial. Como te comentaba, es importante la comunicación, y el hecho de poder necesitarnos en determinados momentos hace que intentemos mantener una buena relación. Con respecto a lo segundo, déjame pensar... la verdad es que no recuerdo haber asistido a muchos actos informales. La jornada incluye muchas horas, sin contar guardias... Algunos tenemos que estudiar aún, o tienen familia, y es raro coincidir... Creo que también influye que muchos de nosotros somos interinos, y dentro de unos meses nos destinarán a otro hospital diferente, por eso no desarrollamos relaciones demasiado estrechas con los compañeros...

Enfermero: Sí, me considero amigo de algunos compañeros y compañeras que empezaron a trabajar cuando yo lo hice. Nos llevamos bastante bien. Y sobre los actos informales... tenemos varias tradiciones. Por ejemplo, en Navidad siempre nos reunimos los enfermeros, y lo pasamos muy bien... También tenemos organizada una peña de lotería, y a veces toca algo... así que hemos celebrado alguna cena. También «obligamos» a invitar a pasteles a aquel que cumple años... Y así sabemos todas las fechas de cumpleaños.

FUENTE: Elaboración propia.

PREGUNTAS

1. Identifique los artefactos que se comentan en el texto. ¿Qué valores y creencias pueden representar?

2. Discuta la existencia o no de subculturas dentro de la cultura del hospital. En caso de existir subculturas, ¿cuál parece más fuerte?

3. ¿Cómo afecta la cultura del hospital en el comportamiento?

4. Discuta cómo son las dimensiones propuestas por Hofstede en la cultura del hospital.

4 Cambio organizacional

El mundo de los negocios en la actualidad se basa en el cambio. La competencia cada vez es mayor, la gestión de recursos humanos se ve afectada por la diversidad cultural de los miembros de la empresa, las innovaciones tecnológicas se generan con mayor rapidez, han surgido nuevas tecnologías de la información y la comunicación, los gustos y preferencias de los consumidores cambian constantemente, etc. Ante esta situación, las organizaciones no pueden tener una actitud pasiva, no pueden ser meras observadoras de lo que ocurre, ya que si tardan en reaccionar, puede que cuando lo hagan ya sea tarde y peligre su supervivencia. Hay cambios que requerirán una actuación rápida y hay que estar preparado para afrontarlos. Es por ello que las organizaciones hoy en día tienen que asumir que, ante el entorno dinámico al que se enfrentan, es necesario implementar un cambio planeado, que permita desarrollar un buen clima organizacional y evitar la resistencia al cambio.

Dada la importancia del cambio, en este capítulo se definirá en primer lugar qué se entiende por cambio organizacional. Después se analizarán distintas fuerzas que favorecen e impiden el cambio. En tercer lugar se señalarán las distintas etapas a considerar en el proceso de cambio organizacional, para a continuación describir las distintas técnicas para reducir la resistencia al cambio. Por último se darán a conocer distintos tipos de cambio organizacional.

4.1. CAMBIO ORGANIZACIONAL

Las organizaciones operan en un entorno cada vez más dinámico (cambios en las regulaciones gubernamentales, aumento de la competencia, evolución tecnológica, y una fuerza laboral cambiante), donde la respuesta a la evolución de los mercados debe realizarse rápidamente para poder crecer e incluso sobrevivir. Por ello, las organizaciones de hoy deben someterse a la innovación y el cambio.

El *proceso por el que las organizaciones pasan a un estado futuro deseado* es lo que se conoce como cambio organizacional. Cuando las organizaciones llevan a cabo un cambio organizacional planeado tratan de ser más eficientes e incluso incrementar su ventaja competitiva a través de mejores maneras de utilizar sus recursos y capacidades[1].

Para realizar dicho cambio debe haber una persona o personas que se encarguen de llevarlo a cabo, llamadas *agentes de cambio*. El agente de cambio es la persona que tiene que vencer las resistencias, o incluso impulsar el cambio cuando sea necesario, y llevar a cabo el proceso para pasar de la situación actual a la situación futura deseada. Por tanto, organizaciones similares reaccionarán de forma diferente ante cambios en el entorno y llegarán a resultados de desempeño diferentes aun teniendo los mismos recursos, ya que cada agente de cambio ejercerá su propia influencia[2].

El agente de cambio puede ser interno o externo[3], es decir, puede pertenecer a la organización o ser una persona ajena a ella. Los agentes de cambio internos tienen una serie de ventajas frente a los agentes de cambio externos: conocen mejor la organización, las distintas fuentes de información dentro de ésta y las posibles reacciones de las personas afectadas por los cambios. Por ejemplo, los nuevos directores tienen el potencial de facilitar el cambio estratégico, ya que pueden ofrecer nuevas perspectivas entre los directores estratégicos haciéndoles ver los aspectos que hacen necesario un cambio en la estrategia[4]. Pero utilizar un agente interno para el proceso de cambio también tiene sus inconvenientes; por ejemplo, los empleados tienen un conocimiento previo de él y pueden considerar que no tiene la experiencia ni la capacidad adecuada para llevar a cabo el cambio, o puede no ofrecerles la confianza suficiente. En ambos casos, los miembros

---

[1] Beer, M. (1980); Porras, J. I. y Silvers, R.C. (1991); Hill, C. y Jones, G. (2005).
[2] Cooper, A. C. y Schendel, D. (1976).
[3] Ginsberg, A. y Abrahamson, E. (1991); Lacey, M. (1995).
[4] Hedberg, B. (1981).

de la organización cuestionarán sus actuaciones y ofrecerán resistencia, dificultando el cambio.

Por otro lado, los agentes de cambio externos[5] son personas que se dedican profesionalmente al desarrollo de este tipo de procesos, y por tanto suelen tener más experiencia que un agente interno y suelen ser más innovadores, imparciales y no se sienten limitados a la hora de plantear todo tipo de propuestas, ya que no están comprometidos con las maneras de pensar y hacer las cosas o con los comportamientos preestablecidos en la organización. Los agentes externos ayudan a los miembros de la organización a salir de sí mismos declarando lo obvio, haciendo preguntas triviales, y planteando la duda. Cuando el cambio lo llevan a cabo agentes externos, los miembros de la organización pueden adquirir un mayor compromiso con sus recomendaciones, ya que piensan que éste está justificado porque las personas que han valorado la situación son expertas y lo consideran adecuado. Pero al igual que los agentes de cambio internos, los externos no están exentos de desventajas. Por ejemplo, suelen tardar más en recabar toda la información necesaria, ya que tienen menos conocimiento de las distintas fuentes de información de la organización y de sus procedimientos. Además, como no pertenecen a la organización, también pueden generar cierto rechazo entre las personas afectadas por considerar que una determinada medida sólo la proponen porque ellos no van a sufrir las consecuencias.

Lo primero que debe hacer el agente de cambio para afrontar un cambio organizacional es analizar los factores que afectan a dicho cambio, tanto aquellos que lo van a impulsar o facilitar como aquellos que lo pueden impedir o dificultar.

4.2. FUERZAS IMPULSORAS DEL CAMBIO ORGANIZACIONAL

En la organización influyen muchas fuerzas, internas y externas, que favorecen o impulsan el cambio, y una de las principales funciones de los gerentes es conocerlas e identificarlas. Cuanto más rápida sea su reacción ante estas fuerzas, más competitivos y eficaces serán.

4.2.1. Fuerzas externas

Entre los factores externos que pueden estimular la necesidad de un cambio organizacional podemos encontrar: la presión de la competencia, las exigencias gubernamentales, políticas y sociales, los cambios tecnológicos y las modificaciones producidas en los mercados.

Las organizaciones tienen que adaptarse constantemente a los nuevos deseos y demandas de los consumidores, ya que si realizan los cambios más tarde que sus competidores, su crecimiento e incluso su supervivencia se podrán ver comprome-

---

[5] Smircich, L. y Stubbart, C. (1985); Pfeffer, J. (1981).

tidos[6]. Las exigencias gubernamentales, políticas y sociales[7] son otros factores que influyen en el cambio organizacional. Por ejemplo, el comportamiento ético y la responsabilidad social de las organizaciones se han tenido que adaptar para poder cumplir con las nuevas normativas y expectativas sociales. Cada día se es más consciente del papel que desempeñan las organizaciones en estas materias y de la importancia que puede tener, como fuente de ventaja competitiva, el hecho de ser una organización ética y responsable, para lo cual deberán realizar los cambios necesarios. Los cambios tecnológicos también establecen la necesidad de cambio. Para ser eficiente una organización debe adoptar la tecnología más reciente, ya que de otro modo puede dejar de ser competitiva. Estos cambios tecnológicos harán necesario que los empleados deban aprender nuevas técnicas y desarrollar nuevas habilidades para trabajar y ello puede cambiar las relaciones previamente establecidas[8]. Debido a la globalización, otro factor que obliga a los agentes a realizar cambios son las modificaciones que se están produciendo en los mercados. Las organizaciones necesitan cambiar su estructura y su cultura organizacional para poder expandirse a mercados extranjeros y adaptarse a la diversidad cultural y a los diferentes entornos económicos y políticos[9].

4.2.2. Fuerzas internas

El cambio también puede ser promovido por factores o fuerzas internas[10] como la actitud de los empleados. Por ejemplo, una creciente insatisfacción en el empleado puede provocar un incremento del absentismo, abandono o una baja productividad, y esto frecuentemente llevará a cambios para evitar tales situaciones. La fuerza de trabajo de una organización es otro factor importante, ya que suele ser dinámica y diversa por razones de edad, sexo, preparación y origen cultural. La organización tiene que adaptarse para que este hecho le suponga nuevas oportunidades y no una amenaza para su supervivencia. Los cambios en la estrategia por parte de la gerencia también pueden originar muchos cambios organizacionales. Además, otros factores que también pueden promover el cambio son los niveles de profesionalidad, las actitudes de la dirección hacia el cambio, la tensión de la gestión, los recursos técnicos, el conocimiento y la holgura de recursos. Por ejemplo, cuanto más seguros de sí mismos están los gerentes, más predispuestos estarán a afrontar cambios; cuando la dirección fomente la innovación, la organización estará más abierta al cambio, y cuando exista holgura de recursos también se facilitará el cambio para conseguir la eficiencia.

---

[6] Meyer, A., Brooks, G. y Goer, J. (1990).
[7] Kelly, P. y Amburgey, T. (1991); Haveman, H. (1992).
[8] Jones, G. R. (1995).
[9] Prahalad, C. K. y Doz, Y. L. (1987).
[10] Robbins, S. y Coulter, M. (2005); Jones, G. R. (2008); Damanpour, F. (1991).

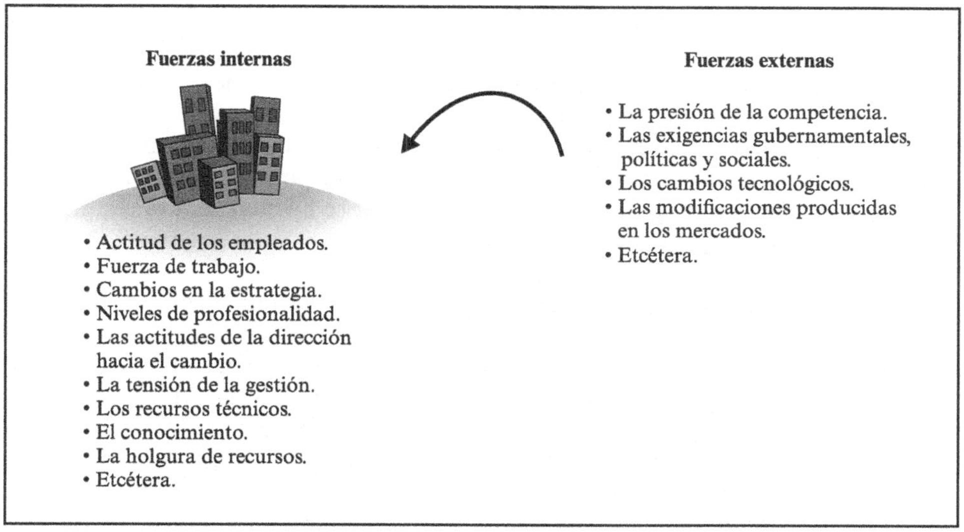

Fuerzas internas

• Actitud de los empleados.
• Fuerza de trabajo.
• Cambios en la estrategia.
• Niveles de profesionalidad.
• Las actitudes de la dirección hacia el cambio.
• La tensión de la gestión.
• Los recursos técnicos.
• El conocimiento.
• La holgura de recursos.
• Etcétera.

Fuerzas externas

• La presión de la competencia.
• Las exigencias gubernamentales, políticas y sociales.
• Los cambios tecnológicos.
• Las modificaciones producidas en los mercados.
• Etcétera.

Figura 4.1. Fuerzas impulsoras del cambio organizacional. (FUENTE: Elaboración propia.)

Una vez analizadas las fuerzas que originan el cambio se ha de considerar que para que el cambio organizacional se realice con éxito es necesario planificarlo teniendo en cuenta las diversas causas de resistencia al cambio y las distintas formas de influir en las personas o grupos para salvar tales resistencias.

4.3. FUERZAS DE RESISTENCIA AL CAMBIO

Las organizaciones pueden encontrar serias dificultades para adaptarse a los cambios del entorno debido a fuerzas internas de resistencia. «La reorganización suele ser temida, porque supone la alteración del *statu quo,* una amenaza para los intereses de las personas en sus puestos de trabajo, y un malestar hacia las formas establecidas de hacer las cosas»[11]. Las personas pueden resistirse al cambio aun cuando ese cambio pudiera beneficiarles, y la eficacia y la supervivencia de la organización pueden verse afectadas por dicha resistencia[12]. Por ello, conviene analizar las posibles causas de resistencia con las que la organización se puede encontrar y actuar con rapidez para contrarrestarlas.

A continuación se analizan posibles fuerzas de resistencia al cambio[13] para después pasar a ver qué se puede hacer para contrarrestarlas o aminorarlas.

---

[11] Bower M. y Walton, C. L. Jr. (1973).
[12] Hannan, M. y Freeman, J. (1984).
[13] Kotter, J. P. y Schlesinger, L. A. (1979); Jones, G. R. (2008).

Interés propio y orientación funcional. Una de las principales razones de resistencia al cambio organizacional se debe a que los empleados piensan que pueden perder algo, como posición, autoridad, relaciones personales, etc. El cambio generalmente beneficia a algunas personas, funciones o divisiones y perjudica a otras, y puede provocar conflicto organizacional que provoque resistencia. También los miembros de una organización tienden a resistirse al cambio porque se sienten inseguros ante la incertidumbre de cuál será el resultado. En estos casos no se plantean que pueda ser lo mejor para la organización, sino que prefieren centrarse en sus propios intereses.

De igual modo que las personas se pueden resistir al cambio organizacional, las distintas funciones y divisiones tienen su propia visión del problema, el cual puede diferir de unas a otras. Este hecho aumenta la resistencia de la organización, ya que habrá unidades que puedan percibir que perderán con el cambio o incluso habrá unidades que no vean la existencia del problema. Esto provocará que la organización tenga que resolver el conflicto antes de realizar el proceso de cambio, lo cual puede demorar o incluso evitar el cambio.

La incomprensión y falta de confianza. La incomprensión que se produce al no ser conscientes de cuáles son los motivos e implicaciones del cambio es otro motivo de resistencia. Esto se debe a que no se han explicado con suficiente claridad las causas que llevan a plantear el cambio, o a la falta de confianza entre el agente de cambio y los miembros de la organización que van a participar o se van a ver afectados. La falta de confianza puede dar lugar a malas interpretaciones, y estos malentendidos pueden ser fuente de resistencia si no se solucionan.

Evaluaciones diferentes. Los empleados también se resisten al cambio organizacional porque evalúan la situación de manera diferente a como lo hacen los agentes de cambio y pueden no ver la importancia del cambio. Normalmente, las personas que se van a ver afectadas no conocen o no tienen acceso a toda la información necesaria para valorar la necesidad del cambio; sin embargo, los agentes de cambio no suelen ser conscientes de este hecho. Además, también puede producirse este tipo de resistencia cuando, teniendo la misma información, el análisis desarrollado por los miembros de la organización sea más acertado que el realizado por los agentes de cambio, en cuyo caso la resistencia sería beneficiosa para la organización.

Baja tolerancia al cambio. Cuando los miembros de la organización sienten que no van a ser capaces de adaptarse y que no tienen las habilidades necesarias para afrontar la nueva situación, ofrecen resistencia para impedir dicho cambio. Además, la capacidad de cambiar es más limitada en algunas personas que en otras, y el cambio organizacional puede requerir que la gente cambie drásticamente. Por ello, las personas afectadas, aun dándose cuenta de que el cambio es necesario y beneficioso, pueden ofrecer resistencia si poseen una baja tolerancia al cambio. Por ejemplo, una persona que recibe un ascenso, si tiene baja tolerancia al riesgo, ofrecerá resistencia ante la inseguridad de ser capaz de desarrollar su nuevo trabajo con la celeridad requerida, así como por el temor a la pérdida de algunas de las relaciones actuales.

Estructura mecanicista y cultura organizacional. El diseño organizacional y los valores y normas de la organización también pueden ser fuentes de resistencia. Las estructuras mecanicistas son más resistentes al cambio que las estructuras orgánicas. Como se pone de manifiesto en el capítulo 8, en las estructuras mecanicistas el comportamiento está normalizado por medio de reglas y procedimientos, y cuando las personas realizan un trabajo muy rutinario y reglado no necesitan desarrollar su capacidad de adaptar su comportamiento. Por tanto, la estructura mecanicista es una fuente de inercia organizacional. En cambio, las estructuras orgánicas, en las que el comportamiento no está normalizado sino que hay una adaptación mutua entre las personas, ofrecerán menos resistencia, ya que desarrollan una mayor capacidad de adaptación.

De igual modo, si el cambio propuesto va en contra de la cultura organizacional, ésta se convertirá en una fuente de resistencia, ya que, tal y como se apunta en el capítulo 4, uno de los efectos de la cultura es precisamente la formalización del comportamiento de los miembros de la organización. Además, cuanto más implantada esté la cultura organizacional y mayor sea el compromiso de los miembros de la organización con ella, mayor será dicha resistencia.

Una vez vistos algunos de los posibles factores que facilitan o entorpecen el cambio, en el siguiente epígrafe se analiza cómo se desarrolla el cambio organizacional.

4.4. PROCESO DE CAMBIO ORGANIZACIONAL

La *teoría del campo de fuerzas* de Kurt Lewin se utiliza para comprender el proceso de cambio[14]. El campo de fuerzas está formado por distintas fuerzas que se oponen entre sí, y la teoría del campo de fuerzas se basa en que antes de iniciar un cambio organizacional se está en una situación de equilibrio, es decir, las fuerzas impulsoras y restrictivas del cambio se compensan. El estado actual es ese nivel donde las fuerzas se compensan y la organización está en equilibrio y no cambia.

El cambio organizacional consiste en el paso de la situación actual a una situación futura deseada. Siguiendo a Kurt Lewin, para que un cambio se realice con éxito debe constar de tres pasos:

— Paso 1: *Descongelar.* Cuando se inicia el cambio se parte de una situación de equilibrio y el primer paso del cambio tiene que ser desestabilizar dicho equilibrio. Edgar Schein[15] identificó tres procesos necesarios para conseguir dicha descongelación: desconfirmación de la validez del *statu quo,*

---

[14] Lewin, K. (1951); Burnes, B. (2004).
[15] Schein, E. H. (1996).

ansiedad de supervivencia, y creación de la seguridad psicológica. Los interesados deben ser conscientes de la necesidad del cambio que se quiere realizar.

— Paso 2: *Cambio*. Se deben tener en cuenta todas las fuerzas que afectan al cambio e identificar y evaluar todas las opciones disponibles. Para conseguir el cambio, el agente que lo lleva a cabo puede actuar tanto sobre las fuerzas impulsoras como sobre las fuerzas restrictivas o incluso puede actuar sobre ambas a la vez. Si se actúa sobre las fuerzas impulsoras, el proceso de cambio irá acompañado de mayor tensión que si se actúa sobre las fuerzas restrictivas.

— Paso 3: *Recongelar*. Es establecer en la nueva situación un estado de equilibrio de todas las fuerzas. En el caso de las organizaciones, la recongelación requiere cambios en la cultura organizacional, en las políticas y en las prácticas. Este equilibrio implica que el nuevo campo de fuerzas es relativamente seguro frente al cambio.

Estos tres pasos del proceso de cambio de Kurt Lewin son ampliados por John Kotter[16], quien señala que para que el cambio se produzca con éxito el proceso de cambio se debe desarrollar en ocho pasos. Los cuatro primeros se pueden relacionar con la primera etapa señalada por Kurt Lewin, los tres siguientes con la segunda etapa y el último con la tercera etapa (figura 4.2).

Los ocho pasos para un proceso de cambio exitoso que propone Kotter son los siguientes:

— *Establecimiento de sentido de urgencia:* Es decir, la necesidad de cambio tiene que quedar clara. Para ello se debe examinar el entorno con el fin de identificar las oportunidades y amenazas existentes. Conviene realizar debates y reuniones y fomentar el diálogo sobre la necesidad del cambio.

— *Creación de una coalición de dirección:* El cambio debe ser dirigido a través de uno o varios agentes de cambio que tengan suficiente poder e influencia entre los miembros que van a participar o se van a ver afectados por dicho cambio, ya que se requiere un liderazgo eficiente.

— *Desarrollo de una visión y una estrategia:* Hay que reunir todas las ideas referentes al cambio. Así, al establecer una visión clara y plantear estrategias para alcanzar dicha visión se facilita que todos los miembros vean la importancia de los pasos y órdenes que se han de llevar a cabo.

— *Comunicación de la visión de cambio:* Una vez creada la visión, para que sea eficaz, es necesario comunicarla constantemente y por cualquier medio disponible. El objetivo debe ser recordado constantemente a medida que

---

[16] Kotter, J. P. (1996).

se vayan tomando las decisiones para que las distintas actuaciones no se aparten de él.

— *Eliminación de los obstáculos:* Una vez que se es consciente de la necesidad del cambio hay que cambiar o adaptar los sistemas y estructuras que impidan el cambio y fomentar la asunción de riesgo y el desarrollo de la creatividad e innovación. Esto permitirá que se planteen todo tipo de opciones y eliminará el compromiso con la forma tradicional previamente establecida. En esta etapa hay que observar y salvar las resistencias de los miembros de la organización.

— *Generación de metas a corto plazo:* Se deben establecer planes a corto plazo que sirvan de referencia para ver los avances del proceso de cambio, las mejoras conseguidas hasta ese momento y mantener el nivel de urgencia. Las mejoras y ganancias conseguidas son fuente de motivación para continuar con el cambio, por lo que se debe recompensar a las personas que lo hagan posible.

— *Conseguir la consolidación y continuar con el cambio:* Hay que ir consolidando las mejoras y seguir con el cambio; no se puede asumir que se ha realizado el cambio antes de tiempo. Mientras que no se haya establecido una nueva situación de equilibrio el proceso no habrá concluido. Muchos cambios no se realizan con éxito porque se dan por finalizados antes de tiempo y deja de prestárseles atención. Por ello, en esta fase se debe analizar la situación para valorar lo conseguido y lo que queda por conseguir. Se trata de establecer nuevos planes e incluso contar con nuevos agentes de cambio que lo reactiven.

— *Institucionalizar los nuevos enfoques culturales:* Se debe conseguir el equilibrio en la nueva situación haciendo que los cambios sean permanentes. Para ello, tanto el comportamiento y actitud de los líderes como la cultura organizacional tienen que apoyar y comprometerse con la nueva situación.

A continuación, antes de pasar a examinar distintos tipos de cambio que se pueden utilizar para aumentar la eficacia de la organización, se van a analizar diversas técnicas que pueden emplearse para superar las fuerzas de resistencia y facilitar el cambio.

4.5. TÉCNICAS PARA REDUCIR LA RESISTENCIA AL CAMBIO

El agente de cambio debe realizar un diagnóstico preciso de las fuentes de resistencia al cambio para así poder reducirla eligiendo la técnica más apropiada.

Para atenuar la resistencia, los agentes de cambio pueden utilizar seis técnicas o tácticas a través de las cuales pueden influir en las personas y grupos durante el cam-

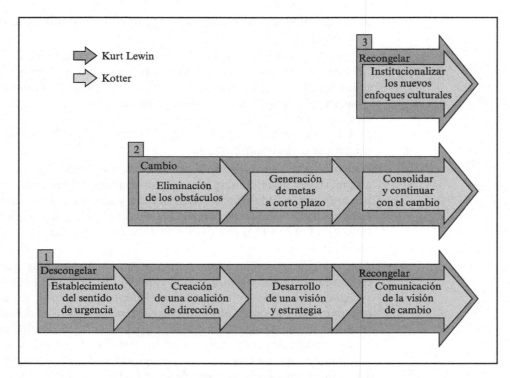

Figura 4.2.   Etapas del proceso de cambio. (FUENTE: Elaboración propia.)

bio. Estas tácticas son: la educación y comunicación, la participación e implicación, la facilitación y apoyo, las negociaciones y acuerdos, la manipulación y la coacción[17].

Educación y comunicación. Para superar la resistencia se puede educar a los empleados sobre el cambio. Al trasmitir y comunicar los aspectos que llevan a la decisión de cambio y a la elección de la alternativa de solución planteada se facilita que los empleados vean su necesidad e importancia.

Esta táctica se utiliza cuando la fuente de resistencia se basa en que no se tienen los datos suficientes para realizar un análisis adecuado del problema o necesidad de cambio y será eficaz siempre que las relaciones entre el agente de cambio y el empleado se caractericen por una confianza mutua. Se debe informar a los empleados mediante una comunicación abierta y sincera, ya que si no fuera así podría producir desconfianza y no se superaría dicha resistencia. Será una técnica muy útil, sobre todo si los agentes necesitan la colaboración de los empleados para conseguir el cambio. Esto puede lograrse mediante conversaciones personales, debates, informes, correo electrónico, videoconferencias, etc. Para aplicar esta

---

[17] Kotter, J. P. y Schlesinger, L. A., (1979); Robbins, S. y Coulter, M., (2005); Jones, G. R. (2008).

táctica hay que tener en cuenta que se requiere tiempo y esfuerzo. Cuanto más conscientes sean las organizaciones de la importancia del cambio gradual, mayor será la necesidad de comunicación con los miembros de la organización para superar su resistencia al cambio.

Participación e implicación. Los agentes de cambio pueden prevenir la resistencia implicando en el cambio a las personas que prevén que se resistirán. Si se logra la participación de los empleados, éstos estarán más comprometidos con el cambio y no sólo no se resistirán, sino que incluso lo facilitarán.

Esta técnica se utiliza cuando los agentes del cambio no disponen de toda la información necesaria para desarrollar el proceso de cambio, o cuando necesitan el apoyo de los empleados para lograrlo. Cuanto mayor sea la participación, mayor será el compromiso con el cambio y muchas veces este compromiso será imprescindible para conseguir alcanzar e implantar el cambio. Esta forma de vencer la resistencia puede llevar mucho tiempo, sobre todo si requiere la participación de muchas personas; además, si los consejos aportados no son veraces, pueden conducir a malos resultados.

Facilitación y apoyo. Otro medio que utilizan los agentes de cambio para hacer superar la posible resistencia al cambio de los empleados es mostrándoles su apoyo y orientándolos en todo el proceso. Esta táctica se utiliza cuando la tensión, los temores y la ansiedad de los empleados frente al cambio, son elevados. Pueden prestarles apoyo facilitándoles la capacitación en nuevas habilidades o proporcionando apoyo emocional. Incluso, cuando el cambio es drástico e importante, las organizaciones puede recurrir a psicólogos y asesores para ayudar a los miembros de la organización a superar la tensión y el estrés. Esta técnica puede ser lenta y costosa.

Negociación y acuerdo. Cuando el compromiso de determinados empleados es importante y se sabe que no se puede lograr por otros medios, ya que éstos saben que van a salir perdiendo con el cambio, los agentes de cambio recurren a la negociación. Este método también puede ser muy costoso, sobre todo cuanto mayor sea el poder de los empleados y más conscientes sean de ello, y además puede dar lugar al chantaje por parte de otros miembros de la organización si descubren la posibilidad de negociar y con ello conseguir alguna ventaja adicional. Por tanto debe utilizarse con cautela porque una mala negociación puede dar lugar a nuevas resistencias.

Manipulación y cooptación. Los agentes de cambio también pueden conseguir el apoyo de los miembros de la organización influyendo en ellos sin que sean conscientes, es decir, manipulándolos. Durante el proceso de cambio se puede desvirtuar o esconder la información que pueda perjudicar a las personas implicadas o afectadas por el cambio. Como forma de manipulación se puede utilizar la cooptación. La cooptación consiste en darle al líder de las personas que ofrecen resistencia un papel importante en el proceso de cambio. En este caso, a diferencia de cuando se utiliza la técnica de participación e implicación, lo que se pretende es conseguir apoyo y no consejo, es decir, no se pretende conseguir información que facilite y ayude al proceso de cambio, sino que se intenta lograr el compromiso de todos los miembros de la organización a través del compromiso de su líder. Se suele utilizar, por ejemplo, cuando la resistencia proviene de distintas funciones y divisiones de la organización y se cree que no se va a conseguir nada a través de la negociación. Esta táctica para salvar la resistencia es menos costosa y es más fácil de utilizar que las anteriores; sin embargo, puede convertirse en una mayor fuente de resistencia si los implicados se dan cuenta de lo que pretenden los directores del cambio. Por otra parte, puede provocar que la credibilidad del agente de cambio se vea seriamente dañada y sea difícil de recuperar.

TABLA 4.1

Técnicas para reducir la resistencia al cambio

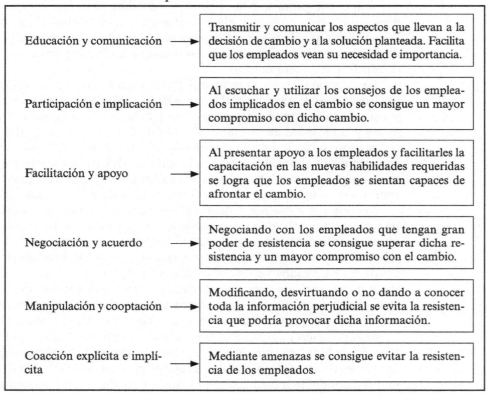

Educación y comunicación	Transmitir y comunicar los aspectos que llevan a la decisión de cambio y a la solución planteada. Facilita que los empleados vean su necesidad e importancia.
Participación e implicación	Al escuchar y utilizar los consejos de los empleados implicados en el cambio se consigue un mayor compromiso con dicho cambio.
Facilitación y apoyo	Al presentar apoyo a los empleados y facilitarles la capacitación en las nuevas habilidades requeridas se logra que los empleados se sientan capaces de afrontar el cambio.
Negociación y acuerdo	Negociando con los empleados que tengan gran poder de resistencia se consigue superar dicha resistencia y un mayor compromiso con el cambio.
Manipulación y cooptación	Modificando, desvirtuando o no dando a conocer toda la información perjudicial se evita la resistencia que podría provocar dicha información.
Coacción explícita e implícita	Mediante amenazas se consigue evitar la resistencia de los empleados.

FUENTE: Elaboración propia.

La coacción explícita e implícita. Como ultima táctica para salvar la resistencia se considera la coacción. Con esta táctica, los agentes de cambio pretenden salvar la resistencia obligando a los empleados a aceptar un cambio mediante amenazas. Por ejemplo, los empleados pueden ser amenazados con pérdida de posibilidades de promoción, con la reasignación, etc. La ventaja principal de esta técnica es que permite que el cambio se realice más rápidamente que con otras, pero al igual que la manipulación y la cooptación puede ser una técnica muy peligrosa al provocar insatisfacción entre los empleados implicados y dificultar el proceso de cambio.

Una vez vistas las distintas técnicas que pueden utilizar los agentes de cambio para salvar las distintas fuentes de resistencia, conviene resaltar que para que se lleve a cabo un cambio organizacional con éxito es necesaria la aplicación de varias de estas técnicas a la vez. Conviene analizar las fortalezas y debilidades de cada situación y elegir las técnicas más adecuadas. Hay agentes de cambio que sólo se centran en una de estas tácticas y en cualquier circunstancia la utilizan sin tener en cuenta el motivo de la resistencia, las condiciones que la rodean y los medios con los que cuentan para superarlas[18]. En estos casos, probablemente no logren salvar todas las posibles resistencias. Al igual que ocurre con la negociación, el tipo de liderazgo ejercido o la motivación, los directivos y agentes de cambio de una organización tienen que utilizar distintos métodos según lo requieran las circunstancias de cada caso.

4.6. TIPOS DE CAMBIO

Los tipos de cambio se pueden clasificar en: cambio evolutivo y cambio revolucionario[19].

El *cambio evolutivo* es gradual, incremental y continuo. Supone una serie de mejoras graduales y normalmente se centra en una o varias partes específicas de la organización. Por el contrario, el *cambio revolucionario* es rápido y drástico. Consiste en una modificación drástica de la naturaleza de la organización e implica una transformación a todos los niveles.

Las organizaciones, para mejorar y ser más eficaces y eficientes, utilizan distintos tipos de instrumentos para realizar ambos tipos de cambio. Entre estos instrumentos se encuentran: el enfoque del sistema sociotécnico, la administración de calidad total, la reingeniería y la innovación.

4.6.1. Enfoque del sistema sociotécnico

El enfoque del sistema sociotécnico surgió durante la década de los años cincuenta del pasado siglo, como resultado de una serie de investigaciones sobre las consecuencias de la mecanización de las tareas de extracción y traslado de mineral en las minas de carbón inglesas. A principios de esa década, el Gobierno británico se había propuesto mecanizar de manera masiva las minas de carbón de propiedad pública y para ello realizó un primer ensayo en la mina más productiva. Al mismo tiempo encargó a un grupo de investigadores del Bristish Tavistock Institute, diri-

---

[18] Kotter J. (1977).
[19] Miller, D. (1982); Miller, D. (1980).

gidos por Eric Trist y Ken Bamforth[20], el análisis de la situación del trabajo en las minas antes y después de la mecanización para conocer las repercusiones de ésta.

Los investigadores concluyeron que el proceso de mecanización había cambiado la estructura del trabajo y las relaciones laborales y sociales entre los mineros, lo cual condujo a un notable descenso de la productividad de los trabajadores. Hasta ese momento los mineros se habían ido constituyendo en grupos reducidos de trabajo cuyos miembros se ocupaban y responsabilizaban de todo el trabajo de extracción. Los mineros pertenecientes a cada grupo realizaban tareas múltiples e intercambiables, cada grupo recurría a su propio método de trabajo y la comunicación era informal y se mantenía dentro del grupo. Sin embargo, la introducción de la mecanización de las tareas provocó una intensa especialización y formalización del trabajo que alteró el sistema de trabajo por grupos, de tal modo que muchos desaparecieron y otros cambiaron su composición. Este cambio afectó de modo negativo a la productividad de los mineros, ya que el grupo aportaba a sus miembros numerosas satisfacciones y recompensas sociales y laborarles que desaparecieron con el cambio en la tecnología de producción.

Los investigadores observaron que para conseguir una organización eficiente debían tener en cuenta los aspectos técnicos y sociales a la vez, es decir, los sistemas social y técnico debían ser considerados conjuntamente. Surge así el enfoque del sistema sociotécnico[21]. Las dos premisas en las que se basa esta perspectiva son que la organización es un sistema que combina lo social y lo técnico y que está abierto a su entorno. El desempeño del sistema no depende de cómo actúan sus partes independientemente, sino de la manera en que éstas interactúan, de la sinergia que se consigue: el mejor desempeño de todo el sistema no se corresponde con la suma de los mejores desempeños de todas sus partes. Por tanto, cuando los gerentes modifican las relaciones de tareas y funciones deben hacerlo cambiando conjuntamente los sistemas técnico y social, de modo que las relaciones entre los miembros de un grupo no se vean afectadas o cambien gradualmente de tal forma que el cambio se realice con éxito.

4.6.2. Teoría de la administración de la calidad total

La teoría de la administración de la calidad total (ACT) va dirigida a ayudar a una organización en la producción eficiente de productos y servicios de calidad utilizando procesos y modos de gestión también basados en la calidad. Joel Ross describe la ACT como «una filosofía integrada que requiere proactividad de gestión en la orientación al cliente, reducción de la repetición del trabajo, participación de los empleados, y relaciones con los proveedores»[22].

---

[20] Trist, E. L. y Bamforth, K. W. (1951).
[21] Trist, E. L., Higgins, G., Murray, H. y Pollock, A. G. (1965); Cherns, A. (1987); Trist, E. (1981).
[22] Ross, J. (1993).

La ACT permite obtener ventajas competitivas al facilitar el logro de importantes objetivos estratégicos, como son la calidad, la eficacia y un mejor rendimiento[23].

Las ideas fundamentales de la ACT consideran que el objetivo principal de una organización es permanecer en el mercado, generando productos y servicios de calidad que satisfagan las necesidades de los clientes, facilitando la estabilidad de la comunidad, y procurando la satisfacción y el desarrollo de los miembros de la organización; por tanto, la ACT se basa en: la calidad, las personas, las organizaciones y la alta dirección.

— La calidad: Un trabajo de mala calidad lleva a la empresa a asumir más costes, ya que puede tener que rediseñar el proceso, perder clientes, perder reputación, etc. Además, los mayores costes que tiene la organización por la mala calidad pueden poner en peligro la supervivencia de la organización.
— Las personas: Los empleados toman iniciativas para mejorar su trabajo, pero para ello necesitan el apoyo de la gerencia y contar con las habilidades, capacidades y medios materiales necesarios. El papel de la organización es muy importante, ya que facilitará o impedirá que los empleados tomen iniciativas para realizar esta mejora. Para facilitarlo, por ejemplo, se debe evitar el castigo por el mal desempeño derivado de estas iniciativas de mejora.
— Las organizaciones: Son sistemas formados por partes interdependientes y sus principales problemas surgen por la multifuncionalidad. Por ello, los responsables de cada una de las funciones implicadas deben ponerse de acuerdo para solucionarlos.
— La alta dirección: Para que un proceso de mejora tenga éxito, la alta dirección debe estar comprometida, ya que es la encargada de establecer cómo se realizarán los productos y servicios.

Partiendo de estos supuestos, para llevar a cabo una aplicación eficaz de la ACT es necesario que los empleados estén suficientemente capacitados y preparados para evaluar, analizar y mejorar los procesos de trabajo, que sean conscientes de los resultados que se espera de ellos, que sean capaces de identificar las desviaciones y que la organización facilite formación a los empleados en las habilidades necesarias[24]. Además, es necesario conocer las necesidades de los clientes para producir los bienes y servicios más adecuados. Respecto a los proveedores, es necesario que al tratar y negociar con ellos, la base de la negociación sea la calidad además del precio, ya que la calidad de sus productos condicionará la de los nuestros.

---

[23] Powell, T. C. (1995); Douglas, T. J. y Judge, W. Q. Jr. (2001).
[24] Ciampa, D. (1992); Shandler M. y Egan, M. (1994); Robbins, S. y Coulter, M. (2005); Jones, G. R. (2008).

Por tanto, el enfoque de ACT requiere que toda actividad dentro de una organización se base en valores de calidad y que todos los miembros de la organización sean los responsables de conseguirla. Además, se propone crear una cultura en la que todos los empleados busquen la mejora constante.

Para que la implementación de la ACT sea un éxito, es necesario que la organización tenga la estructura interna adecuada. La estructura preferida para implementar una ACT es una estructura flexible que permita adaptarse rápidamente al entorno.

4.6.3. La reingeniería

La reingeniería[25], al igual que la ACT, se centra en el empleado, el trabajo en equipo, la calidad y el cliente. Pero mientras la ACT es un sistema de dirección que apunta a mejoras continuas a largo plazo en la satisfacción del cliente, la reingeniería cambia de forma rápida y radical los procesos estratégicos para optimizar la productividad en una organización. Por tanto, la ACT supone un cambio gradual, mientras la reingeniería supone un cambio radical.

Michael Hammer y James Champy definieron la reingeniería como la «reformulación fundamental y el diseño radical de los procesos empresariales para lograr dramáticas mejoras en las medidas contemporáneas de desempeño como coste, calidad, servicio y rapidez»[26]. La reingeniería no se fija en cómo está estructurada la empresa, sino en cómo se realiza el trabajo. El diseño radical va dirigido a crear valor para los clientes y afecta a los procesos globales, lo cual no quiere decir que no se cambie su estructura, sino que el cambio de su estructura es consecuencia de ese diseño del proceso global. La reingeniería afecta tanto a aspectos técnicos y sistemáticos (por ejemplo, tecnología y estructura) como a aspectos sociales de la gestión del cambio, como el liderazgo, la cultura organizacional, la gestión de recursos humanos, etc.

La formación en ACT, los equipos, el compromiso, la confianza y la comunicación son los principales impulsores de la buena puesta en práctica del proceso de reingeniería.

La reingeniería se centra en los procesos y no sólo en las tareas y estructuras organizativas; por ello, el proceso de reingeniería requiere:

— Analizar los procesos existentes y las necesidades de los clientes. De esta forma se identifican las debilidades de los procesos actuales y las características que tienen que cumplir los nuevos para ser eficaces.

---

[25] Fazel, F. (2003); Dixon, J. R., Arnold, P., Heineke, J., Kim J. y Mulligan, P. (1994); Hammer, M. y Champy, J. (1993); Hammer, M. y Stanton, S. A. (1997).

[26] Hammer, M. y Champy, J. (1993).

— Crear un nuevo diseño de los procesos que rompa totalmente con el diseño actual. Se trata de realizar un cambio partiendo de cero, no de realizar una modificación de los procesos actuales.

— Estructurar los nuevos procesos, considerando todos los aspectos de las tareas a realizar, las nuevas habilidades o capacidades que serán necesarias para realizarlos, cómo se conseguirán dichas habilidades, etc.

— Comunicar y hacer ver a toda la organización la importancia de los nuevos procesos de trabajo.

Además del rediseño de los procesos, es preciso realizar un cambio en el sistema de valores de la organización. Esos valores son la base del comportamiento del personal y de la manera como realizan su trabajo; por ello, hay que adaptarlos o se creará un conflicto entre el comportamiento que creen que tienen que tener y el que se espera tras la implantación del nuevo proceso de trabajo.

CUADRO 4.1

Ejemplo de un proceso de reingeniería

Un ejemplo de reingeniería se puede observar en el caso de la empresa Kodak en 1987. Cuando la empresa Fuji lanzó al mercado una nueva cámara de un solo uso, Kodak tuvo que reaccionar con rapidez, ya que no disponía de ningún producto de similares características, y si no actuaba con prontitud perdería beneficios, imagen, etc.

Para la elaboración de un producto similar optó por realizar un nuevo proceso de diseño. La compañía pensó que el diseño asistido por ordenador podría ser la base de un proceso de reingeniería de diseño, ya que permitiría que los diseñadores colaboraran y que toda persona implicada en el proyecto tuviera acceso inmediato a los últimos datos. Los conflictos de diseño y otros problemas se resolvían mucho más rápido que con los otros procesos. Además, el proceso permitió que los diseñadores de herramientas no tuvieran que esperar para empezar a trabajar a que terminaran los diseñadores de productos, y las herramientas y los costes de fabricación también se redujeron.

FUENTE: Hammer y Champy (1993b)[27].

Aunque hay muchos casos de reingeniería realizada con éxito a lo largo de los años, no todos los procesos de reingeniería han tenido éxito. Para que el proceso de reingeniería pueda tener éxito es necesario que la organización tenga una visión clara y precisa del futuro, determine de forma concreta el cambio, utilice la tecnología de la información, fomente, promueva y facilite la participación y el compromiso personal de los altos directivos y cuente con el desarrollo y habilidades necesarias de los participantes.

---

[27] Hammer, M. y Champy, J. (1993b).

Por último, se debe ser consciente de que la reingeniería exige ideas radicales; se trata de romper totalmente con los procesos actuales, y sin un liderazgo eficaz este tipo de cambio puede no tener éxito. Los líderes, para ejercer un liderazgo eficaz, deben estar abiertos a la creatividad y a la innovación, de tal forma que se fomente la aportación de nuevas ideas, recompensando, por ejemplo, a las personas cuando sean creativas y no sancionándolas cuando los resultados no sean los esperados.

4.6.4. Innovación

Ante el actual entorno tan cambiante, las organizaciones deben adaptarse mediante la innovación y el cambio para seguir siendo competitivas. La innovación es el desarrollo de nuevos procesos y productos y permite a la organización cambiar y responder mejor a las necesidades de sus clientes[28]. La innovación se produce cuando en el cambio que conduce a una nueva situación viene implícito un nuevo proceso, producto o tecnología.

Como el entorno cada vez es más complejo, las organizaciones para conseguir una ventaja competitiva deben ser más innovadoras y proactivas, ya que esto les permite prescindir de productos y prácticas obsoletas. Debido a la globalización de los mercados, la innovación ha ido adquiriendo mayor importancia porque da a la organización la capacidad de responder de forma global a los cambios en los mercados, la tecnología y la competencia.

Las organizaciones que quieran ser innovadoras deben fomentar la creatividad, ya que ésta es la capacidad de combinar ideas de forma única[29], mientras que la innovación es la transformación de dicha creatividad en un nuevo producto, servicio o proceso. La creatividad puede consistir en tener pensamientos novedosos, en experimentar con problemas de forma original, o puede ser un cambio drástico y radical en la cultura a través de inventos y descubrimientos[30]. Los empleados creativos son importantes para la organización y pueden generar innovaciones en los procesos y métodos de trabajo en beneficio de ésta. Por todo ello, la dirección debe tomar una postura proactiva respecto a la innovación y la creatividad.

---

[28] Burgelman, R. A. y Maidique, M. A. (1988).
[29] Amabile, T. M. (1988).
[30] Csikszentmihalyi, M. (1997).

RESUMEN

El entorno dinámico en el que actúan las organizaciones les obliga a realizar cambios para poder adaptarse. Cuando las organizaciones están preparadas para llevar a cabo un cambio planeado pueden ser más eficientes y conseguir una ventaja competitiva.

Para realizar el cambio se debe designar a una o varias personas que se encarguen de todo el proceso necesario para conseguirlo. Esta persona o personas son los llamados agentes de cambio y pueden adoptar este papel tanto un miembro de la organización (agente de cambio interno) o un profesional externo (agente de cambio externo).

El proceso de cambio considera que se parte de una situación en la que las fuerzas impulsoras y las fuerzas restrictivas (tanto internas como externas) del cambio se compensan y se está, por tanto, en equilibrio. Como consecuencias, para iniciar el cambio se puede actuar aumentando las fuerzas impulsoras o disminuyendo las fuerzas restrictivas, o sobre ambas a la vez. Esto conduce a la primera fase del proceso de cambio, que Kurt Lewin denomina «descongelar». A continuación se pasaría a las etapas de «cambio» y de «recongelar». Este proceso ha sido desarrollado por Kotter, el cual ha considerado ocho etapas, las cuatro primeras corresponden a la fase de descongelar, las tres siguientes a la de cambio y la última a la etapa de recongelar.

Los gerentes cuentan con diferentes técnicas para salvar la resistencia al cambio. Según el tipo de resistencia, será más conveniente utilizar una técnica u otra, pero conviene resaltar que para que se lleve a cabo un cambio organizacional con éxito es necesaria la aplicación de varias de estas técnicas a la vez. Se pueden utilizar técnicas que van desde la participación y apoyo hasta el engaño o la coacción.

Los tipos de cambio se pueden agrupar en dos categorías: cambio evolutivo, dirigido a adaptar de forma gradual la estrategia y estructura de una organización a los cambios que ocurren en el entorno, y cambio revolucionario, dirigido a modificar de forma drástica la naturaleza de la organización.

El sistema sociotécnico considera que al realizar un cambio además de modificar aspectos técnicos hay que tener en cuenta los aspectos sociales de forma que las relaciones entre los miembros de un grupo no se vean afectadas o cambien gradualmente.

La teoría de la administración de la calidad total (ACT) es una filosofía de gestión destinada a ayudar a una organización en la producción eficaz de bienes y servicios de calidad. La organización debe realizar todas sus actividades basándose en valores de calidad, partiendo de que son todos los trabajadores los responsables de alcanzar normas de calidad.

La reingeniería diseña de forma rápida y radical procesos estratégicos para optimizar la productividad en una organización. Al igual que la ACT se centra en el empleado, el trabajo en equipo, la calidad y el cliente.

La innovación es el desarrollo de nuevos procesos y productos y permite a la organización cambiar y responder mejor a las necesidades de sus clientes. Para que se produzca la innovación es necesaria la creatividad, ya que ésta es la capacidad de combinar ideas de forma única que con posterioridad se materializarán en forma de innovaciones.

PREGUNTAS DE REPASO

1. Comente la siguiente afirmación: Si entre el agente de cambio interno y los miembros de la organización existe confianza, será mejor éste que un agente de cambio externo.

2. ¿Sobre qué fuerzas, impulsoras o restrictivas, deben actuar los agentes de cambio para crear menos tensión en el proceso? ¿Por qué?

3. ¿Qué técnicas se pueden utilizar para reducir la resistencia al cambio? ¿Cuál es la mejor de ellas?

4. ¿Qué diferencias hay entre cambio evolutivo y cambio revolucionario?

5. ¿Cuáles son las bases de la teoría del sistema sociotécnico?

6. ¿Quiénes son los responsables de conseguir la calidad en la ACT?

7. ¿En qué consiste la reingeniería? ¿Es un tipo de cambio evolutivo o revolucionario?

8. ¿Por qué la innovación es importante para las organizaciones dado el actual entorno en el que desarrollan su actividad?

CASO PRÁCTICO

El proceso de cambio en Corus

Corus se constituyó en 1999 y consta de tres divisiones operativas en las que emplea a 40.000 personas en todo el mundo. La división de Reino Unido (CSP Reino Unido) fabrica bandas de acero, que se utilizan en la fabricación de vehículos, construcción, electrodomésticos, tubos y envases. Corus tiene como objetivo ser un líder en la industria del acero a través de mejores productos, mayor calidad de servicio al cliente y una mejor relación calidad/precio que sus rivales.

En 2005, CSP Reino Unido presentó un plan con el que pretendía alentar a las personas a ser responsables de sus acciones. Pretendía realizar un cambio en los valores de la empresa para que abandonara su actitud conservadora con patrones establecidos para hacer las cosas.

En ese momento, Corus veía cómo se estaban produciendo retrasos en las entregas a los clientes, lo que llevaba a pérdida de negocio. Había otros países que producían acero más barato y además se estaban introduciendo nuevos competidores en el mercado (Europa oriental y el Lejano Oriente). Se producían con asiduidad productos que no eran adecuados, teniendo que ser modificados o desechados. Los empleados no estaban motivados por el entorno en el que desarrollaban su trabajo. Estaba disminuyendo la demanda por parte del sector del automóvil y los avances tecnológicos hacían que los clientes demandaran productos más específicos. Sus actividades tenían efectos medioambientales negativos. La fuerza laboral con la que contaba estaba envejecida, y además la compañía seguía una política de retribuciones basada en recompensar según la antigüedad, sin tener en cuenta el trabajo realizado. Esto significaba que los empleados que llevaban en la compañía mucho tiempo, aun teniendo una baja productividad, podían estar obteniendo más recompensas que los empleados con menor antigüedad pero más productivos.

Para afrontar este cambio, CSP Reino Unido consideró que, aunque en otros momentos había recurrido a cambios que le llevaron a realizar despidos, en este caso para solucionar los problemas debía modificar la forma de trabajar. Como señaló su director gerente: «*No podemos resolver nuestros problemas a través del gasto, no podemos resolver nuestros problemas mediante la reducción de personal. La única manera de cumplir con nuestros desafíos es cambiar nuestra forma de hacer las cosas...*».

CSP Reino Unido, para llevar a cabo las modificaciones necesarias, promovió el cambio y la innovación. Y para conseguir implantar con éxito el cambio, Corus trabajó en estrecha colaboración con los empleados haciendo que se implicaran lo más posible en el programa. Reconoció y tuvo en consideración las aportaciones y experiencia de los trabajadores para lograr que se involucraran en la toma de decisiones. Desde el principio era importante para la empresa dar a conocer a los empleados lo que podría suceder con el negocio si no se producía el cambio, y para ello estableció una serie de comunicaciones directas e indirectas; por ejemplo, boletines semanales, talleres, carteleras, intranet, programas de vídeo y, sobre todo, mediante conversaciones directas uno a uno para reforzar los mensajes. Corus se aseguró de que todos los empleados entendieran qué comportamientos se esperaban de ellos.

Este programa de cambio consiguió que CSP Reino Unido mejorara su eficiencia, aumentara la producción, disminuyera los costes y redujera los residuos en un mercado cada vez más competitivo. Esto le permitió no sólo sobrevivir, sino también crecer, incluso durante la recesión económica de 2008 y 2009.

Para asegurarse de que el cambio se estaba realizando tal y como estaba planeado, Corus estableció unos objetivos y normas claros. Además fijó objetivos intermedios para realizar un seguimiento del proceso de cambio. Esto permitió examinar y medir los progresos y los logros y establecer nuevos plazos. Ha habido un gran número de indicadores clave que han demostrado avances significativos, entre los que se incluyen:

— La capacidad de producción ha aumentado un 4,5 %.
— La planta está en camino de lograr una reducción del 20 % en el coste de producción de acero.

— Reducción del absentismo.

— Mejoras medibles en los niveles de calidad y servicio a los clientes.

— Objetivos más estrictos para la salud y la seguridad. Los nuevos equipos de seguridad contribuyen a la producción libre de accidentes.

— Las emisiones de dióxido de carbono se han reducido en un 10%. CSP Reino Unido supera los estándares del gobierno.

Corus ha conseguido que los trabajadores apoyen la cultura de mejora y este cambio cultural les permitirá mejorar aún más.

Fuente:

The Times. Overcoming barriers to change, Recuperado desde: http://www.thetimes100.co.uk/case-study/special/overcoming-barriers-to-change-56-382-5.php#ixzz11Uo1ToqW

PREGUNTAS

1. ¿Cuáles son las fuerzas, internas y externas que motivan el cambio?

2. ¿A qué resistencias se enfrentan al realizar el cambio?

3. ¿Qué tipo de técnica se utiliza para salvar las resistencias?

5

Toma de decisiones

OBJETIVOS DE APRENDIZAJE

1. Comprender la importancia de la toma de decisiones como función continua esencial al trabajo del gerente.
2. Conocer y describir los tipos de decisiones en el ámbito administrativo.
3. Analizar los diferentes esquemas de pensamiento y acción que se pueden seguir para tomar decisiones gerenciales.
4. Comparar las ventajas e inconvenientes de la toma de decisiones en grupo respecto a la individual.
5. Aplicar los conocimientos adquiridos para identificar y valorar distintas situaciones reales de toma de decisiones en el ámbito empresarial.

La esencia del trabajo del directivo cuando planifica, organiza, dirige y controla es tomar decisiones ante las diversas situaciones, unas más cotidianas que otras, que se puedan presentar. Decidir cuáles son los objetivos a largo plazo de la organización, qué grado de centralización debe tener la estructura, cuál es el mejor estilo de liderazgo para una determinada situación o qué actividades hay que controlar son algunos ejemplos de las decisiones comprendidas en las funciones secuenciales del proceso de administración.

Muchas de estas decisiones serán tomadas con éxito y muchas otras serán completos fracasos, pero un elemento distintivo de los directivos eficaces es su capacidad para tomar decisiones adecuadas y eficientes. Así, tomar decisiones se convierte en un valor añadido en la administración de las organizaciones de hoy, ya no sólo por el considerable tiempo que se dedica a esta actividad, sino porque de ella dependerá, en muchas ocasiones, el éxito o fracaso de la organización. Más aún, no sólo los directivos deciden, ya que todos los integrantes de una organización toman decisiones que afectan a su puesto, departamento y a la organización en la que trabajan.

En este capítulo se estudia el concepto de decisión, los tipos de decisiones que se toman en la organización, los principales modelos de toma de decisiones, y finalmente se distingue y se compara la toma de decisiones individual y en grupo.

5.1. CONCEPTO DE DECISIÓN Y TIPOS DE DECISIONES EN LA ADMINISTRACIÓN

La Real Academia Española define decisión como «determinación, resolución que se toma o se da en una cosa dudosa». Coloquialmente, decidir es elegir o tomar un curso de acción entre varios posibles; sin embargo, la eficacia y la eficiencia de la toma de decisiones depende de algo más, ya que el proceso de decidir es complejo.

La toma de decisiones es *«el proceso que lleva a la selección y ejecución de una acción que da respuesta a un problema y que permite la consecución de unos objetivos establecidos»*[1], es decir, es el proceso de identificar los problemas y de resolverlos.

Este proceso contiene dos elementos o grandes pasos[2]: la *formulación del problema,* que conlleva identificarlo, adquirir información sobre el mismo, desarrollar las expectativas del desempeño deseado y diagnosticar las causas y relaciones que hay entre los factores que afectan al problema; y la *solución del problema,* que implica generar alternativas para elegir e implantar el curso de acción seleccionado. Por tanto, tomar decisiones es algo más que elegir entre varias opciones. La simple decisión de determinar qué ropa ponerse para salir a la calle, pone en marcha un proceso en el que se tienen en cuenta variables como adónde se piensa ir, qué hora del día es y la estación en la que nos encontramos, entre otras.

La mayoría de las decisiones se clasifican atendiendo a dos criterios generales: la naturaleza del problema y el alcance de la decisión.

5.1.1. Decisiones programadas y no programadas

Según la naturaleza del problema, las decisiones se clasifican en decisiones programadas y no programadas[3]. Las *decisiones programadas* son rutinarias y recurrentes, ya que se toman para resolver un problema sencillo, familiar o conocido y fácil de definir, es decir, un problema estructurado. De esta forma, la decisión que se toma es repetida o tomada de manera rutinaria (programada) y el sujeto decisor cuenta con toda la información necesaria, por lo que la decisión se está tomando bajo condiciones de certeza.

En situaciones tales como, por ejemplo, la admisión de estudiantes en los títulos de grado de una universidad o la devolución de una prenda de vestir en una

---

[1] Díez de Castro, E. P., García del Junco, J., Martínez Jiménez, F. y Periáñez Cristóbal, R. (2001).

[2] Hitt, M. A, Black, J. S. y Porter, L. W. (2006).

[3] Simon, H. A. (1977).

tienda por parte de un cliente, existe un criterio específico, una solución evidente o ya utilizada con anterioridad que hace que el proceso de tomar esa decisión sea más breve o, al menos, conocido. Esto quiere decir que existe un procedimiento[4] para resolver cada uno de esos problemas (la nota media del expediente del alumno por grado y los diferentes pasos que el dependiente ha de seguir para aceptar la devolución de la prenda).

Por el contrario, las *decisiones no programadas* son decisiones únicas, que no se repiten con asiduidad y que requieren soluciones a medida. En este caso se dice que el problema que se intenta resolver es un problema no estructurado para el que la información es ambigua o incompleta, lo que implica que la decisión se está tomando bajo condiciones de incertidumbre. Por ejemplo, una situación de crisis económica mundial puede provocar que los directivos de determinadas empresas del sector de la alimentación se hayan enfrentado a la decisión de determinar cuáles de sus fábricas internacionales cerrar.

Las decisiones no programadas tienden a ser más complicadas y difíciles de tomar que las programadas, y es más probable que tengan un mayor impacto sobre el desempeño de la organización. De igual modo, es probable que los directivos deleguen las decisiones programadas a los subordinados, dándose ellos mismos tiempo para tomar decisiones no programadas y más complejas[5].

Se puede establecer una relación entre decisiones, problemas y niveles de la organización[6]. En la figura 5.1 se observa cómo los directivos de nivel inferior (supervisores de primera línea) se enfrentan a problemas conocidos y repetidos, por lo que, en general, recurren a decisiones programadas. Los problemas menos estructurados y excepcionales quedan para los directivos de los niveles superiores (alta dirección), que dedican gran parte de su tiempo a tomar decisiones no programadas para las que no se cuenta con información perfecta. Es interesante realizar una matización: una decisión es principalmente programada o principalmente no programada, no teniendo por qué identificarse totalmente con una de las dos categorías. De este modo, la figura 5.1 representa un conjunto de decisiones con rasgos de ambos tipos.

5.1.2. Decisiones estratégicas, administrativas y operativas

Según el alcance de la decisión, las decisiones se clasifican en operativas, administrativas y estratégicas[7]. Por alcance se entiende una serie de características como son la cantidad de información que requieren, la relevancia de las conse-

---

[4] Una decisión programada se adopta utilizando políticas, procedimientos y reglas definidas por la organización. Estos conceptos se analizan en el capítulo 7.

[5] Gómez-Mejía, L. R. y Balkin, D. B. (2003).

[6] Robbins, S. P. y Coulter, M. (2005).

[7] Mintzberg, H. (2009).

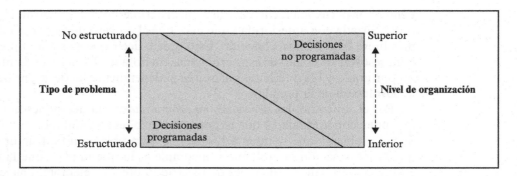

Figura 5.1. Tipos de decisiones según nivel directivo. [Fuente: Robbins, S. P y Coulter, M. (2005).]

cuencias para el conjunto de la organización, el plazo temporal en el que sus repercusiones tendrán efecto y el volumen de recursos que pueden involucrar.

Las decisiones *operativas* suelen tener un carácter rutinario, por lo que se vinculan a problemas estructurados y predeterminados, y se ejecutan con rapidez. Se vinculan a las actividades del flujo de trabajo de operaciones de entrada-transformación-salida de la organización (por ejemplo, cuando el operario de producción toma la decisión de parar la maquinaria).

Las decisiones *administrativas* se clasifican en *coordinativas y de excepción.* Las coordinativas orientan y coordinan las decisiones operativas. El proceso de decisión es rutinario, ya que, aunque se tomen a nivel directivo, se orientan hacia el normal funcionamiento de la organización. Esto supone que las situaciones a las que se debe hacer frente con estas decisiones suelen presentarse con cierta frecuencia (trimestral, semestral o anualmente, por ejemplo), y su tratamiento (análisis del problema, criterios de decisión y alternativas o soluciones) puede estar, en cierta medida, prefijado de antemano por la existencia de procedimientos administrativos que lo guíen y por los resultados de anteriores procesos de decisión similares. Decisiones administrativas de tipo coordinativo son, por ejemplo: la realización del presupuesto anual del departamento de marketing; la planificación de la producción de acuerdo con la variación de la demanda estacional; o la planificación del horario de asignaturas y del calendario de exámenes en una facultad universitaria.

Las decisiones administrativas de excepción no son tan rutinarias y están menos programadas que las anteriores, lo que implica el diseño de una solución a medida para situaciones concretas (por ejemplo, cuando quiebra el proveedor habitual y el departamento de compras tiene que iniciar un proceso de decisión para encontrar uno nuevo). La relativa novedad o excepcionalidad de la situación que las provoca puede afectar a una única unidad o departamento o extenderse a distintas áreas funcionales, como puede suceder cuando los directivos de marketing y de producción discuten respecto al nivel de calidad de un producto.

Las decisiones *estratégicas* afectan a la organización en su conjunto, a cuestiones esenciales de la misma relacionadas con su ámbito de actividad. Son decisiones complejas y las menos rutinarias o programadas de todas. A menudo tardan años en concluirse, participando en ellas numerosos miembros de la organización, tanto de la alta dirección como directivos medios. Por ejemplo, el director general tomará las decisiones relativas a los objetivos generales y a largo plazo de la organización, como dónde localizar la nueva fábrica o cuál es la mejor franquicia para comprar.

A pesar de esta clasificación, una misma decisión puede calificarse de estratégica, administrativa u operativa según el contexto en el que se produzca. La decisión sobre los precios a fijar de una gran empresa de astilleros será estratégica, para un restaurante será de excepción cuando suban los costes de ciertas materias primas, y en una imprenta será operativa tomándose varias veces al día sobre la base de una lista de precios normalizados.

Así, a mayor alcance de una decisión, más alto será el nivel directivo responsable de tomarla[8]. Esto es lo que se representa en la figura 5.2, donde se aprecia cómo el alcance de la decisión aumenta del punto A al punto B y de éste al punto C. Aunque el nivel directivo superior puede tomar decisiones estratégicas, tácticas y operativas, pudiendo delegar en niveles inferiores estas dos últimas, las decisiones estratégicas requieren de una visión global, de la responsabilidad y de la autoridad del nivel más alto de la organización.

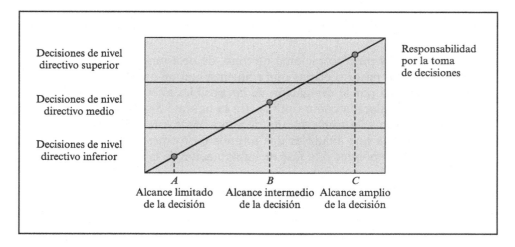

Figura 5.2. Niveles directivos responsables de la toma de decisiones según su alcance. [FUENTE: Certo, S. C. (2001).]

---

[8] Certo, S. C. (2001).

Vistos los tipos de decisiones, a continuación se aborda el proceso de toma de decisiones empezando por analizar los principales modelos que describen cómo los individuos afrontan tales procesos.

5.2. EL MODELO RACIONAL DE TOMA DE DECISIONES O MODELO DE OPTIMIZACIÓN

El modelo racional de toma de decisiones describe la forma en la que deben comportarse los individuos para maximizar u optimizar el resultado de su decisión[9]. Esto implica que si se siguen todos los pasos que describe el modelo, el cual está sujeto a unos supuestos de partida, el sujeto decisor alcanzará la mejor solución o la óptima al problema que puso en marcha el proceso. De esta forma, la toma de decisiones de los directivos dejaría de ser arbitraria.

Aunque el modelo racional es un ideal que no se puede lograr completamente en un contexto de incertidumbre, complejidad y de cambio, lo cierto es que ayuda a los directivos a pensar acerca de las decisiones de forma más clara y racional. Algunos estudios han puesto de manifiesto que cuando los directivos tienen una profunda comprensión del proceso racional de toma de decisiones, este conocimiento les ayuda a tomar mejores decisiones aun cuando exista una información incompleta o deficiente[10].

5.2.1. El proceso racional de toma de decisiones

El proceso racional de toma de decisiones describe una secuencia lógica de ocho pasos o etapas que comienza con un análisis sistemático del problema, seguido por la evaluación de las posibles alternativas y la elección de la solución considerada como óptima. En la figura 5.3 se describen las seis etapas que conducen a la toma de una decisión desde esta perspectiva optimizadora. A éstas habría que añadirles dos últimos pasos que se describen posteriormente y que corresponden a la fase de implantación de la solución adoptada.

Paso 1. Identificar el problema

El proceso de toma de decisiones comienza con la percepción de un problema, es decir, de una discrepancia entre la situación actual y la situación deseada[11]. Se comienza por reconocer que hay una situación que requiere tomar una decisión. No es sencillo ni insignificante identificar los problemas, ya que éstos están influi-

---

[9] Harrison, E. F. (1981).
[10] Daft, R. L. y Marcic, D. (2006).
[11] Pounds, W. (1969).

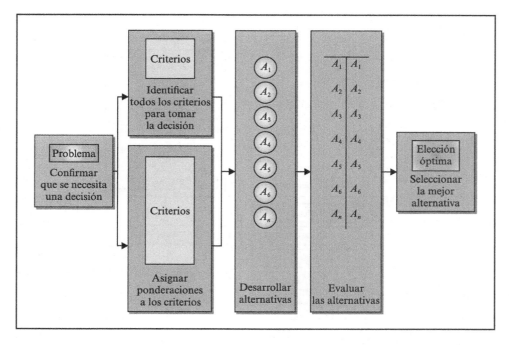

Figura 5.3. El modelo racional de toma de decisiones. [FUENTE: Robbins, S. P. (1996).]

dos por la percepción del individuo, por lo que muchos problemas pueden pasar inadvertidos, o lo que es un problema para un directivo podría no serlo para otro. Por tanto, esta etapa no siempre resulta evidente y contiene altas dosis de subjetividad. Más aún, el directivo se enfrentará a muchos problemas y tendrá que decidir la forma de resolverlos, pero también encontrará muchas oportunidades. Hay una oportunidad cuando el directivo detecta la posibilidad de alcanzar un estado más deseable que el actual[12].

La percepción es el proceso mediante el cual los individuos organizan e interpretan sus impresiones sensoriales, con el fin de darle significado a su entorno[13]. Diferentes factores pueden modelar y distorsionar la percepción (figura 5.4): características personales del perceptor (sujeto decisor), del objeto de la decisión y de la situación o del contexto. Además, la percepción puede ser limitada en todo el proceso de toma de decisiones. Las personas no ven, no buscan o no comparten información que sea muy relevante, fácilmente accesible y perceptible. Son tres los tipos más comunes de percepción limitada: ceguera por falta de atención, ceguera ante los cambios y focalización[14].

---

[12] Hitt, M. A, Black, J. S. y Porter, L. W. (2006).
[13] Robbins, S. P. y Coulter, M. (2005).
[14] Chugh, D. y Bazaerman, M. (2008).

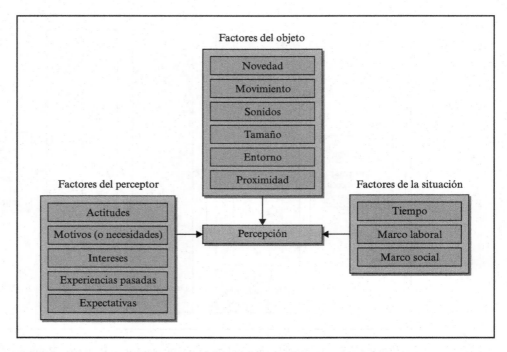

Figura 5.4. Factores que influyen en la percepción de un problema. [FUENTE: Robbins, S. P. (1996).]

Aunque los directivos sean conscientes de la existencia de un problema, eso no es condición suficiente para que inicie el proceso de decisión. Para ello, además, los individuos deben estar presionados para actuar y tener los recursos necesarios para tomar una decisión e implementar la solución[15] (figura 5.5). Una discrepancia sin la presión para actuar se convierte en un problema que puede posponerse. Si existe esta presión, y los directivos entienden que no cuentan con los recursos necesarios, la discrepancia se convierte en una expectativa poco realista acerca de lo que se puede hacer.

Paso 2. Identificar los criterios de decisión

Una vez detectado el problema, el directivo tiene que identificar los criterios de decisión que contribuyan a su resolución. Estos criterios representan lo que es relevante para la persona que toma la decisión, que, por tanto, ha de ser consciente de que todos los criterios que no tome en consideración pueden afectar a la solución adoptada en la medida en que su ausencia implique la exclusión de ciertas alternativas.

---

[15] Call Jr., M. W. y Kaplan, R. E. (1985).

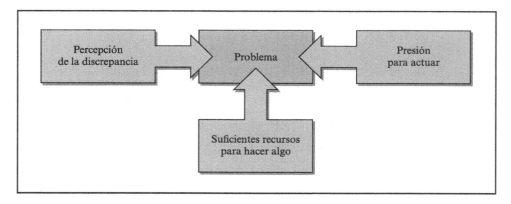

Figura 5.5. Elementos necesarios para que se inicie el proceso de decisión. [FUENTE: Adaptado de Robbins, S. P. y Coulter, M. (2005).]

Tómese el siguiente ejemplo: el director del departamento de ventas de una pequeña empresa detecta un menor rendimiento de sus trabajadores y es consciente de que éste se podría suplir comprando equipos informáticos más modernos y potentes que permitan a sus comerciales manejar los pedidos y la demanda a través de la web corporativa de forma más rápida y segura para los clientes. Este problema requiere tomar, entre otras, la decisión de qué equipos informáticos comprar. A la vista de esta situación, el director de ventas determina una lista de seis criterios con los que posteriormente evaluar cada una de las alternativas posibles (figura 5.6): fiabilidad, servicio, período de garantía, servicio a domicilio, precio y estilo.

Paso 3. Asignar ponderaciones a los criterios de decisión

Quien toma la decisión tiene que ponderar los criterios definidos en el paso anterior a fin de asignarles la prioridad correcta. Con este paso se pondera la importancia de cada criterio. En el ejemplo propuesto, el director de ventas asigna al criterio que considera más importante un valor de 10 y luego asigna valores a partir de este principio al resto de criterios (en la figura 5.6 se observan los valores de 8, 5, 4 y 3 sobre 10, que es el más importante). De esta manera, queda claro cómo influyen las preferencias personales de cada individuo en la toma de decisiones.

Paso 4. Buscar alternativas viables

En este paso el sujeto decisor pasa a elaborar una lista de todas las alternativas viables que podrían servir para resolver el problema. No se hace ningún intento por evaluar las alternativas, sólo se enumeran. En el ejemplo, el director de ventas identifica tres posibles modelos (x, y, z) de tres empresas de alta tecnología: *A*, *B* y *C*.

Criterios	Ponderaciones	Alternativas		
		A	**B**	**C**
		Mod. x	Mod. y	Mod. z
Fiabilidad	10	8	8	10
Servicio	8	3	5	8
Período de garantía	5	3	6	3
Servicio a domicilio	5	5	5	10
Precio	4	5	10	5
Estilo	3	10	58	10
Total		**194**	**230**	**279**

Figura 5.6. Pasos en la selección de equipos informáticos. (FUENTE: Elaboración propia.)

Paso 5. Evaluar las alternativas

Identificadas las alternativas, el sujeto decisor debe evaluar, de manera crítica, todas y cada una de ellas. Las evalúa de acuerdo con los criterios establecidos en los pasos 2 y 3, para lo cual analizará los puntos fuertes y débiles de cada alternativa. Algunas evaluaciones se hacen objetivamente, como el precio del equipo informático. En cambio, otras se harán de una forma más subjetiva, como la fiabilidad. En esta etapa, junto a la segunda y a la tercera, es donde las preferencias y juicios personales del directivo tendrán una mayor influencia; de ahí que dos directivos que se enfrentan a un problema similar pueden considerar dos conjuntos de alternativas totalmente diferentes, o considerar las mismas alternativas pero evaluadas de forma radicalmente distinta.

En general, cuando los directivos cuentan con una serie de alternativas, tendrán que evaluar cada una de ellas en base a tres preguntas clave: *a*) ¿es viable la alternativa?; *b*) ¿representa la alternativa la mejor solución?, y *c*) ¿cuáles son las posibles consecuencias para el resto de la organización?[16].

Además, la evaluación de las alternativas es diferente según la situación (condición) en la que se encuentran los directivos cuando toman decisiones[17]:

---

[16] Stoner, J. A. F., Freeman, R. E. y Gilbert, D. R. (1996).
[17] Archer, S. A. (1964).

— Certeza. Situación en la que los directivos cuentan con información exacta, mensurable y confiable sobre los resultados de las diversas alternativas. Es decir, se conoce el resultado de la alternativa elegida.
— Riesgo. Situación en la que los directivos pueden estimar razonablemente la probabilidad de alcanzar un determinado resultado.
— Incertidumbre. Situación en la que los directivos no pueden estimar la probabilidad de alcanzar un determinado resultado de un modo razonable. Es decir, carecen de la información necesaria para establecer las probabilidades de ciertos hechos.

En la figura 5.6 se muestra la evaluación del director de ventas para las tres alternativas utilizando una escala de valoración de 1 a 10 puntos. Si se multiplica la valoración de cada alternativa por su ponderación y luego se suman todos los valores obtenidos, se obtiene la evaluación total de la alternativa en cuestión: 194, 230 y 279, respectivamente, para cada uno de los tres equipos informáticos.

Paso 6. Seleccionar la mejor de las alternativas

Esta etapa consiste en elegir la mejor de las alternativas de entre las enumeradas y evaluadas. Después de ponderar todos los criterios de la decisión y de analizar todas las alternativas viables, se escoge aquella para la que se obtuvo una valoración mayor en el paso 5. En el ejemplo, la alternativa elegida sería la tercera, es decir, el modelo z.

Estos seis pasos se corresponden con la formulación de la decisión, siendo los dos pasos siguientes los que describen su implantación[18].

Paso 7. Implantar la alternativa

La decisión aún puede fracasar si no es puesta en práctica de manera adecuada. Asimismo, transmitir la decisión a quien se ve afectado por ella y obtener su compromiso resulta fundamental.

Paso 8. Evaluar la eficacia de la decisión

Este paso ayuda a determinar si el problema se ha resuelto[19]. Si el problema aún persiste, hay que analizar lo que ha podido salir mal:

— Una definición incorrecta del problema.
— Se cometieron errores al evaluar las distintas alternativas.

---

[18] Robbins, S. P. y Coulter, M. (2005).
[19] Ibíd.

— Se eligió la alternativa correcta, pero la puesta en práctica no fue la adecuada.

Las respuestas a estas cuestiones llevarán al directivo a volver a situarse en uno de los pasos anteriores: si fue una mala definición del problema, se situará en el paso 1 del proceso; si cometió algún error en la evaluación de alternativas, se posicionará en el paso 5; y si se equivocó en la puesta en práctica, volverá al paso 7.

5.2.2. Supuestos del modelo racional

Las etapas del modelo racional se apoyan en unos determinados supuestos y es importante conocerlos para comprender la precisión con la que el modelo describe la toma de decisiones. Estos supuestos son los mismos que subyacen en el concepto de racionalidad, esto es, que las opciones sean consistentes y maximizadoras de valor[20]. Por tanto, la toma racional de decisiones implica que el sujeto decisor puede ser totalmente objetivo y lógico. Se supone, entre otras cuestiones, que el individuo tiene un objetivo claro y que los pasos del modelo garantizan que la alternativa elegida maximizará el beneficio.

La toma racional de decisiones se basa en los siguientes supuestos o premisas[21]:

— El problema está claro y no presenta ambigüedades.
— Hay un objetivo simple, bien definido, que todas las partes comparten.
— Está disponible una información completa sobre los criterios de decisión.
— Se conocen todas las alternativas y sus consecuencias.
— Se pueden valorar los criterios y alternativas según su importancia, es decir, las preferencias del sujeto decisor están claras.
— Los criterios de decisión son constantes y sus ponderaciones son estables en el tiempo.
— No existen restricciones de tiempo y coste que afecten a la decisión.
— La solución de la decisión maximizará el beneficio económico.

Ahora bien, estos supuestos son tan restrictivos que no resulta fácil que las decisiones directivas se ajusten a una completa racionalidad. Cuando el administrador se enfrenta a un problema sencillo, con pocas alternativas, y cuando el coste de investigar y evaluar alternativas es relativamente bajo, el modelo racional se muestra adecuado. Pero aquellas decisiones a las que un directivo no se ha enfrentado antes, que recaen sobre problemas complejos para los que no es fácil que se conozcan todas las alternativas y en donde los objetivos y preferencias no están

---

[20] Robbins, S. P. (1996).
[21] Gómez-Mejía, L. R. y Balkin, D. B. (2003).

claras ni son consistentes, el modelo racional puede no resultar útil[22]. Esta dificultad de ajustarse completamente a los supuestos de racionalidad hace necesario definir otros modelos alternativos que expliquen el comportamiento del sujeto que toma una decisión. A continuación se repasan tres de estos modelos: el de racionalidad limitada, el modelo de favorito implícito y el modelo intuitivo.

5.3. EL MODELO DE RACIONALIDAD LIMITADA O SATISFACTORIO

La esencia del modelo de racionalidad limitada radica en que, ante problemas complejos, el sujeto decisor responde reduciendo su complejidad a un grado que le permita entenderlo con facilidad[23]. Puesto que la capacidad de la mente humana para formular y resolver problemas complejos es demasiado reducida como para satisfacer todos los requisitos de plena racionalidad, el sujeto decisor construye modelos simplificados que extraen las características esenciales de los problemas. Se dice entonces que opera dentro de una *racionalidad limitada*[24].

El funcionamiento del modelo se recoge en la figura 5.7. Una vez identificado un problema, comienza la búsqueda de criterios conocidos aunque no de forma exhaustiva. Estos criterios vienen definidos en términos de «normas mínimas a satisfacer» (criterios de satisfacción).

Se sigue con la identificación de las alternativas más evidentes y probadas, lo que da lugar a un conjunto limitado de éstas. La búsqueda de alternativas se acota a aquellas con una alta probabilidad de resultar exitosas, bien sea por la experiencia, bien porque ya han sido probadas con anterioridad, o porque son obvias y familiares. Se procede a la revisión no exhaustiva de las alternativas, comenzando por aquellas que difieren poco de la opción que está vigente, es decir, la más obvia o con la que el decisor está más familiarizado.

El sujeto decisor compara las alternativas de una en una con los criterios de satisfacción, deteniéndose cuando se identifica una *alternativa satisfactoria* (suficiente), es decir, se conforma con la primera solución que sea lo «bastante buena» o «suficientemente razonable», en lugar de seguir buscando la óptima. Si bien el modelo racional ve a quien toma la decisión como un optimizador, este modelo lo ve como un conformista, ya que acepta la primera alternativa que cubre los requerimientos mínimos aceptables en vez de continuar buscando otra alternativa que ofrezca mejores resultados[25].

---

[22] March, J. G. (1994).

[23] Simon, H. A. (1976).

[24] El concepto de racionalidad limitada fue propuesto en 1947 por Herbert A. Simon *(Administrative Behaviour)*. Para más detalles sobre este concepto y sobre la contribución de su autor a la teoría de la decisión, puede consultarse el epígrafe dedicado a los enfoques conductistas de la administración en el capítulo 1.

[25] Hitt, M. A, Black, J. S. y Porter, L. W. (2006).

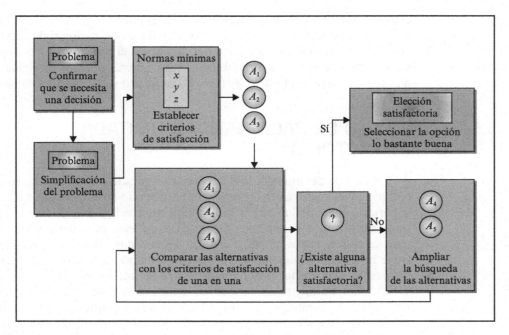

Figura 5.7. El modelo de racionalidad limitada: formulación de la decisión. [Fuente: Robbins, S. P. (1996).]

El orden en el que se colocan las alternativas va a ser fundamental para determinar la alternativa que será elegida. Ésta es una de las principales diferencias con el modelo de racionalidad. Si el directivo estuviese optimizando, enumeraría y evaluaría todas las alternativas, por lo que el orden inicial a la hora de evaluarlas carece de sentido. En cambio, en el modelo satisfactorio, si el problema tiene más de una solución potencial, la selección del directivo será la primera aceptable que encuentre.

Al igual que en el modelo racional, la toma de decisiones satisfactorias implica tanto la fase de formulación descrita en la figura 5.7 como la fase de implantación (puesta en práctica de la alternativa satisfactoria y evaluación de la misma).

Un ejemplo de cómo el comportamiento de un directivo en la toma de una decisión sigue el modelo de racionalidad limitada, lo encontramos en la selección de un candidato a ocupar una vacante en el departamento de ventas del que es responsable. Supongamos que este directivo tiene relativa prisa en encontrar un empleado para la vacante y que en base a otros procesos de selección anteriores prefiere que el puesto sea ocupado por una persona con formación universitaria relacionada con el ámbito económico-empresarial, con un mínimo de seis meses de experiencia profesional y con algún grado de conocimiento del producto que comercializa la empresa. De los 300 currículos disponibles, el directivo preselecciona los 150 que cumplen los criterios de selección y comienza a examinarlos uno por uno, hasta que encuentra un candidato que es graduado en administración y dirección de empresas, con nueve meses de prácticas en una entidad financiera y conocedor del producto como consumidor habitual del mismo. Como el perfil de este candidato le parece satisfactorio o suficientemente bueno, procede a contratarlo sin examinar en profundidad el resto de currículos. El directivo se comportó de forma limitadamente racional, aunque, de acuerdo a las premisas de la racionalidad perfecta, no maximizó su decisión investigando todas las alternativas para escoger la mejor. En una búsqueda más exhaustiva quizá habría encontrado a otro candidato que maximizara los criterios de selección, o quizá no. Esto no quiere decir que el candidato elegido no pueda desempeñar de forma óptima su trabajo y que a la larga resultase para la empresa el trabajador más motivado, con mejores habilidades interpersonales y mayor comprensión del proceso de venta, ya que con este modelo se analiza el comportamiento del sujeto cuando toma una decisión.

5.4. OTROS ENFOQUES PARA LA TOMA DE DECISIONES

5.4.1. El modelo de favorito implícito

Otro modelo diseñado para explicar la toma de decisiones complejas y no rutinarias es el modelo de favorito implícito[26]. Al igual que el modelo de racionalidad limitada, plantea que los individuos resuelven los problemas complejos simplificando el proceso. En este caso, la simplificación está en que no se entra en la difícil etapa de la evaluación de alternativas para tomar la decisión hasta que una de las alternativas se identifica como favorita implícita. El sujeto decisor no es racional ni objetivo. De esta forma, el proceso de decisión se convierte en un esfuerzo por confirmar que la alternativa favorita (implícita) es en realidad la selección correcta.

En la figura 5.8 se muestran las fases de formulación de una decisión sobre la base de la existencia de un favorito implícito, a las que habría que añadir la fase de implantación de la misma para completar el proceso de toma de decisiones. Se identifica el problema y se identifica la alternativa que se prefiere, aunque normalmente no se es consciente de que se ha encontrado la alternativa preferida. A continuación se generan más alternativas para dar apariencia de objetividad y comienza el proceso de confirmación. Tras un proceso de eliminación de alternativas, éstas se reducirán a dos: la alternativa aspirante a la selección y la alternativa preferida aspirante a la confirmación. Además, a estas alturas del proceso, el sujeto decisor ha establecido los criterios de decisión que demuestran que la favorita implícita es mejor que la alternativa aspirante a la selección.

---

[26] Soelberg, P. O. (1967).

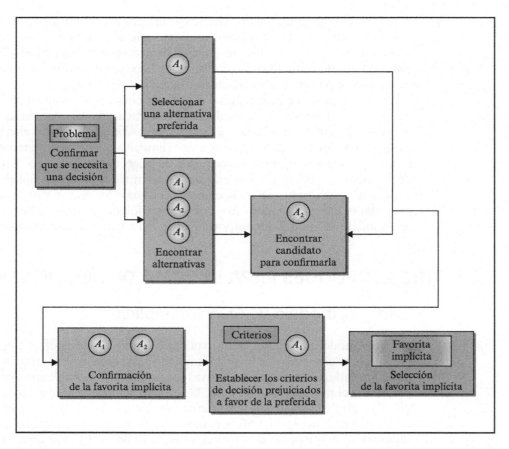

Figura 5.8. El modelo de favorito implícito. [FUENTE: Adaptado de Robbins, S. P. (1996).]

Por tanto, el modelo centra su atención en la forma en que el sujeto decisor intenta justificar su elección después de haberla realizado. Todo el proceso está diseñado para justificar, de una manera aparentemente científica y racional, una decisión ya tomada. Al final, el individuo termina eligiendo la alternativa que implícitamente es su favorita desde el principio, pero sintiéndose a gusto consigo mismo por haber elegido «racionalmente» la alternativa más adecuada[27].

Quizá este modelo puede explicar el modo en que muchos individuos afrontan la compra de un automóvil. El proceso comienza cuando un determinado modelo de coche llama poderosamente la atención del comprador. Puesto que se trata de una decisión que conlleva un considerable gasto, el comprador desea justificar su elección con criterios «objetivos», de modo que pasa mucho tiempo tratando

---

[27] Hitt, M. A, Black, J. S. y Porter, L. W. (2006).

de convencerse a sí mismo y a su entorno de que ese automóvil en cuestión es la mejor opción. Al final, el comprador limita su campo de elección a dos modelos: el que tenía en mente desde un principio, es decir, el favorito implícito, y otro que hace las veces de objeto de comparación con el único fin de hacer resaltar las cualidades positivas del primer modelo. De este modo, el comprador se reafirma en aquellos criterios que favorecen su elección implícita: cuando el automóvil favorito implícito es más barato que la competencia, se destaca el precio, y si no lo es, destaca otras variables como diseño o calidad. Es decir, se resaltan las características positivas de la alternativa favorita implícita más que las otras alternativas. El resultado final es el esperado: el modelo elegido es el que desde un principio era la opción favorita del comprador.

5.4.2. La intuición y la toma de decisiones

Cada vez es más aceptado que recurrir a la intuición puede mejorar la calidad de las decisiones. La toma intuitiva de decisiones es el acto de adoptar decisiones a partir de la experiencia, los sentimientos y el buen juicio acumulado[28]. Se han identificado cinco aspectos de la intuición que afectan a las decisiones que toman los directivos[29]: los directivos toman decisiones basadas en su experiencia, en sus sentimientos o emociones, en sus destrezas, conocimientos y habilidades, en la cultura o valores éticos, o pueden tomar datos del subconsciente para sus decisiones (figura 5.9). Por tanto, la intuición se basa en la experiencia (depurada) y el criterio, más que en una lógica secuencial o un razonamiento explícito[30].

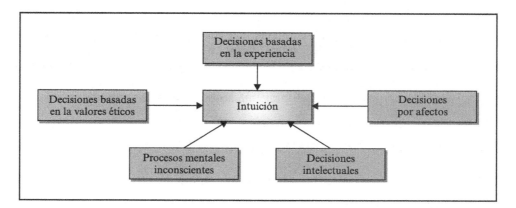

Figura 5.9. La intuición y la toma de decisiones. [FUENTE: Robbins, S. P. y Coulter, M. (2005).]

---

[28] Robbins, S. P. y Coulter, M. (2005).
[29] Burke, L. A. y Miller, M. K. (1999).
[30] Simon, H. A. (1987).

Sin embargo, este proceso no funciona totalmente al margen del modelo racional o del de racionalidad limitada, más bien ambos, racionalidad e intuición, son complementarios. Cuando se recurre a la intuición para tomar una decisión se pueden seguir dos caminos[31]:

— Usar la intuición al principio del proceso. En estos casos el sujeto decisor trata sistemáticamente de no analizar el problema y, en cambio, libera su intuición. La idea es generar posibilidades poco corrientes y opciones que, por regla general, no surgen del análisis de los datos del pasado ni de la manera tradicional de hacer las cosas.

— Usar la intuición al final del proceso. Una vez utilizado el análisis racional para identificar y asignar ponderaciones a los criterios de decisión, así como para desarrollar y evaluar alternativas, el sujeto decisor prescinde del proceso analítico y «deja descansar» su decisión en la intuición antes de tomar la decisión final.

Cuando los directivos usan su intuición basada en una larga experiencia en asuntos organizacionales, pueden percibir y comprender con más rapidez los problemas y tener una corazonada sobre qué opción resolverá el problema, lo que acelera el proceso de toma de decisiones[32].

El que toma las decisiones de manera intuitiva puede decidir rápidamente con lo que parece ser una información muy limitada. Se puede pensar en los profesionales del ajedrez cuando participan en partidas simultáneas donde las decisiones deben tomarse en cuestión de segundos. Sus conocimientos de experto les permiten reconocer una situación y apoyarse en información aprendida y asociada a dicha situación para llegar rápidamente a una decisión[33]. En cuanto a las situaciones en las que se aprecia una mayor probabilidad para utilizar la intuición a la hora de tomar decisiones, destacan aquellas dominadas por la incertidumbre (sobre los antecedentes de la situación, las variables implicadas, los datos disponibles o las soluciones posibles) y aquellas en las que el tiempo es limitado y existe una gran presión por adoptar una solución lo más acertada posible[34].

5.5. DIFERENCIAS INDIVIDUALES EN LA TOMA DE DECISIONES

La comprensión de la forma en que la gente toma decisiones puede ser útil para explicar y predecir su comportamiento. La psicología social ha estudiado la influencia de una serie de variables individuales (la inteligencia, la edad, el sexo y

---

[31] Agor, W. (1986).
[32] Wally, S. y Baum, R. (1994).
[33] Simon, H. A. (1987).
[34] Agor, W. (1986).

la personalidad, fundamentalmente) en el modo en el que los sujetos toman las decisiones y que ayudan a entender mejor la toma de decisiones como un proceso dentro de la organización. En líneas generales, los aspectos que determinan las diferencias entre los individuos en la toma de decisiones son los siguientes[35]:

— *Valores.* Proporcionan guías que una persona puede utilizar cuando se enfrenta a situaciones en las que debe hacer una selección. Los valores se adquieren en las primeras etapas de la vida y son una parte esencial del pensamiento del individuo. Prevalecen en el proceso de toma de decisiones y se reflejan en el comportamiento del sujeto decisor antes, durante y al poner en práctica la decisión tomada[36].

— *Personalidad.* La personalidad del individuo está afectada por factores tales como las actitudes, creencias, necesidades, el estatus social, marital, la inteligencia, o el sexo, entre otros[37]. La influencia de la personalidad en el proceso de toma de decisiones se refleja en: *a*) una persona no será experta o no tendrá la misma pericia en todos los pasos del proceso de toma de decisiones; *b*) hay características como la inteligencia que se asocian más a determinadas fases del proceso, y *c*) se detectan diferencias atendiendo a la posición social o el sexo.

— *Propensión al riesgo.* Es la tendencia del individuo a afrontar riesgos. La mayor o menor aversión al riesgo influye no sólo en la forma en la que se acomete el proceso de toma de decisiones, sino también en la propia propensión a tomar o no decisiones. La propensión al riesgo puede depender del contexto en el que se toman las decisiones. Así, muchas personas están dispuestas a asumir posiciones más arriesgadas si forman parte de un grupo que las que asumirían de manera individual, es decir, dichas personas prefieren aceptar un mayor riesgo si éste es compartido por el resto de miembros del grupo.

— *Potencial de disonancia (disonancia cognitiva).* Es la ansiedad que aparece después de una decisión como consecuencia de las dudas que asaltan al individuo sobre la validez de la opción elegida[38]. Podría decirse que la disonancia cognitiva se refiere al miedo a haberse equivocado. El grado de angustia puede aumentar si la decisión es importante (desde un punto de vista psicológico o financiero) y se es consciente de que hay alternativas con características favorables que no han sido consideradas. La forma de reducir el potencial de disonancia es admitiendo que se puede haber cometido un error. Pero lo normal es que el individuo no sólo no admita la posibilidad de haberse equivocado, sino que intensifique el compromiso con la decisión tomada, centrando sus esfuerzos en justificarla, aunque

---

[35] Nutt, P. C. (1990).
[36] Harrison, E. F. (1975).
[37] Renwick, P. A. y Tosi, H. (1978).
[38] Festinger, L. (1957).

haya pruebas de que se puede haber errado en la elección efectuada[39]. Algunos de los mecanismos que emplean los individuos para intensificar su compromiso son: *a*) buscar información adicional que apoye su decisión; *b*) distorsionar la información de forma que se refuerce la decisión tomada; *c*) menospreciar las alternativas no seleccionadas, o *d*) minimizar los aspectos negativos de su decisión y exagerar los positivos.

5.5.1. Estilos directivos de toma de decisiones

El estudio de las características anteriores y de todas aquellas que conforman el lado humano de la decisión ha permitido establecer una serie de estilos personalizados que ayudan a determinar por qué se toman unas decisiones, cuál es la forma de tomarlas y qué consecuencias cabe esperar de éstas.

Los estilos de toma de decisiones de los directivos varían según dos dimensiones[40]:

— La forma de pensar. Los directivos racionales y lógicos, antes de tomar la decisión, estudian la información de manera sistemática buscando que sea congruente; por otro lado, los directivos más intuitivos y creativos no procesan la información en orden, pues prefieren verla en su conjunto. Los primeros se centran más en las tareas, mientras que los segundos lo hacen en los aspectos sociales y humanos.

— La tolerancia a la ambigüedad. Ciertos directivos soportan poco la ambigüedad, ya que necesitan constancia y orden en la forma de estructurar la información; mientras que otros, en cambio, aceptan mejor el caos y la falta de orden, pudiendo procesar muchas ideas al mismo tiempo.

Al combinar ambas dimensiones se definen cuatro estilos de toma de decisiones: directivo, analítico, conceptual y conductual[41], tal y como se recoge en la matriz de la figura 5.10.

— *Estilo directivo* (poca tolerancia a la ambigüedad y forma racional de pensar). Describe a directivos eficientes y lógicos que toman decisiones rápidas, centradas en el corto plazo, y basados en hechos indiscutibles y reglas y procedimientos impersonales.

— *Estilo analítico* (tolerancia a la ambigüedad y forma racional de pensar). Hace referencia a directivos que quieren más información antes de tomar una decisión y consideran un mayor número de alternativas que en el estilo directivo. Tienen una gran capacidad para adaptarse a situaciones únicas.

---

[39] Staw, B. M. (1981).
[40] Rowe, A. J. y Boulgarides, J. D. (1992).
[41] Rowe, A. J. y Boulgarides, J. D. (1992); Robbins, S. P. y DeCenzo, D. A. (1998).

— *Estilo conceptual* (tolerancia a la ambigüedad y forma intuitiva de pensar). Se identifica con directivos que tienen perspectivas muy amplias y buscan gran variedad de alternativas. Se orientan al largo plazo y son muy buenos para encontrar soluciones creativas a los problemas.

— *Estilo conductual* (poca tolerancia y forma intuitiva de pensar). Trabajan bien con los demás. Se interesan por los logros de los otros y aceptan sus sugerencias. Buscan la comunicación y reuniones en grupo aunque tratan de evitar los conflictos. Para este estilo, la aceptación de los demás es importante.

En general, se acepta que pueden coexistir en un directivo varios estilos simultáneamente, siendo uno dominante y el resto secundarios.

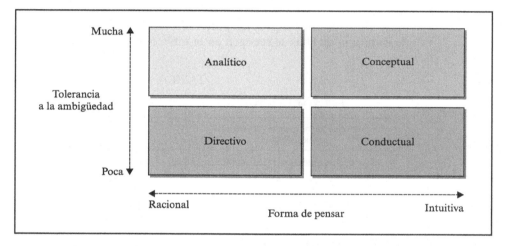

Figura 5.10. Matriz de los estilos de toma de decisiones. [FUENTE: Rowe, A. J. y Boulgarides, J. D. (1992).]

5.6. TOMA DE DECISIONES EN GRUPO

Muchas de las decisiones en la organización no las toma un único directivo. Las decisiones suelen tomarse en grupo, bien sea un directivo y sus subordinados o conjuntamente varios directivos. Las decisiones en grupo tomadas por varios directivos cuyos puntos de vista influyen en la definición del problema y sus alternativas se denominan decisiones organizacionales. Los departamentos se verán afectados de forma significativamente diferente dependiendo de la solución que finalmente se adopte[42].

---

[42] Daft, R. L. y Marcic, D. (2006).

Los tres modelos descritos en este capítulo intentan explicar ciertos aspectos de la toma de decisiones individual. Sin embargo, dichos modelos también aclaran algunos aspectos de la toma de decisiones en grupo[43]. Bajo el marco del modelo racional, se observa que tanto individuos como grupos buscan identificar todas las alternativas posibles antes de decantarse por una. Por otra parte, tanto los individuos como los grupos emplean criterios razonables o suficientemente buenos en el proceso de decisión. Finalmente, también se puede señalar que tanto individuos como grupos pueden tener sus favoritos implícitos que intentan justificar[44].

La diferencia entre la toma de decisiones en grupo y la individual radica en la interacción social del proceso. La cuestión es comprender cuándo se estima conveniente que una determinada decisión se tome en grupo. No se puede afirmar de forma categórica que las decisiones tomadas en grupo sean, por término medio, más acertadas que aquellas tomadas por un solo individuo, ya que tanto unas como otras tienen sus propios puntos fuertes y débiles. Las ventajas y desventajas de cada una de ellas se recogen en la tabla 5.1.

TABLA 5.1

Ventajas y desventajas de los grupos en la toma de decisiones

Ventajas de los grupos (desventajas de la individual)	Desventajas de los grupos (ventajas de la individual)
— Más conocimientos e información más completa. — Más variedad de opiniones. — Más aceptación de una solución. — Más legitimidad.	— Utilizan más tiempo. — Presiones para adaptarse. — Dominio de unos cuantos. — Responsabilidad ambigua.

FUENTE: Adaptado de Robbins, S. P. (1996).

La principal ventaja de la toma de decisiones en grupo es que se puede mejorar tanto la calidad como la aceptación de la decisión. Al involucrar a más personas en el proceso, los directivos están permitiendo examinar las alternativas y criterios de forma exhaustiva, lográndose una mayor calidad de la alternativa elegida e incrementando la probabilidad de su aceptación, así como el grado de compromiso con la misma. Los grupos utilizan una mayor fuente de conocimientos y proporcionan perspectivas más diversas que la generada por un individuo solo[45 y 46].

---

[43] Las características, dinámicas y procesos de los grupos, muchos de ellos relacionados con la toma de decisiones, se analizan en el capítulo 11.

[44] Hitt, M. A, Black, J. S. y Porter, L. W. (2006).

[45] La influencia de la participación en la toma de decisiones puede apreciarse en ciertas técnicas empleadas para reducir la resistencia al cambio organizacional (capítulo 4), o en el modelo de liderazgo participativo de Vroom y Yetton (capítulo 10).

[46] Gómez-Mejía, L. R. y Balkin, D. B. (2003).

Entre las desventajas de la toma de decisiones en grupo la más relevante es su duración: los grupos emplean más tiempo para presentar y analizar todos los puntos de vista de sus miembros. Además, las decisiones en grupo pueden ser de menor calidad que las individuales si éstas se contaminan de la opinión predominante o del dominio ejercido por ciertos individuos del grupo sobre los demás miembros[47]. Procesos y consecuencias como éstos son los que se analizan en el siguiente epígrafe.

En definitiva, no hay razones para concluir que una forma de tomar decisiones, individual o en grupo, sea mejor que la otra. Es preferible que sean los directivos que participan en la decisión y la situación en sí misma lo que guíe la elección de la forma más idónea para afrontar una decisión. Para ello, el directivo podrá valorar la eficacia y eficiencia de la toma de decisiones individual y en grupo, la cual depende de los criterios que utilice para definirlas. En la figura 5.11 se recogen medidas de la eficacia y de la eficiencia de ambos procesos de toma de decisiones. En general, las decisiones en grupo son más eficaces en términos de exactitud, creatividad y aceptación, mientras que las decisiones individuales son más eficaces en términos de velocidad, lo que las hace más eficientes al consumir menos tiempo.

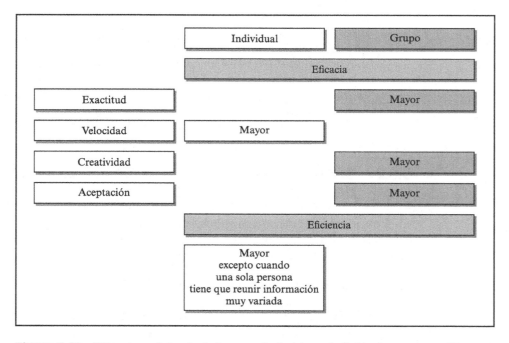

Figura 5.11. Eficacia y eficiencia de la toma de decisiones individual y en grupo. [FUENTE: Adaptado de Robbins, S. P. (1996).]

_____
[47] Certo, S. C. (2001).

5.6.1. Consecuencias de la toma de decisiones en grupo

De igual modo que existen aspectos del individuo que condicionan la toma de decisiones individual, también hay una serie de factores que afectan a las decisiones en grupo. Se destacan dos: la mentalidad de grupo y el giro de grupo[48].

— *Mentalidad de grupo (o pensamiento dominante)*. Aparece cuando la presión que los miembros sienten para adaptarse al grupo impide que se evalúen de forma crítica las opiniones discordantes, minoritarias o poco populares. Algunos de sus síntomas son: *a*) los miembros del grupo buscan argumentos racionales para justificar sus opiniones, aunque la evidencia muestre lo contrario; *b*) se presiona a quienes manifiestan alguna duda sobre la opinión del grupo o cuestionan la validez de los argumentos de la alternativa que tiene un apoyo mayoritario en el grupo; *c*) quienes tienen dudas o puntos de vista distintos no quieren desviarse del aparente consenso y guardan silencio, y *d*) aparece una ilusión de unanimidad, es decir, la abstención se considera un voto afirmativo («el que calla, otorga», si alguien no habla, se supone que está de acuerdo con la mayoría).

— *Giro de grupo*. Aparece cuando los miembros tienden a adoptar posiciones distintas a las que asumirían individualmente. Es frecuente observar este giro en cuanto a posiciones arriesgadas, ya que la discusión provoca una mayor familiaridad entre los miembros, que van sintiéndose más cómodos a la vez que más atrevidos. La razón que subyace en este comportamiento es que, por regla general, la sociedad considera el riesgo como un valor positivo, además de que, como se ha comentado anteriormente, en el grupo se reparte y se diluye la responsabilidad (riesgo compartido).

5.6.2. Generación de ideas y técnicas para la toma de decisiones en grupo

Los principales mecanismos que se pueden utilizar para superar los problemas inherentes a las decisiones tomadas en grupos que interactúan libremente son las siguientes[49]:

— *Tormenta de ideas (brainstorming)*. Técnica orientada exclusivamente a la generación de ideas creativas para la resolución de problemas. Reduce las reacciones críticas y de juicio de los miembros del grupo sobre las ideas generadas. En la industria del espectáculo, los equipos de guionistas y otros creadores de contenido hacen uso a menudo de sesiones de *brains-*

---

[48] Robbins, S. P. (1996).
[49] Gómez-Mejía, L. R. y Balkin, D. B. (2003).

torming. Existe una variante conocida como *storyboarding* en la que los miembros del grupo apuntan ideas en fichas (que se pegan en el tablón de anuncios o paredes de la sala de reuniones) y pueden mezclarlas, reescribirlas e incluso eliminarlas para examinar procesos complejos. Entre las características de esta técnica destacan las siguientes:

- Se anima al grupo a aportar el mayor número de ideas, incluso aunque sean, a priori, raras o inusuales.
- Se alienta a los miembros del grupo a que construyan y prolonguen las primeras ideas, para aumentar así la posibilidad de generar una solución innovadora (no tradicional).
- Se desanima la crítica de cualquier idea hasta que todas se hayan expresado.

— *Técnica del grupo nominal (TGN)*. Ayuda a un grupo a generar y seleccionar soluciones al tiempo que permite que los miembros del grupo piensen de forma independiente[50]. Funciona como una reunión de grupo estructurada en la que tienen lugar los siguientes pasos:

- Los miembros del grupo se reúnen y se les presenta un problema. Antes de cualquier discusión, cada miembro escribe de forma individual una solución al problema.
- Cada miembro presenta una de sus ideas al grupo. La idea es escuchada y apuntada en un tablón o pizarra que todos puedan ver, sin ninguna discusión o crítica.
- Una vez que las ideas hayan sido presentadas y apuntadas, comienza la discusión y la evaluación.
- Al final de la evaluación, los miembros del grupo votan anónimamente y puntúan las mejores elecciones. Se selecciona la alternativa de decisión que recibe la mayor puntuación del grupo[51].

— *Técnica Delphi*. Es similar a la TGN pero no implica reuniones del grupo cara a cara, lo que la hace útil cuando los que tienen que tomar la decisión están separados geográficamente. Se pueden distinguir los siguientes pasos:

- A los miembros del grupo se les presenta un problema y se les hace llegar un cuestionario que solicita soluciones.
- Cada miembro del grupo completa anónimamente el cuestionario y lo envía a una localización central, donde se tabulan y resumen las respuestas.

---

[50] TGN se utiliza a menudo en los procesos de planificación estratégica y en el desarrollo de las declaraciones de la misión organizacional que se analizan en el capítulo 7.

[51] Delbecq, A. L., Van de Ven, A. H. y Gustafson, D. H. (1975).

- Los resultados le son devueltos a los miembros del grupo y se solicitan nuevas soluciones.
- Se completan y tabulan los cuestionarios por segunda vez. El ciclo de dar y recibir *feedback* anónimo (pasos 2 y 3) continúa hasta que se alcanza un consenso sobre la mejor alternativa de decisión.

Por tanto, a diferencia de la TGN, los participantes de la técnica *Delphi* son generalmente anónimos, están físicamente distantes y nunca se reúnen frente a frente, ya que todo el proceso de comunicación es por medio de cuestionarios escritos en donde existe una retroalimentación de los mismos.

En la actualidad, y gracias a las nuevas tecnologías de la información[52], se observa un cambio en la forma de tomar las decisiones. De las decisiones en grupo se puede pasar a decisiones en las que se ven involucradas las nuevas herramientas y métodos que utilizan la *inteligencia colectiva* para explotar una multiplicidad de opiniones, esto es, para aprovechar la colectividad a gran escala[53]. En la práctica, las herramientas que utilizan la inteligencia colectiva han obtenido mejores resultados de lo que pueden explicar los investigadores, y se han mostrado más útiles para la generación de ideas que para la evaluación de éstas. Los directivos deben tener en cuenta muchos aspectos clave a la hora de diseñar herramientas para explotar la inteligencia colectiva, desde la pérdida de control hasta el equilibrio entre la diversidad y la especialización.

---

[52] Muchas de ellas corresponden a las aplicaciones de la Web 2.0: los servicios de red social, los servicios de alojamiento de videos, las *wikis,* y los *blogs,* entre otras. Estas aplicaciones permiten a sus usuarios interactuar con otros usuarios o cambiar contenidos del sitio web.

[53] Bonabeau, E. (2009).

RESUMEN

Tomar decisiones es una actividad nuclear del directivo. Es un valor añadido en la administración de las organizaciones de hoy, ya no sólo por el considerable tiempo que se dedica a esta actividad, sino porque de ella dependerá, en muchas ocasiones, el éxito o fracaso de la organización. La toma de decisiones se define como el proceso de identificar los problemas y de resolverlos. Tomar decisiones es algo más que elegir entre varias opciones o cursos de acción a seguir, implica un proceso de formulación y solución del problema.

La mayoría de las decisiones se clasifican atendiendo a dos criterios generales: la naturaleza del problema, distinguiéndose entre decisiones programadas y no programadas; y el alcance de la decisión, diferenciándose entre decisiones estratégicas, administrativas y operativas. Todas ellas guardan una relación directa con los niveles jerárquicos directivos poniendo de manifiesto que todos los puestos directivos no son iguales en cuanto a la naturaleza de las decisiones que toman.

Existen tres modelos básicos que describen cómo se lleva a cabo la formulación de una decisión: 1) modelo de racionalidad o de optimización, que establece seis pasos para alcanzar la mejor solución al problema que puso en marcha el proceso; 2) modelo de racionalidad limitada, según el cual quienes toman las decisiones tienden a aceptar la primera alternativa que cubre los requerimientos mínimos aceptables, en vez de continuar buscando la alternativa que ofrezca los mejores resultados; y 3) modelo de favorito implícito, en donde el proceso de decisión se convierte en un esfuerzo por confirmar que la alternativa favorita es en realidad la selección correcta. En todos estos modelos, el directivo puede utilizar su intuición, ya que según su experiencia, sentimientos y buen juicio puede verse afectada cualquiera de las etapas de estos modelos.

Muchas de las decisiones que toman los directivos en las organizaciones no las realizan solos, sino que las toman en grupo, con las ventajas e inconvenientes que esto implica. La diferencia entre la toma de decisiones en grupo y la toma de decisiones individual radica en la interacción social del proceso. La cuestión radica en comprender cuándo el directivo estima conveniente que la toma de una determinada decisión haya que realizarla en grupo. Entre las técnicas de toma de decisiones en grupo y de generación de ideas, destacan la técnica del grupo nominal, la técnica *Delphi* y la tormenta de ideas.

Cada persona es única y cada directivo también, y es por esto que no hay dos procesos de toma de decisiones iguales, ya que éstas dependen de, al menos, cuatro variables idiosincrásicas de los individuos: sus valores, su personalidad, su propensión al riesgo y su potencial de disonancia cognitiva. No obstante, es posible determinar por qué se toman unas decisiones, cuál es la forma de tomarlas y qué consecuencias cabe esperar de las mismas, mediante la identificación de cuatro estilos de decisión individual: directivo, analítico, conceptual y conductual.

PREGUNTAS DE REPASO

1. Compare las decisiones programadas y las no programadas. Ponga un ejemplo que ayude a distinguir entre ambas.

2. Describa las seis etapas básicas que conducen a la formulación de una decisión según el modelo racional.

3. Identifique tres diferencias entre el modelo racional de toma de decisiones y el modelo de racionalidad limitada.

4. ¿Qué es la alternativa favorita implícita?

5. Señale un par de casos en los que se aprecie una mayor probabilidad del uso de la intuición del directivo a la hora de tomar decisiones.

6. ¿Cuáles son las principales ventajas de la toma de decisiones en grupo?

7. Describa el fenómeno de mentalidad de grupo. ¿Cuáles son sus síntomas?

8. Compare la técnica del grupo nominal con la técnica *Delphi* en la toma de decisiones.

CASO PRÁCTICO

Tomar decisiones en tiempos de crisis

Transcurría el otoño de 2008, era la campaña de invierno y los comerciantes andaluces llevaban meses viendo cómo sus ventas disminuían considerablemente. La realidad de la difícil situación que atravesaba el pequeño y mediano comercio en la coyuntura de crisis económica, en especial de Andalucía, les obligó a agudizar su ingenio para diseñar nuevas estrategias que permitiesen paliar el acusado descenso de la facturación de la campaña de invierno, en la que las pérdidas habían oscilado, por ejemplo en la ciudad de Málaga, entre el 25 % y el 40 %, según cálculos de la Federación de Comercio (Fecoma).

Sin embargo, el sector era consciente de que las últimas semanas del año eran decisivas para salvar el ejercicio, especialmente en sectores como juguetes, textil, complementos y menaje del hogar, por lo que se decidió bajar precios. Así, desde primeros de noviembre, decenas de tiendas exhibían en sus escaparates reclamos de 2 × 1, promociones especiales y descuentos de hasta el 50 %, en una carrera desenfrenada para impulsar sus ventas en lo que restaba de 2008, «el peor ejercicio que se recuerda desde la crisis de 1993», según la prensa nacional. Éstas son algunas de las decisiones tomadas por tres de las grandes cadenas de nuestro país en el sector textil:

— El Corte Inglés. Ofreció descuentos de hasta el 60 % en juguetes, y entre el 1 y el 15 de noviembre todas las compras de juguetes y videojuegos tenían bonificación del 10 %. Hasta el 22 de noviembre se celebró la campaña «8 días de oro» con descuentos de hasta el 30 % en una gran selección de prendas de primeras marcas de moda, en electrónica y en electrodomésticos, entre otros.

— Inditex. Destaca *Lefties*, la cadena de ropa más barata del grupo Inditex, que bajó aún más sus precios. Con el lema «La moda no es un lujo», puso a la venta una selección de prendas con descuentos del 50%. El resto de sus marcas comerciales *(Zara, Pull and Bear, Bershka, Oysho, Stradivarius, Zara Home y Uterqüe)* no habían programado ninguna promoción especial a primeros de noviembre.

— Mango. Lanzó una promoción dirigida a su clientela masculina. Con el lema «Ahora, adelantar regalos tiene premio», aplicó descuentos del 20% hasta mediados de noviembre.

El crudo invierno avanzaba y a finales de 2008, los consumidores se despertaron con una magnífica noticia: los comerciantes andaluces habían decidido adelantar, por primera vez y de forma excepcional, el período de rebajas al 2 de enero de 2009. ¡Los Reyes Magos podrían esperar a ese día para realizar sus compras a precios más baratos!

Esta estrategia, que también se aplicó en Madrid, Extremadura y Aragón, y que contó con el visto bueno de la Junta de Andalucía y de la Confederación Empresarial de Comercio de Andalucía (CECA), pretendía aprovechar el tirón de la Navidad para animar las ventas. «Ante situaciones excepcionales se requieren medidas excepcionales con el fin de asegurar el consumo en estas fechas navideñas», comentaba el consejero de Comercio a un periódico andaluz.

Y aunque esta iniciativa de adelantar las rebajas partió de los pequeños comerciantes, las grandes superficies deberían decidir su estrategia. La fecha oficial de inicio de las rebajas en Andalucía era el 2 de enero, pero el carácter voluntario de la misma provocó que las grandes cadenas adoptaran decisiones distintas:

— El Corte Inglés respetó la fecha oficial del 7 de enero para las rebajas, pero exhibió promociones hasta el 5 de enero, como la campaña denominada «Feliz 2009», que incluía importantes descuentos en numerosos artículos.

— Inditex. La decisión de todo el grupo de mantener el inicio de las rebajas al 7 de enero afectó a las tiendas de *Zara, Pull and Bear, Massimo Dutti, Bershka, Oysho, Stradivarius, Zara Home y Uterqüe.*

— Mango se adaptó a la decisión tomada en Andalucía y adelantó su campaña.

La medida de adelantar las rebajas generó división interna entre los comerciantes, ya que la CECA aprobó por escasa mayoría impulsar el adelanto de las rebajas. Según la CECA, el adelanto beneficiaría a unos 120.000 pequeños y medianos comercios andaluces que, además, podrían aprovecharse de la decisión tomada por las grandes cadenas de no adelantar las rebajas. Sin embargo, algunos pequeños comerciantes se quejaron de que la medida, lejos de suponer un beneficio, podía hacer que los consumidores atrasaran las compras de Reyes hasta el día 2 para beneficiarse de los descuentos, dejando las tiendas en la primera parte de la Navidad más vacías que en años anteriores.

Fuentes:

Diario Sur. 2/1/2009: La crisis obliga a adelantar las rebajas de enero para antes de Reyes. http://www.diariosur.es/20081211/malaga/crisis-obliga-adelantar-rebajas-20081211.html.

El País. 5/1/2009: La crisis adelantó más que nunca el comienzo de las rebajas. http://www.elpais.com/articulo/madrid/crisis/adelanto/comienzo/rebajas/elpepiautmad/19930105elpmad_12/Tes.

El Mundo. 9/11/2008: Las rebajas de enero, en noviembre. http://www.elmundo.es/diario/mercados/2539074.html.

Cinco Días. 2/1/2009: La crisis adelanta las rebajas. http://www.cincodias.com/articulo/economia/crisis-adelanta-rebajas/20090102cdscdseco_1/.

20 Minutos. 1/1/2009: Arrancan en media España las rebajas con los precios más bajos de los últimos años. http://www.20minutos.es/noticia/440275/.

El País. 3/1/2009: El 80 % de las tiendas se suma al adelanto de las rebajas de invierno. http://www.elpais.com/articulo/andalucia/tiendas/suma/adelanto/rebajas/invierno/elpepiespand/20090103elpand_3/Tes.

PREGUNTAS

1. La decisión de realizar importantes promociones en el mes de noviembre, en plena campaña de invierno, por parte de las grandes cadenas del sector textil, ¿es una decisión programada o no programada? ¿Qué modelo o modelos pudieron seguir estas empresas para tomar su decisión?

2. La decisión posterior de acogerse o no al adelanto de la fecha oficial del período de rebajas establecido en Andalucía, ¿es programada? ¿Qué modelo de toma de decisiones pudieron seguir en este caso cada una de ellas?

3. La decisión tomada por la CECA de dar el visto bueno al adelanto de las rebajas, ¿es individual o colectiva? ¿Qué ventajas e inconvenientes se pueden encontrar en la toma de esta decisión?

6

Comunicación y sistemas de información

OBJETIVOS DE APRENDIZAJE

1. Comprender la importancia de la comunicación en el seno de las organizaciones.
2. Analizar los actores del proceso de la comunicación.
3. Identificar las barreras que pueden bloquear el proceso de la comunicación.
4. Diferenciar los distintos tipos de comunicación y su utilidad.
5. Analizar las tecnologías de la información y las comunicaciones (TIC) y su influencia como medio de comunicación.
6. Diferenciar Internet, Intranet y Extranet, así como sus distintas aplicaciones.
7. Distinguir entre información estructurada y no estructurada.
8. Analizar las herramientas construidas sobre las TIC.

La comunicación vertebra la organización funcionando como una suerte de *sistema nervioso*. La información relacionada con los estímulos externos fluye a través de los *nervios,* o canales de comunicación hacia los *centros neurálgicos* de la organización donde se han de tomar las decisiones. En estos centros, la información es primero procesada y después emitida en forma de órdenes a través de los nervios hasta llegar a su destino final.

Comunicar implica compartir. Así, comunicarse trasciende el mero hecho de intercambiar información. Más aún, la comunicación tiene una importancia sustancial sobre la eficiencia de una organización. Una red de comunicación bien engrasada elimina fricciones en los procesos productivos mejorando el desempeño.

Los administradores dedican gran parte de su tiempo a comunicarse. Cuando dan órdenes a sus subordinados, cuando recaban información de éstos, o cuando se reúnen con otros administradores para tomar decisiones, el dominio de la comunicación se revela clave para su desempeño. El éxito del administrador depende en gran medida de su capacidad para comunicarse de una manera eficaz. Para comprender la importancia de la comunicación en el trabajo directivo basta revisar los roles o papeles directivos propuestos por Henry Mintzberg y expuestos en el capítulo 1. No sólo se identifican roles eminentemente informativos (monitor, portavoz y difusor), también puede apreciarse que el desempeño eficaz, tanto de los roles interpersonales (representante, líder y enlace) como de los decisionales (emprendedor, gestor de anomalías, asignador de recursos y negociador), descansa en la capacidad de comunicación del gerente que los encarna.

La comunicación adopta muchas formas. Así, los gerentes se comunican mediante llamadas telefónicas, correos electrónicos o conversaciones cara a cara. Lo hacen en reuniones formalmente convocadas o por los pasillos de la organización.

En la primera parte de este capítulo se analiza el proceso de comunicación, así como las posibles barreras que pueden bloquearlo. Además, se describen los distintos tipos de comunicación. En la segunda parte se analizan las nuevas TIC, Internet, Extranet e Intranet. A continuación, haciendo una distinción de los datos que se transmiten de acuerdo con su naturaleza, estructurados y no estructurados, se aborda el estudio de las diferentes herramientas que, en los últimos años, se han ido desarrollando para compartir información.

6.1. LA COMUNICACIÓN Y LAS FUNCIONES SECUENCIALES

La comunicación está muy relacionada con las funciones secuenciales del administrador. De hecho, la comunicación desempeña un importante papel en la planificación, la organización, la dirección y el control:

— *Planificación.* Mediante la comunicación se hacen llegar las metas a todas las partes de la organización. Las estrategias que deben seguir las organizaciones son el resultado de los procesos de toma de decisiones, y el éxito de éstas depende en gran medida de su implementación. En el capítulo 5 se analiza la implementación de la solución adoptada como la última etapa del proceso de toma de decisiones. Así, una decisión acertada no conducirá al resultado deseado, a menos que sea bien comunicada a los miembros implicados de la organización.

— *Organización.* El diseño de nuevas configuraciones estructurales es posible gracias al desarrollo de nuevos canales de comunicación. Los almacenes virtuales, los *call centers*[1], los centros de recursos compartidos[2] (SSC) o las organizaciones virtuales son buenos ejemplos.

— *Dirección.* Para gestionar a sus subordinados, los administradores recurren a la comunicación.

— *Control.* Para poder realizar las correcciones necesarias ante las desviaciones que puedan aparecer con respecto a los planes, es necesario un sistema de comunicación que permita una retroalimentación eficaz.

6.2. EL PROCESO DE LA COMUNICACIÓN EN LAS ORGANIZACIONES

El Diccionario de la Real Academia Española define comunicación como la «transmisión de señales mediante un código común al emisor y al receptor». De esta definición podemos inferir en qué consiste el proceso de comunicación.

El *proceso de la comunicación* describe los pasos que son necesarios para que el emisor (inicio del proceso) y el receptor (final del proceso) compartan unos determinados conocimientos o información. Este proceso puede explicarse a través de los elementos que intervienen en el mismo: el emisor, el mensaje, el canal, el receptor y la retroalimentación.

1. *Emisor.* Es la persona que inicia el proceso de la comunicación, cuando quiere compartir una idea, dar una orden o hacer llegar cierta información a otros miembros de la organización. Esta información se codifica y se transforma en símbolos, un lenguaje que el receptor debe compartir para poder entender el mensaje recibido.

2. *Mensaje* (señal). Es aquello que se quiere compartir, el resultado de la codificación de lo que se quiere transmitir. En algunos casos, el mensaje enviado puede diferir del mensaje recibido. Para que la comunicación sea eficaz, es muy importante que emisor y receptor compartan la simbología. De no ser así, la interpretación posterior que el receptor del mensaje realice no se ajustará a los propósitos del emisor y, por tanto, no existirá comunicación.

   El mensaje se puede analizar desde la perspectiva del emisor y el receptor:

---

[1] Mediante los *call centers* se centralizan las llamadas de atención al cliente para distintas zonas geográficas en una localización única. Esto es posible gracias al desarrollo de las redes de telefonía, Internet y a la reducción de costes que conllevan.

[2] Los centros de servicios compartidos (*Shared Service Centes* en inglés) funcionan de forma análoga a los *call centers,* pero el catálogo de servicios que pueden dar a la organización es más amplio, como por ejemplo, servicios contables, logísticos o gestión de cuentas a cobrar.

— *Mensaje del emisor:* Es aquello que el emisor quiere transmitir antes de su codificación.

— *Mensaje codificado:* Es el mensaje propiamente dicho que viaja desde el emisor al receptor.

— *Mensaje del receptor:* Es el mensaje percibido por el receptor una vez que ha sido descodificado.

El elemento fundamental que debe subyacer en todo proceso de comunicación es la idea de compartir.

CUADRO 6.1

¿Qué es compartir simbología?

Compartir simbología es similar a compartir formato en el caso de documentos de texto. Al escribir un documento de texto se está creando la información que se desea transmitir. Al guardar el documento creado con un determinado formato, se está codificando. Por ejemplo, el paquete de ofimática gratuito *OpenOffice* utiliza, para los documentos de texto, un formato denominado *open document format* (.odf). Cuando se guarda el documento con este formato, solamente en un terminal en el que esté instalado el software de *OpenOffice* se podrá abrir el documento; es decir, únicamente en este caso se podrá descodificar el mensaje. En otras ocasiones, simbologías en principio consensuadas al codificar el mensaje pueden generar problemas de interpretación en el momento de la descodificación. Cuando se abre (descodifica) con *OpenOffice* un documento creado (codificado) con Microsoft *Word* (.docx) aparecen errores que hacen que el documento final tenga diferencias con respecto al original. Así, el mensaje del receptor difiere del mensaje del emisor.

Fuente: Elaboración propia.

3. *Canal.* Es el medio elegido para hacer llegar el mensaje al destinatario (por ejemplo, el correo electrónico o el teléfono, una conversación en un despacho o en el pasillo).

4. *Ruido.* El ruido es todo aquello que, interponiéndose entre el emisor y el receptor dificulta (cuando no impide) el proceso de la comunicación.

5. *Receptor.* Es la persona a la que va destinada la comunicación. Recibe la información enviada por el emisor, la descodifica e interpreta. Para ello es necesario que tanto emisor como receptor compartan significados.

6. *Retroalimentación.* Mediante la retroalimentación se cierra el proceso de la comunicación. Consiste en verificar que el receptor ya ha recibido y entendido el mensaje que inicialmente le envió el emisor. En la retroalimentación, emisor y receptor intercambian sus papeles: el receptor inicial es ahora el nuevo emisor, mientras que el emisor inicial se convierte en el receptor.

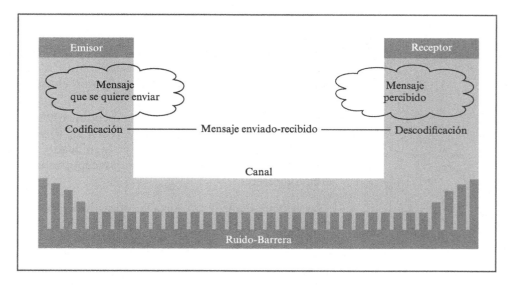

Figura 6.1. El proceso de la comunicación. (FUENTE: Elaboración propia.)

6.3. LAS BARRERAS DE LA COMUNICACIÓN

El modo en que las personas se aproximan al proceso de la comunicación tiene, en ocasiones, efectos no deseados e incluso contraproducentes. Son las denominadas barreras de la comunicación que explican cómo se distorsiona la información.

6.3.1. Barreras interpersonales

Cuando las barreras nacen de comportamientos individuales surgen las denominadas barreras interpersonales, entre las que cabe destacar las siguientes:

1. *Lenguaje.* Cuando el emisor y/o el receptor no conocen bien el lenguaje, la comunicación puede verse entorpecida. Un mal conocimiento del lenguaje es el origen de una importante barrera de la comunicación. El dominio del lenguaje puede variar dependiendo de la formación o el tipo de trabajo desempeñado. Esta barrera se presenta de dos formas:

   — *Semántica.* Hace referencia al significado de las palabras y puede afectar en dos sentidos, tanto a emisor como a receptor:

- Cuando el emisor no es capaz de expresarse con corrección o no es capaz de encontrar las palabras adecuadas (vocabulario activo) para codificar aquello que está pensando. El vocabulario activo hace referencia a las palabras cuyo significado comprendemos y que somos capaces de utilizar cuando actuamos como emisores en el proceso de la comunicación.
- Cuando el receptor no es capaz de descodificar (vocabulario pasivo) y por ende de entender el mensaje recibido. El vocabulario pasivo hace referencia a las palabras cuyo significado conocemos y que entendemos cuando actuamos como receptores en el proceso de la comunicación.

La velocidad a la que avanza la especialización terminológica, y la cada vez más rápida asimilación de términos anglosajones, supone una dificultad añadida a la comprensión del lenguaje. Dentro de la semántica, la jerga merece una atención especial. De acuerdo con el Diccionario de la Real Academia, la jerga es un «lenguaje especial y familiar que usan entre sí los individuos de ciertas profesiones y oficios». La forma en que los especialistas se comunican entre sí puede no funcionar cuando alguien ajeno a esa actividad especializada se aproxima a ellos en busca de información.

— *Gramática.* Cuando los mensajes se transmiten con un estilo muy formal, el receptor puede ponerse en guardia, adoptando una posición defensiva que hace que la importancia bascule del fondo (mensaje) a la forma (formalidad).

Para vencer esta barrera es necesario conocer bien el idioma, las limitaciones de nuestro interlocutor y adaptar el lenguaje a éstas.

2. *Filtrado.* Filtrar la información es desvirtuarla de alguna manera, de modo tal que el resultado final difiera del original. La información se puede filtrar por distintas razones como el miedo o los intereses, y en cualquier caso, el emisor puede ocultar datos al receptor al seleccionar aquellos aspectos que no considera conveniente compartir (por ser lesivos para sus intereses, por ejemplo). Cuando un mensaje pasa de un miembro de la organización (emisor) a otro (receptor) que se convierte en emisor al enviarlo a otro miembro (receptor), y así sucesivamente, la influencia del filtrado aumenta. En este sentido, cuanto mayor sea la cadena emisor-receptor-emisor, mayor será el riesgo de que el filtrado distorsione más el mensaje. Para vencer esta barrea no se debe abusar del filtrado.

3. *Perspectiva.* Hace referencia al modo en que las personas catalogan a su interlocutor y depende en gran medida de la posición que se ocupe en la organización. Es normal que cuando un subordinado es requerido para trasladar cierta información a un superior adopte una actitud defensiva,

que puede llevarle a filtrar la información de modo que favorezca sus intereses personales.

Para vencer esta barrera hay que hacer un esfuerzo por colocarse en la posición del interlocutor.

4. *Percepción.* Hace referencia a la interpretación de la información. Las diferencias de percepción tienen su origen en no compartir significados (simbología). Así:

— Al codificar se pueden distorsionar los mensajes al elegir mal las palabras, el tono, el lenguaje o incluso el canal.
— También al descodificar el receptor puede distorsionar el mensaje al interpretarlo mal, al no entenderlo o incluso cuando sus prejuicios y emociones nublan su percepción.

Para vencer esta barrera debe quedar claro que emisor y receptor comparten el significado de las palabras (o gestos) que van a utilizar para comunicarse.

5. *Canal.* Elegir el canal de comunicación adecuado puede favorecer la comunicación. Sin embargo, elegir un canal que no sea congruente con el mensaje que se pretende transmitir puede bloquear el proceso de la comunicación. Pequeñas reprimendas a un subordinado pueden tratarse mejor de un modo informal mediante una conversación de pasillo o en la cafetería que por escrito o convocando una reunión formal en el despacho del superior. En este segundo caso, el subordinado podría percibir que la reprimenda tiene más importancia que la que el superior (administrador) le concede.

Para que el canal elegido no se convierta en un obstáculo en la comunicación, debe ser congruente con el contenido del mensaje.

6. *Emociones.* A menudo, las emociones se entremezclan con el mensaje que se pretende transmitir o empañan la percepción de aquello que se transmite. Cuando se transmite una idea con un exceso de entusiasmo o de vehemencia, es muy posible que el receptor del mensaje se centre más en la forma de comunicar el mensaje que en el fondo del mismo. Análogamente, a veces el receptor mezcla sus emociones con la percepción del mensaje bloqueando el proceso de comunicación al confundir nuevamente forma y fondo.

Para superar esta barrera se debe evitar que las emociones nublen la percepción.

7. *Incongruencia entre señal verbal y no verbal.* Al hablar, nuestro cuerpo o nuestra cara también envían mensajes. El lenguaje no verbal debe ser congruente con el lenguaje verbal. Cuando esto no ocurre, se produce incredulidad y confusión en el receptor a la hora de interpretar el mensaje.

Habida cuenta de que el lenguaje no verbal es más difícil de controlar que el verbal, para evitar lanzar mensajes incongruentes, debe evitarse mentir.

La identificación de las barreras interpersonales que dificultan la comunicación es el primer paso para diseñar estrategias que permitan superarlas.

6.3.2. Barreras organizativas

La forma en que se configura la estructura de una organización puede crear dificultades en el proceso de comunicación. Este tipo de interferencias recibe el nombre de barreras organizativas y se pueden destacar las siguientes:

— *La red de comunicación.* La forma en que se configuran los canales de comunicación formales dentro de una organización afecta a la comunicación. Cuanto mayor sea la longitud del canal, más se distorsionará la comunicación al transitar por él. En este sentido, cuantas más personas transmitan información, más se desvirtúa el mensaje.
— *La estructura jerárquica.* La disposición de los miembros de la organización también puede afectar a la comunicación.
— *El estatus.* La comunicación es una forma de poner de manifiesto el poder que se tiene en una organización. Cuando esto ocurre, el mensaje queda en un segundo plano.
— *El número de niveles jerárquicos.* Cuanto mayor sea el número de niveles jerárquicos, más intereses se crean y por tanto más se distorsiona la comunicación.
— *Las áreas funcionales.* Como consecuencia de la especialización, las áreas funcionales que se crean pueden dificultar la comunicación.
— *La falta de coordinación o aislamiento departamental.* Cuando no se establecen nexos entre los departamentos, de modo que los miembros de cada uno de ellos no perciben la necesidad de coordinarse con otros departamentos, se bloquea la comunicación.
— *La adopción de las tecnologías de la información y las comunicaciones (TIC).* La adopción de las TIC facilita en gran medida la coordinación de actividades y la comunicación. Sin embargo, también tiene efectos nocivos como la sobrecarga de información. La facilidad con que se puede enviar información a través del correo electrónico hace que, a menudo, los administradores se encuentren sobrecargados al ver sus bandejas de entrada atestadas de *e-mails* sin responder. Más aún, la gestión del buzón de entrada puede convertirse en una pesadilla para los administradores, ya que aquellos correos que no se contestan permanecen en la bandeja de

entrada bloqueando la comunicación. Otro caso muy común es el denominado correo electrónico no deseado (o *spam*) recibido de manera masiva y que a menudo satura la bandeja de entrada de los administradores.

Finalmente se analizan dos aspectos que pueden mejorar la comunicación en una organización.

— *La escucha activa:* Garantizar que el mensaje sea correctamente entendido no es sólo responsabilidad del emisor, sino también del receptor. Así, oír lo que se dice no siempre es suficiente. El significado de oír es «percibir con el oído los sonidos»; mientras que escuchar es «prestar atención a lo que se oye». Por tanto, el receptor debe participar activamente en el proceso de la comunicación. A esto se le denomina escucha activa. Comprensión, predisposición, retroalimentación y paciencia son algunos de los elementos clave en el proceso de escucha activa.
— *La retroalimentación:* Conocer los resultados del trabajo realizado mejora las relaciones siempre y cuando éste vaya asociado a la mejora del desempeño.

6.4. TIPOS DE COMUNICACIÓN

Con carácter general pueden definirse dos tipos de redes de comunicación. En primer lugar se encuentran las redes externas, que están formadas por los canales de comunicación que establecen nexos entre la organización y aquellas otras organizaciones con las que tiene relaciones comerciales, como son los proveedores o los clientes. El análisis de estas redes se aborda más adelante al analizar los sistemas integrados de gestión. En segundo lugar se encuentran las redes internas, que están formadas por los canales de comunicación que conectan a los diferentes miembros de una misma organización. El presente epígrafe se centra en este tipo de redes.

La comunicación a través de las redes internas de la organización puede ser de varios tipos, dependiendo de las características que interese resaltar. A continuación se detallan algunas de las formas más corrientes de clasificar la comunicación en el seno de las organizaciones.

6.4.1. Comunicación formal e informal

Dependiendo de si fluye por los canales formales creados por la organización o no, la comunicación puede ser formal e informal.

Comunicación formal. Cuando la comunicación fluye por los canales formales se denomina *comunicación formal.* Está diseñada para articular el modo de alcanzar las metas de la organización. Para asegurar la eficiencia de las comunicaciones, la organización diseña y rediseña, de acuerdo con sus necesidades, canales que permiten garantizar que los mensajes llegan al destinatario (por ejemplo, Intranet o correo interno). Estos canales reflejan la estructura formal de la organización, atribuyendo responsabilidades a emisor y receptor. Su permanencia en el tiempo está asociada al logro de los objetivos de la organización. El conjunto de estos canales de comunicación recibe el nombre de red de comunicación formal.

A través de la red formal, la comunicación fluye de acuerdo con unos patrones identificables cuyas modalidades más conocidas son las siguientes[3] (figura 6.2):

— *Red de cadena o serial:* Es aquella que fluye por la cadena de mando en ambos sentidos.
— *Red de rueda:* Es aquella que fluye entre el líder de un equipo y los miembros de éste.
— *Red de todos los canales o multicanal:* Es aquella que fluye libremente entre todos los miembros de un determinado equipo de trabajo.

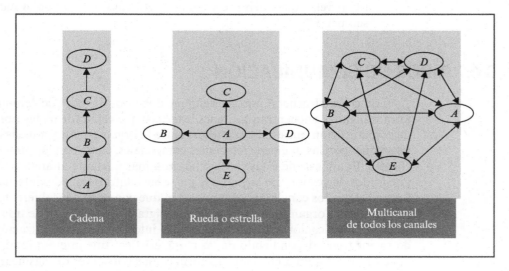

Figura 6.2. Las redes de comunicación formal. [FUENTE: Haney, W. V. (1962).]

Comunicación informal. Cuando la comunicación fluye libremente entre los miembros de la organización recibe el calificativo de informal. Si bien la comunicación formal persigue, por su propia naturaleza, el logro de los objetivos de la organización, la comunicación informal puede perseguir tanto objetivos de

---

[3] Haney, W. V. (1962).

ésta (reuniones ad hoc en un pasillo para tratar un problema de ventas por ejemplo) como problemas personales de los miembros de la organización (discusiones sobre salarios en la cafetería, por ejemplo) Este tipo de comunicación puede producirse en cualquier lugar de la organización, y los canales que emplea no se ciñen a los definidos oficialmente por la organización, sino que son sus miembros los que los crean y diseñan, puenteando si es preciso la cadena de mando sin respetar la jerarquía establecida. Los canales informales no aparecen en el organigrama. Su duración está asociada a las necesidades de sus miembros.

Keith Davis[4] analizó la comunicación informal en las organizaciones y llegó a la conclusión de que, de forma análoga a la comunicación formal, la informal fluye siguiendo unos patrones determinados, lo cual le permite establecer una tipología de redes de comunicación informal que denomina *cadena de rumores*. Los rumores constituyen una red social que se complementa, yuxtapone y en ocasiones contradice a la red formal (figura 6.3).

— *La cadena de eslabones simples:* El individuo *A* cuenta el rumor a *B*, quien a su vez le cuenta a *C*, quien a su vez le cuenta a *D*, y así sucesivamente. Este tipo de cadena distorsiona la información hasta que deja de ser reconocible.

— *La cadena de chismes:* El individuo *A* busca a personas indiscriminadamente para contarles el rumor.

— *La cadena de probabilidad:* El individuo *A* cuenta el rumor de modo aleatorio, por ejemplo a *F* y a *D*, de acuerdo con las leyes de la probabilidad. Los individuos *F* y *D* actúan del mismo modo, y así sucesivamente.

— *Racimo o grupos:* El individuo *A* selecciona y decide a quién contar el rumor, por ejemplo a *C*, *D* y *F*. El individuo *F*, a su vez, selecciona y cuenta el rumor a *I* y a *H*, y este último selecciona a *J* y le cuenta el rumor. Así, la información solamente viaja a las personas seleccionadas.

Los rumores están mal considerados en el seno de las organizaciones e incluso vistos como el origen de pérdidas de productividad[5]. Los administradores deben ser conscientes de la existencia de las cadenas de rumores para, en la medida de lo posible, gestionarlas en beneficio de la organización. Asimismo, deben preocuparse por identificar su origen. A menudo, los rumores surgen porque los miembros de la organización sienten la necesidad de ampliar y completar la información de que disponen. Aumentar la cantidad de información que una persona tiene sobre la organización en la que trabaja, puede aumentar su sentimiento de

---

[4] Davis K. (1953).

[5] *Expansión.* http://archivo.expansionyempleo.com/2009/03/04/desarrollo_de_carrera/1236172352.html (consultado el 20 de enero de 2011).

pertenencia a ésta. Al conocer lo que ocurre en su organización, el individuo se involucra más en ésta. Por otro lado, los administradores también pueden usar estos canales para filtrar información y comprobar así la reacción de los miembros de la organización ante determinadas noticias[6].

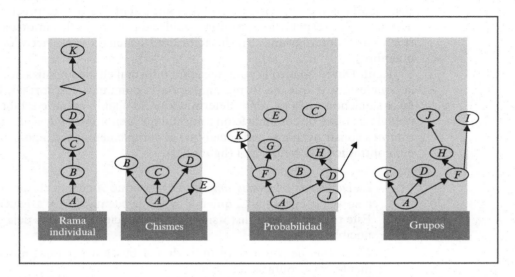

Figura 6.3. Las redes de comunicación informal: Las cadenas de rumores. [FUENTE: Davis, K. (1953).]

La comunicación informal fluye por la organización de una forma no planificada. Al no estar canalizada por las vías formalmente diseñadas, desde la perspectiva de la organización, se podría pensar que fluye aleatoriamente. Sin embargo, ¿hasta qué punto es aleatorio el modo en que se transmite? Para entender los límites de la aleatoriedad hay que analizar las características de la información que utiliza estos canales informales y el papel que los miembros de la organización pueden llegar a desempeñar en ellos. Siguiendo el análisis de Krackhardt y Hanson[7] se deben dibujar las redes sociales por las que transita la comunicación informal, y así poder identificar los papeles que representan sus miembros respondiendo a las cuestiones «en quién confío» y «con quién hablo».

En primer lugar, el denominador común de este tipo de información es que está relacionada con aspectos formales de la organización. Más aún, a menudo, los canales informales complementan a los formales. De hecho, los administrado-

⁶ *Expansión.* http://archivo.expansionyempleo.com/2010/09/17/desarrollo_de_carrera/1284736381.html (consultado el 20 de enero de 2011).
⁷ Krackhardt, D. y Hanson J. R. (1993).

res pueden llegar a utilizarlos para hacer que determinada información llegue a todos los miembros de la organización cuando los canales formales no pueden garantizar que esto suceda.

En segundo lugar, al igual que ocurre con los canales formales, se pueden identificar determinados papeles que, en este tipo de redes, desempeñan los miembros de la organización. Cross y Prusak[8] identifican cuatro tipos de papeles:

— El conector central, que Henry Mintzberg[9] denomina centro neurálgico y que son aquellos miembros que aglutinan y canalizan la información al margen de los canales formales.
— Los ampliadores de fronteras, que buscan establecer relaciones con otras redes informales.
— Los intermediarios de información, que mantienen los vínculos con otras redes.
— Los especialistas periféricos que son aquellos miembros cuyos elevados conocimientos técnicos quedarían arrinconados si solamente existiesen canales formales.

En ocasiones, las personas que se comunican de modo informal llegan a formar comunidades de expertos que intercambian conocimientos e información. Manejar estas comunidades en beneficio de la organización puede generarle un valor añadido extraordinario. Se puede concluir que la información fluye no tan aleatoriamente como en principio parece.

6.4.2. Comunicación vertical, horizontal y diagonal

Dependiendo del sentido de la comunicación, ésta puede ser vertical, horizontal (lateral) y diagonal. Cuando la comunicación fluye por la cadena de mando será vertical, mientras que si no lo hace, será lateral o diagonal dependiendo de los niveles jerárquicos afectados y de si interviene más de una cadena de mando (cadenas de mando paralelas).

La comunicación vertical puede ser ascendente (permite saber qué está pasando) o descendente (indica qué debería pasar).

— Comunicación vertical *descendente.* En la comunicación descendente, la información se transmite de arriba abajo a través de la cadena de mando, es decir, fluye desde los superiores hacia sus subordinados. Las decisiones

---

[8] Cross, R. y Prusak, L. (2002).
[9] Mintzberg, H. (2009).

tomadas en los niveles más altos de la organización descienden en forma de órdenes e instrucciones por la pirámide organizativa hasta sus niveles más bajos, desglosándose y fragmentándose cada vez más a medida que la información pasa de un nivel jerárquico a otro inferior. Por la cadena de mando desciende información relativa a:

• Estrategias, objetivos y planes. Los objetivos fijados en los niveles más altos de la organización y la forma de alcanzarlos se desglosan a medida que se desciende por la pirámide.
• Instrucciones de trabajo o procedimientos.
• Circulares y memorandos internos.
• Anuncios.
• Manuales de conducta.
• La cultura y los valores de la organización (adoctrinamiento[10]). La comunicación descendente permite que los valores de la organización lleguen a todos los miembros de la misma. Su finalidad es imbuir a los miembros de la organización con el espíritu corporativo.

— Comunicación vertical *ascendente*. Para una toma de decisiones eficaz es necesario disponer de la información necesaria y pertinente. Sin embargo, a menudo existe una excesiva «distancia» entre los directivos situados en la cúspide de la organización y el lugar donde está situada dicha información. Para reducir esa distancia y enriquecer el proceso de toma de decisiones, una de las funciones de la cadena de mando es permitir que la información ascienda de un nivel a otro de la pirámide organizativa desde la base hasta alcanzar la cúspide. Al contrario de lo que ocurre en la comunicación descendente, la información transmitida en sentido ascendente sufre un proceso de agregación a medida que pasa de un nivel jerárquico a otro. La comunicación vertical en sentido ascendente suele estar referida a:

• Información sobre el desempeño (retroalimentación).
• Quejas y sugerencias: Los subordinados pueden hacer llegar sus quejas a los administradores mediante la comunicación ascendente.
• Excepciones: Cuando existen desviaciones en el desempeño, éstas deben ser comunicadas a los niveles superiores de la organización.
• Desavenencias entre compañeros que escalan hasta que alcanzan un nivel que permite adoptar una solución.
• Posibles problemas que aunque no se presenten pueden anticiparse.

---

[10] Ibíd.

CUADRO 6.2

La información agregada

A medida que desciende por la pirámide organizativa, la información está cada vez más fragmentada. En la base de la pirámide el número de empleados es mucho mayor que en los niveles superiores, por lo que puede afirmarse, en términos generales, que la cantidad de información interna sobre la organización es mucho mayor en estos niveles. Sin embargo, se trata de una información inconexa y excesivamente fragmentada. Se puede pensar en la organización como en un bloque de pisos, en el que a medida que se va ascendiendo, se gana en perspectiva y se adquiere una visión más general del entorno que rodea al edificio. Con la información ocurre algo similar: a medida que se asciende por la escala jerárquica, se adquiere la perspectiva necesaria para entender la información disponible aunque se pierdan detalles en el proceso. La calidad de la información que manejan los administradores de los niveles superiores depende en gran medida de la calidad del proceso de agregación.

FUENTE: Elaboración propia.

— Comunicación *horizontal* (lateral). En ocasiones la cadena de mando es excesivamente rígida para transmitir la información dentro de la organización. En el lanzamiento de un nuevo producto deben intervenir varios departamentos situados en diferentes partes de la organización y pertenecientes a diferentes cadenas de mando (cadenas de mando paralelas). Sin embargo es de vital importancia para el logro de los objetivos de la organización que estos departamentos se coordinen recurriendo a la comunicación lateral. La comunicación horizontal sirve para coordinar las actividades de diferentes áreas funcionales o departamentos de la organización, e incluso para resolver problemas interdepartamentales que pueden aparecer como consecuencia de los diferentes objetivos que se persiguen.

— Comunicación *diagonal*. Es aquella que pasa por diferentes niveles jerárquicos y diferentes cadenas de mando.

6.4.3. Comunicación verbal y no verbal

La comunicación *verbal* es aquella que se sirve de la palabra para transmitir el mensaje. Puede ser de dos tipos oral y escrita.

— Comunicación oral. Hace referencia a la palabra hablada y se manifiesta en todo tipo de conversaciones, reuniones, discursos o presentaciones. La principal desventaja de este tipo de comunicación es el rápido deterioro de fiabilidad del mensaje cuando éste se transmite repetidamente

de un miembro a otro de la organización. De entre las ventajas cabe reseñar que es interactiva, flexible, rápida y se presta a una fácil retroalimentación.
— Comunicación escrita. Hace referencia a la palabra escrita y puede materializarse en informes, memorandos o correos electrónicos. Las principales desventajas que presenta son que es lenta y que adolece de retroalimentación inmediata, por lo que es difícil saber si el receptor ha entendido el mensaje. De entre las ventajas cabe reseñar que es precisa, almacenable y verificable.

Por otro lado, la comunicación *no verbal* es aquella que no se apoya en las palabras para trasmitir una información. A menudo, la comunicación no verbal acompaña a la verbal, bien de modo consciente o inconsciente, materializándose en diferentes aspectos:

— El tono de voz, que suele ser muy indicativo del estado de ánimo de una persona.
— La modulación de la voz. Las inflexiones en el tono de voz sirven al emisor para establecer la importancia de determinadas partes del mensaje.
— Gestos o lenguaje corporal. Los gestos que se hacen al hablar condicionan la forma en que el receptor del mensaje descodifica las palabras. Los gestos corporales pueden denotar que el emisor del mensaje está mintiendo, que duda de sus propias palabras o por el contrario que está muy seguro de sí mismo. Análogamente, el receptor también muestra, mediante su lenguaje corporal, la predisposición o no a escuchar e interiorizar aquello que se le está diciendo.
— La proximidad física entre el emisor y el receptor a menudo transmite cercanía, lo que condiciona la percepción del mensaje. Acortar el espacio físico con el interlocutor añade intimidad e incluso confianza a la conversación, lo que puede provocar que el receptor se muestre más proclive a participar activamente en la conversación mediante una retroalimentación proactiva.
— La vestimenta. La forma de vestir puede predisponer el comportamiento. Algunas organizaciones permiten que los miembros de la organización se vistan de un modo más desenfadado porque entienden que se desbloquean los canales de comunicación: «si la gente se siente cómoda, se expresarán con más fluidez».

La comunicación no verbal también puede acompañar a la comunicación escrita, manifestándose en estos casos en el grado de formalidad del lenguaje empleado y también el medio elegido para transmitir el mensaje.

6.5. LAS TECNOLOGÍAS DE LA INFORMACIÓN Y LAS COMUNICACIONES (TIC)

Una de las consecuencias de la Revolución Industrial que más contribuyeron a modificar las condiciones del comercio mundial fue el abaratamiento de los transportes, que permitió a las empresas comercializar sus productos en lugares que hasta ese momento le eran inalcanzables, ensanchando así los mercados. El rápido desarrollo de las telecomunicaciones en los últimos años tiene un efecto similar en la forma en que se desarrollan los mercados hoy día. Gracias a las nuevas tecnologías de la información y la comunicación, las empresas pueden coordinar mejor sus actividades sin necesidad de proximidad física entre las diferentes unidades de negocio, al tiempo que pueden acceder a mercados en los que actualmente no tienen presencia física.

En la introducción del capítulo se ha puesto de manifiesto la importancia que una comunicación eficaz tiene para la eficiencia de una organización. Sin embargo, el desarrollo de las TIC puede llevar más allá el papel de la comunicación como fuente de ventajas competitivas.

Cuando la información no está disponible en la forma adecuada y en el momento adecuado las organizaciones no pueden aprovecharla para desarrollar estrategias que les permitan obtener ventajas competitivas. Recabar, categorizar e indexar esta información para que pueda ser utilizada se revela como un factor clave para el éxito de una organización. Cuando un alumno se examina debe saber las respuestas a las preguntas en el momento en que éstas se le plantean. De nada le sirve conocer las respuestas de preguntas que no se le hacen o conocer las respuestas a las preguntas formuladas una vez que el examen ha terminado. El cerebro realiza la función de recabar, categorizar e indexar los contenidos de la asignatura para recuperarla en el momento adecuado. Los fallos en estos procesos se traducen en fallos a la hora de contestar el examen. Las TIC realizan una función parecida en la medida en que almacenan, de un modo ordenado, gran cantidad de datos para que la organización los recupere en el momento adecuado. Más importante aún, proporcionan el soporte para que los miembros de la organización traten y procesen dichos datos, y utilicen la información resultante.

6.6. LA EVOLUCIÓN DE LOS CANALES (MEDIOS) DE COMUNICACIÓN BASADOS EN LAS TIC

En el epígrafe 2 se ha descrito el canal de comunicación como el medio a través del cual los mensajes viajan desde el emisor al receptor. La aparición de las tecnologías de la información y las comunicaciones y su rápido desarrollo han incrementado la flexibilidad y rapidez de las comunicaciones. Así, desde la irrupción de ARPANET en 1969, una red que permitía conectar terminales situados en puntos alejados físicamente, las redes que unen terminales no han parado de crecer. Actualmente se puede señalar la existencia de tres tipos de redes con una notable influencia en la comunicación organizacional: Internet, Intranet y Extranet.

6.6.1. Internet

Internet es una herramienta que permite mejorar las comunicaciones en tiempo real. Conocida como la *red de redes,* permite que la información generada en un punto sea accesible en lugares remotos. Así, las organizaciones pueden utilizar Internet como una ventana para acceder a un público creciente en tiempo real. Más aún, pueden comercializar sus productos directamente usando el comercio electrónico *(e-commerce)* basado en transacciones que se realizan mediante medios (canales) electrónicos.

El acceso a Internet ha ido evolucionando de modo muy rápido en los últimos años. En este sentido, el acceso se extiende y está cada vez más presente en hogares y empresas. Paralelamente, Internet ha ido ampliando sus funcionalidades y sostiene cada vez más aplicaciones, permitiendo entre otras cosas:

— Contactar en tiempo real.
— Intercambiar grandes (y crecientes) volúmenes de datos.
— Compartir y transmitir archivos almacenados *on-line* para ser recuperados desde cualquier terminal o mediante el envío y recepción de correos electrónicos.
— Mantener conversaciones y videoconversaciones en línea.

Una de las herramientas construidas sobre Internet más útiles para las empresas es el sitio web (o página web) corporativo, que permite llegar a más consumidores que los escaparates de las tiendas en que se venden los productos de una organización. Las páginas web, debidamente estructuradas, acercan a los consumidores los productos que la empresa vende, y ayudan a crear una imagen de marca en el cliente. Gracias a ellas, el cliente puede acceder a información sobre los productos de una manera rápida y autónoma e incluso comprar determinados productos directamente desde el fabricante. La venta de billetes de avión es un buen ejemplo[11]. Las compañías aéreas usan Internet para reducir sus costes al ofertar sus productos directamente a los consumidores finales. Al hacerlo, no sólo se eliminan intermediarios y el coste que éstos llevan aparejado, sino que se ofrecen servicios que generan un valor añadido superior al consumidor, como por ejemplo la facturación rápida de equipaje *(express check-in)* o información sobre ofertas en vuelos, hoteles o alquiler de coches.

---

[11] Vázquez Casielles, R., Díaz Martín, A. M. y Suárez Vázquez, A. (2004).

La existencia de una página web corporativa facilita el soporte técnico al consumidor final, permite al consumidor descargar manuales de funcionamiento e incluso puede acceder a la sección de *preguntas frecuentes* (FAQ, por su siglas en inglés) que ayudan a mejorar el servicio posventa de una organización al facilitar respuestas estructuradas sobre incidencias comunes de los productos que venden. Mención especial requieren los productos informáticos, que casi constantemente requieren de actualizaciones que incluyen soluciones a problemas de diseño del producto o nuevas funcionalidades.

6.6.2. Intranet

Intranet es una red interna privada que facilita en gran medida la comunicación dentro de una organización. Es una red similar a Internet pero limitada a los terminales de la organización que estén conectados de acuerdo con un protocolo de seguridad. Las utilidades de Intranet son:

— Permite coordinar esfuerzos.
— Agiliza las comunicaciones.
— Permite difundir los valores de la organización a todos los miembros.
— Facilita el acceso a información corporativa como, por ejemplo, manuales de conducta.
— Protegen la información de la organización. Almacenar la información en los discos duros locales de los terminales de los empleados multiplica el riesgo de desaparición de datos. Gracias a Intranet, los documentos pueden ser guardados en un servidor común y las copias de seguridad se realizan de una manera controlada.
— La información se puede almacenar de forma estructurada.
— Se puede restringir el acceso a determinados documentos por parte de los miembros de la organización.
— Se pueden establecer servicios de comunicación tales como correo electrónico o mensajes instantáneos para los miembros de la organización, reduciéndose así los costes.

El mejor ejemplo del desarrollo de Intranet es la aparición de los sistemas de planificación de recursos (ERP por sus siglas en inglés) que permiten gestionar pedidos, cuentas a pagar y a cobrar o la logística. Además, otras utilidades, como los sistemas de gestión del ciclo de vida del producto (PLM por sus siglas en inglés), sirven para mejorar los procesos innovadores dentro de las organizaciones, ya que permiten analizar los elementos que intervienen en el ciclo de vida del producto y gestionar los tiempos de desarrollo de nuevos productos coordinando el trabajo de las distintas áreas funcionales de la organización. Estas nuevas tecnologías se basan en los sistemas de intercambio electrónico de datos (EDI por sus siglas en inglés) que se analizan más adelante.

6.6.3. Extranet

Extranet es una red externa privada que funciona de manera similar a Intranet pero que permite a la organización comunicarse con sus proveedores, clientes u otros socios comerciales. Para garantizar la seguridad y privacidad de la información de las entidades participantes, el acceso está limitado a ciertos datos de la organización. La utilidad de Extranet se pone de manifiesto en la coordinación entre un mayorista y su proveedor para hacer frente a la demanda de un consumidor final. Mediante el uso de Extranet, el mayorista puede acceder al inventario o a la programación de la producción del proveedor y así planificar mejor los plazos de entrega con el consumidor final. Este ejemplo muestra cómo se reducen los costes al facilitarse:

— El acceso a las previsiones de producción.
— La confirmación de la disponibilidad del material con el proveedor. No es necesario localizar telefónicamente a la persona responsable del abastecimiento de la empresa mayorista que solicita la información.
— La confirmación (reserva) de pedidos se realiza de forma directa con la fábrica.

Con el objeto de mejorar la comunicación entre las organizaciones, en los últimos años se han desarrollado herramientas basadas en Extranet. Actualmente, las herramientas más destacadas son los sistemas de gestión de relaciones con los clientes (CRM por sus siglas en inglés) y los sistemas de gestión de relaciones con los proveedores (SRM por sus siglas en inglés). Ambas se analizan con detalle más adelante (véase figura 6.4).

6.7. NUEVAS APLICACIONES BASADAS EN LAS NUEVAS TECNOLOGÍAS DE COMUNICACIÓN

Las organizaciones generan una gran cantidad de información que es parcialmente desaprovechada al encontrarse fragmentada entre unidades, departamentos o personas y, en buena medida, inconexa. Sin embargo, conocer en profundidad y de manera integrada toda esta información puede hacer que una organización sea más eficiente. En los últimos años, las TIC han permitido el desarrollo de herramientas de gestión que tienen por objeto el maximizar los beneficios que la organización puede obtener de la información de que dispone.

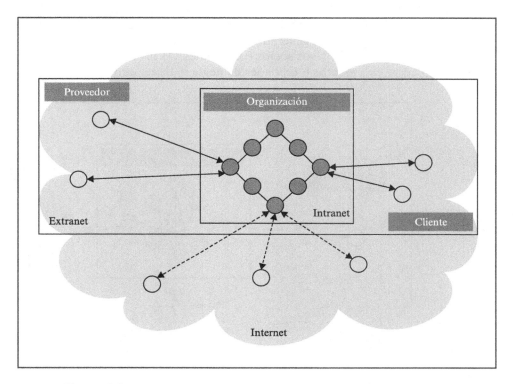

Figura 6.4. Internet, Intranet y Extranet. (FUENTE: Elaboración propia.)

La descripción de las aplicaciones que se realizan a continuación está contextualizada dentro de la comunicación[12]. Así, la idea que subyace en su utilización es compartir información. Bajo esta óptica se desarrolla el *groupware* o *software* colaborativo que hace referencia a herramientas que permiten que personas de diferentes áreas de la organización o incluso de diferentes organizaciones trabajen de forma conjunta. Para clasificar las distintas herramientas es preciso tomar en consideración las características de los datos que manejan. Los datos se pueden agrupar en dos categorías:

— *Información estructurada:* Está formada por datos que se almacenan y transmiten de acuerdo con un formato (estructura) preestablecido y aceptado por ambas partes, emisor y receptor. Existen dos tipos:

  • *Datos maestros o de referencia* sobre las características de productos y servicios (así como de su composición) ofertados por una organización y sobre las características de sus proveedores y clientes.

---

[12] Laudon, K. C. y Laudon J. P. (2004).

- *Datos relacionados con transacciones,* es decir, datos referidos a la información generada como consecuencia de las relaciones entre la organización y sus socios comerciales y/o las relaciones entre distintos departamentos o unidades de negocio de una misma organización.

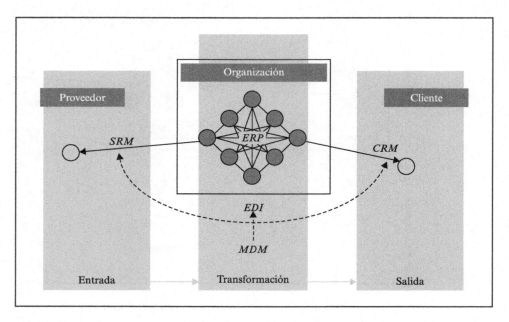

Figura 6.5. Datos estructurados, canales de comunicación y herramientas. (Fuente: Elaboración propia.)

— *Información no estructurada:* Está formada por datos que no se ajustan a un formato preestablecido. Llega a través del correo electrónico, de revistas, reuniones o cursos de formación, en formatos tan dispares como documentos de texto o pdf, por ejemplo.

6.7.1. Aplicaciones para datos no estructurados

La gama de herramientas electrónicas para el tratamiento de información con datos no estructurados está en constante crecimiento, debido al continuo avance tecnológico y a su rápida difusión. Entre estas aplicaciones se pueden citar desde las más comunes y extendidas, como el correo electrónico, los mensajes de voz, las videoconferencias y el fax, hasta otras cuya creciente utilización por las empresas se deriva de su amplia difusión social. Entre estas últimas destacan los *blogs,* los foros de discusión, los *wikis* y las redes sociales.

CUADRO 6.3

El correo electrónico y la información estructurada

Un mensaje de correo electrónico sirve para enviar información no estructurada. Sin embargo, los mensajes electrónicos sí que contienen cierta información estructurada que puede ser leída con independencia del software de gestión de correo electrónico que se utilice *(Outlook, Lotus Notes* o *Webmail)*. Estos datos son:

A: (Destinatario)
Cc: Copia de carbón.
BCC o CCO: Copia de carbón oculta (en inglés, *Blind Carbon Copy*). Al incluir destinatarios en este campo, los demás destinatarios no sabrán a quién más se ha enviado el mensaje.

Asunto:

Si al final se incluye una tarjeta de visita mediante un fichero adjunto con formato .vcf, ésta podrá importarse de modo automático al tratarse también de datos estructurados.

FUENTE: Elaboración propia.

— Los *blogs,* abreviatura de *web log,* funcionan como cuadernos de bitácora que recogen el devenir de una organización generando conocimiento acumulativo. Los *blogs* también son utilizados para acercarse al consumidor, ya que funcionan como una ventana que abre las entrañas de la organización aumentando así la confianza en la misma.
— En los foros de discusión moderados, los usuarios pueden discutir aquellas dudas que se les plateen sobre determinadas actuaciones o actividades de la organización, quedando sus respuestas almacenadas para futuras consultas.
— Los *wikis* funcionan como bibliotecas *on-line* que pueden ser editadas por cualquier usuario, por lo que el conocimiento se actualiza constantemente.
— Las redes sociales, en las que las empresas están cada vez más presentes. Para una organización, la utilización de las redes sociales es una manera barata de acceder a un gran número de personas que podrían estar interesadas en sus productos, servicios o prestaciones. De esta forma se consigue que tanto la propia organización como sus productos o servicios resulten más cercanos y familiares a sus clientes y usuarios, tanto actuales como potenciales.

6.7.2. Aplicaciones para datos estructurados

La principal aplicación para el tratamiento de datos estructurados es el *intercambio electrónico de datos* (EDI por sus siglas en inglés). El sistema EDI hace referencia al intercambio de datos de manera estructurada entre diferentes terminales, que no necesariamente deben pertenecer a la misma empresa, pero que deben seguir un mismo protocolo de codificación y descodificación. Mediante el intercambio electrónico de datos se puede automatizar la transferencia de datos minimizando la participación de las personas en el proceso. Asimismo, permite que los terminales de dos organizaciones intercambien paquetes de datos, tales como facturas, pedidos o albaranes, relativos a sus relaciones comerciales. De esta forma, el uso del EDI permite aumentar la eficiencia de la organización, ya que abarata los procesos productivos, que se racionalizan eliminando rigideces, y reduce, tanto los tiempos promedio de las operaciones como los costes derivados de los errores de trascripción. El siguiente párrafo permite ilustrar esta idea.

A menudo, las relaciones con los proveedores se ven perjudicadas por problemas de comunicación. Pedidos que se pierden y transcripciones mal hechas son algunos de los problemas más comunes Los sistemas de gestión de proveedores construidos según el protocolo EDI permiten reducir estas diferencias. Así, el intercambio electrónico de datos permite que diferentes organizaciones o departamentos compartan datos de una manera eficaz y eficiente. Mediante su uso, la información se transmite de una forma estructurada de acuerdo con un protocolo que comparten emisor y receptor.

CUADRO 6.4

Un ejemplo de EDI para manejar información estructurada: la e-factura[13]

La facturación telemática en España se encuentra regulada en la Orden EHA/962/2007, Real Decreto 1496/2003 (Reglamento que regula las obligaciones de facturación) y la Directiva 2006/112/CE (relativa al sistema común del impuesto sobre el valor añadido).

¿Qué es una factura electrónica? Es una factura que presenta algunas ventajas sobre las facturas tradicionales impresas en papel:

— Su tramitación es más eficiente en la medida en que no es necesario esperar a que llegue físicamente ni contabilizarla manualmente en nuestro sistema. Se recibe digitalmente en un formato que permite su contabilización automática, reduciéndose así los errores de transcripción y contabilización y agilizándose los procesos y las decisiones resultado de las operaciones corrientes de la organización.
— Permite mejorar la función contable de una organización al disponer de los datos de facturación en tiempo real.
— Permite mejorar la gestión financiera y de tesorería, ya que se pueden gestionar las cuentas de tesorería de manera automatizada minimizando los errores humanos.
— Facilita la integración de las distintas áreas de la organización mediante la generalización de las aplicaciones construidas sobre el EDI.

---

[13] Manuales Plan Avanza. La factura electrónica (2006).

De acuerdo con la Agencia Tributaria, la factura electrónica debe seguir una estructura fija:

1. Datos técnicos de informática: ambas partes, emisor y receptor, deben compartir protocolos.
2. Datos sobre comprador y vendedor.
3. Factura.
4. Extensiones.
5. Firma.

FUENTE: Adaptado de www.planavanza.es, Secretaría de Estado de Telecomunicaciones y para la Sociedad de la Información, Ministerio de Industria Turismo y Comercio.

Basadas en el intercambio electrónico de datos, existen una serie de herramientas que permiten mejorar la comunicación y por ende la eficacia y eficiencia de la organización. Estas herramientas están orientadas a la gestión de datos maestros o a la gestión de datos relacionados con transacciones.

Gestión de datos maestros (MDM por sus siglas en inglés). Durante muchos años, la gestión de una base de datos de clientes y proveedores no ha ido más allá de la recopilación de datos fiscales. Esta actividad, generalmente asociada al área funcional de administración y finanzas, rara vez trascendía a otros departamentos. Actualmente, las herramientas de gestión de las bases de datos maestros permiten llevar la utilización de la información a un nivel superior. Los sistemas de gestión de datos maestros permiten aunar información financiera, logística, comercial, de recursos humanos y de operaciones sentando las bases para una gestión integrada de la organización.

En cuanto a las aplicaciones de gestión de datos relacionados con transacciones, destacan las siguientes:

— *Sistemas de planificación de recursos* (ERP por sus siglas en inglés). Los miembros de una organización suelen agruparse conformando las denominadas áreas funcionales asociadas al flujo entrada-transformación-salida. Como consecuencia de dicha especialización funcional, entre esas áreas o departamentos suelen producirse numerosos problemas de coordinación[14]. Las distintas áreas funcionales persiguen objetivos que, a menudo, parecen contradictorios e incluso incompatibles entre sí, a pesar de que todos ellos deben contribuir a alcanzar las metas globales de la organización. Esta situación provoca que las acciones emprendidas por los diferentes departamentos entren a menudo en conflicto, dando lugar a disfunciones no deseadas que alejan a la organización de sus objetivos finales.

---

[14] Mintzberg, H. (2009).

Uno de los orígenes de estos problemas de coordinación interdepartamental radica en la existencia de barreras que bloquean o entorpecen la comunicación entre las áreas implicadas que a menudo no comparten valores y significados, lo que dificulta que los mensajes se codifiquen de manera comprensible, tanto para el emisor como para el receptor. En este contexto, las TIC proporcionan soluciones para mejorar el tratamiento de la información en la medida en que permiten homogeneizar el lenguaje. Así, el uso de las herramientas basadas en las TIC permite a emisor y receptor compartir significados al codificar y descodificar siguiendo el mismo protocolo, eliminándose las barreras de la comunicación. El razonamiento que subyace es similar al del código Morse: si emisor y receptor lo conocen, el mensaje se transmite sin errores ni ambigüedades.

Una de las herramientas que más desarrollo ha tenido durante los últimos años son los ERP. Mediante el uso de los ERP, tanto emisor como receptor comparten significados, lo que reduce la distorsión de la información. Se trata de sistemas de gestión que sirven para integrar la información fragmentada y sesgada que se genera en las diferentes áreas de la organización (finanzas, operaciones, compras y abastecimiento, ventas y marketing, recursos humanos y logística) mejorando así la gestión del ciclo entrada-producción-salida.

— *Sistemas de gestión de relaciones con los clientes* (CRM por sus siglas en inglés). Los CRM se construyen sobre Extranet y sirven para gestionar las relaciones con los clientes. Las transacciones comerciales con los clientes ofrecen gran cantidad de información que, bien aprovechada, permite optimizar el empleo de los recursos. Los sistemas de gestión de clientes permiten a la organización acercarse a sus clientes. Así, distintas áreas se pueden beneficiar de la utilización de los CRM al integrar mejor sus actividades teniendo al cliente como nexo común. Mediante la utilización de los CRM se consigue:

• Mejorar la trazabilidad (seguimiento) de los pedidos y de las transacciones comerciales a ellos asociadas.

• Mejorar las actividades de comercialización y venta, identificando las pautas más comunes en el comportamiento de los clientes, así como sus diferencias, lo que permite mejorar la eficacia y eficiencia de las campañas de marketing.

• Mejorar el servicio y la satisfacción del cliente.

• Mejorar los procesos de facturación y gestión de cuentas a cobrar.

• Mejorar la gestión contable, ya que es sencillo identificar los productos más exitosos de la organización o los que más contribuyen a los beneficios de ésta.

© Ediciones Pirámide

Una característica común a los CRM es la necesidad de instalar un determinado software en los terminales de las organizaciones implicadas. Un caso particular de CRM que permite subsanar este inconveniente consiste en facilitar información a los clientes dentro del sitio web de una organización mediante el acceso identificado a usuarios autorizados. De este modo, el cliente puede, a cambio de facilitar determinada información, obtener ciertas facilidades e información sobre sus pedidos.

— *Sistemas de gestión de relaciones con los proveedores* (SRM por sus siglas en inglés). Dentro de la gestión de la cadena de suministro, gestionar de modo eficiente las relaciones con los proveedores puede suponer importantes mejoras para la organización, bien reduciendo costes consecuencia de las ineficiencias en los procesos de aprovisionamiento, bien mejorando la interacción con los proveedores. Los sistemas de gestión de las relaciones con los proveedores se construyen sobre Extranet. Entre los beneficios derivados de la utilización de los SRM cabe destacar:

- La mejora de la consulta de disponibilidad de materiales.
- La agilización de los procesos de pedido y acortamiento de los plazos de entrega.
- La optimización de la gestión de inventarios al eliminar o minimizar la necesidad de mantener un nivel de existencias de seguridad.
- La optimización de las actividades de recepción y almacenamiento de las materias primas, evitando roturas de existencias.
- La optimización de la utilización de la capacidad productiva.
- La mejora de los procesos de pago de facturas, lo cual repercute positivamente en la mejora de la gestión de la tesorería.

RESUMEN

Para alcanzar los objetivos de la organización es indispensable que la función de dirección se ejecute correctamente, lo que depende en gran medida de un sistema de comunicación eficiente y eficaz. La comunicación realiza en las organizaciones una función similar al sistema nervioso en el cuerpo humano: permite que las percepciones externas e internas lleguen al cerebro y que las decisiones allí tomadas sean ejecutadas.

Para manejar correctamente la comunicación es necesario, en primer lugar, entender su proceso, dónde arranca y finaliza, quién participa y qué función realiza, por qué canales (medios) fluye, así como aquellos impedimentos o barreras que podrían desvirtuarla o incluso bloquearla. Por un lado, estas barreras pueden ser interpersonales como diferencias en la posición desde la que se observa (y percibe) un problema o incluso disparidades en el conocimiento del lenguaje. Por otro lado, pueden nacer de la forma que adopte la organización al construirse, como los niveles jerárquicos o las áreas funcionales.

Existen además distintos tipos de comunicación que los administradores deben identificar para poder utilizarlos dependiendo de las circunstancias y necesidades de la organización. La comunicación formal será aquella que fluya por canales *oficiales* formalmente diseñados. La comunicación informal sale de los canales oficiales para circular por los canales oficiosos alcanzando todas las partes de la organización.

La evolución de los medios de comunicación ha modificado tanto el modo en que las organizaciones se comunican unas con otras como la forma en que se relacionan los miembros de una misma organización. El desarrollo de las tecnologías de la información y las comunicaciones en los últimos años ha revolucionado el modo en que se ejecutan gran cantidad de tareas en una organización, así como la cantidad, pero también la calidad, de la información interna y externa que se puede recabar, ordenar y transmitir. Internet ha supuesto una revolución en la forma que las personas se comunican. La inmediatez, y sobre todo la accesibilidad a la información han revolucionado la forma en que las personas interactúan. Las organizaciones no son ajenas a este fenómeno y pronto han desarrollado redes seguras como Intranet para comunicarse internamente o Extranet para hacerlo con sus socios comerciales.

La información se puede o no estructurar de acuerdo con unas normas para su transmisión. En ambos casos existen herramientas que permiten manejarla del modo más provechoso para los intereses de la organización. Cuando la información no se logra estructurar, se puede intercambiar a través de herramientas flexibles como el correo electrónico o las videoconferencias. Cuando la información se puede estructurar, se debe diferenciar entre datos de referencia o maestros, con los que se construyen las bases de datos, y datos relativos a transacciones que viajan de una parte a otra de la organización, y entre ésta y sus socios comerciales de manera rápida y normalizada.

PREGUNTAS DE REPASO

1. Explique el proceso de la comunicación.

2. Distinga entre comunicación vertical, horizontal y diagonal.

3. ¿Qué relación existe entre la comunicación formal y la comunicación informal?

4. ¿Qué es un canal informal de comunicación? ¿Qué tipos hay?

5. ¿Qué es una barrera de la comunicación y cómo afecta a ésta? Distinga entre las barreras referidas a la perspectiva y a la percepción.

6. ¿Qué diferencias existen entre Extranet e Intranet? ¿Qué aplicaciones basadas en las TIC pueden utilizarse en cada caso?

7. Identifique la principal diferencia entre datos estructurados y datos no estructurados.

8. ¿Qué es el intercambio electrónico de datos y para qué sirve?

CASO PRÁCTICO

Cuando las TIC inhiben la comunicación

La comunicación está en la esencia del trabajo directivo. Los directivos pasan gran parte de su tiempo comunicándose con otros miembros de la organización, y gran parte de esta comunicación tiene lugar en reuniones. Para Michael Flocker, autor de *Death by PowerPoint: A Modern Office Survival Guide,* las reuniones han llegado a convertirse en una parte fundamental del éxito de cualquier negocio. En las reuniones se discuten estrategias, se analiza el comportamiento de la competencia («el enemigo»), se formulan objetivos y, en definitiva, se toman decisiones sobre las que dependerá el éxito de la organización. En principio, estas reuniones son el escenario ideal para intercambiar ideas que enriquezcan la planificación. Sin embargo, parece ser que no siempre es así.

En los últimos años, son muchas las aplicaciones basadas en las TIC que se han desarrollado para facilitar la comunicación y que permiten transmitir cantidades crecientes de información. Nacido a finales de la década de los ochenta del siglo pasado, *Power-Point* es una de estas herramientas y su presencia en el ámbito empresarial es creciente. Para David Gray, fundador de *Xplane,* las razones de la popularidad de esta herramienta son varias. En primer lugar, su coste de aprendizaje es prácticamente nulo y alguien que nunca lo ha utilizado puede aprender a usarlo con facilidad. En segundo lugar, está en todas partes, y las presentaciones son fáciles de enviar y reenviar. En tercer lugar, es flexible, lo que hace que la información que contiene no esté restringida a un determinado formato. En cuarto lugar, es fácil de leer, dada su naturaleza visual. En quinto lugar, al ser modular, las diapositivas se pueden reordenar, cortar o copiar de un documento e insertarlas en otro. Finalmente, es una herramienta multimedia potente, que permite ver prácticamente cualquier cosa que esté digitalizada, desde vídeos a fotos o mapas.

Sin embargo, no todo el mundo percibe las bondades de *PowerPoint* de la misma manera. Franck Rommer, autor de *La pensée PowerPoint: Enquête sur ce logiciel qui rend stupide,* argumenta que su utilización, lejos de alcanzar el objetivo con que fue creado, es decir, enriquecer la comunicación, lo que en realidad hace es empobrecerla en la medida en que la forma prima sobre el fondo. Según su razonamiento, el lenguaje visual de *PowerPoint* y los excesos en su utilización en reuniones tienen efectos perniciosos sobre la eficacia de la comunicación. Por un lado, se favorece una sintaxis telegráfica que empobrece el lenguaje: cuando no están debidamente contextualizadas las frases que aparecen en las diapositivas, además de gramaticalmente incorrectas resultan ambiguas y difíciles de entender. En este sentido, el lenguaje se ha ido empobreciendo y herramientas como *PowerPoint* han contribuido a ello. Por otro lado, la propia estructua de las presentaciones está concebida para lanzar mensajes de manera unidireccional, se elimina la retroalimentación de la ecuación, lo que impide el diálogo impidiendo así la comunicación cuya esencia reside en compartir. En este sentido se pronunció el general James N. Mattis del cuerpo de marines de los Estados Unidos cuando afirmó que «*PowerPoint* nos hace estúpidos». Así, reuniones que deberían fomentar la generación de ideas mediante la interacción de los participantes, se convierten en denodados esfuerzos de los ponentes por convencer mediante interminables presentaciones llenas de datos y alardes visuales que terminan por adormecer a los oyentes que no interlocutores. De este modo, la presentación no sólo anula la capacidad de diálogo de quien la recibe, sino que se convierte en aquello que se quiere transmitir, lejos de ser una ayuda para facilitar la comunicación. En esta línea, el general McChrystal, jefe de las fuerzas armadas de Estados Unidos y de la OTAN desplegadas en Afganistán, afirmó que «Cuando hayamos entendido las diapositivas, habremos ganado la guerra».

Fuentes:

Rommer, F. (2010). *La pensée PowerPoint: Enquête sur ce logiciel qui rend stupide.* Editions La Découverte.

El País. 20/10/ 2010: ¿PowerPoint nos hace estúpidos? http://www.elpais.com/articulo/Pantallas/ PowerPoint/nos/hace/estupidos/elpepirtv/20101020elpepirtv_2/Tes.

Cranier, S. y Dearlove, D. (2004). *Making Yourself Understood.* Across the Board, may/june, 23-27.

Gray, D. (22/5/2008). Why PowerPoint rules the business world. http://www.davegrayinfo.com/ 2008/05/22/why-powerpoint-rules-the-business-world/.

New York Times. 6/4/2010: We Have Met the Enemy and He Is PowerPoint. http://www.nytimes. com/2010/04/27/world/27powerpoint.html.

PREGUNTAS

1. ¿Son sinónimos los conceptos «transmitir información» y «comunicar»?

2. ¿Qué tipo de datos se transmiten a través de *PowerPoint*, estructurados o no estructurados?

3. La comunicación, ¿es un medio o un fin en sí misma? ¿Es una presentación de *PowerPoint* un mensaje o un canal de comunicación?

4. ¿Puede la mala utilización de un canal erigirse en una barrera de la comunicación?

5. Prepare una breve exposición de 5 minutos sobre este caso práctico y apóyese en *PowerPoint* para presentarla.

7

Planificación

OBJETIVOS DE APRENDIZAJE

1. Comprender la importancia de la planificación como función primordial del proceso administrativo.
2. Conocer los principios de planificación y los diferentes niveles de los mismos.
3. Aplicar las fases del proceso de planificación a una situación real.
4. Conocer los distintos tipos de planes y sus distintas interrelaciones.
5. Comprender las principales formas para estudiar el futuro para las organizaciones.

La planificación supone la determinación previa de adónde quiere llegar la organización y de cómo quiere llegar ahí. Es el proceso de determinar objetivos y definir la mejor manera para alcanzarlos. Este proceso incluye la evaluación de los entornos, tanto internos como externos, de la organización y la correspondiente formulación de estrategias de acción.

En un mundo globalizado, los directivos de las organizaciones se enfrentan de manera simultánea a tres desafíos de planificación fundamentales. El primero es la necesidad de aprender del pasado, ya que muchos conceptos o preguntas que en épocas anteriores funcionaron o fracasaron pueden ser útiles para guiar las acciones y para determinar los planes de acción a seguir en el futuro. En segundo lugar, los directivos deben mantener todos sus sentidos atentos para percibir las señales que conforman el entorno actual —provenientes, por ejemplo, de competidores, de clientes o de gobiernos—, ya que tales señales pueden marcar el futuro. Por último, los directivos de las organizaciones deben pensar en el futuro y planificar para él. Es justo la incorporación de las tres perspectivas temporales (pasado, presente y futuro), lo que hace de la planificación una de las actividades administrativas más desafiantes.

En *Alicia en el País de las Maravillas* (Lewis Carroll, 1865) se puede encontrar un párrafo que ilustra el concepto de planificación y resalta su importancia para identificar lo que se busca:

—¿Me podrías indicar, por favor, hacia dónde tengo que ir desde aquí?
—Eso depende de adónde quieras llegar —contestó el Gato.
—A mí no me importa demasiado adónde... —empezó a explicar Alicia.
—En ese caso, da igual hacia dónde vayas —interrumpió el Gato.
—... siempre que llegue a alguna parte —terminó Alicia a modo de explicación.
—¡Oh! Siempre llegarás a alguna parte —dijo el Gato—, si caminas lo bastante.

Este capítulo presenta el concepto de la planificación y de cada uno de los conceptos y variables que ayudan a definirlo en el contexto de la organización. Una vez definido, se determinan los distintos niveles de la planificación, para poder establecer cada uno de los distintos planes que se pueden encontrar.

A continuación, se muestra el proceso a llevar a cabo para una planificación eficiente, así como las opciones que existen para resolver los problemas que puedan acontecer y las técnicas que poseen los directivos de las organizaciones para reducirlos. Por último, se presenta la evolución que ha tenido el término con el paso de los años.

7.1. LA PLANIFICACIÓN. DEFINICIÓN Y CONCEPTOS

Los avances tecnológicos continuos en el sector industrial, el desarrollo de procesos de producción con sistemas totalmente mecanizados y flexibles, los adelantos informáticos y la globalización económica han provocado en las organizaciones la necesidad de obtener una mayor competitividad en su entorno. En esta relación, la planificación de la organización ha adquirido especial importancia, ya que sirve tanto para delimitar hacia dónde se dirige la organización como para marcar las oportunidades para competir con los demás[1].

Las ventajas que presenta la planificación son diversas, tales como permitir la coordinación de esfuerzos entre los individuos y los grupos, preparar la adaptación a cualquier incidencia o ayudar a evaluar el progreso de la organización.

7.1.1. Definición y componentes de la planificación

La planificación *es el proceso de establecimiento de objetivos o resultados a alcanzar, de los medios para obtenerlos y del plazo temporal en el que deben ser realizados.*

---

[1] Koontz, H. y O'Donnell, C. (1976).

La planificación se materializa en los planes. Un plan es una guía que establece a qué situación se deberá llegar, lo que debe hacerse para alcanzarla y los recursos que se aplicarán en ese esfuerzo[2].

Además, un plan eficaz también debe presentar una previsión de los medios de control de consumo de los recursos para asegurar que se alcancen los objetivos.

De esta manera, los componentes fundamentales de los planes son: objetivos, acciones y medios de control[3].

— Los *objetivos* y *metas*[4] son los resultados deseados a alcanzar; son propósitos, fines o estados futuros deseados por las organizaciones.

Un objetivo puede ser una situación, resultado o estado futuro que personas y organizaciones pretenden alcanzar mediante la aplicación de esfuerzos y recursos, como, por ejemplo, aumentar un 5% el porcentaje de ventas de un determinado producto, superar un examen o dejar la portería a cero. También puede ser la realización de un producto, físico o conceptual, como desarrollar un nuevo producto o crear una marca. Y, a su vez, un objetivo también puede ser la puesta en marcha de un evento, como unas elecciones o una feria.

Los objetivos suelen dividirse en otros objetivos intermedios[5], de manera que para llevar a cabo uno es necesario alcanzar otros de manera sucesiva, estableciéndose de este modo una cadena de medios y fines. Así, para el lanzamiento de un nuevo producto (objetivo final), hace falta llegar a un acuerdo con un distribuidor (objetivo intermedio); para llegar al distribuidor, hay que tener un producto de calidad en un plazo determinado (objetivo intermedio); y para llegar al plazo determinado hay que tener un proceso productivo mecanizado y perfectamente establecido (objetivo intermedio).

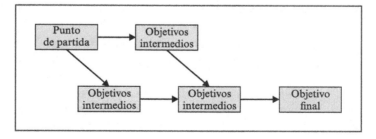

Figura 7.1. Cadena de objetivos organizacionales. (Fuente: Elaboración propia.)

---

[2] Münch, L. (2006).
[3] Amaru, A. C. (2009).
[4] Robbins, S. y Coulter, M. (2005).
[5] Díez de Castro, J., Redondo, C., Barreiro, B. y López, M. A. (2008).

— Las *acciones* son los medios o actividades específicas planificadas para lograr los objetivos[6]. Las acciones plantean el cómo se han de alcanzar los fines. Por ejemplo, si el objetivo consiste en incrementar la cuota de mercado global de la organización en un 10% en los siguientes dos ejercicios, los cursos de acción para lograrlo pueden plasmarse, bien en el desarrollo de nuevos productos, bien en la mejora de la comercialización de los productos ya existente o bien en la compra de una compañía rival.

Las acciones están condicionadas por los recursos de la organización. Un plan debe especificar las clases y cantidades de recursos (financieros, técnicos, humanos) requeridos, así como las fuentes potenciales de las que provendrán.

— El *control:* Se refiere a la implantación de sistemas que detecten (y en caso necesario, ayuden a corregir) las desviaciones que se produzcan respecto a lo planificado[7]. Un sistema de control debe ofrecer información sobre el grado de consecución de los objetivos planificados, la eficacia de las acciones emprendidas para conseguirlos, de los recursos comprometidos, y de los procedimientos empleados para ejecutar el plan. El concepto de control se trata en profundidad en el capítulo 13.

7.1.2. Actitudes con respecto a la planificación

Existen distintas perspectivas a la hora de llevar a cabo la planificación, dependiendo de la orientación que se le quiera dar a la misma[8]. De esta manera, puede hablarse de planificación reactiva, inactiva, preactiva e interactiva.

— *Planificación reactiva.* Con este tipo de planificación se intenta recuperar una situación anterior. La idea es descubrir la causa motivadora de la perturbación y tratar de eliminarla. Se trata de una planificación autocrática y que beneficia las experiencias vividas.

— *Planificación inactiva.* Se intenta actuar para que todo siga igual. Trata de evitar los cambios en la organización y, cuando existe posibilidad de crisis, se intenta eliminar la amenaza y no su causa.

— *Planificación preactiva.* Busca pronosticar el futuro y conseguir que la organización esté preparada para afrontarlo, aprovechando las oportunidades que presenta el entorno y eliminando sus amenazas.

— *Planificación interactiva.* Se basa en la creencia de que el futuro es controlable. Se cree que lo que los trabajadores y la organización realizan afecta-

---

[6] Stoner, J. A., Freeman, R. E. y Gilbert, D. R. (1996).
[7] Johnson, G. y Scholes, K. (1997).
[8] Ackoff, R. L. (1990).

rá en su futuro, con lo que se busca planificar el futuro deseable y los medios necesarios para conseguirlo.

Estas cuatro actitudes no se encuentran de manera estricta en la organización, sino que se desarrollan de manera ajustada entre varias de ellas, es decir, que una organización tratará unos problemas de manera reactiva, mientras que para otro tipo de situaciones se utilizará una planificación preactiva.

7.1.3. Ventajas e importancia de la planificación

El tiempo dedicado a tareas relacionadas con la planificación debe ser tratado como una inversión para el futuro, ya que los resultados de la planificación constituyen una base sólida para el adecuado desarrollo de las demás funciones administrativas. Sin la existencia de un plan que establezca premisas de actuación, las funciones de organización y dirección pierden consistencia, y la función de control carece de sentido, ya que no existen estándares que estudiar[9].

Con el acto de la planificación estamos proyectando la organización en el futuro, previniendo los hechos que afectarán a la organización. Un directivo que sea capaz de plantearse los escenarios futuros estará preparado para anticiparse a las dificultades del entorno.

Los estudios muestran que aquellas compañías que planifican de forma continuada, obtienen mejores resultados económicos que las que no planifican con regularidad. Esto permite afirmar que la planificación facilita el éxito de la organización, aunque, por supuesto, no lo garantice.

Gracias a la planificación se introduce la racionalidad en la toma de decisiones, que de este modo se apoya en hechos concretos y demostrables evitándose actuar sobre la base de emociones y corazonadas. La planificación, por su propia naturaleza, evita la improvisación orientando la toma de decisiones hacia un ajuste racional entre medios y fines.

7.1.4. Principios de la planificación

Los principios de la planificación actúan como normas básicas de aplicación para facilitar y optimizar la toma de decisiones y las acciones administrativas. La planificación debe regirse por cinco principios fundamentales[10]:

— *Factibilidad*. Todo plan debe ser realizable, tanto en lo que se refiere a sus objetivos como a su puesta en marcha. No es práctico elaborar planes de-

---

[9] Certo, S. C. (2001).
[10] Iborra, J. M., Ferrer, C. y Dasi, M. A. (2006).

masiado complejos u optimistas de modo que en la práctica sean imposibles de implementar y de alcanzar.

— *Objetividad.* Este principio determina la necesidad de utilizar datos reales (estudios de mercado o estadísticas contrastadas) en la elaboración del plan, de modo que se minimice el riesgo de cometer errores en su formulación.

— *Cuantificable.* La planificación será más fiable si se expresa en términos cuantificables (unidades monetarias, temporales, porcentuales, etc.), ya que, de este modo, se facilita la evaluación de la implantación del plan.

— *Flexibilidad*[11]. Un plan debe contemplar márgenes de error que permitan solventar, a partir de nuevos cursos de acción, cualquier nueva situación que pueda acontecer.

— *Unidad*[12]. Todos los planes de la organización deben ser coherentes entre sí contribuyendo de forma equilibrada a trazar la visión, la misión y los objetivos de la organización. Actuando con unidad intraorganizacional se fomenta la comunicación entre las distintas áreas de la compañía.

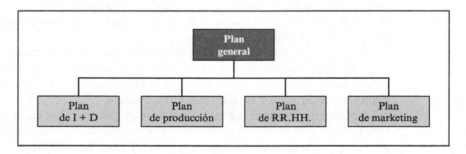

Figura 7.2.   Principio de unidad de planificación. (FUENTE: Elaboración propia.)

7.1.5. Paradojas en la planificación

Como se ha señalado, la planificación es fundamental para que una organización tenga un futuro viable y rentable[13], pero esta función gerencial sufre de ciertas contradicciones o paradojas que surgen de su propia naturaleza y contenido[14].

---

[11] Díez de Castro, J., Redondo, C., Barreiro, B. y López, M. A. (2008).
[12] Kopelman, R. E. (1998).
[13] Mintzberg, H. (1991).
[14] Díez de Castro, J., Redondo, C., Barreiro, B. y López, M. A. (2008).

1. La precisión en un plan es aconsejable, pero demasiada exactitud lleva a una situación irreal. Una determinada organización puede realizar una previsión de ventas muy desarrollada y racional, pero si ésta es muy estricta, es probable que al final no se ajuste a la realidad. Existen factores en la organización que no se pueden planificar de manera muy específica, ya que no dependen sólo de fuerzas internas, sino también del gusto de las personas y de sus tendencias. Por decirlo de algún modo, cuanto menos precisa sea una previsión, más confianza se puede depositar en ella, lo que pone de manifiesto la ambigüedad que rodea a ambos conceptos.

2. La planificación es una de las respuestas de la organización a la incertidumbre que rodea los mercados actuales, pero una elevada incertidumbre resta fiabilidad a la planificación, debido a que no se puede saber lo que va a suceder a continuación. La planificación debe comprometer los recursos necesarios para ejecutar las acciones deseadas, con el fin de controlar todas las variables posibles, pero cuanto mayor sea la incertidumbre que rodea a la organización en tiempo y volúmenes de producción, menor será la capacidad de planificación para períodos futuros.

3. La planificación tiene un horizonte a largo plazo, pese a que la obtención de recursos para la producción se modifica casi diariamente, por lo que esta rigidez puede debilitar a la organización. La planificación debe establecer maneras o marcos de actuar, pero no fijar cada una de las acciones.

4. La planificación trata de establecer las ventas de los próximos años, para poder estimar el posible resultado empresarial. Pero los accionistas siempre van a desear, y normalmente exigir, que se gane cuota de mercado, con lo que se va en contra de la planificación, ya que para ganar más cuota, en muchos casos, habrá que salirse de lo establecido. De alguna manera, el deseo de planificación y de estabilidad organizacional que desea la alta dirección a través del establecimiento de objetivos debe competir con el incremento de beneficios que buscan los accionistas para llegar a ser más grande (cuadro 7.1).

7.2. NIVELES DE PLANIFICACIÓN

Los directivos, con la puesta en marcha de la organización, deben establecer unos puntos de partida que fijen unas premisas de actuación, denominados misión y visión. Ambos conce ptos constituyen unas guías generales de acción para toda la organización, por lo que afectarán a todos los trabajadores de cualquier nivel organizacional (figura 7.3).

CUADRO 7.1

Horizonte temporal

Las empresas argentinas operan con un horizonte de corto plazo

A nivel mundial, el período de planificación más frecuente es de 1 a 3 años, mencionado por el 49% de las empresas privadas encuestadas. En Argentina se concentra en menos de 12 meses para el 71% de los consultados

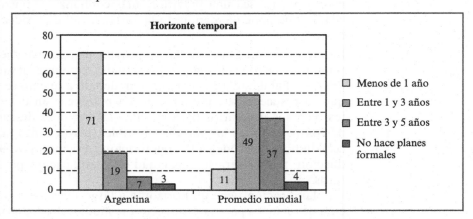

Ésos son los más recientes resultados de la investigación anual International Business Report de Grant Thornton, que ofrecen una nueva perspectiva respecto del horizonte temporal utilizado por las empresas del sector privado al momento de elaborar sus planes de negocios.

«Particularmente en el sector privado argentino, la planificación de corto plazo servirá para preparar a la empresa ante un escenario de elecciones próximas y eventuales soluciones a conflictos locales, considerando además la desaceleración económica importante que generará el impacto de la crisis internacional. Si bien es necesario tomar acciones para proteger el negocio en el corto plazo, eventualmente surgirá un nuevo escenario económico, en el cual las empresas bien administradas y con estrategias claras prosperarán en el largo plazo».

Una coyuntura particular

Héctor Pérez, *managing partner* de Grant Thornton México, explica que «los planes de negocios en América Latina se realizan con plazos más cortos como resultado de la inestabilidad política y económica que ha afectado a la región durante muchos años. Ahora empresas en otras regiones del mundo están acortando también su horizonte de planificación para lograr flexibilidad en el contexto actual de crisis económica».

Agrega el experto que «en un mercado sin precedentes y tan desafiante, las empresas podrían estar tentadas a abandonar la planificación de negocios por completo. Sin embargo, creemos que la supervivencia de corto plazo y la recuperación de largo plazo van de la mano. Cuando uno se concentra en el corto plazo, puede perder la visión de lo que va a suceder en el futuro. Es necesario lograr un balance que permita reaccionar ante los problemas de corto plazo, pero también enfocarse en los hechos que ocurrirán en el largo plazo».

FUENTE: Extraído de www.infobae.com.

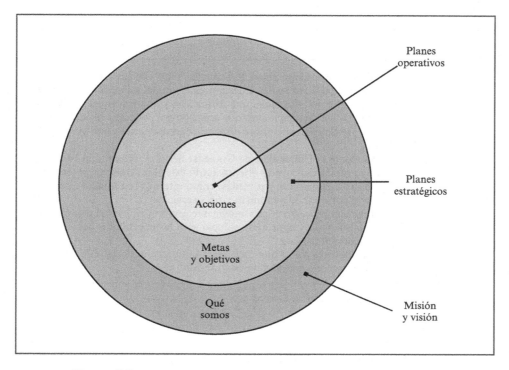

Figura 7.3. Niveles organizacionales. (FUENTE: Elaboración propia.)

Una vez establecida la misión y fijada la visión de la organización, puede procederse a la elaboración de los planes de la organización en dos niveles: estratégico y operativo. Estos niveles de planificación están caracterizados por el horizonte temporal que contemplan, su alcance, su nivel de complejidad y el efecto que producen.

7.2.1. Misión y visión

La misión y la visión deben ser los primeros planes a desarrollar por la alta dirección, ya que establecen lo que va a ser la organización y hacia dónde se quiere dirigir[15].

La visión es el enunciado deseado en el futuro para la organización. A su vez, la misión es la razón de ser de la organización y su formulación es una etapa de las más importantes en el proceso de planificación.

---

[15] Aguer, M., Pérez, E. y Martínez, J. (2004).

CUADRO 7.2

Misión y visión de la UGR

Misión de la Universidad de Granada: La UGR fue creada en 1531. Es una universidad pública cuya razón de ser es la prestación del servicio público de la educación superior mediante una docencia, una formación y una investigación de calidad y excelencia, y la realización de actividades que contribuyan al desarrollo del conocimiento científico, técnico y artístico, así como a una sociedad más inteligente y un medio ambiente sostenible.

Visión de la Universidad de Granada: Ser una universidad bien valorada por las personas y grupos a los que se orienta, tanto externos (alumnos potenciales, agentes sociales, organizaciones públicas y privadas) como internos (estudiantes, personal docente e investigador y personal de administración y servicios).

Tener un proyecto ético e inteligente que contribuya a un entorno y un mundo mejores, respondiendo y aportando soluciones a las necesidades sociales, culturales, económicas y medioambientales.

Distinguirse como una universidad que aprende, con una formación e investigación de calidad reconocida, dinámica e innovadora.

FUENTE: Extraído de www.ugr.es.

Para Peter Drucker, la **visión** provee los cimientos para desarrollar una amplia declaración de la misión. Es la encargada de fijar el rumbo de la organización, de plantear nuevos retos, de servir de consenso a la hora de cualquier duda o de la coordinación de esfuerzos.

A la hora de su formulación, debe responder a las siguientes preguntas: ¿Qué queremos llegar a ser? ¿Quiénes son o deberían ser nuestros clientes? ¿Qué se nota como clave en el futuro? ¿Cuál es nuestra oportunidad de crecimiento? ¿Qué es probable que cambie en nuestra organización dentro de tres o cinco años?

Una buena visión de empresa debe tener las siguientes características:

— Debe ser positiva, atractiva, alentadora e inspiradora, promover el sentido de identificación y compromiso de todos los miembros de la empresa.
— Debe estar alineada y ser coherente con los valores, principios y la cultura de la organización.
— Debe ser clara y comprensible para todos, entendible y fácil de seguir.
— No debe ser fácil de alcanzar, pero tampoco imposible.
— Debe ser retadora, ambiciosa, pero factible.
— Debe ser realista, una aspiración posible, teniendo en cuenta el entorno, los recursos de la organización y sus reales posibilidades.

Con esto, la visión debe ser breve, fácil de captar y de recordar e inspiradora.

CUADRO 7.3

Ejemplos de visión corporativa

General Motors: «Ser el líder mundial en productos y servicios relacionados al transporte. Nosotros lograremos el entusiasmo de nuestros clientes a través de la mejora continua de nuestros productos, guiada por la integridad, el trabajo en equipo y la innovación de nuestra gente».

McDonald's: «Ser el mejor restaurante de comida rápida en el mundo. Ser el mejor significa proveer calidad excepcional, servicio, higiene y valor, de manera tal que hagamos que cada cliente en cada restaurante sonría».

Samsung: «Liderar la revolución de la convergencia digital».

Wal-Mart: «Ser el más eficiente operador multiformato de bajo costo, ofreciendo a los clientes el mejor valor por su dinero».

FUENTE: Elaboración propia.

Por otro lado, la **misión** responde a las preguntas: ¿Para qué y por qué existe la organización? ¿Cuál es su propósito? ¿A quién sirve? ¿A qué se dedica? ¿Cuál es nuestro valor agregado? ¿Cuáles deben ser sus productos/servicios principales? ¿Cuál es nuestra ventaja competitiva?

Así, la misión debe recoger los siguientes requisitos:

— Amplia. Dentro de una línea con expansión pero lo suficientemente específica y bien definida para que sea fácil de entender y lograr.
— Motivadora. Inspiradora y alcanzable.
— Permanente. Orientada al propósito de la organizaciones durante todo su ciclo de vida.
— Congruente. Consistente con lo que se hace y desea.

Características de la declaración de la misión

— Una declaración de actitud. La declaración de la misión es más que una manifestación de ciertos detalles específicos; es una declaración de actitudes y de puntos de vista. Permite generar un rango de estrategias y objetivos alternativos y factibles. Debe ser amplia para mostrar las características principales de la organización, de manera que atraiga a los grupos de interés. Debe lograr un equilibrio entre el carácter específico de cada una de las instrucciones de los empleados y el carácter general de los planes estratégicos.
— Una orientación hacia el cliente. Una buena misión describe no sólo el propósito, sino también a los clientes y sus gustos, los mercados, la filosofía y la tecnología básica de una organización; debe reflejar las expectativas de los clientes. La filosofía operativa de las organizaciones debería, en primer lugar,

identificar las necesidades de su público objetivo a través de la misión, para poder ofrecer, a continuación, un producto adecuado a través de la estrategia.

— Una declaración de la responsabilidad social. Con el término de responsabilidad social se resalta la filosofía administrativa de la organización y el pensamiento de las personas de la alta dirección. En el siglo XXI, los asuntos sociales obligan a los estrategas a considerar no sólo lo que la organización debe a los grupos de interés, sino qué responsabilidades tiene la organización con los consumidores, ambientalistas, minorías y otros grupos. En los últimos años, la gestión de la responsabilidad social de la organización se ha integrado dentro de todas las actividades estratégico-administrativas, y entre ellas está la declaración de la misión.

Importancia de las declaraciones de la misión y la visión

La importancia de la declaración de la misión y de la visión para una administración eficaz está más que demostrada, pese a poseer resultados contradictorios. *Business Week* argumenta que las organizaciones que emplean la declaración de la misión tienen un rendimiento de un 30% superior en ciertos parámetros financieros al de aquellas que no poseen una declaración de este tipo. En su contra, se ha argumentado que la existencia de una misión y/o visión no contribuye directamente al rendimiento empresarial, y lo que sí puede afectar al éxito empresarial es el grado de participación de los gerentes y empleados en el desarrollo de las declaraciones de visión y misión.

Las organizaciones deben desarrollar cuidadosamente una declaración escrita de la misión y de la visión por las siguientes razones:

— Asegura la uniformidad de propósito dentro de la organización.
— Provee una base o pauta para asignar los recursos organizacionales.
— Establece una idiosincrasia o clima organizacional general.
— Sirve como punto de partida para que los individuos se identifiquen con el propósito y la dirección de la organización.
— Facilita la transformación de los objetivos en una estructura de trabajo que implique la asignación de tareas a elementos responsables dentro de la organización.

7.2.2. Planes estratégicos y operativos

Los *planes estratégicos*[16] son los que establecen los grandes objetivos y líneas de acción de la organización. Se centran en el futuro de la organización, e integran las demandas del ambiente externo y los recursos internos con las acciones que los

---

[16] Iborra, J. M., Ferrer, C. y Dasi, M. A. (2006).

administradores realizan para alcanzar los objetivos que la organización se propone a largo plazo.

La planificación estratégica es el proceso de definir la misión y los objetivos de la organización a partir de las oportunidades y amenazas del ambiente. Los planes estratégicos se refieren a los principales aspectos de la organización, tales como productos, servicios, finanzas, recursos humanos o marketing. Los planes estratégicos delimitan una extensión a *largo-medio plazo*[17], estableciendo el modo de actuar para un período comprendido entre tres y cinco años.

La responsabilidad de establecerlos recae sobre la alta dirección, apoyada en trabajadores de otros niveles.

Los *planes operativos* son metas y acciones específicas para unidades pequeñas de la organización. Estos planes especifican las actividades y recursos que son necesarios para alcanzar cualquier tipo de objetivo. Son los menos complejos y sus efectos directos no suelen incidir más allá del departamento para el que se desarrollan.

Se realizan a niveles de sección u operación, dictando las actividades que debe desarrollar cada uno de los trabajadores del departamento en cuestión.

Su horizonte temporal es a *corto plazo*, alcanzando desde el momento en que se encuentra la organización hasta no más allá del año.

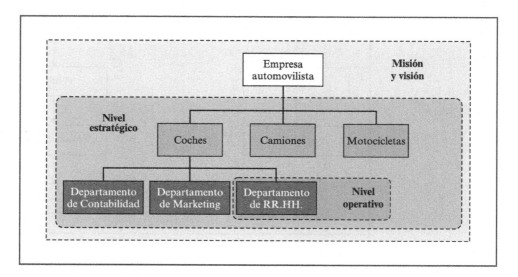

Figura 7.4. Ejemplo de los niveles organizacionales en la empresa. (FUENTE: Elaboración propia.)

---

[17] Bateman, T. S. y Snell, S. A. (2005).

7.2.3. Tipos de planes operativos

Los planes operativos que se derivan de los planes estratégicos también pueden ser objeto de una doble agrupación, según sirvan para planificar actividades rutinarias o no rutinarias, conformándose así una jerarquización completa de los planes organizativos tal y como se expone en la figura 7.5.

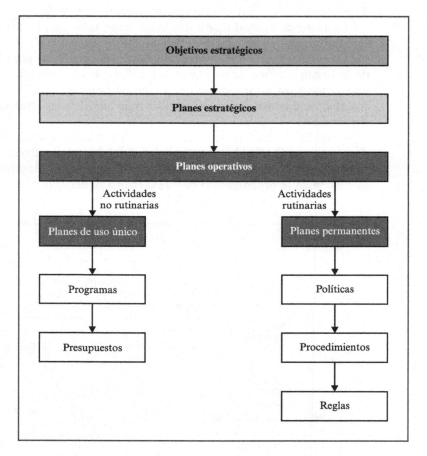

Figura 7.5. Tipos de planes operativos. (FUENTE: Elaboración propia.)

7.2.3.1. *Planes permanentes*

Cuando las actividades de una organización se repiten varias veces, una sola decisión o un conjunto de decisiones pueden guiarlas adecuadamente. Una vez establecidos, los planes permanentes permiten a los administradores ahorrarse el tiempo empleado en la planificación y toma de decisiones, porque las situaciones semejantes se manejan de modo uniforme y según se estableció previamente. Por ejemplo, un banco aprobará o rechazará más fácilmente las solicitudes de préstamos, si previamente define los criterios para la clasificación de los créditos y demás información relacionada con el solicitante. Sin embargo, puede darse el caso de que los planes permanentes resulten desventajosos, ya que comprometen al administrador con decisiones anteriores que posiblemente ya no sean adecuadas. Por tanto, es importante que se evalúen periódicamente con el fin de garantizar su eficiencia.

Los tipos principales de planes permanentes son las políticas, procedimientos y reglas[18].

Las *políticas* son declaraciones explícitas (o no) que guían y orientan el pensamiento y la acción en la toma de decisiones. Son orientaciones genéricas que definen en líneas generales el curso de acción a seguir cuando se presentan determinado tipo de problema, y establecen los límites de las decisiones, especificando aquellas que pueden tomarse y excluyendo las que no se permiten. De este modo se encauza el pensamiento de los miembros de la organización para que sea compatible con los objetivos de ésta. Una política de finanzas puede ser, por ejemplo, evitar en lo posible la financiación mediante recursos ajenos recurriendo siempre que sea posible a la financiación propia, mientras que una política de ventas puede habilitar ciertos márgenes de maniobra a los vendedores para conceder descuentos a los clientes en función del volumen del pedido y la fidelidad del cliente.

Generalmente son establecidas de manera formal y deliberada por los administradores de la alta dirección, aunque también pueden surgir informalmente en niveles inferiores de la organización a partir de un conjunto de decisiones que en relación al mismo tema se han venido tomando durante un período. Por ejemplo, si el espacio de una oficina se asigna normalmente basándose en la antigüedad de los empleados, esa costumbre puede convertirse en una política de la organización. En cierto modo, las políticas expresan la filosofía directiva, el sistema de valores y la cultura de la organización asegurando de este modo la consistencia del comportamiento directivo, su cohesión y su uniformidad.

En definitiva, las políticas ayudan a decidir antes de que una cuestión se convierta en un problema (resuelven conflictos); evitan tener que analizar la misma cuestión cada vez que se repite la situación que la origina (repercuten en la eficiencia); contribuyen a la unificación de otros planes, y permiten la posibilidad de delegar la autoridad y a la vez mantener el control.

Un *procedimiento* es una descripción detallada para realizar una secuencia de acciones que ocurren a menudo o periódicamente. Los procedimientos tratan de reducir al mínimo las posibilidades de error y, para ello, definen con precisión el comportamiento a seguir.

---

[18] Münch, L. (2006).

Al contrario que las políticas, los procedimientos no permiten margen de autonomía a la persona que debe realizar la toma de decisiones. Sirven para estandarizar la conducta, evitando que un mismo problema se resuelva de distintas maneras dependiendo de la persona que lo trate. Por ejemplo, ante una factura devuelta, siempre habrá que reclamarla a la organización, y anotar la fecha y la persona con la que se hable, para poder asegurar su reclamación.

Las *reglas* son el último tipo de planes permanentes. Se consideran mandatos precisos que determinan la disposición, la actitud o el comportamiento que deben observarse en situaciones específicas. Mientras que una regla es rígida y estricta, y si no se cumple se debe sancionar, una política debe ser flexible y orientativa. Empezar a trabajar a las ocho de la mañana, parar el camión 45 minutos cada dos horas para el descanso obligatorio o limpiar la maquinaría antes de acabar la jornada laboral son ejemplos de reglas comunes a muchas organizaciones.

7.2.3.2. *Planes de uso único*

Son planes elaborados con el objeto de ser usados una sola vez, de acuerdo con las necesidades de una determinada situación que se presenta como única y excepcional. Por ejemplo, una empresa que planea construir un nuevo almacén debido a su crecimiento, necesitará diseñar un plan específico para ese proyecto, aun cuando haya construido otros almacenes en el pasado. No podrá utilizar un plan ya existente, puesto que el almacén que se proyecta presenta exigencias especiales de ubicación, costes de construcción, disponibilidad de mano de obra, restricciones de edificabilidad y urbanismo y otros aspectos específicos.

Los principales tipos de planes de uso único son los programas y los presupuestos.

Un *programa* es un plan de acción encaminado a la consecución de un objetivo específico en el que se detallan la secuencia de actividades, el tiempo requerido para efectuarlas, así como la asignación de los responsables de su ejecución y de los recursos a emplear. Dado su carácter extraordinario, los programas suelen gozar de cierto grado de autonomía e independencia en su realización.

Cada programa tiene su estructura propia, y puede ser general cuando se refiere a programas que implican a varios departamentos de la organización, como por ejemplo un programa de modernización de los sistemas de información gerencial, o más específico cuando afecta a un área o sección concreta, como puede ser un programa puesto en marcha por el gerente de una unidad de negocio para reducir el absentismo laboral.

Un programa establece la ejecución completa y detallada de las actividades. Las técnicas que se suelen utilizar para la elaboración de un programa son la gráfica de Gantt y el método PERT-CPM (Program Evaluation Review Technique-Critical Path Method) o camino crítico.

Un *presupuesto* es un documento expresado en términos económicos, financieros o no financieros, que muestra la asignación de recursos para llevar a cabo los planes y las actividades de la organización. Los presupuestos se suelen asociar a expresiones monetarias de asignaciones de recursos para períodos de tiempo. Pueden estar referidos también en índices, unidades porcentuales, temporales, espaciales o materiales. Por ejemplo, los presupuestos de mano de obra vienen expresados en horas de trabajo, aunque luego éstas se valoren para obtener la previsión del coste del factor trabajo.

7.3. PROCESO DE PLANIFICACIÓN

El proceso de planificación es la serie de etapas a través de las cuales la alta dirección define el rumbo y las directrices generales que habrán de regir la organización.

A continuación se muestra un proceso válido para todo tipo de organización, independientemente de su tamaño, actividad u orientación[19]. Representa uno de los esquemas formulables para afrontar las operaciones básicas contenidas en la planificación, debiendo ser contemplado con tal finalidad.

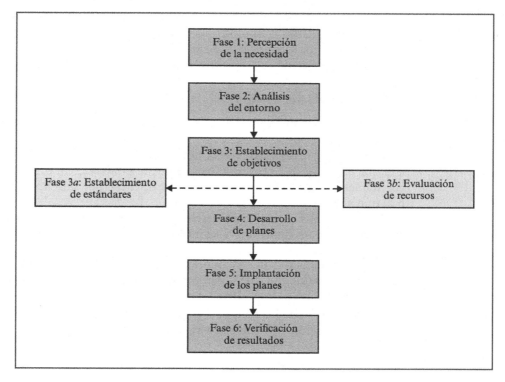

Figura 7.6. Proceso de planificación. (FUENTE: Elaboración propia.)

---

[19] Hampton, D. R. (1994).

Las etapas del proceso no son lineales ni unidireccionales, ya que una organización debe analizar continuamente lo que está realizado, e intentar mejorarlo continuamente.

Fase 1. Percepción de la necesidad de planificar

El proceso de planificación arranca cuando los directivos perciben la necesidad de llevarla a cabo. Es decir, cuando sucede un hecho, unos signos o unos presentimientos de que la situación mejorará en el caso de estar planificada con anterioridad.

Fase 2. Análisis del entorno

La intención de esta fase se centra en intentar conocer, con la mayor precisión posible, las condiciones más relevantes que afectan a la organización.

Para tal análisis, los directivos se valen de estudios, tanto internos a la organización como externos a ella. Por ejemplo, a través del estudio interno de la organización deben responder a la pregunta: ¿qué elementos de la organización (personas, cualidades o equipo) pueden ayudarnos? O a través del estudio del ambiente externo, reconocer los agentes (clientes, proveedores, cambios en las necesidades) que serán potencialmente perjudiciales para la organización.

Fase 3. Establecer objetivos

El fundamento de la planificación es la meta, el resultado que se desea conseguir; es por esto por lo que el principal problema para los administradores a la hora de establecer los objetivos es determinar sus *prioridades*. Esto es necesario para que entre los distintos objetivos se pueda establecer un orden temporal; son incontables las campañas publicitarias que fracasan por salir antes que el producto al que anuncian.

Para el establecimiento de objetivos, los directivos tienen dos tareas a realizar que se pueden considerar una fase intermedia. Estas tareas son:

— Establecimiento de estándares. Hay que evaluar dónde está la organización y plantear a qué lugar desea llegar. Con esto se asegura un estándar de medición para evaluar y poder corregir desviaciones.
— Evaluación de los recursos. Hay que evaluar los recursos disponibles en la organización, y los que se van a necesitar.

Fase 4. Desarrollo de planes

A continuación, los directivos deben desarrollar los planes de acción, que son las órdenes de puesta en marcha que todos utilizan para lograr los objetivos establecidos.

Para la adecuación de estos planes existen dos factores fundamentales, la secuencia y los tiempos, y la responsabilidad. La secuencia y los tiempos establecerán las acciones o los pasos específicos que se deben realizar. A su vez, la responsabilidad se debe otorgar a una persona, para saber quién es el encargado, lo que facilitará la coordinación de cada una de las actividades.

Fase 5. Implantación de los planes

Una vez creado el plan, es la hora de su puesta en marcha. La manera en la que se implanten cada uno de los planes puede influir en los resultados finales alcanzados. Es por ello por lo que esta etapa del proceso es, si cabe, la más importante. Para llevarla a cabo, los directivos y los responsables de cada departamento realizan dos tareas: la verificación de la implantación y el ajuste en tiempo real[20].

La primera, la verificación, consiste en la supervisión del progreso del plan, mientras que la segunda, el ajuste en tiempo real, permite adaptar cada plan al ambiente dinámico que rodea cada organización. A medida que el ambiente cambia, un objetivo que originalmente fue del todo aceptable podría tornarse irreal o demasiado fácil de lograr, por lo que debe ser reevaluado.

Fase 6. Control de los resultados

La última fase del proceso de planificación consiste en el contraste de los resultados para verificar que se están obteniendo los resultados deseados.

Las revisiones sobre los resultados temporales que se vayan obteniendo se deben complementar con la preparación de planes auxiliares, que se deben formular para poder facilitar una solución viable a la posible situación de que algún recurso falle o se dé una situación inesperada[21]. Este tema se desarrolla en profundidad en el capítulo 13.

7.4. TÉCNICAS DE AYUDA A LA PLANIFICACIÓN

Existen diversas técnicas que facilitan el proceso de planificación, ayudando tanto a la recopilación de datos como a la simplificación del complejo proceso de la planificación a través del estudio del futuro de la organización. Se trata de técnicas que procesan información concreta para producir nueva información. Son mecanismos que dependen de opiniones y de la especulación creativa, además de aportar datos para la construcción de posibles escenarios de actuación.

---

[20] Robbins, S. P. y Coulter, M. (2005).
[21] Domínguez Machuca, J. A. (1995).

Con estas técnicas[22], las organizaciones buscan la simplificación de cada uno de los problemas a los que se enfrentan, además de establecer una forma para resolver lo que pueda acontecer.

— *Árboles de decisión.* Son un modelo que representa los sucesos que pueden influir sobre una decisión. Se inicia con un punto del que surgen varias acciones o sucesos posibles y de los que se pueden generar otros. Este método permite plasmar las distintas posibilidades que puede realizar la organización y las repercusiones que le ocasionarían.

— *Gráfica de Gantt.* Es una herramienta gráfica cuyo objetivo es mostrar el tiempo de dedicación previsto para diferentes tareas o actividades a lo largo de un tiempo total determinado. En esta gráfica aparecen una serie de actividades que desarrollan cada una de las etapas del proyecto, su duración, el coordinador de cada una de las etapas y sus fechas de comienzo y finalización programadas. Con esta gráfica se consigue observar fácilmente si existen actividades que se puedan desarrollar de manera simultánea o no.

— *Análisis de series temporales.* Es el estudio de datos a lo largo de determinados períodos de tiempo, como las ventas mensuales de un producto o los ingresos diarios de caja de una tienda de ropa. Con esto se puede llevar a cabo un análisis estadístico para encontrar tendencias o fluctuaciones en la demanda.

7.5. PLANIFICACIÓN DE LAS CONTINGENCIAS

Ante un entorno dinámico y cambiante, como es el entorno en el que actúan las organizaciones del siglo XXI, los directivos tienen la obligación de estar preparados para enfrentarse a los imprevistos que puedan ocasionar la inoperancia de las estrategias establecidas. Los denominados *planes de contingencia*[23] se definen como los planes alternativos que entrarán en vigor si ciertos acontecimientos clave no ocurren como se espera.

Los directivos pueden ser minuciosos a la hora de establecer las estrategias de la organización, pero por mucho cuidado que tengan en la formulación, implantación o evaluación de las estrategias, existen acontecimientos que no se pueden prever (una huelga general, la quiebra de un competidor directo, o la aprobación de una nueva ley medioambiental) y pueden convertir una estrategia perfecta en obsoleta.

---

[22] Makridakis, S. y Wheelwright, S. C. (1998).
[23] Münch, L. (2006).

Los planes de contingencia pueden incluir la siguiente información para su correcto funcionamiento:

— Acciones a realizar si los competidores cambian su estrategia, aparecen nuevos, o alguno se retira del mercado.
— Acciones a realizar si no se alcanzan los objetivos de negocio establecidos.
— Acciones a realizar si la demanda del producto (servicio) mejora y hay que ampliar la producción.
— Acciones a realizar cuando se prevé la obsolescencia de alguno de los productos o servicios que presta la organización.

Existen organizaciones que descartan las estrategias alternativas que no son seleccionadas para ser implementadas, aunque el trabajo dedicado a analizar estas opciones brinde información valiosa. Tales estrategias pueden servir como planes de contingencia en caso de que la estrategia o estrategias seleccionadas no funcionen.

Para Linneman y Chandran[24], la planificación eficaz de contingencias implica un proceso de siete pasos:

1. Identificar los acontecimientos favorables y desfavorables que pudieran obstruir el progreso de la estrategia o estrategias.
2. Especificar los puntos desencadenantes. Calcular cuándo es probable que ocurran los acontecimientos de contingencia.
3. Evaluar el efecto de cada acontecimiento de contingencia. Calcular las ventajas o los daños potenciales de cada contingencia.
4. Desarrollar planes de contingencia y asegurarse de que son compatibles con la estrategia actual y que son económicamente factibles.
5. Determinar el efecto de cada plan de contingencia, es decir, estimar cuánto capitalizará o cuánto cancelará su contingencia asociada. Hacer esto permitirá cuantificar el valor potencial de cada plan de contingencia.
6. Determinar las primeras señales de advertencia para los acontecimientos de contingencia clave. Estar alerta ante las primeras señales de advertencia.
7. Para los acontecimientos fortuitos con señales confiables de advertencia temprana, desarrollar planes de acción anticipados para aprovechar el tiempo disponible.

Los planes contingentes proporcionan tres ventajas básicas: permiten respuestas rápidas ante los cambios, impiden el pánico en situaciones de crisis y, por último, hacen más flexibles a los gerentes, estimulándolos a apreciar el carácter impredecible del futuro.

---

[24] Linneman, R. y Chandran, R. (1991).

7.6. DE LA PLANIFICACIÓN A LA DIRECCIÓN ESTRATÉGICA

La evolución y los cambios constantes que han experimentado los mercados y en general el entorno económico que rodea a las organizaciones ha planteado a los directivos la necesidad de evolucionar en la forma en la cual se enfrentan al proceso de planificación. Así, encontramos tres etapas distintas a la hora de estudiar la progresión de la planificación en el contexto de la dirección de organizaciones:

1. La planificación a largo plazo.
2. La planificación estratégica.
3. La dirección estratégica.

En un principio, la *planificación a largo plazo* era una extensión de la programación desde el punto de vista financiero, en forma de presupuestos y planes operativos. Esta programación no tenía en cuenta aspectos fundamentales para la organización como pueden ser los factores políticos, laborales o sociales. Con el paso del tiempo, empezó a contemplar factores tales como el crecimiento empresarial, ya fuera interno o externo, o la creación de nuevos productos o mercados.

Años después empieza a surgir el concepto de *planificación estratégica*[25], que, a diferencia de la planificación a largo plazo, introduce la necesidad de analizar sistemáticamente el entorno para realizar un diagnóstico estratégico de la organización, así como la de generar varias alternativas estratégicas, y procurar que todas las áreas de la organización formen parte en su proceso de formulación. Con una planificación estratégica se persigue que los directivos analicen cada una de las opciones estratégicas antes de la adopción oficial de los presupuestos. En este tipo de planificación, el centro motor son las unidades operativas.

La *dirección estratégica,* por último, ha llegado a ser en los últimos años el concepto dominante en la dirección de organizaciones. Trata de facilitar al personal de todos los niveles las herramientas y las ayudas necesarias para gestionar el cambio estratégico. Busca alcanzar y mantener una ventaja estratégica[26] con respecto a los competidores que le permita obtener un plus de rentabilidad. A esta ventaja se la denomina ventaja competitiva, definida como las características de la organización que la diferencia de otras, colocándola en una posición relativamente superior a la competencia. La teoría señala que las organizaciones sólo conseguirán tal ventaja de dos maneras: a partir de la diferenciación de los productos y/o a partir de la reducción de costes. La dirección estratégica trata de cubrir las carencias de la planificación estratégica en tres aspectos básicos:

---

[25] Bateman, T. S. y Snell, S. A. (2005).
[26] Wagner, J. A. y Hollenbeck, J. R. (2004).

— La planificación estratégica pone el énfasis en las variables económicas y tecnológicas, sin atender a las variables internas y externas.

— En la planificación estratégica, los factores internos se consideran fijos, mientras que la dirección estratégica considera que pueden cambiar y evolucionar internamente.

— La planificación estratégica centra su atención en la formulación de distintas estrategias, sin tener en cuenta las posibles modificaciones que pueda realizar la competencia, mientras que la dirección estratégica presenta los distintos escenarios que pueden llegar a suceder, dependiendo de las modificaciones que realiza la competencia.

Para superar las limitaciones de la planificación estratégica, la dirección estratégica trata de establecer las estrategias a través del análisis del entorno interno y externo a la organización. Con este análisis, la organización puede saber qué factores son los que le pueden acercar a la obtención de la ventaja competitiva, e incluso conseguir que sea sostenible a lo largo del tiempo, es decir, que sea única, distinta a lo existente en el mercado y que no pueda ser imitada por otras organizaciones.

RESUMEN

En una organización, la planificación implica establecer objetivos y elegir los medios para poder alcanzarlos. Las metas son importantes porque proporcionan un sentido de dirección, concentran los esfuerzos, guían los planes y decisiones, y sirven para evaluar el desempeño organizativo. Aunque la planificación se presenta como una de las cuatro funciones secuenciales del proceso de administración, es más exacto pensar que la planificación es como una locomotora que arrastra al tren de las actividades de la organización, la dirección y el control, entendiéndose como la máquina que tira de lo demás, ya que, una mala planificación puede hacer que la empresa no funcione como es debido.

La base de una correcta planificación está en el establecimiento de una correcta misión y visión empresarial. La primera marca la línea hacia la que se quiere ir, mientras que la segunda presenta una idea de lo que le gustaría llegar a ser.

Los gerentes de las organizaciones utilizan dos tipos básicos de planes, denominados planes estratégicos y planes operativos. Los planes estratégicos son diseñados para satisfacer los objetivos generales de la organización, y presentan un horizonte a largo plazo, mientras que los planes operativos muestran cómo se pueden aplicar los planes estratégicos en el día a día, fijando el horizonte más cercano de la organización, es decir, el corto plazo. Los planes operativos se clasifican en planes permanentes (políticas, procedimientos y reglas) y planes de uso único (programas y presupuestos). Ambos, tanto estratégicos como operativos, están ligados a la definición de la misión organizativa, definida como la meta general que justifica la existencia de la organización.

La incertidumbre del entorno hace que la planificación no siempre obtenga los resultados deseados; para resolver este problema surge la planificación de contingencias, que es la solución que los directivos de las organizaciones idean con el fin de estar preparados en el caso de que las acciones no sucedan como habían sido planificadas. La evolución empresarial ha llevado a desarrollar el concepto de dirección estratégica, entendida como la solución ideal para facilitar el cambio organizacional. Busca la obtención y el mantenimiento de la ventaja competitiva, como mejor forma para obtener un plus que coloque a la propia organización en una situación de superioridad con respecto a los competidores.

PREGUNTAS DE REPASO

1. Explique el valor principal de la declaración de la misión y la visión para una organización.

2. Señale las diferencias entre una planificación reactiva y una interactiva y entre una planificación preactiva y una inactiva.

3. Identifique los principios fundamentales para una planificación eficaz.

4. ¿Cuál es el horizonte temporal de un plan estratégico? ¿Por qué?

5. Enumere los distintos tipos de planes permanentes.

6. ¿Qué es la planificación de contingencias?

7. Enumere y defina las distintas técnicas de ayuda a la planificación de la organización.

8. Explique la diferencia entre programa y presupuesto.

CASO PRÁCTICO

Porlacara y el negocio de camisetas

La organización *Porlacara* está constituida por un par de granadinos entusiastas y con ganas de ofrecer algo nuevo, comercializar un buen producto y estar a la última. Su idea de negocio es la producción, distribución y venta de camisetas.

Cuando hace casi tres años, entre bromas y risas, surgió la idea Porlacara estaban muy lejos de imaginar que algún día la llevarían a cabo, pero unos cuantos años más tarde ahí están, al pie del cañón, con la ilusión de ofrecer algo distinto que guste a la gente desenfadada que disfruta llevando ropa diferente y con personalidad. La idea era muy simple: ofrecer camisetas de la mejor calidad posible, divertidas, y, en definitiva, que nosotros mismos compraríamos.

La empresa ofrece una gran variedad de modelos, tallas, colores y diseños de todo tipo, desde frases y diseños originales hasta una innovadora forma de comunicarse sólo utilizando una de sus camisetas, la *i-shirt*. Todas se encuentran en su página, www.xlacara.es, donde se pueden ver cada una de ellas y contactar con los dueños para realizar cualquier pedido. Por supuesto, existe un buzón de sugerencias abierto a cualquier tipo de idea para nuevas camisetas o prenda que se pueda diseñar y comercializar.

«Hemos puesto todas nuestras ganas y empeño en este proyecto y esperamos que os gusten nuestras ideas y diseños tanto como a nosotros», comentan los creadores en su carta de presentación.

Para empezar, el funcionamiento es simple, ellos mismos hacían los modelos, y una organización externa les producía las camisetas. Esto conlleva que la producción no dependía de ellos, sino de un agente externo, y de su puntualidad y formalidad en la entrega. Los primeros meses fueron incontrolables; los pedidos se acumulaban, ya que se superaron las previsiones de ventas, y los clientes demandaban más modelos y más novedosos. A posteriori, los dueños reconocen que, por su mala planificación (acompañada de las malas gestiones de su proveedor de camisetas), perdieron varios miles de euros de beneficio.

El principal problema de los socios fue que no se habían establecido planes de acción ni objetivos, ya que cada uno de ellos tenía trabajo por cuenta ajena, con lo que sólo realizaban labores de gestión a tiempo parcial. Ahora las cosas han cambiado. Han dejado sus trabajos, y junto con un nuevo socio se dedicarán en exclusiva a la organización. Alberto se dedicará en exclusiva a la creación de nuevos dibujos para las camisetas y sudaderas, producto éste que empezarán a distribuir en período de pruebas hasta Navidad, y que, dependiendo de su aceptación o no, se incluirá en la cartera fija de productos. Fernando se ocupará del aprovisionamiento de materiales y de la búsqueda de tiendas por todo el territorio andaluz y las grandes capitales españolas. Iñaki, el nuevo socio, con experiencia y conocimientos contables y gerenciales, coordinará todas las acciones y distribuirá las prendas a las tiendas distribuidoras, que ya se reparten por Granada, Almería, Madrid, Barcelona o Málaga, entre otras. Además, como primera medida, ha considerado útil invertir una décima parte de sus 10.000 euros de socio en la compra de una nueva tela que se considera de mayor calidad, con el fin de que la marca gane en imagen.

Fuente: Extraído y adaptado de www.xlacara.com.

PREGUNTAS

1. Establecer la misión y la visión de la organización Porlacara.

2. ¿Qué tipos de actitud frente a la planificación tienen los dos socios fundadores? ¿Les ocasiona ventajas o inconvenientes?

3. Con la nueva estructura de la compañía, ¿podrían crearse departamentos diferenciados? Intente establecer las funciones de esos posibles departamentos.

4. Identifique en el texto los diferentes planes que se han acometido en la empresa y clasifíquelos según las tipologías propuestas en el capítulo.

8

Organización

OBJETIVOS DE APRENDIZAJE

1. Conocer y comprender la importancia y naturaleza de la función administrativa de organizar.
2. Identificar las principales herramientas de diseño organizativo que puede utilizar el gerente en la construcción de la estructura de su organización.
3. Explicar los principales factores de contingencia que pueden influir en la elección de las herramientas de diseño estructural y cómo pueden llevarlo a cabo.
4. Describir y analizar las principales configuraciones organizativas resultantes del proceso de diseño de una organización.
5. Aplicar los conocimientos adquiridos al diseño estructural de organizaciones concretas.
6. Valorar de forma crítica las soluciones organizativas adoptadas por organizaciones reales.

En el ámbito de la gestión, el término «organización» puede hacer referencia a realidades diferentes aunque profundamente relacionadas. Al hablar de una organización determinada se hace referencia al significado institucional del término, es decir, a un conjunto de individuos que de forma intencionada trabajan juntos en la consecución de objetivos compartidos. Por otra parte, la organización de una determinada empresa alude a su componente estructural, a aspectos tales como las diferentes tareas a realizar y qué conocimientos requieren, el modo de coordinarlas, la red de relaciones de autoridad formal o la forma y lugar donde se toman las decisiones. En este sentido, el término organización se identifica con la estructura organizativa. Por último, un directivo que sea el responsable de organización de su empresa tiene como función primordial el acometer un conjunto de acciones encaminadas a la mejora de la estructura y la adecuación a su contexto; en otras palabras, es el responsable del diseño organizativo. En este caso, el termino organización se refiere a la función gerencial de organizar. El presente capítulo está dedicado al análisis de la función organizativa orientada al diseño, mantenimiento y mejora de la estructura de la organización.

La importancia de la función organizativa y de su resultado final, la estructura organizacional, radica en que dicha estructura es la que tiene que soportar la ejecución de los planes que conducen a alcanzar los objetivos y metas de la organización. El diseñador de la estructura organizacional se convierte así en el «arquitecto» que ha de tomar una serie de decisiones de diseño que contribuyan a la construcción del «edificio» que ha de sustentar la vida organizativa de manera eficaz y eficiente.

Por todo ello, el capítulo se orienta a dotar al directivo de los conocimientos básicos para poder desarrollar la función organizativa con garantías de éxito. De este modo se analizará la naturaleza del diseño organizativo desde la perspectiva dialéctica de la diferenciación y la coordinación; a continuación, se hará un recorrido por las principales variables de diseño estructural agrupadas según su repercusión en las tres dimensiones básicas que definen la estructura: complejidad, formalización y descentralización. La tercera parte del capítulo está dedicada a la influencia de los factores de contingencia sobre las decisiones de diseño, y por último se ofrecerán algunos de los modelos estructurales básicos que pueden presentar, de modo genérico, las organizaciones.

8.1. LA FUNCIÓN ORGANIZATIVA

8.1.1. Naturaleza y propósito de la organización

La función organizativa consiste en el *diseño del armazón material y humano (estructura) que actuará de soporte para la ejecución de los planes establecidos.* Por tanto, el punto de partida para el diseño (o rediseño) de la estructura organizativa ha de ser el conocimiento de las necesidades globales de la organización que se plasman en la misión por cumplir y el sistema de objetivos (estratégicos y operativos) a alcanzar. A partir de aquí, el diseñador (la organización) ha de tomar una serie de decisiones que tienen que ver con la utilización de las diferentes «herramientas» a su disposición para proceder a la «construcción» o diseño de la estructura de la empresa. A estas herramientas se las denomina variables de diseño estructural[1]. Las variables de diseño implican tomar decisiones, principalmente, sobre los siguientes aspectos[2]:

---

[1] Mintzberg, H. (2009).
[2] Daft, R. L. (2005); Gibson, J. L., Ivancevich, J. M. y Donnelly, J. H. (1996); Stoner, J. A. F., Freeman, R. E. y Gilbert, D. R. (1996).

— El grado de especialización de los distintos puestos de trabajo que componen la organización.
— La forma en que han de agruparse estos puestos en unidades de orden superior (tipo de departamentalización).
— El tamaño que deberán tener esas unidades o departamentos.
— El grado de formalización del comportamiento.
— La forma y grado de delegación del poder en la toma de decisiones (descentralización).

Estas decisiones de diseño delimitarán una estructura tanto más eficaz cuanto más se adapte o más congruente sea con una serie de factores de contingencia que marcan el contexto específico de la organización[3]. Estos factores —que pueden ser internos o externos a la organización— pueden influir en la estructura organizacional al afectar a las decisiones de la gerencia sobre las variables de diseño. Los principales factores de contingencia que pueden afectar al diseño organizativo son:

— La estrategia de la organización.
— El sistema técnico utilizado en la fabricación de productos o prestación de servicios (tecnología de operaciones).
— Las características del entorno competitivo al que se enfrenta la organización.

La estructura resultante de la función de diseño organizativo puede ser contemplada o analizada desde tres dimensiones básicas: su complejidad, su grado de formalización y su grado de centralización (véase figura 8.1).

8.1.2. Los mecanismos de coordinación

La estructuración formal de la empresa o de cualquier organización constituye un sistema de relaciones que enlazan y articulan a los elementos humanos que la integran, sistema que permite que circulen las órdenes necesarias y que fluya el trabajo y la información. La estructuración formal de la empresa se hace tanto más necesaria cuanto mayor y más compleja es ésta.

Toda actividad humana organizada plantea dos requisitos[4]:

1. La *división del trabajo* en las distintas tareas que deban desempeñarse.
2. La *coordinación* o integración de esas tareas.

---

[3] Daft, R. L. (2005); Mintzberg, H. (2009); Gibson, J. L., Ivancevich, J. M. y Donnelly, J. H. (1996).
[4] Bateman, T. S. y S. A. (2001); Hodge, B. J., Anthony, W. P. y Gales, L. M. (1998).

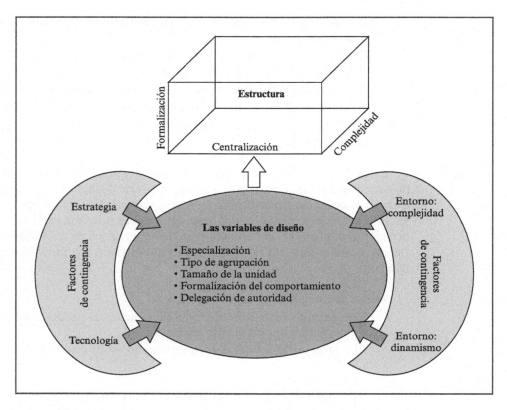

Figura 8.1. El diseño estructural. Esquema. (Fuente: Elaboración propia.)

De acuerdo con lo anterior, la estructura de la organización se puede definir como el *conjunto de todas las formas en que se divide el trabajo en tareas distintas, consiguiendo luego la coordinación de las mismas*[5]. Para analizar los mecanismos de coordinación, es necesario identificar los elementos que (conceptualmente) componen una tarea. Las tareas se pueden descomponer en dos partes: su ejecución y su administración. En primer lugar, de forma intuitiva se puede identificar la mera realización de la tarea. En segundo lugar, de modo algo más complejo se puede argumentar que administrar una tarea consiste en decidir sobre qué, cómo, cuándo e incluso quién realiza una tarea. Esta distinción entre administración (control) de la tarea y la realización de ésta permite abordar el estudio de los mecanismos de coordinación de una forma más completa.

Hay tres mecanismos que pueden explicar las principales formas en que las organizaciones coordinan sus actividades (figura 8.2)[6]:

---

[5] Mintzberg, H. (2009).
[6] Ibíd.

1. Adaptación mutua.
2. Supervisión directa.
3. Normalización de los procesos de trabajo.

Los mecanismos de coordinación se pueden considerar como los elementos fundamentales de la estructura, ya que su función es la de integrar las actividades y mantener unida a la organización. Estos mecanismos se introducen en la estructura a través de las variables de diseño estructural que se analizan más adelante.

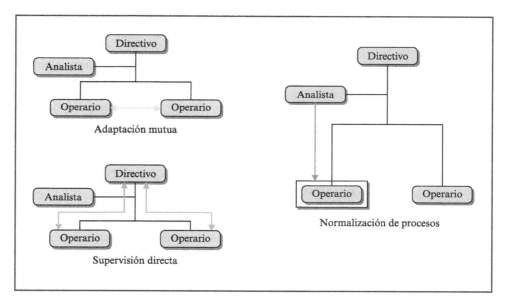

Figura 8.2. Los mecanismos de coordinación. [FUENTE: Mintzberg, H. (2009).]

Adaptación mutua. Consigue la coordinación del trabajo mediante la simple comunicación informal. El control del trabajo corre a cargo de quienes lo realizan. Al ser un sistema tan simple, se utiliza en las organizaciones más sencillas:

— *Un grupo de alumnos de la asignatura de Administración de Empresas que se unen para realizar un trabajo académico coordinan verbalmente los trabajos y tareas que previamente han especificado y asignado (también por adaptación mutua) a cada miembro.*

— *En el tenis, los integrantes de una pareja de dobles se comunican constantemente durante el curso del partido (incluso antes de jugar cada punto) para coordinar sus acciones.*

— *Tres socios de una pequeña asesoría fiscal se reparten tareas y responsabilidades de manera informal reuniéndose e intercambiando información casi a diario.*

Paradójicamente, también se recurre a este mecanismo en las organizaciones más complejas, cuya coordinación resulta más complicada, ya que es el único sistema que funciona de forma eficaz bajo circunstancias extremadamente difíciles. Piénsese, por ejemplo, en un periódico. En circunstancias normales, el consejo de redacción de un periódico se reúne a diario para discutir y acordar las noticias que tendrán cabida y las que quedan fuera en cada sección, la importancia de cada una de ellas y la composición de la primera página. Si durante el transcurso de la jornada se produce un acontecimiento imprevisto de suma importancia, el consejo deberá acordar de forma rápida qué periodistas cubrirán la noticia, el tratamiento que recibirá, cómo afectará a la distribución del resto de noticias e incluso puede tener que acordar si es conveniente retrasar el cierre de edición o reforzar el sistema de distribución de forma extraordinaria. Y todo ello (qué, quién, cómo, cuándo y dónde) se decide en reuniones más o menos informales en las que los principales responsables deben ser capaces de adaptarse entre sí de forma rápida y precisa ante situaciones críticas e inciertas.

Supervisión directa. A este mecanismo de coordinación suele recurrirse cuando una organización supera su estado más sencillo. Se consigue la coordinación mediante supervisión directa cuando una persona se responsabiliza del trabajo de los demás. Esta persona dará instrucciones al resto y controlará sus acciones. En este caso, quien administra (controla) la tarea es diferente de quien la realiza, y esta administración (control) de la tarea se realiza de modo directo.

Es el caso, por ejemplo, de un supervisor de planta en unos grandes almacenes, del capataz de una cuadrilla de recolectores agrícolas, del jefe de una brigada de bomberos o del sargento al mando de un pelotón de fusileros. Incluso en el mundo del deporte se encuentran ejemplos de supervisión directa, como el *quarterback* en los equipos de fútbol americano o el puesto de *base* en los equipos de baloncesto (ambos, a su vez, actúan bajo la supervisión directa de sus respectivos entrenadores).

Normalización de los procesos de trabajo. La normalización supone la especificación de las tareas concretas o procedimientos de trabajo que los empleados deben realizar para cumplir con sus responsabilidades. De este modo, el contenido del trabajo queda programado de antemano en la mesa de un diseñador: qué tareas hay que realizar, cómo han de ejecutarse, en qué orden y por quién. La normalización del trabajo puede utilizarse muy extensamente, aunque, lógicamente, hay normas de trabajo que permiten mayor libertad de acción que otras. Las organizaciones introducen este mecanismo de coordinación a través de los diferentes tipos de planes de operaciones referidos a la realización de actividades rutinarias: políticas, procedimientos y reglas[7]. Mediante las normas, quien administra (controla) la tarea, lo hace de modo indirecto.

— *Los operarios de un establecimiento de comida rápida (pizzas o hamburguesas) tienen unos procedimientos y reglas muy precisos para confeccionar los productos de forma prácticamente idéntica.*

— *Por su parte, el operario de una cadena de fabricación realiza su trabajo, consistente en instalar una y otra vez cierta pieza (colocar los vestidos que llevan las muñecas que salen de una fábrica de juguetes o introducir las piezas de fruta en una caja), de forma casi aislada, sin apenas supervisión directa y sin comunicación informal con sus compañeros de trabajo. La coordinación del trabajo de todos los operarios se consigue al diseñar la cinta transportadora.*

— *Cada uno de los comerciales de una empresa dispone de un plan de trabajo semanal en el que constan los clientes que ha de visitar, los productos que ha de promocionar de forma preferente y los márgenes que puede utilizar en sus ofertas.*

Las organizaciones no recurren de forma exclusiva a uno solo de los mecanismos, sino que se suelen utilizar los tres a la vez, aunque con distinto grado de intensidad dependiendo de la organización. Las organizaciones no pueden ser concebidas sin una administración formal (supervisión directa), y sin la comunicación informal (adaptación mutua), aunque sólo sea para paliar la rigidez de la normalización[8]. Así, se suele combinar cierto grado de supervisión directa con la adaptación mutua, sea cual sea el grado de normalización.

Los mecanismos de coordinación se introducen en el diseño organizativo de forma indirecta. A través de las variables de diseño se van conformando soluciones que facilitan la coordinación: grupos y comités interfuncionales (adaptación mutua), la escala de autoridad formal (supervisión directa) y los planes, normas y procedimientos (normalización de los procesos de trabajo), por ejemplo.

8.2. DIMENSIONES DE LA ESTRUCTURA

El análisis de la estructura organizativa puede abordarse mediante el estudio de las tres dimensiones básicas que la definen: grado de complejidad, de formalización y de centralización[9].

---

[7] Los diferentes tipos de planes operativos son analizados en el capítulo 7, dedicado a la planificación.

[8] Mintzberg, H. (2009).

[9] Hall, R. H. (1996); Gibson, J. L., Ivancevich, J. M. y Donnelly, J. H. (1996); Mintzberg, H. (2009).

Complejidad. Tiene dos componentes: horizontal y vertical. En primer lugar, la complejidad horizontal hace referencia al número de tareas distintas que han de ser desarrolladas por la organización y al grado en el cual están subdivididas, es decir, a la intensidad de la división del trabajo *(diferenciación horizontal);* en segundo lugar, la complejidad vertical de la organización crece con el número de niveles jerárquicos o niveles de supervisión *(diferenciación vertical).*

Formalización. Se refiere al grado en el que está extendida en la organización la existencia de reglas, normas y procedimientos que definen de forma inequívoca el flujo de la información, y el contenido y forma de realización de las tareas.

Centralización. Hace referencia al grado en el cual el poder para la toma de decisiones está localizado en un único punto de la organización. En el caso en el que dicho poder esté distribuido o dividido entre diferentes individuos, hablaremos de una organización descentralizada. No obstante, no se trata de conceptos absolutos: no existen organizaciones totalmente centralizadas o descentralizadas, sino organizaciones con un mayor o menor grado de centralización o descentralización.

8.2.1. Complejidad

La primera de las dimensiones estructurales que se ve afectada por la tarea de diseño es el grado de complejidad que puede adoptar la estructura de la organización. Desde un punto de vista intuitivo, resulta obvio que una empresa con cinco trabajadores y un director-propietario ha de tener una estructura menos compleja que una gran corporación con miles de empleados distribuidos por todo el mundo. Pero ¿qué variables de diseño explican esta mayor o menor complejidad? Las decisiones de diseño que afectan a la complejidad de la estructura se centran en tres aspectos. La primera es el nivel de especialización, que se refiere a grado de diferenciación de puestos, tareas y funciones dentro de la organización y que remite a un cierto nivel de complejidad *horizontal*. La segunda, la departamentalización, hace referencia al modo de agrupar los puestos en unidades y éstas en otras de grado superior. Esta variable tiene repercusiones tanto en la complejidad horizontal (diversificación de funciones) como en la complejidad vertical (número de niveles jerárquicos). La tercera variable trata de delimitar el tamaño que han de tener estas unidades para ser eficaces y eficientes (figuras 8.3 y 8.4).

8.2.1.1. *Especialización y ampliación de los puestos*

Una de las primeras tareas del diseño organizativo consiste en decidir el grado de especialización de los diferentes puestos de trabajo en los que se divide la actividad de la organización. La gerencia debe definir cada puesto en función del número de tareas distintas que engloba y del grado de control que el individuo

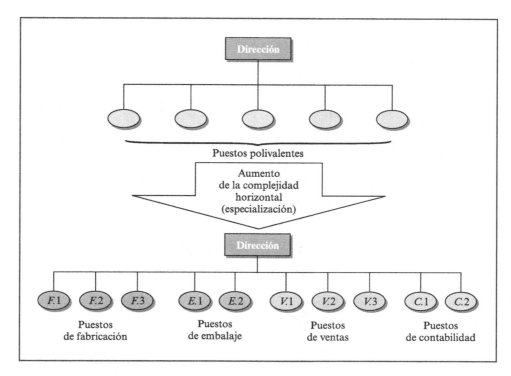

Figura 8.3. Aumento de la complejidad horizontal. (Fuente: Elaboración propia.)

que lo ocupe puede tener sobre la realización de las mismas. De este modo, puede hablarse de puestos especializados y de puestos ampliados o enriquecidos:

— Puestos especializados. Constan de pocas tareas diferenciadas que se han de repetir constantemente, lo cual conlleva que el individuo que las ejecuta apenas si tiene control sobre cualquier aspecto relacionado con las mismas (forma de llevarlas a cabo, tiempo, orden, etc.).
— Puestos ampliados o enriquecidos. Constan de múltiples funciones o tareas sobre las cuales el trabajador tiene cierta capacidad de control y de decisión.

Los puestos pueden especializarse o ampliarse a lo largo de un continuo, por lo que no se puede hablar de que exista un número de tareas concretas o un determinado grado de control sobre las mismas que definan a un puesto como especializado o ampliado.

Especialización. Es la forma predominante de la división del trabajo, constituyendo una parte intrínseca de toda organización, incluso de toda actividad hu-

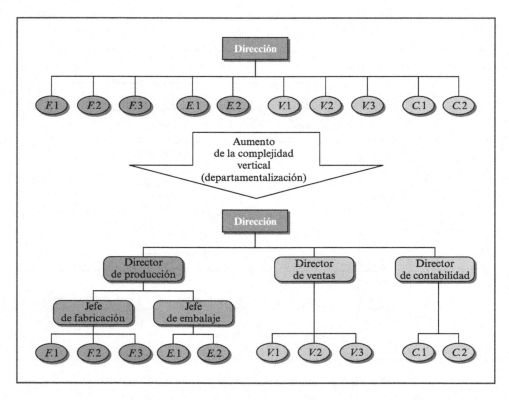

Figura 8.4. Aumento de la complejidad vertical. (FUENTE: Elaboración propia.)

mana. Ya Adam Smith, en *La riqueza de las naciones* (1776), presentaba un ejemplo de la especialización al constatar cómo el trabajo de fabricar alfileres se dividía en unas dieciocho operaciones distintas, realizadas en algunas fábricas por personas diferentes, mientras que en otras un mismo hombre podía realizar dos o tres de ellas. Por su parte, Frederick Taylor consideraba la especialización como uno de los pilares en los que se apoyaba su administración científica del trabajo.

Los puestos de trabajo muy especializados requieren un esfuerzo de coordinación, con el fin de asegurar la correcta ejecución del flujo de trabajo del que forman parte. De esta forma, el control de las actividades es ejercido, bien por un directivo con la visión global necesaria para coordinar mediante supervisión directa, o bien por un experto que lo hará, indirectamente, diseñando sistemas que normalicen el proceso de trabajo.

La ventaja más relevante de diseñar puestos especializados es que dicha división favorece los aumentos de productividad basados en la repetición. De este modo se facilitan los procedimientos de formalización y estandarización que suponen la coordinación de las tareas por medio de la normalización, que, a su vez, permiten que los resultados se produzcan con mayor uniformidad y eficiencia. Otras razones para recurrir a la especialización son, por una parte, que facilita el aprendizaje al dividir el trabajo en un número muy pequeño de tareas, y por otra, que permite que los individuos se ajusten a las tareas en función de sus condiciones físicas, sus destrezas, sus habilidades o sus conocimientos[10].

El recurrir a puestos muy especializados puede asimismo entrañar problemas a la organización. En primer lugar, como ya se ha comentado, cuando los puestos de trabajo están muy especializados los individuos que lo realizan desempeñan pocas tareas diferentes sin capacidad de control sobre las mismas. Esto provoca que los trabajadores se aíslen en su propio trabajo desempeñando de forma eficiente las actividades que les han sido encomendadas sin preocuparse de lo que ocurre más allá de su puesto. Esta circunstancia inhibe cualquier tipo de comunicación que pueda ser necesaria ante cualquier acontecimiento imprevisto y puede hacer que se perpetúen fallos o errores que de otra forma hubieran sido fácilmente evitables. Por otro lado, la especialización puede crear problemas relacionados con la postura emocional del individuo hacia su trabajo, ya que éste suele quedar despojado de todo componente intelectual e incluso del sentido del trabajo en sí mismo, provocando que los individuos que lo realizan se asemejen más a piezas de una maquinaria que a personas con capacidades complejas, iniciativa y creatividad.

Ampliación o enriquecimiento. Con la ampliación de los puestos se pretende que el trabajador lleve a cabo una amplia gama de tareas relacionadas con la producción de servicios y de productos, asumiendo además un mayor control sobre el modo de realizarlas. Con el diseño de puestos más enriquecidos o ampliados, la organización intenta dar respuesta a todos los inconvenientes y problemas surgidos a raíz de la especialización. A pesar de esto, la ampliación de puestos no puede ser considerada como una solución de diseño definitiva, ya que su eficacia depende de varios factores[11]. En primer lugar, el éxito de cualquier redefinición del puesto, en lo referente a su nivel de especialización, dependerá claramente del puesto concreto y su grado inicial de especialización. Por ejemplo, para un auxiliar administrativo que realiza únicamente una o dos tareas repetitivas a lo largo de todo el día, la ampliación de su puesto de trabajo hacia otras tareas puede resultar conveniente; sin embargo, en el caso del profesor universitario (cuyo puesto ya de por sí está ampliado), la ampliación del puesto, incluyendo quizá trabajos relacionados con la gestión y administración de sus tareas docentes y de investigación, puede resultar frustrante y repercutir negativamente en la eficacia de su trabajo.

En segundo lugar, la ampliación del puesto será positiva en la medida en que el aumento de productividad de los trabajadores, más motivados por disponer de un puesto más ampliado, sea superior a la pérdida de eficiencia ocasionada por

---

[10] Taylor, F. W. (1987).
[11] Mintzberg, H. (2009).

una menor especialización. Y en tercer lugar, hay que tener presente que algunos trabajadores prefieren puestos de trabajo muy especializados y con escasa responsabilidad, en contra de lo que podría pensarse a priori. En algunos casos, la edad y la antigüedad en el puesto pueden provocar una mayor tolerancia a los trabajos más rutinarios.

CUADRO 8.1

La política de puestos ampliados de Canon

Osone Atsuko es una trabajadora anónima de los 600 empleados que Canon emplea en su planta de Torida, a 40 kilómetros de Tokio. Ella puede ser perfectamente quien haya montado pieza a pieza la gran fotocopiadora, que escanea y envía faxes todos los días en su oficina. Le han hecho falta sólo dos horas y media para encajar las 3.100 piezas y completar los 600 procesos para montar ese equipo. Antes ha tenido que pasar por un completo proceso de formación, que ha incluido conocer hasta 10 tomos de especificaciones técnicas y un examen oficial del Gobierno japonés, «que fue el más duro de aprobar», según reconoce.

Atsuko, que no tiene aún 40 años y lleva 21 trabajando para Canon, personaliza el modelo de producción que quiere defender la empresa japonesa, aun en tiempos de crisis.

Este sistema se introdujo en 1998 y vino a sustituir a las cadenas de producción por la producción por «unidades», siguiendo la estela de otras compañías como Sony, que demostraron que hacer a cada trabajador responsable del producto es más eficiente que convertirles en robots humanos que atornillan piezas de manera mecánica. Sólo pasan 3 días desde que la planta de Torida recibe un pedido de Europa y lo deja listo para su distribución. Y cada trabajador puede hacer sus propuestas para mejorar el sistema de producción, que evoluciona constantemente en busca de la mayor eficacia de los costes.

«Los costes en Japón son 10 veces más caros que en China, pero la velocidad y la eficacia son 10 veces superiores en Japón», sentencia Hiroshi Okugaki, el orgulloso director general de esta fábrica.

Fuente: *El País*, 1/12/2008.

8.2.1.2. *Departamentalización*

La departamentalización es la variable de diseño mediante la cual el diseñador decide cómo agrupar los puestos de trabajo en unidades o departamentos, éstos a su vez en otros de orden superior, y así sucesivamente, hasta abarcar en el conjunto final la totalidad de la organización. Mediante este proceso de agrupación en unidades se establece el sistema de autoridad formal y se construye la jerarquía directiva de la organización, lo cual implica la incorporación a la estructura del mecanismo de coordinación de la supervisión directa. Ambos conceptos se reflejan en el organigrama organizativo.

A la hora de diseñar las unidades que han de conformar la organización se pueden distinguir dos modalidades fundamentales: la agrupación de actividades según sus fines, es decir, según las características de los mercados a los que acaba sirviendo la organización (los productos y servicios que comercializa, los clientes a los que atiende y los lugares donde se atiende a dichos clientes), o la agrupación según los medios o las funciones (incluidos los procesos de trabajo, las habilidades y los conocimientos) utilizados para generar los productos y servicios de la organización[12]. Esto permite comprimir las bases de agrupación en dos categorías esenciales: departamentalización según el mercado, que comprende las agrupaciones según el producto o servicio, el tipo de cliente o la zona geográfica, y la departamentalización funcional, que comprende los tipos de agrupación por conocimientos, habilidades, procesos de trabajo o funciones. Las figuras 8.5 y 8.6 ilustran ambos tipos de agrupación.

Departamentalización funcional. La agrupación según la función reúne en una misma unidad a individuos con similares conocimientos o habilidades que realizan un determinado proceso o función de trabajo en la organización: producción, recursos humanos, finanzas, contabilidad, investigación y desarrollo, ventas, publicidad y comunicación, etc. La departamentalización funcional refleja un gran interés de la organización por aprovechar las ventajas de la especialización llevándolas más allá del diseño de los puestos. De este modo, este tipo de agrupación favorece el aumento de la eficiencia al colocar dentro de la misma unidad a especialistas que comparten conocimientos y orientaciones profesionales, y cuya constante interacción laboral estimula unos mayores niveles de desempeño en su especialidad. Asimismo, la departamentalización funcional facilita el desarrollo profesional de los especialistas dentro de su propio campo al colocarlos bajo la supervisión de un directivo con idéntica formación profesional[13].

Junto a estas ventajas, la departamentalización funcional también presenta importantes debilidades de entre las que cabe resaltar las siguientes:

— La estrecha especialización derivada de la agrupación funcional puede hacer que los miembros de cada departamento sólo se relacionen con los colegas de su mismo campo de especialización. Esto contribuye a crear un entorno laboral aislado en el cual los objetivos del propio departamento se anteponen a los de la organización. Por ejemplo, el departamento de producción, en su afán prioritario de cumplir con sus objetivos de costes, volumen y fechas de entrega, puede entorpecer, cuando no bloquear, otras iniciativas procedentes de otras unidades funcionales, como un programa para la mejora de la calidad del producto o unas pruebas de ensayo de un nuevo prototipo. Esto pone de manifiesto que la departamentaliza-

---

[12] Mintzberg, H. (2009).
[13] Stoner, J. A. F., Freeman, R. E. y Gilbert, D. R. (1996); Ivancevich, J. M., Lorenzi, P., Skinner, S. P. y Crosby, P. B. (1996); Bateman, T. S. y Snell, S. A. (2011).

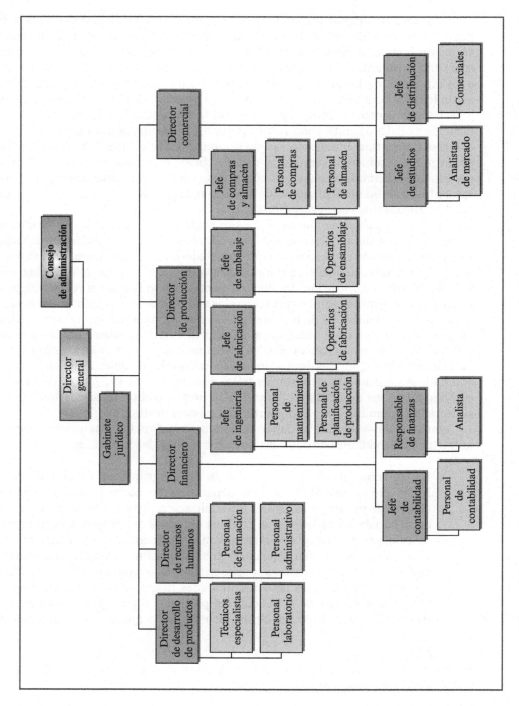

Figura 8.5. La departamentalización funcional: una empresa manufacturera. (FUENTE: Elaboración propia.)

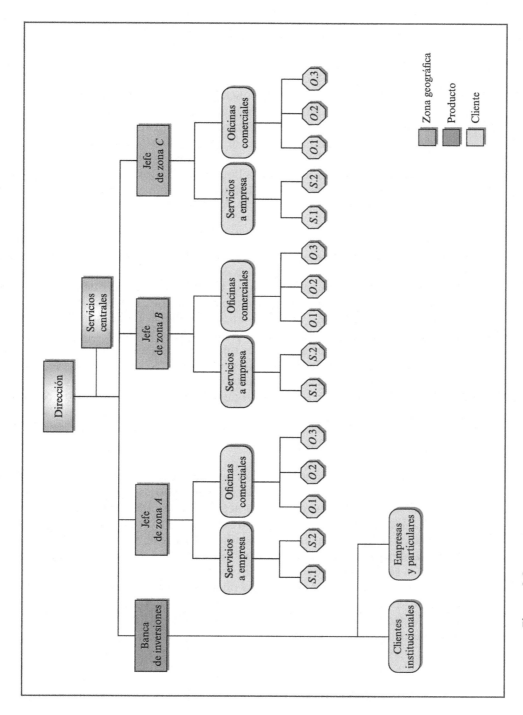

Figura 8.6. La departamentalización por mercado: una entidad financiera. (FUENTE: Elaboración propia.)

ción funcional necesita de sistemas de coordinación que aseguren el flujo de trabajo global que debe atravesar los distintos compartimentos funcionales[14].

— Por otra parte, no resulta fácil determinar la responsabilidad y juzgar el rendimiento en la estructura funcional. Cuando un nuevo producto no alcanza el nivel de éxito previsto, ¿quién es el responsable? ¿El departamento de marketing, por no haber enfocado de forma adecuada la campaña de publicidad y promoción, o el de fabricación, por no haber cuidado su calidad, o el de desarrollo de productos, por no haber diseñado un producto acorde con las necesidades del mercado? Todos expondrán sus razones —justificadas— para culpar a los demás, pero nadie se responsabiliza del resultado global.

Departamentalización por mercado. Cuando el diseñador recurre a este tipo de departamentalización intenta que las unidades resultantes reflejen flujos completos de trabajo[15]. De este modo, bajo la coordinación y control de un directivo se agrupan todos los individuos que realizan las diferentes tareas que contribuyen a la prestación de un determinado servicio para el cliente, o a la fabricación de un producto final concreto. En la figura 8.6, cada oficina de la entidad financiera refleja una agrupación por mercado en la que se realizan todas aquellas actividades que conforman los servicios finales que se ofrecen a los clientes (cajeros, interventor, responsable de riesgos, créditos, etc.).

Las unidades agrupadas por mercados contribuyen directamente con sus propios beneficios a los resultados globales de la organización, identificándose automáticamente con los clientes, productos, servicios, o lugares geográficos a los que sirve la organización (por ejemplo, el beneficio global de una cadena de distribución resultaría de agregar los beneficios de cada una de sus unidades o supermercados).

En general, la departamentalización por mercados es menos eficiente que la funcional a la hora de realizar una tarea repetitiva o especializada, pero puede desempeñar una gama más amplia de actividades e intercambiarlas con mayor facilidad. Su mayor flexibilidad se deriva del hecho de que las unidades agrupadas por mercados son relativamente independientes entre sí, y pueden añadirse o eliminarse fácilmente sin que este proceso resulte problemático al resto de los departamentos: si se cierra una de las oficinas de una entidad financiera, serán escasas las repercusiones de cara al resto de las oficinas, mientras que, si se cierra un departamento especializado de las oficinas centrales, como el de financiación internacional, puede repercutir en la actividad de todas las oficinas que utilizan de forma mancomunada dicho servicio.

---

[14] Mintzberg, H. (2009); Gibson, J. L., Ivancevich, J. M. y Donnelly, J. H. (1996).
[15] Mintzberg, H. (2009).

Por el lado de las desventajas, hay que destacar que la estructura de mercado gasta más recursos que la estructura funcional, dado que tiene que duplicar el personal y las instalaciones. Además, la estructura de mercado, al tener menos especialización funcional, no puede aprovechar las economías de escala del mismo modo que la estructura funcional.

8.2.1.2.1 La estructura matricial

La estructura matricial es la respuesta organizativa para superar las deficiencias, tanto de la departamentalización funcional como de la de mercado. La solución matricial combina ambos tipos de agrupación superponiendo en la estructura una doble cadena de mando: una funcional y otra orientada al mercado (producto, cliente o zona geográfica), tal y como aparece representado en la figura 8.7. Esto implica que se sacrifica uno de los principios clásicos de gestión, el de unidad de mando[16], al situar a los empleados y gerentes bajo una doble autoridad formal.

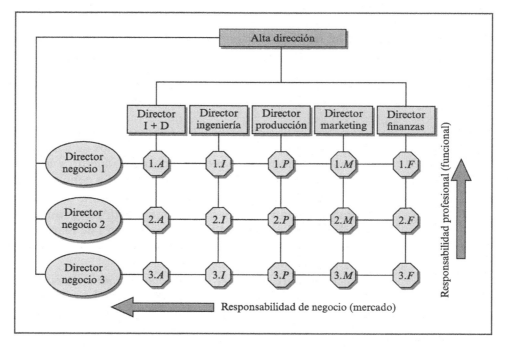

Figura 8.7. La estructura matricial. (FUENTE: Elaboración propia.)

---

[16] El principio de unidad de mando ya aparece formulado en 1916 por Henri Fayol en su obra *Administración industrial y general* (véase capítulo 1).

La estructura matricial resulta eficaz en entornos complejos y con un alto nivel de incertidumbre en los que es preciso un alto grado de coordinación y una flexibilidad que facilite una rápida adaptación[17]. De este modo, el diseño matricial hace posible utilizar de forma eficiente las diversas habilidades y conocimientos precisos para resolver un problema complejo, reduciéndose a la vez los déficits de coordinación que aquejan a las estructuras funcionales, ya que el personal más relevante para un proyecto es reunido en forma de grupo de trabajo. Además, favorece un empleo más eficiente del personal, ya que los diferentes proyectos pueden compartir los recursos especializados de las diferentes unidades funcionales en lugar de duplicarlos para cubrir las necesidades de cada unidad de mercado. Por otra parte, la organización matricial permite la interacción de los especialistas técnicos pertenecientes tanto a campos similares como a áreas dispares, lo cual favorece su crecimiento y desarrollo profesional[18].

Las estructuras matriciales pueden tener un carácter permanente o variable[19]. En las primeras, las interdependencias entre departamentos funcionales y de mercado permanecen más o menos estables y, en consecuencia, también lo hacen las unidades y personas implicadas (cadenas de grandes almacenes, donde coexisten dos conjuntos de ejecutivos, los gerentes de cada centro comercial y los directivos funcionales de compras). La forma matricial variable está orientada hacia el trabajo de proyectos; en ella, las unidades de mercado cambian a medida que los proyectos concretos se van realizando y, por tanto, las personas cambian de situación con frecuencia (agencias aeroespaciales, laboratorios de investigación y equipos de consultores).

A pesar de sus ventajas, la estructura matricial puede presentar problemas de funcionamiento derivados, sobre todo, de la supresión de la unidad de mando[20]:

— *El conflicto:* Los objetivos y las responsabilidades contrapuestas entre los departamentos de orientación funcional y los de mercado, las disputas y acusaciones respecto al reconocimiento de mérito y los intentos de compensar un desequilibrio de poder dan lugar a conflictos entre individuos.

— *El estrés:* La estructura matricial puede ser fuente de mucho estrés, no sólo para los directivos, para los que representa inseguridad y conflicto, sino también para sus subordinados. La presencia de más de un superior para cada individuo y las excesivas exigencias a las que es sometido crea conflictos y sobrecarga de roles.

— Dificultad para *mantener un delicado equilibrio* de poder entre directivos equivalentes: Al inclinarse ligeramente la balanza hacia uno de los dos, surge la vuelta de la jerarquía tradicional de cadena única, con la consiguiente pérdida de los beneficios de la estructura matricial.

---

[17] Lawrence, P. R., Kolodny, H. F. y Davis, S. M. (1977).
[18] Knight, K. (1976); Davis, S. M. y Lawrence, P. R. (1977); Kolodny, H. (1979).
[19] Mintzberg, H. (2009).
[20] Knight, K. (1976).

— *El coste de administración y de comunicación:* La estructura matricial necesita más directivos que la tradicional, con lo que aumentan los costes de administración. Además, el correcto funcionamiento matricial requiere que la gente pase mucho tiempo en reuniones y una mayor necesidad de comunicación, puesto que hay más información que tiene que llegar hasta más personas.

La superación de estos problemas descansa en el aprendizaje de las habilidades y conductas congruentes con el funcionamiento de este tipo de estructura. Los directivos de la alta dirección han de aprender a equilibrar el poder y la prioridad entre el producto y las orientaciones funcionales. Los directivos de mercado y los funcionales deben aprender a colaborar y gestionar de forma constructiva sus conflictos. Y, por último, los gerentes o empleados de organizaciones matriciales deben aprender a tolerar la ambigüedad que significa el ser responsables ante dos superiores, lo que a menudo conlleva ser capaz de atender y dar prioridad a demandas y órdenes múltiples y, a veces, contrapuestas[21].

8.2.1.3. *Repercusiones de la especialización y la agrupación de unidades*

8.2.1.3.1. Unidades de línea y unidades de *staff*

Por medio de la especialización, la organización va diversificando sus puestos de trabajo para posteriormente agruparlos formando unidades según criterios de mercado o funcionales. La combinación de ambos procesos aumenta la complejidad de la estructura y, además, puede provocar un nuevo nivel de diferenciación basado en la relación de las unidades o departamentos con la actividad básica o fundamental de la organización. De este modo cabe distinguir entre unidades de línea y unidades de apoyo o de *staff,* según su contribución al logro de los objetivos de la organización sea directa o no, respectivamente.

Unidades de línea. Realizan las actividades básicas de la organización, de forma que con su trabajo contribuyen directamente a los objetivos con los que se identifica la misma. En una empresa manufacturera, los departamentos de línea serían aquellos encargados de la fabricación y venta de sus productos; en un hotel, lo serían los departamentos relacionados directamente con el servicio de alojamiento y manutención de sus clientes (recepción, restaurante, cocina y limpieza de habitaciones); por su parte, en una universidad lo serían los departamentos universitarios que agrupan los profesores encargados de ejecutar las funciones de docencia e investigación propias de la universidad.

En una primera aproximación, las unidades de línea están formadas por un *núcleo de operaciones,* compuesto por los operarios (personal no directivo) que realizan el trabajo fundamental de la organización, es decir, la producción de pro-

---

[21] Lawrence, P. R., Kolodny, H. F. y Davis, S. M. (1977).

ductos y/o servicios. Justo por encima del núcleo de operaciones, y enlazados directamente con él mediante la cadena de autoridad formal, se encuentran los *directivos intermedios* o *directivos de línea,* que se responsabilizan del trabajo de los operarios y actúan como enlace entre éstos y los directivos que ocupan el estrato superior de la jerarquía formando la denominada *alta dirección* (figura 8.8).

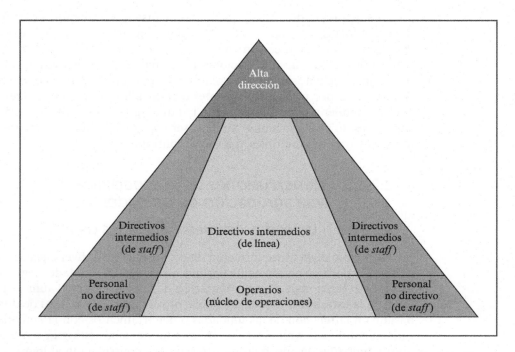

Figura 8.8. Unidades de línea y de *staff* en la pirámide jerárquica de la organización. (FUENTE: Elaboración propia.)

Unidades de apoyo. Son unidades, departamentos o puestos de carácter complementario a la estructura de línea cuya tarea genérica es la de asesorar o ayudar a la realización de las funciones típicas de la organización representadas por el núcleo de operaciones (operarios), sus directivos intermedios, e incluso la alta dirección. Las clásicas unidades de apoyo de una empresa manufacturera serían las responsables de la gestión de los recursos humanos, de la gestión financiera, del desarrollo de productos o del gabinete jurídico (figura 8.9); en un hotel, los departamentos de *staff* serían el de mantenimiento de instalaciones o el de administración; por último, en una universidad las funciones de apoyo son realizadas por las unidades de administración y servicios, tales como conserjerías y secretarías de las facultades, la biblioteca, los servicios de comedor, los servicios de alojamiento, los servicios informáticos, etc.

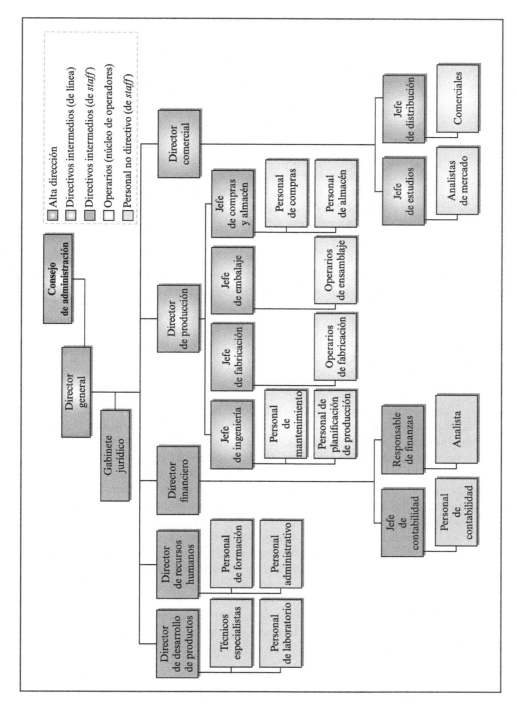

Figura 8.9. Unidades de línea y de *staff* en una empresa manufacturera. (Fuente: Elaboración propia.)

Las funciones de las unidades de apoyo pueden ser muy variadas[22]:

— Pueden estar formadas por analistas o expertos —y el personal a su cargo— centrados en la regulación del trabajo del resto de los miembros de la organización, diseñándolo, planificándolo y preparando a las personas que han de realizarlo (analistas de estudios de trabajo, analistas de planificación y control, analistas de sistemas de información, analistas de recursos humanos, etc.).
— Pueden ser unidades especializadas de apoyo cuya función consiste en proporcionar asistencia a la organización fuera del flujo de trabajo de operaciones corrientes: servicios jurídicos, en el caso de una universidad, servicio de animación de un hotel o gabinete de comunicación y relaciones públicas de una empresa comercial.

En la figura 8.8 se han representado las unidades de *staff* situándolas a ambos lados de las unidades de línea, y deliberadamente separadas de ésta para indicar su relativa independencia y su influencia indirecta en el trabajo del núcleo de operaciones.

8.2.1.3.2. La creación de puestos de enlace, grupos y comités

La especialización derivada de la departamentalización funcional provoca deficiencias de coordinación entre unidades cuya superación puede llevarse a cabo mediante el diseño de mecanismos o dispositivos, como los puestos de enlace, los grupos de trabajo y los comités[23]. Estos dispositivos, de naturaleza interfuncional, mejoran la integración estructural fomentando la coordinación a través de la adaptación mutua. De este modo se pueden resolver problemas o acometer trabajos que incumben a varios departamentos especializados sin necesidad de recurrir a una supervisión directa común a las unidades implicadas.

Los *puestos de enlace* son diseñados para intentar mejorar la coordinación y evitar conflictos entre departamentos con distintas orientaciones funcionales pero con importantes interdependencias. Los puestos de enlace actúan como mediadores para encauzar directamente la comunicación entre las unidades implicadas sin tener que recurrir a un directivo común situado en un nivel superior. Los puestos de enlace pueden situarse, por ejemplo, entre el equipo de ventas y la fábrica, entre el departamento de marketing y el laboratorio de investigación y desarrollo, o

---

[22] Mintzberg, H. (2009).
[23] Hodge, B. J., Anthony, W. P. y Gales, L. M. (1998); Mintzberg, H. (2009).

también, entre el gabinete jurídico y cualquier otro departamento sensible a la normativa legal.

Por otra parte, los *grupos de trabajo* y los *comités*[24] pueden crearse, bien para cumplir una tarea determinada, lo cual implica su desaparición una vez alcanzados los objetivos, o bien para hacerse cargo de una coordinación más estable entre distintos departamentos, convocándose con regularidad para tratar temas de interés.

8.2.1.4. *Tamaño de la unidad*

La segunda variable de diseño que va a definir la complejidad vertical de la estructura se refiere al tamaño que deberá tener cada unidad o grupo de trabajo. Esta cuestión suele formularse haciendo referencia al concepto de ámbito o tramo de control. El tramo de control define el número de subordinados que pueden agruparse de manera eficaz y eficiente bajo el mando de un solo directivo. La mayor o menor amplitud del tramo de control es una variable que está directamente relacionada con la naturaleza del trabajo o trabajos que se han de realizar en el departamento o unidad en cuestión, por lo que resulta imposible establecer a priori un número o un intervalo óptimo de carácter universal y válido para todas las organizaciones[25] e incluso, dentro de una misma organización, para todos los departamentos: los cincuenta profesores de un departamento universitario se pueden agrupar bajo una única dirección, mientras que los veinte puestos administrativos de un vicerrectorado se agrupan en tres unidades diferentes agrupadas a su vez en torno a un vicerrector.

La cuestión clave es cuándo resulta eficiente realizar una nueva agrupación creando de este modo un nuevo nivel jerárquico y aumentando con ello la complejidad de la estructura. En general, el tamaño de las unidades tenderá a ser mayor en la medida en la cual sea necesaria una menor implicación del directivo en la coordinación de las tareas que se realizan. Por el contrario, cuando se precisa de una estricta supervisión directa o de un considerable grado de adaptación mutua en la coordinación de las actividades del departamento, el tamaño del mismo tenderá a ser más reducido[26]. En la tabla 8.1 se detallan los factores que pueden influir en el diseño de unidades de un mayor o menor tamaño[27].

---

[24] La naturaleza, funcionamiento y dirección de grupos de trabajo es tratada en el capítulo 11.
[25] Van Fleet, D. D. y Bedeian, A. G. (1977).
[26] Mintzberg, H. (2009).
[27] Dewar, R. D. y Simet, D. P. (1981); Van Fleet, D. D. (1983); Gibson, J. L., Ivancevich, J. M. y Donnelly, J. H. (1996).

TABLA 8.1

Factores a considerar en el tamaño de la unidad

Aumenta con:	Disminuye con:
— La normalización como mecanismo de coordinación dentro de la unidad. — Las necesidades de autonomía y de realización personal de los empleados en el desempeño de sus actividades. — La necesidad de reducir la distorsión en el flujo de información ascendente en la jerarquía.	— La necesidad de una estricta supervisión directa por parte del directivo responsable. — La necesidad de adaptación mutua para coordinar complejas tareas interdependientes. — El grado en que el directivo de una unidad tenga que cumplir con obligaciones ajenas a la supervisión (roles de enlace, portavoz, etc.).

Fuente: Elaboración propia.

La mayor predisposición hacia el diseño de unidades de mayor o menor tamaño determina el número de niveles jerárquicos y de gerentes de una organización. En este sentido pueden distinguirse estructuras altas, donde predominan las unidades de tamaño pequeño y tramos de control estrechos, y estructuras planas, con grandes unidades y tramos de control amplios (figura 8.10).

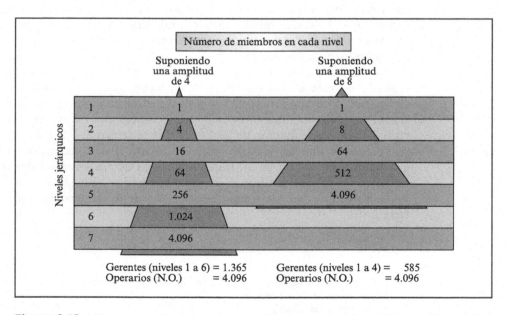

Figura 8.10. Estructuras altas y bajas en relación al tramo de control. (Fuente: Elaboración propia.)

8.3. FORMALIZACIÓN DE LA ESTRUCTURA

La formalización de la estructura representa el grado en el que los trabajos de la organización están estandarizados y en qué medida las normas y procedimientos guían el comportamiento de sus miembros.

La variable de diseño que afecta a la formalización de la estructura es la *formalización del comportamiento o de la conducta* individual de cada uno de los miembros de la organización.

Si un trabajo está muy formalizado, la persona que lo realiza tiene poca discrecionalidad en cuanto a lo que se ha de realizar, cuándo se hará y cómo lo hará. De este modo, la estructura de la organización tendrá un alto grado de formalización si existen descripciones de trabajo explícitas y normas y procedimientos claramente definidos que abarquen gran parte de los procesos de trabajo de la organización.

8.3.1. Formalización del comportamiento

La formalización del comportamiento se refiere a la existencia de descripciones explícitas (escritas) o implícitas relativas a reglas, procedimientos y procesos de toma de decisiones, de comunicación de instrucciones y de transmisión de información que indican en todo momento lo que ha de hacer el trabajador[28]. Al formalizar el comportamiento de sus miembros, la organización introduce en el diseño estructural el mecanismo de coordinación de la normalización de los procesos de trabajo[29].

De este modo, la formalización del comportamiento representa la forma en que la organización limita la libertad de acción. En concreto, la discrecionalidad de una persona en su puesto de trabajo es inversamente proporcional a la cantidad de comportamiento previamente programado para ese puesto por la organización. De este modo, a mayor formalización, menor será la aportación del trabajador a la forma en la que realizará su trabajo. Por ejemplo, en una factoría de fabricación de automóviles, el flujo de trabajo de montaje de automóviles se formaliza mediante una cadena de montaje cuyo diseño contiene las órdenes, procedimientos y secuencias precisas para realizarlo. Para cada pedido concreto se programarán las órdenes e instrucciones específicas, tanto en la cadena como en los operarios que la manejan, cuyo trabajo, a su vez, está formalizado atendiendo a las características del puesto de trabajo.

Las organizaciones formalizan el comportamiento de sus miembros por las siguientes razones[30]:

---

[28] Robbins, S. P. (1996).
[29] Mintzberg, H. (2009).
[30] Ibíd.

— *Reducir su variabilidad,* para llegar incluso a predecirlo. De ahí que la normalización de los procesos de trabajo sea un mecanismo de coordinación sumamente ajustado que permite una coordinación casi perfecta entre tareas minuciosamente predeterminadas. No puede haber confusión alguna, puesto que todos los miembros de la organización saben exactamente qué tienen que hacer en cada situación. Por ejemplo, en un hotel el flujo de trabajo de limpieza de habitaciones se formaliza especificando la organización cómo hay que realizar la limpieza de las habitaciones, así como el orden a seguir en cuanto a qué habitaciones hay que limpiar. Las camareras de piso reciben diariamente un parte con las habitaciones que hay que limpiar y las incidencias registradas a partir del cual ejecutarán el procedimiento de limpieza.

— Garantizar que la estricta normalización de los procesos resultante conduzca a una *producción eficiente* con una consistencia casi mecánica.

— Garantizar la *imparcialidad ante los clientes.*

— El *deseo arbitrario de orden,* de que todo esté bajo control. En algunas organizaciones militares se exige que ante la pregunta de un oficial superior se responda con un redundante «señor, sí, señor». Resulta difícil entender cuál sería la diferencia si se respondiera con un escueto «sí, señor».

Es importante tener en cuenta que el estudio de la formalización del comportamiento va asociado al concepto de *burocracia.* Se puede definir como burocracia o estructura mecanicista a aquella estructura cuyo comportamiento es predecible o está predeterminado, es decir, normalizado. Así pues, las organizaciones que se apoyan básicamente en la normalización para coordinar sus actividades son organizaciones burocráticas (o mecanicistas). Se puede afirmar que un uso intensivo de la formalización conduce a la aparición de una estructura burocrática.

A partir del concepto de estructura burocrática, se puede suponer que existe una estructura opuesta: la *estructura orgánica,* que se caracteriza ante todo por la existencia de relaciones de trabajo abiertas e informales y por la resolución de los problemas a medida que surge la necesidad. De hecho, en contraposición a la estructura burocrática, basada en la normalización, la estructura orgánica se define como la ausencia de normalización en la organización[31].

8.4. CENTRALIZACIÓN DE LA ESTRUCTURA

La centralización de la estructura representa el grado en el que se concentra el poder para tomar decisiones en un único punto de la organización, generalmente en la alta dirección.

---

[31] Mintzberg, H. (2009).

En las estructuras sumamente centralizadas, los directivos de niveles jerárquicos superiores toman las decisiones clave de la organización con una participación escasa o nula de los niveles inferiores. La centralización es el medio más preciso para coordinar la toma de decisiones en la organización: un único individuo toma todas las decisiones y las pone en práctica a través de la supervisión directa. No obstante, la organización puede necesitar descentralizar la estructura dividiendo el poder de decisión entre numerosos individuos de modo que dicho poder se sitúe en distintos lugares de la organización.

La centralización y la descentralización no deben considerarse como absolutas, sino como extremos de una escala continua. Pocas organizaciones podrían funcionar de forma eficaz si sólo un grupo selecto de directivos de la alta dirección tomaran todas las decisiones, o si todas las decisiones se delegaran a los directivos de los niveles inferiores.

Por tanto, la variable de diseño que conduce a la centralización/descentralización de la estructura es la *delegación de autoridad*. La forma en la que la gerencia diseña el sistema de delegación de autoridad constituye el sistema de toma de decisiones de la organización.

8.4.1. Delegación de autoridad

La delegación de autoridad conlleva la dispersión del poder en la toma de decisiones hacia aquellas partes de la organización que poseen la información y los conocimientos adecuados sobre el problema a tratar. Se puede delegar autoridad para tomar decisiones:

— Sobre los *aspectos básicos* de la empresa, a los directivos de las unidades de línea (por ejemplo, los departamentos de producción y comercialización de una empresas manufacturera).
— Sobre *aspectos adyacentes* con la actividad principal de la empresa, a las unidades de *staff* de apoyo (servicios jurídicos, contabilidad y finanzas, recursos humanos, planificación de la producción, etc.).
— Sobre la *propia ejecución de la actividad* principal de la empresa, hacia los operarios del núcleo de operaciones cuando éstos son profesionales muy cualificados que necesitan tomar decisiones para la correcta realización de sus tareas (médicos en un hospital, profesores en centros de enseñanza, profesionales de empresas de consultoría).

La importancia de la delegación de autoridad radica en equilibrar las ventajas e inconvenientes de la centralización/descentralización, ya que tendrá implicaciones en el desarrollo de la cadena de mando y en la participación de las unidades de *staff* en la toma de decisiones. La preocupación práctica generalmente concierne al alcance que ha de tener la autoridad delegada, es decir, la descentralización.

La descentralización ofrece diversas ventajas para la mejora del desempeño de la organización[32]. La delegación de autoridad permite que los directivos desarrollen sus propias capacidades y habilidades para tomar decisiones, lo que enriquece su formación para poder promocionarse a puestos de mayor autoridad y responsabilidad. En este sentido, los directivos también se motivan para la acción. Pueden probarse a sí mismos y compararse con otros debido a que su avance puede relacionarse directamente con los resultados de su toma de decisiones. Por último, los directivos también pueden operar con mayor autonomía, lo que redunda en una mayor satisfacción y deseo de participar en la solución de problemas, contribuyendo de este modo a la flexibilidad y rentabilidad de la organización.

Pero la descentralización no está exenta de inconvenientes. Requiere de un costoso proceso de capacitación de los directivos en el proceso de toma de decisiones, decisiones que se tomaban anteriormente en niveles más altos. Más aún, el coste aumenta debido a la necesidad de ofrecer mejores salarios a los directivos altamente capacitados en consonancia con sus mayores responsabilidades. La delegación también da lugar a procedimientos de planificación y control más extensos, que permitan comprobar que la toma de decisiones está cumpliendo con los objetivos establecidos por la alta dirección. Los directivos pueden encontrar cierta dificultad en tomar decisiones aun cuando se les haya otorgado la autoridad para ello, debido a que los métodos utilizados para medir la responsabilidad son también costosos en términos del tiempo empleado, y además, tales procedimientos infunden cierto temor en los directivos. Finalmente, la alta dirección puede no estar dispuesta o no ser capaz de delegar, pudiendo percibir la delegación como una pérdida de poder e influencia en la organización. Estas actitudes resistentes al cambio pueden limitar en la práctica la descentralización necesaria.

8.5. LOS FACTORES DE CONTINGENCIA Y SU INFLUENCIA EN EL DISEÑO DE LA ESTRUCTURA

El enfoque contingente o situacional aplicado al estudio de las organizaciones es una concreción de la teoría general de sistemas[33]. Se basa en la consideración de las posibles contingencias o condiciones de contexto de la organización para establecer, en función de éstas, el diseño estructural apropiado y las técnicas administrativas más adecuadas. De esta forma, existe una relación de causalidad

---

[32] Ivancevich, J. M., Lorenzi, P., Skinner, S. y Crosby, P. B. (1996).
[33] Woodward, J. (1965); Burns, T. y Stalker, G. M. (1966); Lawrence, P. R. y Lorsh, J. W. (1967); Khandwalla, P. N. (1977).

entre las condiciones de contexto de la organización y el diseño de una organización eficaz y eficiente[34].

Es importante señalar que esas condiciones de contexto, circunstancias condicionantes o factores de contingencia no siempre son externos a la organización e independientes de las decisiones directivas, sino que también pueden ser factores sobre los que decide la organización y que pertenecen al ámbito interno de la misma. No obstante, el enfoque contingente manifiesta que es más sencillo modificar y adaptar el diseño de la organización que cambiar los factores de contingencia[35].

La alta dirección dedica mucho esfuerzo al diseño de una estructura adecuada. Tal y como se representa en la figura 8.1, los factores de contingencia tienen un impacto en las diferentes variables de diseño y por tanto en las tres dimensiones finales de la estructura de una organización. La mayor parte de la investigación contemporánea sobre estructuración organizativa ha revelado la existencia de una serie de factores de contingencia relacionados con el uso de determinadas variables de diseño estructurales: la estrategia, la tecnología y el entorno. En la siguiente sección se analizan las principales conclusiones de las investigaciones pioneras sobre cada uno de los factores de contingencia y su relación con las variables de diseño estructural estudiadas.

8.5.1. Estrategia y estructura

La estructura de la organización refleja, en muchas ocasiones, la estrategia global de actuación que persigue la misma. La estructura se convierte en un medio para alcanzar los objetivos organizacionales a largo plazo que derivan de la estrategia general que tiene una organización, por lo que la estructura debe seguir a la estrategia, y si la alta dirección acometiese un cambio significativo en su estrategia global, sería necesario modificar su estructura para apoyar el cambio[36].

La mayoría de los marcos actuales de estrategia global organizativa tienden a centrarse en tres aspectos[37]: 1) la búsqueda de innovaciones significativas y únicas; 2) la minimización de costes, y 3) la imitación o el intento de una organización de minimizar el riesgo y maximizar las oportunidades copiando a los líderes del mercado. Diversos estudios se han centrado en analizar el diseño estructural que mejor funciona en cada uno de estos aspectos[38]. Los resultados ponen de manifiesto que las organizaciones innovadoras necesitan flexibilidad y un flujo libre de información informal propio de una estructura orgánica. Las organizaciones que

---

[34] Chiavenato, I. (2004).
[35] Iborra, M., Dasí, A., Dolz, C. y Ferrez, C. (2006).
[36] Chandler, A. (1962).
[37] Robbins, S. y Coulter, M. (2005).
[38] Miles, R.S. y Snow, C.C. (1978).

minimizan costes buscan la eficiencia, la estabilidad y que todo esté bajo control, lo que es más propio de una estructura burocrática. Por último, tal y como se refleja en la figura 8.11, las organizaciones imitadoras recurren, por un lado, a las características estructurales de ambas, a la estructura burocrática para mantener el control, y por otro lado, a costes bajos y a la estructura orgánica para imitar las direcciones innovadoras del mercado.

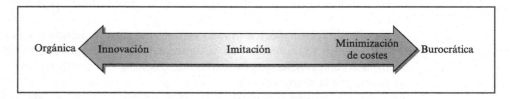

Figura 8.11.   Relación estrategia-estructura. (Fuente: Elaboración propia.)

8.5.2. Tecnología y estructura

En toda organización los miembros del núcleo de operaciones utilizan algún tipo de tecnología, ya sea una línea de ensamblaje estandarizada o un equipo informático. Esta tecnología de operaciones abarca los instrumentos utilizados por los operarios para convertir los *inputs* en *outputs* y se convierte en un factor importante en el diseño de la estructura organizativa.

Son numerosos los estudios que han demostrado que las organizaciones adaptan sus estructuras a su tecnología. En la tabla 8.2 se recogen algunos detalles de estas investigaciones relevantes donde se observa que el tipo de tecnología tiene un impacto en las dimensiones finales de la estructura organizativa (complejidad, formalización y centralización) y en su catalogación como estructura burocrática (mecanicista) u orgánica[39].

En general, todas las tecnologías difieren en su carácter regulador, esto es, el grado en el que estandarizan la tarea o el flujo de trabajo que desempeña el operario. De esta forma, las *tecnologías reguladoras* son aquellas cuyo uso implica operaciones normalizadas o rutinarias para cuya realización se precisan puestos especializados susceptibles de ser formalizados. Este tipo de tecnología provoca una burocratización de la estructura. Por el contrario, las *tecnologías poco reguladoras* permiten puestos ampliados que implican una mayor autonomía del operario, y por tanto, un menor grado de formalización de su comportamiento y de normalización de las operaciones. El resultado es que las organizaciones con tecnologías poco reguladoras tienden hacia estructuras orgánicas[40].

---

[39] Woodward (1965); Perrow, Ch. (1967); Thompson, J. D. (1967); Hage, J. y Aiken, M. (1967).
[40] Geerwin, D. (1981).

TABLA 8.2

Relación tecnología-estructura

Estudio	Clasificación de tecnologías	Características estructurales
Woodward (1965)	Producción de unidades o de artículos en unidades o lotes pequeños *(traje a medida)*.	Estructura orgánica, bajo grado de formalización y poca complejidad horizontal y vertical.
	Producción masiva o de artículos en grandes cantidades o lotes *(fabricación lavadoras, frigoríficos)*.	Estructura burocrática (mecanicista), alto grado de formalización, complejidad horizontal alta y moderada complejidad vertical.
	Producción de proceso o de artículos en proceso continuo *(refinería de aceite)*.	Estructura orgánica, bajo grado de formalización, poca complejidad horizontal y alta complejidad vertical.
Perrow (1967)	Tecnología rutinaria *(fabricación automóviles)*.	Estructura burocrática, alta formalización y centralización.
	Tecnología de ingeniería *(construcción puentes)*.	Estructura orgánica, baja formalización y centralización.
	Tecnología artesanal *(restauración de muebles)*.	Estructura burocrática, alta formalización y descentralización.
	Tecnología no rutinaria *(agencia aeroespacial)*.	Estructura orgánica, baja formalización y descentralización.
Mintzberg (1979)	Sistema técnico regulador *(línea de ensamblaje)*.	Estructura burocrática, alta formalización del comportamiento.
	Sistema técnico sofisticado *(investigación en biomedicina)*.	Descentralización.

FUENTE: Adaptado de Robbins, S. y Coulter, M. (2005); Mintzberg, H. (2009).

Por otra parte, las tecnologías pueden clasificarse por su nivel de sofisticación (complejidad)[41], esto es, el grado en el que la comprensión de la tecnología, no su uso, resulta difícil y requiere de gran número de conocimientos especializados y específicos. Desde este punto de vista, las *tecnologías sofisticadas* influyen en un diseño estructural descentralizado derivando el poder de decisión hacia expertos o unidades especializadas que sean capaces de modificarlas, rediseñarlas, y adaptarlas a las necesidades concretas de la organización.

---

[41] Mintzberg, H. (2009).

8.5.3. Entorno y estructura

Las investigaciones sobre diseño organizativo manifiestan que las características básicas del entorno de las organizaciones afectan a las variables y dimensiones organizativas estructurales. La incertidumbre del entorno se convierte en una amenaza para la eficacia de las organizaciones, y una de las formas que tiene la alta dirección de controlarla es realizando los ajustes necesarios en su estructura[42].

La incertidumbre en sentido general se refleja en dos de las dimensiones básicas del entorno organizativo: estabilidad y complejidad[43].

— La *estabilidad* del entorno hace referencia a la frecuencia y previsibilidad de los cambios que afectan al desempeño de la organización e incluso a su supervivencia. Existe una variedad de factores que pueden hacer que un entorno sea estable o, por el contrario, que sea dinámico, incluidos los gobiernos inestables, los cambios impredecibles de la economía, las variaciones imprevistas de las demandas de clientes o de las ofertas de los competidores, las demandas de creatividad o de frecuentes novedades por parte de los clientes o una tecnología en rápida transformación.

— La *complejidad* del entorno refleja el volumen de conocimiento especializado y específico que es necesario para entenderlo y comprenderlo, es decir, el conocimiento sobre productos, clientes, mercados u otros factores. La complejidad está relacionada con la comprensibilidad del trabajo a realizar. El entorno podrá ser sencillo cuando dicho conocimiento pueda racionalizarse dividiéndose en componentes de fácil comprensión. Así, los fabricantes de automóviles se encuentran ante entornos de productos relativamente sencillos gracias a los conocimientos acumulados sobre las máquinas que producen. Por otro lado, el entorno será complejo cuando este volumen de conocimiento no puede ser concretado en rutinas de trabajo específicas.

En la tabla 8.3 se establecen las relaciones entre el entorno y estructura organizativa para ambas dimensiones. Cuanto más dinámico es el entorno, más orgánica resulta la estructura, ya que tiene que utilizar un mecanismo de coordinación más flexible, menos formalizado. Por el contrario, cuanto más estable sea el entorno, más burocrática será la estructura, estableciendo reglas, formalizando el trabajo y planificando acciones. Por otra parte, cuanto más complejo sea el entorno, más descentralizada quedará la estructura, ya que las organizaciones inmersas en entornos complejos se enfrentan a problemas de comprensibilidad mientras que ante entornos sencillos se tiende a la centralización de la estructura.

---

[42] Lawrence, P. y Lorsch, J. W. (1967).
[43] Mintzberg, H. (2009).

La conjunción de ambas dimensiones provoca respuestas estructurales diferentes, tal y como se muestra en la tabla 8.3. De este modo se distinguen estructuras burocráticas y orgánicas, tanto centralizadas como descentralizadas.

TABLA 8.3

Relación entorno-estructura

	Estable	Dinámico
Simple	Burocrática Centralizada *(empresa fabricación en serie)*	Orgánica Centralizada *(pyme innovadora)*
Complejo	Burocrática Descentralizada *(hospital)*	Orgánica Descentralizada *(entidad que trabaja en proyectos ad hoc)*

FUENTE: Mintzberg, H. (2009).

8.6. FORMAS ORGANIZATIVAS BÁSICAS

A la alta dirección se le presentan muchas alternativas para el desarrollo de una estructura organizativa. Según se ha puesto de manifiesto, ésta se determina a través de la especialización, formalización, agrupación y tamaño de los departamentos y delegación de autoridad, estando éstas variables condicionadas por los requerimientos, entre otros, de los factores del entorno, la tecnología de las operaciones y la estrategia organizativa. Las dimensiones de complejidad (horizontal y vertical), formalización y centralización dan lugar a dos modelos extremos de diseño organizativo: el modelo burocrático o mecanicista y el modelo orgánico.

A continuación se repasan brevemente las características más notables de la estructura burocrática y de la estructura orgánica (figura 8.12). Ni uno ni otro extremo son el modelo ideal de diseño de una organización y, en la práctica, las organizaciones suelen experimentar cambios a lo largo del tiempo[44].

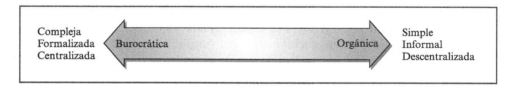

Figura 8.12. Formas organizativas básicas. (FUENTE: Elaboración propia.)

[44] Ivancevich, J. M., Lorenzi, P., Skinner, S. y Crosby, P. B. (1996).

La *estructura burocrática (o mecanicista)* es una estructura con elevado grado de complejidad, formalización y centralización. Se caracteriza por una alta especialización de los puestos del núcleo de operaciones, una rígida agrupación o departamentalización funcional, unos tramos de control de la línea media relativamente reducidos, por lo que la estructura es alta y con una estricta adhesión al principio de unidad de mando, una alta formalización del comportamiento (dado que el control de las actividades se realiza mediante normas y reglamentos) y una autoridad de decisión centralizada. Este tipo de estructuras tienden a ser máquinas eficientes y dependen de manera considerable de normas, reglamentaciones, tareas estandarizadas y controles, por lo que trata de minimizar el impacto de personalidades diferentes, así como de la ambigüedad[45].

Frente a la estructura rígida y estable de la burocracia encontramos otro tipo de estructura más flexible y adaptable. La *estructura orgánica* es una estructura que presenta un nivel bajo de complejidad, baja formalización y bastante descentralización. En esta estructura los trabajos del núcleo de operaciones presentan una alta división del trabajo, pero no son trabajos estandarizados, y la departamentalización se basa preferentemente en el producto y en los clientes en lugar de basarse en funciones; además, estas organizaciones utilizan con frecuencia equipos de trabajo o equipos interfuncionales, por lo que suelen ser estructuras planas con flujos de comunicación por toda la organización. Es escasa la formalización del comportamiento, ya que se necesitan muy pocas reglas formales y poca supervisión directa, estando la autoridad de decisión bastante descentralizada, con el fin de que se responda rápidamente a los problemas[46].

En resumen, el diseño burocrático (o mecanicista) aboga por las relaciones jerárquicas rígidas, por una comunicación de arriba hacia abajo y por un énfasis en que las personas trabajen independientemente; en cambio, el diseño orgánico defiende la colaboración, tanto vertical como horizontal, y la comunicación informal, poniendo su énfasis en los equipos de trabajo[47]. Además, las conclusiones de los estudios sobre los factores de contingencia del entorno y tecnología concluyen que la estructura burocrática (o mecanicista) se mueve mejor en entornos estables y es compatible con tecnologías reguladoras; en cambio, la estructura orgánica prefiere entornos dinámicos pudiendo utilizar tecnologías sofisticadas.

Las investigaciones en diseño organizativo han desarrollado un conjunto de arquetipos de formas organizativas que aparecen de forma recurrente. Estas denominadas *configuraciones estructurales* ayudan a obtener una visión global de un conjunto de variables de diseño ajustadas entre sí y en consonancia con sus factores de contingencia: estructura simple, burocracia maquinal, burocracia profesional y adhocracia[48]. La relación entre las configuraciones estructurales y ambos

---

[45] Robbins y Coulter (2005).
[46] Ivancevich, J. M., Lorenzi, P., Skinner, S. y Crosby, P. B. (1996).
[47] Gómez-Mejía, L. R. y Balkin, D. B. (2003).
[48] Mintzberg, H. (2009).

modelos básicos de estructuras se muestra en la figura 8.13. Además, las características de los entornos actuales han hecho que, en los últimos años, hayan surgido nuevas formas organizativas que pueden clasificarse como orgánicas, ya que el objetivo fundamental es permitir una mayor flexibilidad frente a la complejidad del entorno global al que se enfrentan las empresas[49].

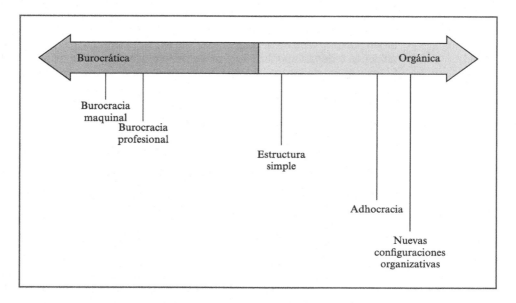

Figura 8.13. Configuraciones estructurales. [Fuente: García-Tenorio, J. y col. (2006).]

---

[49] García-Tenorio, J. (coord.) (2006).

RESUMEN

La función organizativa consiste en el diseño del armazón material y humano (estructura) que actuará de soporte para la ejecución de los planes establecidos. Las variables del diseño organizativo implican tomar decisiones sobre los siguientes aspectos: 1) el grado de especialización de los distintos puestos de trabajo que componen la organización; 2) la forma en que han de agruparse estos puestos en unidades de orden superior (tipo de departamentalización); 3) el tamaño que deberán tener esas unidades o departamentos; 4) el grado de formalización del comportamiento, y 5) la forma y grado de delegación del poder en la toma de decisiones (descentralización).

Estas decisiones de diseño delimitarán una estructura tanto más eficaz cuanto más se adapte o más congruente sea con una serie de factores de contingencia que marcan el contexto específico de la organización. Estos factores pueden influir en la estructura organizacional al afectar a las decisiones de la gerencia sobre las variables de diseño. Los principales factores de contingencia que pueden afectar al diseño organizativo son: a) la estrategia de la organización; b) el sistema técnico utilizado en la fabricación de productos o prestación de servicios (tecnología de operaciones), y c) las características del entorno competitivo al que se enfrenta la organización.

La estructura resultante de la función de diseño organizativo puede ser analizada desde tres dimensiones básicas: su complejidad (horizontal y vertical), su grado de formalización y su grado de centralización. Estas dimensiones dan lugar a dos modelos extremos de diseño organizativo: el modelo burocrático o mecanicista y el modelo orgánico. El primero se caracteriza por las relaciones jerárquicas rígidas, por una comunicación de arriba hacia abajo y por un énfasis en que las personas trabajen independientemente; en cambio, el diseño orgánico defiende la colaboración, tanto vertical como horizontal, y la comunicación informal, poniendo su énfasis en los equipos de trabajo.

PREGUNTAS DE REPASO

1. Elija una organización cualquiera y sobre ese ejemplo justifique el uso de los tres mecanismos de coordinación estudiados.

2. Describa las características estructurales de una organización que se defina como compleja.

3. Identifique cuáles son las ventajas de la estructura matricial sobre la departamentalización funcional y la de mercado.

4. Indique las diferencias entre unidades de línea y unidades de *staff*.

5. Explique, al menos, una razón por la que las organizaciones formalizan el comportamiento de sus miembros.

6. Identifique tres ventajas y tres inconvenientes de la delegación de autoridad en las organizaciones.

7. Analice las dimensiones del entorno y relaciónelas con la estructura de la organización.

8. Compare las formas organizativas básicas. Ponga un ejemplo que ayude a distinguir entre ambas.

CASO PRÁCTICO

Paladium confecciones

La empresa Paladium, ubicada en una localidad cordobesa, se dedica a la fabricación y venta de prendas de vestir a nivel nacional, centrándose principalmente en el pantalón de caballero y señora. Aborda tanto la prenda clásica como la juvenil, y todo ello con diseños modernos que se van renovando cada año en función de la moda y las ventas. Lleva funcionando aproximadamente unos 40 años, con lo que ha adquirido una gran experiencia en el sector. Además posee diversas marcas registradas bajo las cuales vende sus productos.

La empresa posee una red de representantes repartidos por todo el territorio nacional que visitan a los posibles clientes (tiendas y *boutiques* de ropa) a cambio de una comisión por cada prenda vendida. De los nueve representantes sólo uno es por cuenta ajena y el resto son autónomos. Prácticamente cubren toda el área geográfica nacional.

Esta empresa, como casi todas las del sector, está orientada al cliente y al mercado, ya que depende de la moda de cada año y de los gustos y preferencias de los consumidores. Esto implica que cada año se va a intentar que los productos que se venden se adecuen a la moda en ese momento, con lo cual los diseños serán revisados y actualizados cada año además de incorporar otros nuevos. En la empresa Paladium no es posible realizar una planificación estricta en aspectos tales como la cantidad, el calendario de producción, la talla o el color, debido a que esta empresa vende sobre pedido. Por consiguiente es muy difícil estimar qué prendas se van a vender, de qué tallas, cantidad, modelo de los ofertados en el muestrario de cada año. Para elaborar el muestrario de cada año se tienen en cuenta varios aspectos como el «ranking de ventas» de la campaña anterior, colores y tejidos que se van a llevar cada año (esta información se extrae principalmente de los proveedores que son los que traen el muestrario de lo que se va a llevar esa temporada). Por otra parte, los propios representantes de la empresa plantean cuestiones en cuanto al diseño o cualquier otro aspecto que el cliente les hace saber. Una vez esta información llega a la empresa, los directivos medios, sobre todo el de producción, se encargarán de tomar las decisiones correspondientes, ya sea para resolver algún problema con el cliente o algún cambio en los modelos a fabricar en las próximas temporadas.

Proceso de transformación y características de las distintas tareas

— El departamento de *producción* (31 personas) está dividido en 5 áreas: diseño, corte, cadena, lavado y planchado.

El área de diseño digitaliza los patrones de diseño en el ordenador creando una hoja de corte que se extiende sobre la tela cortada en unas grandes mesas (dos personas). A continuación se realiza el corte de las telas (área de corte) según los patrones mediante máquinas especializadas. Estos paquetes de tela cortada entran por la cadena en la que cada persona se encarga de realizar una tarea (forros, botones, cinturillas, cremallera, bajos, etc.). Finalmente sale el pantalón prácticamente terminado. Una vez hecho esto se lleva a lavandería, donde es lavado (cuando sea requerido según el tipo de modelo) y planchado para ser llevado a almacén, donde se le dan los últimos retoques.

El departamento de producción está dirigido por un director de producción que supervisa directamente todas las actividades realizadas en dicho departamento. Él mismo se encarga del diseño y digitalización del patronaje y de la programación de la producción según los pedidos y su urgencia. El resto de las tareas las supervisa, pero delegando en un jefe de corte y cadena que, además de coordinar todo el trabajo en la cadena de montaje, sirve de enlace entre el área de cadena y el área de planchado, para procurar que los procesos se encadenen evitando así que se produzcan tiempos ociosos. Además, realiza labores de corte y se encarga del mantenimiento del equipo industrial junto con el director de producción. En el área de cadena trabajan 25 personas, cada una especializada en un tipo de tarea o máquina. En el área de planchado y lavado trabajan cuatro personas, y en las áreas de diseño y de corte trabajan dos personas.

Todos los procesos desarrollados en el departamento de producción están diseñados de tal modo que se puedan cumplir los plazos de entrega de los pedidos. Además, existe una estricta estandarización de los productos para evitar taras o fallos de fabricación.

— Departamento de almacén. En él se realizan las tareas de recepción de materias primas, repaso de las prendas para detectar y corregir posibles anomalías, etiquetado y embalaje.

En el almacén trabajan tres personas, aunque a veces se puede ampliar incorporando a uno o dos procedentes de planchado y lavado. El supervisor de esta área actúa como un enlace entre su departamento y los departamentos de producción, y sobre todo con administración, al objeto de asegurar que el pedido se sirva de forma eficaz y eficiente a los clientes. En este departamento se reciben los pantalones provenientes del departamento de producción y se procede a su terminación y a la preparación de los pedidos individualizados.

— *Administración.* Está compuesto por tres personas, un director de administración y dos empleados que se encargan cada uno de ellos de tareas relacionadas con la gestión de ventas, compras, impuestos, contabilidad, etc.

En general, en toda la empresa se utiliza la comunicación informal entre todos los trabajadores, así como entre directivos y entre directivos y trabajadores. El director-propietario también utiliza la comunicación informal como herramienta de dirección. En cuanto a la toma de decisiones, cada director de área o departamento es el que tiene el poder de decisión sobre las actividades a llevar a cabo, si bien puede delegar en los asuntos más cotidianos a subordinados (como es el caso del director de producción en el jefe de corte y cadena) que controlan perfectamente este tipo de trabajos rutinarios. El director-propietario es quien tiene la última palabra en cuanto a los temas más complejos que requieren una decisión más estudiada o por la envergadura económica que poseen, a pesar de que no esté todo el día en la empresa. Así, delega el poder en los tres directores que se reúnen en caso de que el director-propietario esté ausente y se requiera decidir sobre asuntos complejos.

Fuente:

Elaborado a partir del trabajo realizado para la asignatura de Organización de Empresas de la licenciatura de Dirección y Administración de Empresas de la Universidad de Granada por los alumnos C. Padial, E. Mengual, I. Ruiz y A. B. Verdugo (año 2007).

PREGUNTAS

1. Identificar los departamentos, áreas, o puestos que conforman cada una de las partes de la organización de Paladium.

2. Identificar, por orden de importancia, los mecanismos de coordinación utilizados en Paladium.

3. ¿Qué valores toman las variables de diseño de la especialización y formalización del comportamiento de los puestos del núcleo de operaciones?

4. ¿Cómo están agrupados los departamentos de la línea media?

5. ¿Se trata de una estructura centralizada o descentralizada? ¿Por qué?

6. ¿Cómo afecta la tecnología a las dimensiones de la estructura de esta empresa?

7. En base a las respuestas anteriores, ¿estamos ante una estructura burocrática u orgánica?

9

Motivación

OBJETIVOS DE APRENDIZAJE

1. Definir y comprender el concepto de motivación.
2. Distinguir los distintos enfoques o teorías de la motivación: teorías de la satisfacción o contenido y las teorías de proceso.
3. Analizar el modelo integrador de Porter y Lawler basado en las aportaciones de las principales teorías de satisfacción y proceso.
4. Describir el modelo de características laborales para mejorar la motivación de los empleados.
5. Aplicar los conocimientos adquiridos al trabajo gerencial.
6. Capacitar al estudiante para desarrollar modelos de motivación gerencial adecuados al puesto y tipo de trabajo.

¿Qué impulsa a una persona a adoptar una determinada conducta? La motivación hace referencia a un resorte dentro de cada individuo que, cuando es convenientemente activado, desencadena un comportamiento. La esencia de la motivación reside en entender esos resortes y el comportamiento a ellos asociado. Este proceso reviste especial importancia si lo contextualizamos en el entorno de trabajo en que el administrador es responsable del desempeño de su subordinado.

De este modo, entender qué motiva a un trabajador es el punto de partida para realizar la función secuencial de dirección.

En este capítulo se estudian las distintas aportaciones que de modo acumulativo se han ido realizando. Para ello se abordan en primer lugar las teorías de contenido, que son aquellas que analizan dónde reside el origen del comportamiento. De sus múltiples aportaciones, cabe destacar la diferencia entre recompensa extrínseca e intrínseca. A continuación, en un segundo bloque, se analizan las teorías de proceso, más dinámicas y que persiguen explicar la relación entre la tarea que se realiza y la motivación experimentada. Finalmente, se analiza cómo el adecuado diseño de las tareas puede motivar al trabajador que las desempeña.

9.1. LA MOTIVACIÓN EN EL ENTORNO DE TRABAJO

Para conseguir la colaboración de los empleados en el desempeño de las actividades de la organización y contribuir con el máximo esfuerzo a la consecución de los objetivos organizacionales, el directivo debe reconocer las razones que les impulsan a trabajar, averiguar sus necesidades, y alcanzar a motivarlos con la intención de orientar sus esfuerzos hacia comportamientos determinados[1].

La motivación en el trabajo se entiende como el proceso que impulsa a un empleado a realizar un gran esfuerzo o a comportarse de una determinada manera con la intención de lograr los objetivos marcados por la empresa, teniendo en cuenta la satisfacción de sus necesidades individuales. El proceso motivacional básico consta de cuatro fases:

1. El punto de partida es la existencia de necesidades del trabajador que no están satisfechas. Esas necesidades insatisfechas le crean tensiones y sentimientos de malestar.
2. Para reducir dichas sensaciones, el trabajador estará dispuesto a realizar un esfuerzo o comportamiento que dé lugar a unos resultados positivos. Aquí interviene el buen gerente, que debe canalizar ese esfuerzo en la dirección adecuada en interés de la organización.
3. Si los resultados alcanzados satisfacen las necesidades de partida del trabajador, se producirá una situación de equilibrio y tranquilidad hasta que surjan nuevas necesidades. Por el contrario, si el esfuerzo no da resultados positivos, el individuo puede encontrarse en situación de frustración y desasosiego.
4. La no satisfacción de las necesidades iniciales o el surgimiento de otras nuevas reactiva el sistema motivacional, reiniciando el proceso.

Visto así, el proceso parece simple y fácil. El gerente tan sólo tendrá que determinar las necesidades de sus trabajadores, controlar sus actuaciones y permitirles a través de ellas satisfacer sus necesidades y los objetivos de la empresa. Pero la motivación de cada trabajador se ve condicionada, aparte de sus necesidades, por sus valores personales, sus experiencias y por el ambiente físico y social que le rodea. Existen muchas razones que impiden dominar el proceso de motivación, ya que no todas las personas tienen las mismas necesidades, y aun cuando tienen las mismas necesidades se comportan de diferente manera.

---

[1] Kast, F. E. y Rosenzweig, J. E. (1992).

Por tanto, motivar a los empleados es un tema organizacional trascendente al que numerosas teorías tratan de dar solución, aunque ninguna de ellas tenga la última palabra. En general, se puede decir que existen dos enfoques teóricos en la materia, uno centrado en identificar las necesidades de los trabajadores, y otro enfoque basado, además de conocer los factores que generan las necesidades, en estudiar las expectativas de recompensa o castigo y la influencia de los resultados obtenidos sobre la motivación. Son, respectivamente, las teorías de contenido y de proceso de la motivación.

9.2. TEORÍAS MOTIVACIONALES DE CONTENIDO

Bajo esta denominación se agrupan los estudios centrados en identificar cuáles son las necesidades que motivan al trabajador. El objeto es que el directivo entienda aquello que recompensa al empleado por desempeñar sus tareas laborales. Entre estas teorías se encuentran los enfoques más ampliamente conocidos por ser los estudios básicos y pioneros sobre la motivación: la teoría de la jerarquía de las necesidades humanas de Maslow (1954), la teoría de los dos factores de Herzberg (1959) y la teoría de las tres necesidades de McClelland (1961). Pero también es conveniente considerar los enfoques de la teoría X y la teoría Y de McGregor (1960), y la teoría ERG de Alderfer (1969), que orientan al directivo sobre el porqué del comportamiento de sus trabajadores y cómo debería dirigirlos.

9.2.1. Teoría de la jerarquía de las necesidades de Maslow

Abraham F. Maslow[2] propone que los factores que motivan a una persona a hacer algo aparecen de una manera escalonada. Así, las necesidades se dividen en cinco categorías que a su vez se estratifican en una jerarquía. Las cinco necesidades identificadas son las siguientes:

1. *Necesidades fisiológicas.* Son las necesidades más básicas, como la alimentación o el sexo. Están relacionadas con la propia supervivencia del individuo. Conseguir un contrato de trabajo (aun eventual) permite satisfacer estas necesidades.
2. *Necesidades de seguridad.* Son aquellas que hacen referencia a la protección frente a las amenazas que ponen en peligro la seguridad personal o material. Cuando el contrato de trabajo pasa a ser indefinido, el individuo se siente más seguro frente a la adversidad (despido), lo que le permite

---

[2] Maslow, A. H. (1943); Maslow, A. H. (1954/1970).

embarcarse en empresas más grandes, como la compra de una vivienda (hipoteca).

3. *Necesidades sociales.* Son las que hacen referencia a la necesidad de las personas de relacionarse con otras personas. Una vez que un individuo se ha asentado en una organización (mediante el logro de un contrato de trabajo indefinido) nace la necesidad de relacionarse con los demás. Esta necesidad debe entenderse no como el mero contacto con otras personas, sino como el sentimiento de pertenencia a un grupo.

4. *Necesidades de estima.* Son aquellas que están relacionadas con el reconocimiento que las personas obtienen de quienes las rodean. Cuando se pertenece a un grupo, se busca la propia individualización dentro de éste. Es decir, ser reconocido por las características que hacen al individuo diferente y único dentro del grupo al que pertenece.

5. *Necesidades de autorrealización.* Hacen referencia al sentimiento de haber desarrollado las propias cualidades, el propio potencial. Aquí, la pregunta a la que se trata de dar respuesta es: ¿soy feliz con lo que hago?

Para Maslow, las necesidades se pueden agrupar en dos categorías dependiendo del modo en que se satisfacen. En primer lugar, las denominadas necesidades básicas o de orden inferior se satisfacen mediante recompensas extrínsecas, es decir, el individuo necesita de terceras personas para satisfacer esa necesidad. Estas necesidades son las fisiológicas y las de seguridad. En segundo lugar, las denominadas necesidades de orden superior, que el individuo satisface de manera interna mediante recompensas intrínsecas. Estas necesidades son las sociales, de estima y de autorrealización.

Generalmente, la jerarquía de las necesidades de Maslow se representa como una pirámide o una escalera por la que se asciende. Maslow describe cómo la satisfacción de las necesidades sigue un determinado patrón, que denomina hipótesis de satisfacción progresiva (satisfacción-progresión). Esta hipótesis propone que de las necesidades debidamente ordenadas, solamente una ejerce como motivadora, determinando así el comportamiento de las personas. Será aquella necesidad insatisfecha de rango inferior la que determine el comportamiento. A esta necesidad se la denomina necesidad dominante. Si bien ninguna necesidad llega a ser completamente satisfecha, sí que llega a un nivel de satisfacción que hace que deje de ser necesidad dominante. El individuo percibe que esta necesidad está suficientemente satisfecha, por lo que cesan sus impulsos en esa dirección. En este momento, y no antes, el sujeto percibe la necesidad inmediata de rango superior como dominante, iniciándose una nueva conducta tendente a su satisfacción (no total pero sí suficiente) y olvidándose de la anterior. De este modo se asciende por la escalera o pirámide. Maslow no considera que exista un camino de bajada de esta pirámide. Una vez que una determinada necesidad ha sido satisfecha y deja por ende de ser dominante, ya no volverá a ejercer influencia sobre el comportamiento de un trabajador.

¿Qué debe hacer un administrador para motivar a sus subordinados desde la perspectiva de esta teoría? Se ha analizado cómo el comportamiento de un individuo viene determinado por el intento de satisfacer una determinada necesidad (dominante) que centra todos sus esfuerzos. Si una persona entiende que un determinado esfuerzo conlleva a la satisfacción de esa necesidad, no existirá motivación y por tanto no realizará ese esfuerzo (o si se ve obligado por sus circunstancias laborales lo hará de modo ineficiente). El administrador debe identificar en qué punto de la pirámide de la jerarquía de las necesidades se encuentra el subordinado para así establecer una recompensa por el desempeño (deseado por la organización) relacionada con la satisfacción de la necesidad individual (deseada por el individuo).

Un ejemplo para entender el concepto de necesidad dominante es el siguiente: Imagine que está en la sala de espera de la consulta del médico. Está sentado con un libro que le apetece leer. En la sala hay una televisión en la que se proyecta un documental que también le resulta interesante. Las personas que hay a su derecha están manteniendo una conversación que le llega con nitidez a los oídos. Finalmente, el trasiego propio de una sala de espera le resulta a su vez entretenido. En principio son cuatro las conductas que puede iniciar mientras espera su turno para ser atendido por el médico: *a*) leer el libro que tiene entre las manos; *b*) ver la televisión; *c*) escuchar la conversación que discurre a su derecha, y *d*) observar a las demás personas de la sala. Aquel estímulo que con más intensidad incentive una determinada conducta será el que más le motive. Inmediatamente los demás estímulos pasan a un segundo plano; no desaparecen, sino que carecen de poder para incentivador, es decir, no le motivan en este momento.

Imagine ahora que ha optado por leer el libro que tenía en las manos, y que pasado un tiempo, ya no le apetece leer más. Las opciones que se le plantean ahora se reducen a tres: *a*) ver el documental que proyectan en la televisión; *b*) escuchar la conversación, y *c*) observar a los demás pacientes. Leer ya no le produce ningún interés, por lo que ha perdido su capacidad para incentivar un determinado comportamiento. Su nueva conducta vendrá determinada por cuál de los tres incentivos descritos ejerce más influencia sobre usted.

9.2.2. Teoría de los dos factores de Herzberg

La teoría bifactorial o teoría de los dos factores de Frederick Herzberg[3] propone que los factores que provocan satisfacción son diferentes de aquellos que provocan insatisfacción. El razonamiento clásico establece que satisfacción e insatisfacción son antónimas. Es decir, si una persona no está satisfecha, estará insatisfecha, y viceversa. Herzberg, sin embargo, propone un razonamiento alternativo, según el cual, satisfacción e insatisfacción son consecuencia de distintos

---

[3] Herzberg, F., Mausner, B. y Snyderman, B. (1959); Herzberg, F. (1966).

factores que no están relacionados entre sí, por lo que satisfacción e insatisfacción son dos conceptos que no son antónimos y que, más aún, no necesariamente tienen que estar interrelacionados entre sí.

Según esto, cabe distinguir entre dos tipos de factores que afectan a la motivación.

— *Los factores de mantenimiento o de higiene,* que son aquellos relacionados con las condiciones del trabajo. Son factores extrínsecos que crean las condiciones para el desempeño de las tareas. Quedan bajo el control de la organización (administrador).

— *Los factores de motivación,* que son aquellos relacionados con la realización de la tarea. Son factores intrínsecos que quedan bajo el control del trabajador (subordinado) y están relacionados con el contenido del trabajo.

De acuerdo con esta argumentación, son los trabajadores los que, mediante la realización de las tareas de su responsabilidad pueden motivarse. Por tanto, si los trabajadores de una organización son responsables de su propia motivación, ¿qué pueden hacer los administradores para mejorar el desempeño de sus subordinados? Los administradores deben crear unas condiciones que provoquen la ausencia de insatisfacción.

¿Puede motivar el dinero a los trabajadores? Siguiendo el razonamiento de Herzberg, se puede explicar cómo influye el salario en el comportamiento de los individuos. El salario que un empleado cobra como consecuencia de su trabajo en una organización es un factor de mantenimiento, por lo que no provocará satisfacción, sino insatisfacción o ausencia de ésta. Sin embargo, las personas trabajan por dinero. Entonces, el dinero ¿motiva o no?

Los empleados de una organización nunca estarán contentos con el salario que ganan, siempre es poco. Es decir, los empleados nunca estarán satisfechos con su salario, ya que siempre puede ser mayor. Ahora bien, estarán molestos, por considerarlo demasiado bajo o razonablemente contentos por considerarlo suficiente (aunque siempre se aspira a más).

En el primer caso, la sensación de insatisfacción que provoca un salario excesivamente bajo condiciona el desempeño del trabajador. Herzberg propone que esa sensación de insatisfacción en relación a las condiciones de trabajo impide que el trabajador esté incentivado (motivado) y centrado en la realización de su tarea. De alguna manera, los esfuerzos que realiza irán destinados a resolver una situación considerada injusta (ajustar el salario al desempeño), lo que repercutirá negativamente en su desempeño.

En el segundo caso, el sueldo razonablemente alto (factor de mantenimiento) permite que el trabajador se pueda centrar en la realización de su tarea (factor de motivación), que es lo que realmente provoca motivación y repercute positivamente en su desempeño.

Entonces, si realmente la motivación depende del trabajador que realiza la tarea, ¿qué puede hacer un administrador para incentivar a sus subordinados? Para Herzberg, la labor del administrador debe centrarse, en primer lugar, en crear las condiciones de trabajo (contexto) idóneas para que exista una situación de no insatisfacción, y en segundo lugar, en dotar a las tareas que realizan sus subordinados de las características (contenido) que permitan que al realizarlas aparezca la motivación. En este caso, deberá identificar para cada subordinado dónde está el umbral en el que el sueldo deja de causar insatisfacción.

9.2.3. Teoría de las tres necesidades de McClelland

En los países desarrollados, las necesidades de un trabajador suelen ser de tipo superior o secundario, puesto que las necesidades básicas o primarias se suponen aseguradas por los hábitos y normas de la sociedad. En este contexto, en los años cuarenta, David McClelland[4] establece que el comportamiento y desempeño de las personas está motivado por las necesidades de logro, poder y afiliación o pertenencia a un grupo. Son necesidades adquiridas socialmente (no son innatas), que actúan de manera inconsciente y afectan al rendimiento laboral de los trabajadores. Todo el mundo siente estas necesidades, pero en grados diversos, y una de estas tres necesidades suele predominar y motivar la conducta.

— *Necesidad de logro:* Se encuentra en las personas que tienen la pretensión de hacer algo mejor o de manera más eficiente a como se venía haciendo. Pretenden alcanzar la excelencia gracias a sus esfuerzos individuales. Les motivan los objetivos moderadamente desafiantes, evitan el elevado riesgo o la excesiva facilidad, temen al fracaso y anhelan alcanzar el éxito, pero no alcanzarlo por casualidad. Prefieren trabajos de responsabilidad personal, encontrar soluciones a los problemas, en los que puedan recibir información rápida e inequívoca sobre su desempeño, con el fin de saber si están mejorando o no. Se afanan por destacar sobre los demás y obtener éxito profesional. Los gerentes con necesidades de logro suelen tener éxito cuando administran su propio negocio, pero cuando se trata de un negocio ajeno no son inexcusablemente buenos administradores, pues se centran demasiado en sus propias aspiraciones, mientras que los buenos gerentes ponen énfasis en ayudar a los demás a obtener sus objetivos.

— *Necesidad de poder:* La poseen las personas que buscan puestos que les permitan ejercer dominio sobre los demás y gobernarlos a su capricho. Se refiere al interés inconsciente por influir en los demás y buscar posiciones

---

[4] McClelland, D. C. y Burnham, D. H. (1976).

de autoridad. No priorizan el ejercicio eficaz de sus funciones, y suelen buscar situaciones competitivas o elementos simbólicos que les reporten prestigio profesional y social.

— *Necesidad de pertenencia:* Es la pretensión de fomentar las relaciones interpersonales amistosas y cercanas, a la vez que se disfruta trabajando conjuntamente con otros compañeros. Los trabajadores con alta necesidad de pertenencia o afiliación a un grupo prefieren situaciones de cooperación más que de competencia, buscando siempre la comprensión mutua.

La forma de determinar los niveles de necesidades en una persona es mediante el uso del denominado test de apercepción temática *(Thematic Apperception Test,* TAT), consistente en una prueba destinada a evaluar la aptitud del individuo ante la visión de una serie de dibujos o fotografías que expresan situaciones ambiguas. Cada imagen se muestra brevemente al sujeto, quien debe escribir una historia basada en lo que está sucediendo, conjeturar cómo se ha llegado a ese punto, qué sucederá y qué solución podría ofrecerse. A partir de esa historia escrita, intérpretes capacitados determinan las características y necesidades del individuo.

9.2.4. Teoría *X* y teoría *Y* de McGregor

Douglas McGregor es conocido por sus significativos estudios relacionados con el comportamiento humano dentro de las organizaciones[5]. Su más importante contribución[6] al pensamiento administrativo consiste en la propuesta de dos series de actitudes sobre la naturaleza humana frente al trabajo: la teoría *X* y la teoría *Y*. Son dos formas totalmente opuestas de entender el trabajo que requieren estilos de dirección antagónicos[7]. Son visiones extremas, entre las que, en realidad, existen multitud de comportamientos intermedios.

El supuesto de la teoría *X* establece una visión negativa del empleado, que lo señala como poco ambicioso, al que le disgusta trabajar, flojo, falto de creatividad e incluso tramposo, que evita responsabilidades y necesita que se ejerza sobre él un control estricto para trabajar con eficacia. En consecuencia, para que se alcancen los objetivos de la organización, las personas deben trabajar dentro de unos esquemas preestablecidos. La teoría *X* expresa un estilo de dirección duro y autocrático que lleva a los trabajadores a hacer exactamente aquello que la organización pretende que hagan, siguiendo normas rígidas que controlarán sus conductas, con independencia de sus opiniones y objetivos personales. Se supone que la gerencia es la responsable de instaurar pautas de trabajo y un código de comportamiento que se debe acatar sin discusión, bajo un reglamento interno que con-

---

[5] McGregor, D. (1987).
[6] McGregor, D. (1966).
[7] Chiavenato, I. (2004).

trole toda la actividad del trabajador. El trabajo ofrecido conviene que sea fácil y repetitivo, sin participación en las decisiones y muy controlado, castigando a los infractores con sanciones ejemplares o correctivos económicos, ya que se piensa que la única manera de motivar es con estímulos económicos *(«hombre económico»).* Los preceptos de la teoría X han sido los aplicados durante mucho tiempo en las empresas, dando lugar a un crecimiento limitado y mediocre, no más allá de lo meramente planificado, al no considerar la creatividad, la inteligencia y las experiencias del personal.

En contraste, la teoría Y ofrece un punto de vista positivo del empleado, totalmente opuesto a la visión de la teoría X. Se considera a los trabajadores como personas honestas, creativas, que pueden dirigirse a sí mismas y capaces de llevar a cabo autocontrol. McGregor considera que al ser humano común no le disgusta trabajar y que no sólo acepta, sino que busca nuevas responsabilidades. Presenta un sistema de dirección participativo y democrático, en el que la gerencia no se basa únicamente en la autoridad legal, sino también en la personal, aflorando la figura del líder. Los gerentes deben procurar que los trabajadores comprendan la misión de la empresa, hacer que el logro de los objetivos empresariales satisfaga también necesidades personales y de autorrealización, fomentar el trabajo en equipo, la capacidad creadora para resolver problemas, y permitir la formación y ascenso de los trabajadores. La teoría Y supone al trabajador con necesidades de autorrealización, que considera el trabajo como una actividad natural, divertida siempre que esté bien estructurada y ubicada. En consecuencia, la manera de mejorar la productividad sería incrementando la autoestima del trabajador, permitiéndole colaborar en equipo para satisfacer sus necesidades sociales. Asimismo, se debe tener en cuenta que el entusiasmo grupal generará motivación colectiva, espíritu de equipo e incrementará la productividad de la organización. Los fundamentos de la teoría Y contribuyen a crear ambientes organizacionales adecuados que permiten dar la oportunidad al ser humano de desarrollar sus potencialidades intelectuales en beneficio de los objetivos corporativos.

El análisis de McGregor se puede relacionar con el enfoque de Maslow, donde se observa cómo la teoría X supone que las necesidades de nivel inferior dominan a los individuos. Por otro lado, la teoría Y admite que las necesidades de nivel superior serán las dominantes. McGregor defendió los supuestos de la teoría Y frente a los de la teoría X, pues entendía que la participación de los empleados en la toma de decisiones y los trabajos responsables, desafiantes con buenas relaciones grupales, podían maximizar la motivación del personal. Con la teoría Y se pretende un modelo ideal de administración que no es fácil poner en práctica, ya que aún hoy los trabajadores están fuertemente acostumbrados a que los tutelen, encaucen y controlen. No se puede esperar un cambio de la noche a la mañana. La teoría X lleva enraizada muchos años en la sociedad, y por desgracia no existe evidencia contrastada que confirme el aumento de la motivación de los empleados al aceptar los supuestos de la teoría Y. En palabras de Sigmund Freud:

> *«La mayoría de las personas no quieren ser libres, ya que la libertad implica responsabilidad, y la mayoría de las personas se asustan de las responsabilidades».*

9.2.5. Teoría ERG de las necesidades humanas o de Alderfer

Al igual que Maslow, Clayton Alderfer[8] jerarquiza las necesidades, aunque identifica solamente tres tipos. Si bien puede establecerse una relación entre las necesidades analizadas por Maslow y las identificadas por Alderfer, la forma en que se clasifican, y sobre todo el modo en que se deben satisfacer, difieren.

Las necesidades identificadas por Alderfer son de tres tipos:

— *Necesidades de existencia.* Hacen referencia a las necesidades relacionadas con la supervivencia y el bienestar físico del individuo. Estas necesidades se corresponden con las necesidades de orden inferior o básicas formuladas por Maslow.

— *Necesidades de relación.* Hacen referencia a la necesidad que tiene el individuo de relacionarse con otras personas. Estas necesidades se identifican con las necesidades sociales y con el aspecto externo que identifica Alderfer en las necesidades de estima formuladas por Maslow. Es decir, para sentir estima, los que rodean al individuo deben mostrar cierto grado de reconocimiento.

— *Necesidades de crecimiento.* Relacionadas con el desarrollo personal de los individuos. Estas necesidades se corresponden con las necesidades de autorrealización y con el aspecto interno (sentimiento de apreciación experimentado por el individuo) de las necesidades de estima formuladas por Maslow.

Las necesidades operan de modo simultáneo y, al contrario que para Maslow, se considera que se puede subir y también bajar por la pirámide, pues la sensación de haber satisfecho una necesidad no depende tanto de ésta como de la imposibilidad de satisfacer otras. Así, las necesidades se satisfacen, no de manera escalonada, sino de modo simultáneo. Alderfer propone la hipótesis de la frustración regresiva (frustración-regresión) para explicar el modo en que las necesidades deben ser satisfechas simultáneamente. Por tanto, en el momento en que una necesidad se encuentra insatisfecha, el individuo detecta el desequilibrio existente entre los tres tipos de necesidades, y para restablecerlo debe actuar sobre los tres al unísono.

---

[8] Alderfer, C. P. (1969); Alderfer, C. P. (1972).

¿Qué debe hacer un administrador para satisfacer a un subordinado? El administrador debe identificar hasta qué punto un subordinado puede satisfacer las diferentes necesidades propuestas. Las necesidades de existencia están fuertemente relacionadas con el salario. Por otro lado, un trabajador puede percibir que está satisfecho con su sueldo, que sus relaciones con sus compañeros son buenas, pero que las características de su puesto de trabajo le impiden realizarse profesionalmente. En este caso, el administrador se encuentra ante dos posibles cursos de acción. En primer lugar debe evaluar si puede facilitar al trabajador un puesto de trabajo en el que satisfaga sus necesidades de crecimiento. La segunda opción que se le plantea es la de identificar hacia qué otra necesidad canalizará ese subordinado la frustración que le produce no poder satisfacer la necesidad de crecimiento. Por ejemplo, reclamar incrementos salariales (intensificando la conducta para satisfacer necesidades de existencia) puede ser una alternativa.

El razonamiento es análogo al funcionamiento de una llave en una cerradura. La llave tiene una serie de hendiduras que van encajando en el interior de la cerradura. Solamente en el momento en que todas las hendiduras hayan encontrado acomodo dentro de la cerradura, la llave se podrá girar y la puerta se abrirá. Por el contrario, en el momento en que una de las hendiduras no encaje bien dentro de la cerradura, ésta se bloqueará, la llave no se podrá girar y la puerta no puede abrirse. Es necesario sacar la llave de la cerradura y volver a introducirla para poder abrir la puerta.

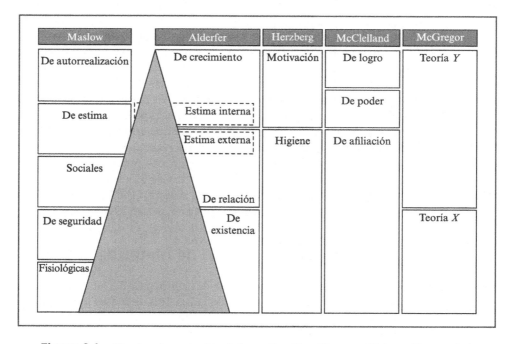

Figura 9.1. Teorías de contenido de la motivación. (Fuente: Elaboración propia.)

9.2.6. Limitaciones de las teorías de contenido

Si bien las teorías de contenido sirven para explicar ciertos aspectos de la motivación, no están exentas de críticas, entre las que cabe destacar las siguientes:

— Parten de la premisa de que todos los individuos pueden ser motivados de la misma manera, ya que se mueven por necesidades idénticas.
— Establecen un comportamiento similar para todos los individuos a la hora de emprender las acciones necesarias para dar respuesta a las necesidades.
— Asumen que el comportamiento de las personas permanece invariable en el tiempo, por lo que el orden en que aparecen las necesidades, y por ende el orden en que motiva, siempre será el mismo.
— No explican cómo al satisfacer necesidades individuales se satisfacen necesidades de la organización.

9.3. TEORÍAS MOTIVACIONALES DE PROCESO

Las teorías de contenido se centran en buscar qué es lo que motiva a una persona. Sin embargo, las teorías de proceso tratan de contemplar el desarrollo global de la motivación, intentando revelar cómo se generan las necesidades, qué es lo que provoca un comportamiento determinado, cómo se desarrollan las expectativas de recompensa y cómo los resultados obtenidos influyen en futuros niveles de motivación. Son puntos de vista que centran su atención en explicar el mecanismo que tiene lugar en la mente de las personas y cómo influye en sus conductas. Para ello se considerarán las necesidades sólo como un elemento más, ya que es preciso identificar variables que expliquen la opción elegida por el sujeto, como es el conocer las capacidades de los individuos, la percepción de su propio papel, la comprensión acerca de las conductas que son imprescindibles para conseguir un buen desempeño, y sus expectativas respecto a los resultados que generarán ciertas conductas. Dentro de este enfoque de proceso sobre la motivación se encuentran la teoría de la fijación de metas de Locke (1969), la teoría del refuerzo de Skinner, la teoría de la equidad de Adams (1963), la teoría de las expectativas de Vroom (1964) y el modelo de Porter-Lawler (1968).

9.3.1. Teoría de la fijación de metas de Locke

A finales de los años sesenta del siglo pasado, el psicólogo estadounidense Edwin Locke presenta su teoría de la fijación de metas u objetivos, afirmando que la intención de alcanzar una meta es una fuente básica e importante de motivación en cualquier actividad. Es evidente que cuando se establecen metas en la empresa, se crea la virtud de mover y dirigir las acciones de los trabajadores para lograr su consecución. Las metas motivan, guían los actos e impulsan a todo individuo a esforzarse y dar el mejor rendimiento de uno mismo.

El establecer metas u objetivos de mejora, concretos y mensurables, suscitará más desempeño que el fijar objetivos de índole general. La teoría también supone que aquellas metas cuyo logro sea difícil de alcanzar motivarán más que las de consecución fácil. Trabajar hacia el logro de una meta desafiante pero alcanzable es una fuente importante de motivación y satisfacción laboral[9]. No obstante, las metas demasiado difíciles e inalcanzables, cuya obtención parece imposible, no favorecen la motivación, sino todo lo contrario, la disminuyen y probablemente desencadenarán sentimientos de frustración.

Ahora bien, las conclusiones de la teoría de la fijación de metas tendrán sentido siempre que los trabajadores entiendan, acepten y se comprometan con las metas, en caso contrario podrían abandonarlas. Evidentemente, es importante que los trabajadores participen en la fijación de los objetivos y se les mantenga informados de su grado de consecución[10].

9.3.2. Teoría del refuerzo de Skinner

Según el psicólogo norteamericano Burrhus Frederic Skinner, la motivación se basa en la idea de que el comportamiento humano que tiene consecuencias positivas suele ser repetido, mientras que el comportamiento que tiene consecuencias negativas o desagradables tiende a no ser repetido, procurándose evitarlo. De hecho, las consecuencias de los comportamientos pasados del trabajador afectarán a su desempeño futuro en la empresa mediante un proceso de aprendizaje cíclico en el que se tienen en cuenta tres piezas clave: estímulo → respuesta → refuerzo:

— Estímulo: Un hecho o situación que provoca un comportamiento.
— Respuesta: La conducta o comportamiento del sujeto ante el estímulo.
— Refuerzo: Resultado que obtiene el sujeto por su comportamiento.

En términos administrativos, interesa conocer este proceso[11] porque permite a los gerentes introducir la repetición de las conductas positivas, o bien, corregir las conductas indeseadas[12], mediante:

— *Recompensas o premios,* considerados como un refuerzo agradable para el sujeto. De esta forma, será más probable que los trabajadores contribuyan

---

[9] Locke, E. A. (1993).
[10] Mediante la teoría de Locke, se ha fomentado el establecimiento de objetivos a través de la técnica de gestión denominada dirección por objetivos (DPO), que se trata en el capítulo 13, dedicado a la función de control.
[11] Skinner, B. F. (1953).
[12] Skinner, B. F. (1972).

con los comportamientos deseados y los repitan más veces si reciben un premio por hacerlo. Estas recompensas serán más eficaces si se proporcionan inmediatamente después de cada comportamiento deseado.

— *No sanciones.* El sujeto hará lo que solicita la dirección porque así sabe que no se verá expuesto a consecuencias desagradables. Se sabe que el comportamiento recompensado será repetido, pero si un comportamiento positivo no se recompensa, se debilitará o cesará al no ser fortalecido o reforzado.

— *Castigos o sanciones.* Se usan cuando se piensa que la ausencia de castigos no induce a abandonar actuaciones negativas. Los ejemplos de castigos más comunes van desde los reproches hasta la reducción del sueldo o el despido.

— *No premios.* Evidentemente, se debe procurar por todos los medios que no se enaltezca la realización de un comportamiento indeseado.

Los gerentes deben reflejar claramente qué comportamientos desean estimular y cuáles evitar. Un gerente que desee corregir el comportamiento de un empleado deberá cambiar los refuerzos que obtiene por su conducta. Por ejemplo, alguien que llega tarde con frecuencia puede ser motivado a que llegue puntual (cambio de comportamiento) si el gerente manifiesta su franca aprobación cada vez que dicha persona se presenta puntual o antes de tiempo (cambio de consecuencia), en lugar de ignorar las veces que llega puntual. La impuntualidad también se puede atajar expresando absoluta desaprobación a que la persona llegue tarde, si es que antes el gerente mostraba indiferencia[13].

Se sabe que el castigo elimina el comportamiento indeseado, pero su efecto es sólo temporal e incluso puede producir efectos secundarios desagradables, como son los conflictos en el lugar de trabajo o el absentismo laboral. Por tanto, resulta más apropiado poner énfasis en los refuerzos positivos, o ignorar el comportamiento desfavorable, y en última instancia, si no hay más remedio, castigarlo. Naturalmente, las recompensas o los castigos deben basarse siempre en la actuación del trabajador, ya que otorgarlos por otras razones causará dilemas motivacionales.

A pesar de todo, la teoría del reforzamiento ignora factores importantes como son los objetivos, las expectativas y las necesidades individuales del trabajador, ya que únicamente se centra en lo que le sucederá a una persona cuando lleva a cabo alguna acción correcta o incorrecta.

9.3.3. Teoría de la equidad de Adams

La teoría de la equidad formulada por J. Stacy Adams[14] postula que la motivación es consecuencia de la percepción de justicia que los individuos tienen sobre el modo en que se enjuician los resultados de su comportamiento. La idea de jus-

---

[13] Stoner, J. A. F., Freeman, R. E. y Gilbert, D. R. (1996).
[14] Adams, J. S. (1963).

ticia se basa en una percepción de proporcionalidad. De este modo, según esta aportación, antes de valorar si la recompensa obtenida es justa o no, el individuo analiza las recompensas obtenidas por otros miembros de la organización que realizan trabajos similares. Para que el trabajador perciba equidad debe existir proporcionalidad entre el ratio recompensa/esfuerzo suyo y el de la persona (compañero) de referencia.

Los elementos sobre los que se sustenta esta aportación son:

— Individuo que valorará si la recompensa obtenida en relación al esfuerzo realizado es o no justa.
— Individuo de referencia, que servirá para establecer las comparaciones que determinarán la justicia (equidad) de la recompensa.
— Entradas (o contribución), que hacen referencia a las actitudes (compromiso, tiempo) y aptitudes (talento, habilidades, experiencia) de los trabajadores.
— Salidas (o resultado), que hacen referencia a la recompensa asociada al esfuerzo realizado: sueldo, bonificación, reconocimiento, puesto de trabajo, etc.

Cuando un individuo percibe inequidad, entiende que existe un desequilibrio y que debe restaurarse a equidad. Para ello, puede actuar sobre tres elementos:

1. Cambiar al individuo de referencia por otro que permita percibir más equidad.
2. Modificar las entradas (o contribución) disminuyendo el esfuerzo realizado.
3. Modificar las salidas (o resultado) negociando compensaciones que se obtienen como consecuencia del desempeño.

¿Qué debe hacer un administrador para satisfacer a un subordinado? Para Adams, los procedimientos de evaluación de los subordinados deben ser justos y además transparentes. Habida cuenta de que el sentimiento de justicia nace de las percepciones de los subordinados, los administradores deben esforzarse por transmitir justicia en sus decisiones a la hora de evaluar a sus subordinados.

9.3.4. Teoría de las expectativas de Vroom

La teoría de las expectativas formulada por Victor Vroom[15] describe la motivación como un proceso. Para este autor, la motivación está relacionada, en primera instancia, con la creencia que tiene el individuo de que al realizar un de-

---

[15] Vroom, V. H. (1964).

terminado esfuerzo alcanzará un resultado, y en segundo lugar, con el valor asociado a la recompensa obtenida como consecuencia de ese resultado. De esta manera, la teoría de las expectativas se construye sobre tres conceptos de los que depende la motivación, tal y como se ve en la figura 9.2:

— *Expectativa.* Es la probabilidad subjetiva o creencia subjetiva que tiene el individuo de que un determinado esfuerzo le conducirá a un determinado nivel de desempeño. El valor de la expectativa oscila entre 0 y +1.

• La expectativa tomará valor positivo cuando el individuo crea que si realiza un determinado esfuerzo conseguirá alcanzar un determinado nivel de desempeño.
• La expectativa tomará valor cero cuando el individuo crea que le es imposible alcanzar un determinado nivel de desempeño por más esfuerzos que ponga en ello.

— *Instrumentalidad.* Es la percepción que tiene el individuo de que como consecuencia del nivel de desempeño alcanzado obtendrá una determinada recompensa.

— *Valencia.* Explica el valor que para el individuo tiene la recompensa asociada a un nivel de desempeño.

• La valencia será positiva cuando el individuo perciba que la recompensa (asociada al resultado de una conducta) es deseable en la medida en que contribuye a satisfacer sus necesidades.
• La valencia será cero cuando el individuo no perciba ninguna relación entre la recompensa y la satisfacción de sus necesidades.
• La valencia será negativa cuando el individuo perciba que la recompensa no es deseable en la medida en que le aleja de la satisfacción de sus necesidades.

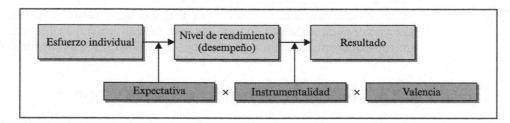

Figura 9.2. Teoría de las expectativas de Vroom. [Fuente: Adaptado de Vroom, V. H. (1964).]

¿Qué debe hacer un administrador para satisfacer a un subordinado? Para Vroom, la responsabilidad sobre la motivación recae principal pero no exclusivamente en el propio individuo. Así, aunque esta teoría se centra en las percepciones subjetivas que el trabajador tiene sobre su esfuerzo y el resultado de éste, el administrador puede influir positivamente sobre estas percepciones. En primer lugar, si se ha definido la expectativa como la creencia de que un determinado esfuerzo llevará a un determinado nivel de desempeño, una manera de incrementar el valor de la expectativa es procurando a los trabajadores la formación adecuada para las tareas que realizan. Si el trabajador cree que está suficientemente cualificado para realizar su trabajo, creerá que es más fácil alcanzar el nivel de desempeño que se le exige. En segundo lugar, en la medida en que la instrumentalidad relaciona (en la mente del trabajador) el nivel de desempeño con la recompensa, el administrador debe diseñar recompensas que inequívocamente se asocien a los niveles de rendimiento alcanzado. Finalmente, identificar las preferencias de los trabajadores permite proponer recompensas adecuadas a sus necesidades, y por tanto, incrementar la valencia percibida.

9.3.5. El modelo de Porter y Lawler

Lyman W. Porter y Edward E. Lawler III[16] propusieron un modelo sobre motivación que unifica algunas de las propuestas anteriormente analizadas. En primer lugar, el modelo se construye sobre la teoría de las expectativas formulada por Victor H. Vroom. En segundo lugar, se incorporan los conceptos de recompensa extrínseca y recompensa intrínseca analizados en las teorías de contenido. Finalmente, se incorpora el concepto de equidad de la recompensa formulado por J. Stacy Adams.

La figura 9.3 muestra el modelo cuyo funcionamiento se explica a continuación:

1. El esfuerzo de una persona al realizar una tarea viene determinado por el valor (valencia) que atribuye a la recompensa asociada al resultado que obtendrá, y por la probabilidad de que el desempeño resultado de ese esfuerzo lleve aparejada la mencionada recompensa (instrumentalidad).

2. El desempeño (resultado de la tarea) viene directamente determinado por el esfuerzo que se realice. Sin embargo, esta relación está moderada por la aptitud (habilidad o conocimiento) que tenga el individuo para realizar la tarea encomendada y por el grado de comprensión que tenga sobre ésta.

3. Como consecuencia del desempeño (resultado de la tarea) se obtienen recompensas, tanto intrínsecas como extrínsecas. En el primer caso, las recompensas intrínsecas están directamente relacionadas con los sentimientos internos que el logro de las metas produce en las personas (auto-

---

[16] Porter, L. W. y Lawler III, E. E. (1968).

rrealización) y quedan bajo el dominio del individuo. En el segundo caso, las recompensas extrínsecas provienen del contexto en que se realizan las tareas (condiciones laborales) y quedan bajo el dominio de la organización. La relación entre las recompensas extrínsecas y la satisfacción está moderada por la obtención de recompensas intrínsecas y la percepción de equidad que el individuo tiene sobre las recompensas obtenidas, que a su vez se encuentra condicionada por el nivel de desempeño (cumplimiento de la tarea).

4. El grado de satisfacción percibido actúa como un antecedente que influye en el valor (valencia) que el individuo atribuirá en el futuro a recompensas similares.

5. Por último, el esfuerzo y la probabilidad percibida de que ese esfuerzo conduzca a un mejor rendimiento están influidos por el historial del desempeño real. Así, si los individuos saben que pueden hacer un trabajo o ya lo han hecho, tienen una visión más completa y exacta del esfuerzo que requiere y conocen mejor las probabilidades de tener éxito y poder recibir la recompensa.

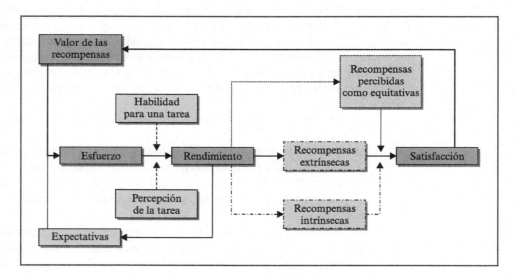

Figura 9.3. El modelo de Porter y Lawler. [FUENTE: Adaptado de Porter, L. W. y Lawler, E. E. (1968).]

¿Qué debe hacer un administrador para motivar a un subordinado? En primer lugar, para incentivar (motivar) a un trabajador a que realice una tarea el administrador debe preocuparse de que esté no sólo suficientemente cualificado (conocimientos sobre *cómo* realizar la tarea), sino de que entienda dónde encaja su trabajo dentro del proceso productivo (conocimientos sobre *por qué* realizar la tarea). De este modo, el trabajador se verá cualificado para realizar la tarea al tiempo que ésta tendrá el potencial suficiente para motivarle (internamente) a desempeñarla. A continuación, debe recompensar (extrínsecamente) al trabajador por su desempeño, y debe hacerlo de manera justa (equitativa). Para que la recompensa tenga la capacidad de estimular al trabajador, debe ser percibida como deseable. Finalmente, se debe construir un historial de esfuerzo-logro-recompensa en el que estos tres conceptos sean coherentes entre sí motivando así futuros esfuerzos.

9.4. DISEÑO DE PUESTOS DE TRABAJO MOTIVADORES: MODELO DE LAS CARACTERÍSTICAS DEL EMPLEO DE HACKMAN Y OLDHAM

J. Richard Hackman y Greg Oldham[17] (1975) proponen un modelo que permita diseñar tareas que, por sus propias características, sean capaces de motivar a las personas que las desempeñen. Partiendo de la teoría de las expectativas formulada por Victor H. Vroom, y utilizando otras aportaciones sobre la motivación, principalmente la distinción entre recompensa extrínseca e intrínseca establecida en las teorías de contenido y las conclusiones sobre la equidad formuladas por Stacey J. Adams, desarrollan un modelo que permite diseñar puestos de trabajo que incrementen la motivación de quienes los ocupan.

Para estos autores, todos los puestos de trabajo tienen unas características comunes[18]. La adecuada combinación de estas características crea puestos de trabajo que por su propio diseño tienen la cualidad de motivar a quien los desempeña[19].

Estas características son:

— *Variedad de destrezas.* Hace referencia a las distintas actividades que puede realizar una persona en su puesto de trabajo.
— *Identidad de las tareas.* Indica hasta qué punto se puede identificar el final de una tarea y por tanto el resultado de ésta.
— *Importancia de las tareas.* Se refiere a la importancia que se atribuye a la tarea realizada.
— *Autonomía.* Es el grado en el cual quien realiza la tarea puede tomar decisiones sobre cómo hacerla.
— *Retroalimentación.* Es la obtención de resultados sobre el desempeño.

---

[17] Hackman, J. R. y Oldham, G. R. (1976); Hackman, J. R. y Oldham, G. R. (1980).
[18] Hackman, J. R. y Oldham, G. R. (1975).
[19] Robbins, S. y Coulter, M. (2005).

Por otro lado, todas las personas, al realizar una tarea experimentan ciertas sensaciones. Estas sensaciones son definidas por los autores como estados psicológicos críticos. La combinación de las tres primeras dimensiones del puesto de trabajo provoca en el individuo un sentido de importancia experimentado sobre el trabajo realizado, que indica que el miembro de la organización entiende que su trabajo es valioso para ésta. Cuando el grado de autonomía para la realización de la tarea es alto, el individuo percibe un sentimiento de responsabilidad experimentado por los resultados obtenidos del trabajo, que entiende como propios. Finalmente, la retroalimentación permite que el empleado obtenga conocimiento sobre los resultados del trabajo realizado. La figura 9.4 muestra la construcción del modelo.

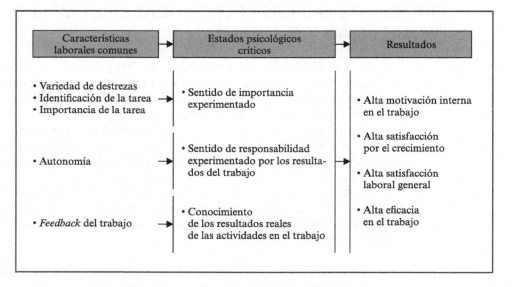

Figura 9.4. Modelo de Hackman y Oldham. [Fuente: Adaptado de Hackman, J. R. y Oldham, G. R. (1976, 1980).]

Así, de acuerdo con este razonamiento, el adecuado diseño de los puestos de trabajo (en función de las cinco características laborales comunes identificadas) permite que el trabajador experimente un conjunto de sentimientos positivos (sentimientos críticos experimentados) que le conducirán a sentir una alta motivación en el trabajo, que llevará aparejada una satisfacción por el crecimiento personal/profesional experimentado y una alta satisfacción laboral que conducirá a un incremento de su eficacia. Para calcular la puntuación del potencial de motivación de un puesto de trabajo PPM, se utiliza la siguiente fórmula (figura 9.5):

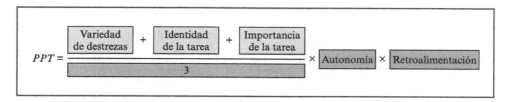

Figura 9.5. Puntuación del potencial de motivación. [Fuente: Adaptado de Hackman, J. R. y Oldham, G. R. (1976, 1980).]

RESUMEN

Los estímulos que mueven al ser humano a realizar determinadas acciones y persistir en ellas hasta su culminación, es la conducta que se conoce como motivación. El proceso de motivación pone de manifiesto que una necesidad insatisfecha genera un estado de tensión que estimula impulsos dentro del individuo. La motivación en el trabajo es la disposición a emplear grandes niveles de esfuerzo en el desempeño de las tareas laborales para alcanzar los objetivos organizacionales, a condición de que el esfuerzo satisfaga alguna necesidad personal.

La literatura sobre motivación ha seguido dos líneas bien definidas. La primera se ha centrado en conocer los factores que motivan a las personas, dando lugar a las teorías de satisfacción o de contenido. El objetivo de estas aproximaciones es que el directivo entienda aquello que recompensa al empleado por desempeñar sus tareas laborales. Entre estas teorías se encuentran los enfoques más ampliamente conocidos por ser los estudios básicos y pioneros sobre la motivación: la jerarquía de las necesidades de Maslow, la teoría bifactorial de Herzberg, la de las necesidades de McClelland, la teoría *X* e *Y* de McGregor y la teoría ERG de las necesidades humanas de Alderfer.

La segunda línea configura las denominadas teorías de proceso que contemplan el desarrollo global de la motivación, intentando revelar cómo se generan las necesidades, qué es lo que provoca un comportamiento determinado, cómo se desarrollan las expectativas de recompensa y cómo los resultados obtenidos influyen en futuros niveles de motivación. Son puntos de vista que centran su atención en explicar el mecanismo que tiene lugar en la mente de las personas y cómo influye en sus conductas. Dentro de este enfoque de proceso sobre la motivación, se encuentran la teoría de la fijación de metas de Locke, la teoría del refuerzo de Skinner, la teoría de la equidad de Adams, la teoría de las expectativas de Vroom y el modelo de Porter-Lawler.

Por último cabe resaltar el interés para profundizar en la relación entre motivación y estructura organizativa, como propone el modelo de Hackman y Oldham, para el que la motivación interna para realizar un trabajo se acrecienta si éste está rodeado de unas determinadas características como la variedad de destrezas para realizarlo, la identidad e importancia de la tarea, la autonomía y la retroalimentación.

PREGUNTAS DE REPASO

1. Explique la teoría de la jerarquía de las necesidades de Maslow.

2. Diferencie entre recompensa intrínseca y extrínseca.

3. ¿Una persona con una alta necesidad de logro sería un buen candidato para un puesto administrativo? Responda siguiendo los argumentos de McClelland.

4. ¿Cómo explica la motivación de los empleados la teoría de la fijación de metas?

5. ¿Los gerentes deben castigar el comportamiento desfavorable del trabajador?

6. Explique las relaciones fundamentales de la teoría de las expectativas de Vroom.

7. ¿Qué importancia tienen las experiencias pasadas en la motivación de acuerdo con el modelo integrador de Porter y Lawler?

8. ¿Cómo pueden diseñar los gerentes trabajos individuales para maximizar el desempeño de los empleados de acuerdo con el modelo de las características del empleo?

CASO PRÁCTICO

¿Trabajamos por dinero?

¿Qué impulsa a una persona a buscar trabajo? ¿Qué impulsa a un trabajador a poner grandes dosis de esfuerzo en la realización de su trabajo? De acuerdo con un estudio realizado en 2010 por la consultora de recursos humanos Randstad, para los españoles, a la hora de valorar los aspectos más importantes al elegir trabajo, la seguridad laboral (a largo plazo) y los mejores sueldos son los aspectos más importantes. Edward E. Lawler III argumenta que la seguridad laboral y las recompensas económicas son más importantes en épocas de recesión. En esta línea, Juan Carlos Olabarrieta, socio director de Towers Watson, afirma en las condiciones de crisis actuales, «un puesto de trabajo seguro y estable es más importante (incluso) que una retribución superior o la oportunidad de desarrollo de competencias, que hace diez años estaban en primer lugar». Sin embargo, esto no siempre ha sido así. Hace unos años los aspectos más valorados a la hora de encontrar trabajo eran en primer lugar «un buen ambiente de trabajo», y en segundo, «las oportunidades de desarrollo profesional».

¿Hasta qué punto el dinero motiva a un trabajador? Parece ser que el incremento en la motivación que un incentivo económico lleva aparejado se extingue pasados tres meses. Montserrat Ventosa, directora de Employee Branding, señala que ofrecer dinero como incentivo es algo que ha dejado de funcionar, «porque cuanto más se ofrece, más quieren las personas», y propone una alternativa en la retribución de los empleados que consista no en dar menos, sino en hacerlo de un modo diferente. Edward E. Lawler III señala que es necesario cambiar los incentivos económicos y propone un sistema de opciones sobre acciones para los empleados.

¿Hasta qué punto mantener el trabajo motiva a un trabajador? ¿Cómo se consigue relacionar la satisfacción de las necesidades individuales con el mejor desempeño de la organización? De otro modo, tener trabajo en tiempos de crisis, ¿conduce a la satisfacción o al compromiso? Carlos Olave, director de recursos humanos de LG Electronics España, afirma que existe una diferencia entre empleados satisfechos y empleados comprometidos. En el primer grupo están aquellos empleados que quieren trabajar en la empresa, que tienen bajo absentismo y que hacen bien su trabajo. En el segundo grupo, aquellos que demuestran iniciativa personal son persistentes ante las dificultades, y mediante la superación de sus objetivos individuales consiguen que la compañía logre los objetivos organizacionales. Cabe preguntarse si estar satisfecho es suficiente para estar motivado. Para David Gebler, la manera más rápida de motivar a los trabajadores es conseguir su compromiso. Y como señala Carlos Olave, a mayor número de empleados comprometidos, mejores resultados económicos. Sin embargo, a la hora de diseñar planes de motivación, la relación entre compromiso individual y éxito organizacional debe ser entendida en los dos sentidos, tal y como señala Peter Cappelli.

Así pues, ¿y si la verdadera motivación reside en las carencias individuales? Rosabeth Moss Kanter, profesora de Harvard, argumenta que la privación de «algo» puede ejercer de factor motivador. Así, el afán por alcanzar ese «algo» de lo que se carece estaría detrás de la superación personal y por ende de la motivación. De acuerdo con Peter Cappelli, los buenos son aquellos que quieren enfrentarse a nuevos retos.

Fuentes:

Expansión. 24/2/2010: Informe Randstad: La seguridad es el elemento más buscado por los españoles a la hora de elegir compañía. http://www.expansion.com/2010/02/24/economia-politica/1267006310.html.

Bloomberg Businessweek. Lawler III, Edward E. 24/4/2009: Value-Based Motivation. http://www.businessweek.com/managing/content/apr2009/ca20090424_868872.htm.

Expansión. Fernández, T. 22/10/2010: ¿Prefiere ganar dinero o tener un trabajo que le haga feliz? http://www.expansion.com/2010/10/22/empleo/desarrollo-de-carrera/1287760487.html?a=ef67b60112c9bdb38fa9c50060aa0d3c&t=1287935405.

Expansión. Olave, C. 19/1/2011: ¿Es posible el compromiso con la empresa en tiempos de crisis? http://www.expansion.com/2011/01/19/empleo/opinion/1295451943.html.

Bloomberg Businessweek. Gebler, D. 4/6/2009: Beyond Bonuses: Motivating Your Managers. http://www.businessweek.com/bwdaily/dnflash/content/jun2009/db2009064_232371.htm.

Bloomberg Businessweek. Cappelli, P. 24/4/2009: Keeping Employees Engaged in a Downturn. http://www.businessweek.com/managing/content/apr2009/ca20090424_621713.htm?chan=careers_special+report+---+managing+talent+in+a+recession+2009_special+report+---+managing+talent+in+a+recession+2009.

Moss Kanter, R. 1/11/2010: Mark Zuckerberg and Misery as Motivation http://blogs.hbr.org/kanter/2010/11/mark-zuckerberg-and-misery-as.html.

PREGUNTAS

1. ¿Se pueden obtener recompensas intrínsecas al realizar una tarea y aun así no contribuir al logro de los objetivos de la organización?

2. Si las preferencias a la hora de buscar trabajo cambian con la coyuntura económica, ¿se invierte la pirámide de Maslow?

3. Hasta qué punto nos motiva el dinero para trabajar.

4. La recompensa que se obtiene al superar las limitaciones personales, ¿es de naturaleza extrínseca o intrínseca?

5. Si un incentivo económico es un factor de higiene, ¿una opción sobre una acción puede ser un factor de motivación?

10

Liderazgo

OBJETIVOS DE APRENDIZAJE

1. Definir el concepto de liderazgo, así como diferenciarlo del concepto de gerente.
2. Enumerar y explicar las principales teorías que investigan el liderazgo desde distintos enfoques.
3. Conocer y describir los conceptos emergentes vinculados al liderazgo.
4. Aplicar los conocimientos aprendidos a casos reales de líderes del mundo empresarial.

El liderazgo, como la belleza, es un concepto difícil de definir pero fácil de reconocer cuando uno se tropieza con él, y al igual que la belleza, admite multitud de facetas e interpretaciones. ¿Qué tienen en común personajes como Alejandro Magno, Julio César, Ricardo Corazón de León, Hernán Cortés, Abraham Lincoln, Hitler, Gandhi, Martin Luther King en incluso Barack Obama? Todos ellos consiguieron crear una visión y arrastrar tras de sí de forma entusiasta e incondicional a ejércitos e incluso a naciones enteras en busca de hacerla realidad; y todo ello en diferentes contextos históricos, exhibiendo comportamientos diferentes y teniendo también personalidades, en algunos casos, radicalmente diferentes.

La fascinación que siempre han despertado la naturaleza del liderazgo y la figura del líder los han convertido en objeto recurrente de investigación por parte de las ciencias sociales que, una y otra vez, han intentado aproximarse a su comprensión desde las más variadas perspectivas. El interés de la Administración de Empresas en este tema ha sido más reciente —aunque no por ello menos intenso—, en un intento de incorporar la figura del líder y el ejercicio del liderazgo dentro del ámbito de la dirección y gestión de las empresas.

En este capítulo se aborda en primer lugar el concepto del liderazgo, destacando su relación con el poder, los seguidores y las metas comunes. A continuación se analizarán las tres perspectivas más relevantes desde las que se ha intentado comprender la naturaleza del liderazgo: los *rasgos* que distinguen al líder, el *comportamiento* del líder eficaz, y la influencia de las *situaciones* en el ejercicio eficaz del liderazgo. Para terminar, se hará un repaso a algunas de las perspectivas más actuales sobre el liderazgo, en concreto aquellas centradas en potenciar el proceso de identificación de los seguidores con el líder y las que defienden su desaparición por resultar ineficaz en determinadas situaciones.

10.1. LÍDER Y LIDERAZGO

10.1.1. Concepto de liderazgo

En la literatura especializada en el liderazgo, es casi un lugar común comenzar su conceptuación haciendo referencia a la multitud de definiciones con las que los expertos e investigadores han intentado aproximarse a este fenómeno social. Esta diversidad pone de manifiesto no sólo el interés que despierta el estudio del liderazgo, sino también su enorme complejidad. En tales circunstancias resulta complicado, cuando no ilusorio, ofrecer una definición rotunda del liderazgo que abarque toda su extensión y todos sus matices, por lo que se ha optado por analizar las características más relevantes del liderazgo partiendo de un concepto genérico y, por tanto, de amplia aceptación.

Se define el liderazgo como *el proceso por el cual un individuo (el líder) influye en el comportamiento de otros (seguidores) con el propósito de lograr objetivos o metas comunes*[1]. De esta definición se desprenden cuatro aspectos fundamentales de la naturaleza del liderazgo: la diferencia entre líder y administrador; su relación con el poder; la relación establecida entre el líder y los seguidores; y la orientación hacia unos objetivos compartidos.

10.1.2. Líderes y administradores

El primer aspecto que hay que aclarar es la distinción entre líderes y administradores o directivos[2]. Un administrador eficaz puede serlo en el desempeño de sus funciones de planificación, organización, dirección y control sin que necesariamente se le pueda considerar un líder. En otras palabras, un gerente puede tener las habilidades técnicas y conceptuales que le permitan establecer de la forma más

---

[1] Robbins, S. P. (1996); Certo, S. C. (2001); Sánchez, E. (2008); Gibson, J. L., Ivancevich, J. M. y Donnelly, J. H. (1996); Wagner, J. A. y Hollenbeck, J. R. (2004).

[2] Zaleznik, A. (1992).

eficaz y eficiente los objetivos y estrategias de su unidad, su estructura organizativa y los sistemas de control que garanticen su funcionamiento, y sin embargo carecer de las capacidades —o de la voluntad— necesarias para conseguir que sus subordinados estén dispuestos a seguirle en la consecución de unas metas comunes, más allá de los requisitos u obligaciones formales de sus puestos[3]. Del mismo modo, en las organizaciones pueden surgir personas que no sean administradores y que ejerzan una tarea de liderazgo en grupos informales. No obstante, puesto que este libro se centra en la administración y en los administradores, a partir de ahora se tratará la figura del líder y el liderazgo referidos exclusivamente a los administradores (figura 10.1).

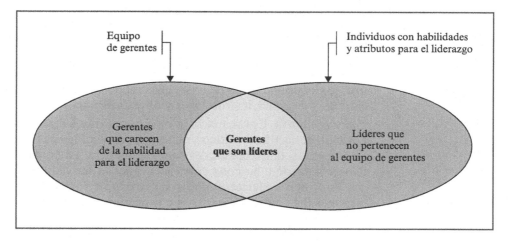

Figura 10.1. Líderes y administradores. (Fuente: Elaboración propia.)

10.1.3. Liderazgo y poder

La característica esencial del liderazgo es la capacidad para influir en la conducta de otros, lo cual se consigue a través del ejercicio del poder. El poder se puede definir como *la capacidad de los individuos para afectar el comportamiento de otros individuos de manera que éstos actúen de acuerdo con la voluntad de los primeros*[4].

Aunque las consecuencias de cualquier acto de poder se pueden reducir al acatamiento de la voluntad de un determinado agente con influencia, es posible distinguir diferentes formas o tipos de poder en función de las fuentes de donde proceda la capacidad de influencia y los medios utilizados para ejercerla. La cla-

---

[3] Sánchez, E. (2008).
[4] Mintzberg, H. (1992); Pfeffer, J. (1981); Galbraith, J. K. (1983); Kaufmann, A. (1993).

sificación más aceptada y consensuada por los expertos sigue siendo la propuesta por John French y Bertram Raven[5] en 1959, que distingue entre cinco tipos de poder de naturaleza interpersonal en las organizaciones: el poder legítimo, el coercitivo, el de recompensa, el del experto y el de referente.

— *Poder legítimo.* Este tipo de poder se basa en el reconocimiento y aceptación de una serie de reglas o disposiciones que otorgan a un individuo el derecho legítimo a influir en los demás. El poder legítimo está asociado al puesto o cargo que se ocupa dentro de la organización, de forma que es la propia organización la que diseña y delimita el alcance legal del poder que puede ejercerse desde cada puesto. El poder legítimo se asemeja al concepto de *autoridad,* por lo que pueden emplearse indistintamente. En el contexto organizativo, el poder legítimo de un directivo le confiere el derecho a tomar e imponer decisiones a sus subordinados, es decir, que tiene la autoridad para hacerlo. Sin este derecho, el directivo sería incapaz de desarrollar ninguna de las funciones administrativas —planificación, organización, dirección y control—, ya que la esencia de todas ellas radica en la capacidad de tomar decisiones y de emitir instrucciones y directrices para poder implementarlas[6].

— *Poder coercitivo.* Es la capacidad de influir a través de la amenaza o la imposición de castigos —físicos, materiales o psicológicos— o la negación de recompensas, tanto materiales como simbólicas. La base del poder coercitivo es el miedo a las consecuencias negativas derivadas de la desobediencia. Para poder ejercer el poder coercitivo de forma eficaz, es necesario disponer del control de castigos o sanciones que afecten a alguna necesidad o recurso valioso para la persona a la que se trata de influir[7]. Los directivos pueden influir en sus subordinados mediante sanciones de diferente naturaleza e importancia, como, por ejemplo, amonestaciones públicas, asignación de tareas desagradables, limitación de recursos, denegación de ascensos, pérdida de salarios o el despido.

— *Poder de recompensa.* Este tipo de poder proviene de la capacidad para otorgar beneficios a otros o para eliminar elementos que pueden serles perjudiciales. De este modo, la persona que puede decidir sobre la distribución de recompensas que son valiosas para otro individuo tiene poder sobre éste. El poder de recompensa puede verse como una contraparte del poder coercitivo: si se puede imponer una sanción o quitarle a alguien algo que valora, se tiene poder coercitivo sobre esa persona; si se puede ofrecer a alguien un incentivo que considera valioso o quitarle algo que no desea, se tiene poder de recompensa sobre él. Al igual que sucede con los castigos derivados del poder coercitivo, las recompensas no tienen por qué circuns-

---

[5] French, J. R. P. y Raven, B. (1959).
[6] Hodge, B. J., Anthony, W. P. y Gales, L. M. (1998).
[7] Sánchez, E. (2008).

cribirse al ámbito material o económico —promociones, ascensos, asignaciones de trabajos atractivos y permisos—, sino que también pueden ser de naturaleza simbólica y referirse a aspectos psicosociales. La amistad, el reconocimiento público, la aceptación y el elogio son ejemplos de recompensas simbólicas que pueden ser utilizadas para ejercer el poder, si se tiene la capacidad de concederlas o escatimarlas a aquellas personas para las que tales recompensas son importantes[8].

— *Poder de experto.* Es la capacidad de influencia que puede ejercerse al disponer de habilidades, destrezas o conocimientos especialmente valiosos para otra persona o grupo. Para poder ejercer de forma eficaz este tipo de poder, es preciso crear el suficiente grado de dependencia respecto a la habilidad técnica o el cuerpo de conocimientos que se domina. Para ello, dichos conocimientos y habilidades no sólo deben ser importantes o esenciales para otros individuos, sino que también han de ser controlados por pocas personas —ser escasos— y ser insustituibles[9]. El poder del experto es independiente de la jerarquía organizativa y del cargo que se ocupe y, por tanto, puede ser ejercido por cualquier persona situada en cualquier punto de la organización, incluido el núcleo de operaciones. Éste sería el caso de los operarios de tipo profesional altamente cualificados que realizan el trabajo clave de la organización —médicos o profesores, por ejemplo— y que acumulan gran poder debido a que los conocimientos que controlan son esenciales para la organización.

— *Poder de referente.* Un individuo tiene poder de referente sobre otro cuando este último desea parecerse o identificarse con el primero. Esto implica que el influido puede adaptar su conducta para agradar o parecerse a la persona objeto de su identificación, aunque es posible que ni la persona que posee el poder de referente ni la que se identifica con ella sean conscientes de la existencia de dicha identificación ni de la relación de poder que conlleva[10]. Al igual que sucede con el poder de experto, el poder de referente es un tipo de poder asociado a la persona y no al puesto que se ocupa. El poder de referente a menudo se identifica con una serie de conductas, tales como la admiración, la confianza, la semejanza, la aceptación, el afecto, el deseo de seguir colaborando con la persona de referencia, el compromiso emocional o, simplemente, la imitación[11].

Los líderes, al igual que los gerentes, pueden utilizar los cinco tipos de poder para ejercer influencia, y ésta será tanto más eficaz cuanto más se adapte el tipo de poder utilizado a las características de los seguidores y a la situación en la que

---

[8] Robbins, S. P. (1998).
[9] Mintzberg, H. (1992).
[10] Hodge, B. J., Anthony, W. P. y Gales, L. M. (1998).
[11] Kaufmann, A. (1993).

se ejerce el liderazgo. Sin embargo, la naturaleza de la influencia del gerente emana fundamentalmente de la autoridad o poder legítimo que le confiere su puesto en la organización —que normalmente también lleva aparejado cierta capacidad coercitiva y de recompensa—, mientras que la influencia del líder en sus seguidores está mucho más relacionada con el poder de referente[12] y menos con el poder coercitivo[13]. Esto es debido a que el liderazgo conlleva cierto grado de identificación de los seguidores con la figura del líder y la aceptación voluntaria de su autoridad.

10.1.4. Los seguidores y el líder

Sin los seguidores no puede existir el líder. El papel de los seguidores es, por tanto, crucial, tanto en la aparición del líder como en el desempeño del liderazgo. Cuando un gerente utiliza su autoridad se produce una *suspensión de juicio* por parte de la persona sobre la que se ejerce, es decir, que ésta obedece las órdenes o ejecuta las directrices porque es su obligación hacerlo de acuerdo con el sistema de poder legítimo aceptado[14]. Pero este tipo de influencia no define una situación de liderazgo. Para que exista el liderazgo, la influencia del líder debe ser *aceptada voluntariamente* por los seguidores, de modo que sus preferencias y comportamientos respondan a los deseos del líder[15]. De esta forma, el líder consigue influir en la conducta de los seguidores para que acepten sus indicaciones, incluso de forma entusiasta, sin que parezca que está ejerciendo poder alguno.

10.1.5. Liderazgo y objetivos compartidos

El liderazgo se manifiesta siempre en el contexto de un grupo orientado hacia unos objetivos compartidos, y el líder es el encargado de conducir o guiar a los miembros del grupo hacia la consecución de los mismos. Los seguidores, por su parte, aceptarán las directrices e indicaciones del líder en la medida en que crean que haciéndolo se alcanzarán las metas deseadas. En esta labor de guía hacia los objetivos compartidos del grupo, el líder asume una función simbólica al personalizar en su figura una visión compartida del futuro del grupo, visión que el propio líder ha de ser capaz de crear y transmitir de forma eficaz[16].

El interés por identificar y describir lo que distingue a los grandes líderes ha ocupado a pensadores y filósofos desde la Antigua Grecia, aunque la investiga-

---

[12] Hall, R. H. (1996).

[13] Katz, D. y Kahn, R. L. (1989); Gibson, J. L., Ivancevich, J. M. y Donnelly, J. H. (1996); Wagner, J. A. y Hollenbeck, J. R. (2004).

[14] Hall, R. H. (1996).

[15] Wagner, J. A. y Hollenbeck, J. R. (2004); Hall, R. H. (1996).

[16] Bateman, T. S. y Snell, S. A. (2001); Ivancevich, J. M., Lorenzi, P., Skinner, S. P. y Crosby, P. B. (1996).

ción científica sobre el liderazgo se remonta a principios del siglo XX. En este tiempo se han acumulado una ingente cantidad de estudios que han enfocado la figura del líder y el concepto de liderazgo desde diferentes perspectivas, que tradicionalmente se agrupan en tres grandes enfoques: el primero, cronológicamente hablando, se centra en hallar los rasgos personales o características distintivas del líder respecto a aquellos que no lo son; el segundo enfoque está constituido por las teorías conductistas, que tratan de explicar el liderazgo desde la óptica del comportamiento de los líderes eficaces y la identificación de diferentes estilos de liderazgo; por último, el tercer enfoque incorpora las variables situacionales o de contingencia para paliar las insuficiencias de los enfoques anteriores e intentar armonizar los descubrimientos sobre el liderazgo. A continuación se analizan con más detalle estos tres enfoques y se añade una revisión a las perspectivas más contemporáneas sobre la naturaleza del líder y el liderazgo.

10.2. ENFOQUE DE LOS RASGOS

Esta perspectiva es la más antigua, e incluso la más extendida y conocida a nivel popular sobre la naturaleza del liderazgo. El enfoque de los rasgos asume que los líderes poseen ciertas características estables o rasgos que los diferencian del resto de las personas. Dichos rasgos son considerados en su mayoría innatos, por lo que no se pueden adquirir o aprender, de lo que se deriva que, según este enfoque, el líder nace, no se hace. El enfoque de los rasgos retoma de forma sistemática y científica la antigua tradición sobre el *Gran Hombre,* según la cual los líderes son personas excepcionales dotadas de unas cualidades innatas que los predestinan a ser grandes líderes o jefes. Desde la antigüedad clásica, pensadores, filósofos y escritores han abundado en la necesidad de identificar esas cualidades o atributos que distinguen a los *grandes hombres* —generales, estadistas o reyes—, pero siempre con el triple sesgo de referirse a atributos eminentemente masculinos, ligados al ámbito militar o político y circunscrito a los valores de la cultura occidental[17].

El enfoque de los rasgos dominó la investigación sobre el liderazgo hasta mediados del siglo XX, dando lugar a la aparición de una gran cantidad de estudios e investigaciones centrados en identificar los atributos personales relacionados con la capacidad de liderazgo. La amplia gama de características aportadas por estas investigaciones abarca los rasgos físicos (apariencia, peso, altura), los relacionados con la personalidad (adaptabilidad, perseverancia, asertividad, entusiasmo, confianza en sí mismo), los relacionados con la capacidad intelectual (inteligencia, conocimientos, decisión, juicio, facilidad de palabra), los referidos a las

---

[17] Las *Vidas paralelas,* de Plutarco, constituyen el primer estudio sistemático sobre qué características deben adornar a los grandes líderes. Se encuentran otras reflexiones importantes en la *República,* de Platón, y la *Política,* de Aristóteles. Entre los romanos, en Séneca, Suetonio y Catón.

tareas (impulso para el logro, perseverancia, iniciativa, creatividad) y los relativos a aspectos sociales (sociabilidad, capacidad para la cooperación, habilidades interpersonales, diplomacia, capacidad de persuasión, capacidad de gestión)[18].

No obstante, a pesar del considerable esfuerzo investigador realizado, la perspectiva de los rasgos no fue capaz de ofrecer una aproximación consistente y universal sobre el liderazgo y los líderes. Las principales debilidades del enfoque de los rasgos son las siguientes[19]:

— A lo largo del tiempo, los diferentes estudios han ido incorporando nuevos rasgos o atributos a los ya existentes, de modo que la relación de los mismos ha llegado a ser tan extensa como poco útil para los fines que se persiguen. En realidad, la lista de rasgos que alguna vez se han citado para caracterizar la figura de un líder recoge todas las cualidades positivas y virtuosas con que se puede describir al ser humano[20]. En tales circunstancias, y aunque algunos de los rasgos aparecen en muchas de las investigaciones realizadas, ha sido imposible encontrar un conjunto de atributos que de forma inequívoca distinga al líder de la persona que no lo es y que, además, esté presente en todos los líderes: algunos pueden presentar ciertos rasgos distintivos genéricos, pero también pueden existir líderes que no posean tales atributos; asimismo, el enfoque de los rasgos ha sido incapaz de explicar por qué un individuo con las cualidades necesarias para ser un líder no acaba siéndolo.
— El enfoque de rasgos tampoco proporciona indicios sobre la importancia relativa de cada uno de los rasgos en la capacidad de liderazgo.
— Este enfoque no tiene en cuenta la situación en que se ejerce el liderazgo. Asume que todos los líderes están definidos por un único conjunto de rasgos, lo cual implica que el líder eficaz lo será en cualquier situación y en cualquier momento. Bajo esta premisa, un país que se enfrenta a un conflicto bélico, otro que atraviesa una época de prosperidad y paz, una empresa multinacional, un equipo de fútbol, una universidad o una banda de moteros precisa de líderes con los mismos rasgos o cualidades.
— No está clara la dirección de la causalidad entre algunos de los rasgos y el liderazgo eficaz, de modo que aquéllos puedan ser el resultado de una experiencia de liderazgo en lugar de su causa: ¿una gran confianza en sí mismo es necesaria para ser un líder, o el éxito del líder lo proporciona dicha autoconfianza?
— Por último, el enfoque de los rasgos ignora la importancia e influencia de los seguidores en la relación de liderazgo, como por ejemplo, la necesidad

---

[18] Stogdill, R. M. (1974); Bass, B. M. (1981).
[19] Weihrich, H. y Koontz, H. (1994); Díez de Castro, J. y Redondo, C. (1995); Robbins, S. P. (1998); Stoner, J. A. F., Freeman, R. E. y Gilbert, D. R. (1996); Ivancevich, J. M., Lorenzi, P., Skinner, S. P. y Crosby, P. B. (1996); Sánchez, E. (2008).
[20] Bolden, R., Gosling, J., Marturano, A. y Dennison, P. (2003).

de que el líder haya de ser aprobado o reconocido como tal por sus seguidores, y que, por tanto, seguidores con características diferentes pueden esperar atributos diferentes en sus líderes.

Debido a todas estas limitaciones, el enfoque de los rasgos fue perdiendo interés hasta ser prácticamente abandonado como campo de estudio a partir de los años cincuenta del pasado siglo, cuando se abrieron paso las teorías conductistas y situacionales del liderazgo.

No obstante, durante las décadas de los ochenta y los noventa se produjo una revitalización de este enfoque apoyado en nuevas metodologías de investigación, nuevas medidas de los atributos y nuevas técnicas de análisis estadístico (análisis factorial, análisis de grupos o meta-análisis). Esta revisión del enfoque de los rasgos tiende a solventar o a suavizar algunos de los supuestos más restrictivos del enfoque original. En este sentido, se trata de un enfoque más equilibrado al admitir que aunque la evidencia indica que hay ciertos rasgos fundamentales que contribuyen significativamente al éxito de los líderes, estas características por sí solas no son suficientes para un liderazgo eficaz, sino que son sólo una condición previa que puede favorecer su aparición. Los líderes que poseen las características necesarias deben llevar a cabo ciertas acciones para tener éxito (por ejemplo, la formulación de una visión, la definición de roles o el establecimiento de metas). Poseer las características adecuadas sólo hace más probable que tales acciones sean adoptadas con éxito[21]. Además, dichos atributos en su mayoría no son innatos, sino que se pueden adquirir o aprender, y más que rasgos individuales, algunos de ellos se refieren a habilidades. En el cuadro 10.1 se describen brevemente los rasgos más relacionados con el liderazgo eficaz.

CUADRO 10.1

Los rasgos más relevantes relacionados con el liderazgo eficaz

1. **Empuje.** Se refiere a un conjunto de características que reflejan un nivel elevado de esfuerzo o dinamismo. Según este atributo, los líderes presentan una alta necesidad de logro, ambición, energía, tenacidad e iniciativa.
2. **Motivación por el liderazgo.** Los líderes tienen un fuerte deseo de dirigir e influir en los demás, es decir, tienen una gran necesidad de poder y de asumir responsabilidades.
3. **Honradez e integridad.** La credibilidad, la sinceridad y la correspondencia entre lo que se dice y lo que se hace son cualidades especialmente importantes para los líderes porque contribuyen a inspirar confianza a los demás.
4. **Confianza en sí mismo.** Permite a los líderes superar obstáculos y tomar decisiones en situaciones difíciles e inciertas de modo que transmiten e infunden confianza en sus seguidores sobre su propia capacidad.

---

[21] Kirkpatrick, S. A. y Locke E. A. (1991).

5. **Habilidad cognitiva.** Los líderes deben ser capaces de recopilar, sintetizar e interpretar gran cantidad de información para formular estrategias viables, solucionar problemas y tomar decisiones correctas. Deben poseer habilidad conceptual y analítica, buen juicio y capacidad para pensar estratégicamente. Para ello, el líder debe ser inteligente, pero no necesariamente un genio.

6. **Conocimiento del negocio.** Los líderes eficaces tienen un gran conocimiento sobre la empresa, la industria y los aspectos técnicos del negocio. Estos conocimientos permiten a los líderes tomar decisiones bien fundamentadas y conocer las implicaciones de las mismas.

FUENTE: Kirkpatrick, S. A. y Locke E. A. (1991).

Otra perspectiva más reciente del renovado enfoque de los rasgos es el denominado *enfoque del patrón de atributos del liderazgo*[22]. Este enfoque defiende la influencia de ciertas características personales, tanto en la emergencia del líder como en su eficacia, pero en contraste con el enfoque tradicional, sostiene que dicha influencia se manifiesta a través de patrones de atributos que caracterizan a cada persona y no a través de cada atributo individual. Por ejemplo, para un conjunto de atributos teóricamente relevantes como la adaptabilidad, autoconfianza y la sociabilidad se establecen diferentes patrones: alta adaptabilidad-alta autoconfianza-alta sociabilidad; alta adaptabilidad-alta autoconfianza-baja sociabilidad, etc. A continuación se agrupan los individuos según respondan a cada uno de los patrones y se procede a establecer las posibles relaciones de cada patrón con la eficacia o la emergencia del liderazgo. El enfoque del patrón de atributos también considera, en sus análisis sobre el líder y el liderazgo, aspectos ausentes en el enfoque de rasgos tradicional, tales como la influencia de los seguidores en la aceptación del líder[23] y la importancia de los factores de contexto[24].

Por último, los enfoques del liderazgo *carismático* y del liderazgo *transformacional,* que se tratan más adelante en este capítulo, pueden considerarse también dentro de estas nuevas perspectivas sobre el enfoque de rasgos del liderazgo.

10.3. ENFOQUES BASADOS EN LA CONDUCTA DEL LÍDER

Cuando los estudios sobre los rasgos del líder no consiguieron resultados totalmente concluyentes, comenzaron a realizarse otras investigaciones que se planteaban el problema de manera distinta. En este sentido, a partir de los años cuarenta del siglo pasado, se realizaron varios trabajos que pretendían observar cómo

---

[22] Smith, J. A., y Foti R. J. (1998); Zaccaro, S. J. (2007); Foti, R. J., y Hauenstein, N. M. A. (2007).

[23] Smith, J. A. y Foti R. J. (1998).

[24] Zaccaro, S. J. (2007).

se comporta el líder eficaz, independientemente de los rasgos que le caracterizan. Estos enfoques se incluyen en el grupo de estudios basados en la conducta del líder.

En este apartado se analiza un conjunto de estudios que se esfuerzan en observar la conducta del líder y conseguir conclusiones sobre sus patrones de comportamiento. Este nuevo planteamiento tiene importantes implicaciones para el estudio del comportamiento organizativo. Los patrones de conducta del líder pueden ser aprendidos y enseñados, mientras que, como ya se ha comentado en el epígrafe anterior, el enfoque basado en los rasgos del líder establecía implícitamente que el liderazgo es una cualidad innata.

10.3.1. Los estudios experimentales de Kurt Lewin

Uno de los primeros estudios sobre la conducta del líder fue realizado en 1939 por el polaco Kurt Lewin[25] y sus colegas de la Universidad de Iowa. El estudio se realizó con niños de 12 años que después de salir del colegio se reunían en talleres para realizar trabajos manuales. Los niños se agruparon en distintos equipos con líderes de estilos diferentes. Después de un tiempo trabajando con un líder en el taller, cada grupo era sometido a otro líder con estilo diferente. Así, cada grupo de niños fue dirigido en sus tareas por un líder autoritario, un líder democrático y un líder liberal (líder de rienda suelta). Las características de cada estilo se resumen en la tabla 10.1.

TABLA 10.1

Estilos de liderazgo usados en el estudio de Kurt Lewin

Líder autocrático	— Centraliza la autoridad y dicta métodos de trabajo, limitando la participación de los subordinados. — Firme y dogmático (inflexible). — Utiliza el poder para recompensar y castigar.
Líder democrático	— Involucra a los subordinados en la toma de decisiones, delega autoridad y alienta la participación. — Se centra en las funciones de apoyo del grupo, se preocupa más por motivar que por controlar.
Líder liberal (rienda suelta)	— Otorga plena libertad al grupo para que complete las tareas en la forma preferida. — Utiliza poco su poder.

FUENTE: Lewin, K. (1951).

---

[25] Lewin, K. (1951).

Los resultados obtenidos en el estudio fueron:

— Cuando los niños se enfrentaban a un líder autocrático, trabajaban muy duro mientras que él los vigilaba, comportándose de manera muy diferente cuando el líder no estaba. También desarrollaban conductas agresivas que imitaban el carácter autoritario del líder, al mismo tiempo que desarrollaban un comportamiento sumiso.
— Cuando los niños trabajaban con un líder liberal, el rendimiento era muy bajo porque los niños solían realizar el mínimo esfuerzo. Además, la situación en los talleres se convertía en caótica.
— Cuando los niños trabajaban con un líder democrático se conseguían niveles de motivación y participación extraordinarios. También el trabajo destacaba por su originalidad.

En su momento, los resultados referentes al estilo democrático fueron los más sorprendentes.

10.3.2. Los estudios de Michigan y Ohio

En 1945, varios investigadores de la Universidad Estatal de Ohio (Estados Unidos) realizaron una investigación basada en un cuestionario, con la que pretendían acotar los estilos de liderazgo que los distintos profesionales desempeñaban en la realidad[26]. Para ello, inicialmente, identificaron más de mil dimensiones que definen la conducta del líder, que después quedaron reducidas a dos categorías finales, en las que cada líder puede obtener una puntuación alta o baja. Casi al mismo tiempo, la conducta del líder también fue estudiada por un grupo de investigadores de la Universidad de Michigan[27]. Los objetivos del estudio eran muy similares a los estudios de Ohio: detectar las pautas de comportamiento de los líderes eficaces.

Los resultados de ambos estudios pueden considerarse equivalentes. En ambos casos, se identificaron dos dimensiones del comportamiento básico del líder que son similares, e incluso se consideran como sinónimas, aunque la denominación que se le otorga en cada estudio es diferente.

— *Estructura de inicio (estudios de Ohio) y orientación a la tarea (estudios de Michigan):* El líder define y asigna las tareas a los subordinados, así como fija las metas y objetivos de producción. En definitiva, supone el nivel en el que el líder se encarga de realizar las funciones básicas de su puesto de trabajo. Específicamente, dentro de esta categoría, el líder dice qué debe

---

[26] Schriesheim, C. C., Cogliser y Neider, L. L. (1995).
[27] Kahn, R. y Katz, D. (1960).

hacer cada subordinado, dicta normas y reglas para resolver los problemas derivados de las tareas, fija fechas límite para la finalización de éstas, etc.
— *Consideración (estudios de Ohio) y orientación al empleado (estudios de Michigan):* El líder se esfuerza por establecer relaciones afectivas con sus subordinados, favoreciendo la confianza mutua y creando un clima de trabajo cordial. El líder que puntúa alto en esta conducta es aquel que se preocupa por los problemas de los empleados y consigue que éstos le respeten y le aprecien.

La importancia que los dos estudios le reconocen a cada conducta es diferente. En el caso de los estudios de Ohio, los resultados concluyeron que los subordinados de un líder que puntúa alto en consideración (u orientado al empleado) están más satisfechos y motivados; sin embargo, los grupos coordinados por un líder con elevada estructura de inicio (u orientado a la tarea) arrojan mayores niveles de productividad y desempeño. Por otra parte, los resultados de Michigan favorecen al líder orientado al empleado (o que puntúa alto en consideración), detectando un mayor nivel de productividad en los grupos donde el líder muestra esta conducta.

Esta disparidad en los resultados llevó a desechar la validez y la contribución de estos dos estudios[28]. Sin embargo, revisiones posteriores han reforzado su valor, defendiendo que ambos estudios aportan la descripción de dos conductas básicas que mejoran la comprensión de la labor del líder. Asimismo, ambas dimensiones sirven como base para desarrollar teorías y modelos posteriores, como es el caso de la rejilla de Blake y Mouton.

10.3.3. La rejilla gerencial de Blake y Mouton

En 1969, estos dos psicólogos diseñan un modelo para explicar el comportamiento del líder[29] basándose en las dimensiones identificadas por los estudios de Ohio y Michigan. Así, los autores parten de las siguientes dimensiones del liderazgo:

— *Orientación a la tarea:* Se produce cuando el líder se centra en definir cómo se realiza la tarea e incrementar el nivel de producción.
— *Orientación a las personas:* Se produce cuando el líder se centra en conseguir que las personas trabajen en un ambiente ideal, así como satisfacer sus necesidades sociales.

Estas dimensiones se relacionan entre sí, dando lugar a la rejilla diseñada por estos autores. La orientación a la tarea se representa en el eje de abscisas, y la orientación a las personas se recoge en el eje de ordenadas. Cada líder puede po-

---

[28] Judge, T. A., Piccolo, R. F. y Illies, R. (2004).
[29] Blake, R. R. y Mouton, J. S. (1964).

sicionarse en la rejilla, definiendo un nivel de 1 a 9 para cada una de las dimensiones (figura 10.2).

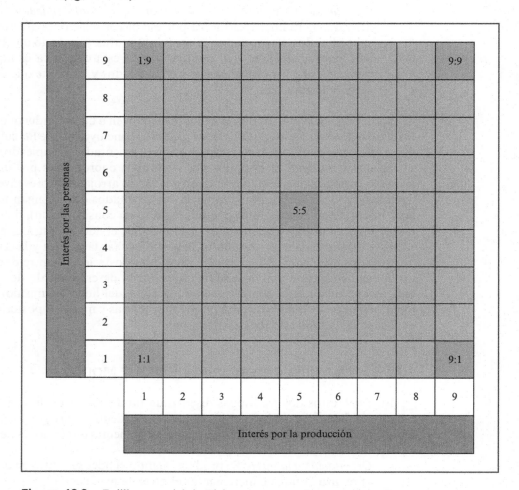

Figura 10.2. Rejilla gerencial de Blake y Mouton. [FUENTE: Blake, R. R. y Mouton, J. S. (1964).]

Los autores definen cinco de las ochenta y una casillas posibles:

— *1:1 Administración empobrecida.* El líder muestra una orientación muy baja a las personas y a la producción; por tanto, dedica poco esfuerzo para cumplir su papel y es conveniente que abandone su puesto.

— *1:9 Administración de club de campo.* El líder dedica todo su esfuerzo a que las personas trabajen en un ambiente organizacional amigable, pero desatiende la organización del trabajo y las tareas, por lo que el ritmo de trabajo es bajo.

— *9:1 Administración autoritaria (gerente autoritario de tarea).* El líder dedica gran esfuerzo a definir las tareas de trabajo en sus aspectos técnicos y así lograr niveles elevados de producción. En cambio, desatiende las necesidades sociales del grupo de trabajo y no le preocupa el ambiente en el que trabajan los subordinados.

— *5:5 Administración intermedia.* Se consigue un desempeño adecuado de la organización al equilibrar la necesidad de realizar el trabajo y mantener la moral del personal en un nivel satisfactorio.

— *9:9 Administración de equipo o democrática (gerente de equipo).* El líder consigue destacar por su esfuerzo en ambas dimensiones. Su conducta se caracteriza por organizar técnicamente las tareas y además conseguir buen clima de trabajo. Este punto indica que la postura de los autores es opuesta a la *suma cero,* dado que en esta posición, el líder consigue destacar en ambas dimensiones simultáneamente. Ante este estilo de liderazgo, la satisfacción de los subordinados es alta, y por eso se produce baja rotación en el equipo de trabajo.

La rejilla ofrece una solución para abordar el dilema del liderazgo, representando la posibilidad de que un líder pueda desarrollar simultáneamente ambas conductas para ser eficaz[30]. Sin embargo, su aportación teórica es muy limitada, porque se basa en las dimensiones de la conducta previamente identificadas por los estudios de Ohio y Michigan.

Estos estudios de la conducta del líder desarrollan diferentes marcos teóricos para comprender en qué se basa la conducta del líder, pero se les critica su falta de análisis situacional. Los tres estudios analizados ignoran cómo influyen las variables del contexto en la eficacia del líder. Hay que tener en cuenta que variables como la naturaleza de los subordinados, el tipo de tarea o las circunstancias del momento, pueden influir en el estilo de liderazgo. Por ejemplo, a pesar de la bondad de un estilo de liderazgo 9:9 en la rejilla, puede ser que las circunstancias exijan otras dimensiones que encajen mejor con el contexto.

10.3.4. El continuo autocrático-democrático de Tannenbaum y Schmidt

Es uno de los modelos más tardíos para explicar la conducta del líder aunque también se le considera un modelo contingente. En 1973, Tannenbaum y Schmidt[31] diseñan un continuo para detallar los distintos estilos de liderazgo en función de

---

[30] Larson, L. L., Hunt, J. G. y Osborn, R. N. (1976).
[31] Tannenbaum, R. y Schmidt, W. (1973).

los rasgos del líder o administrador, las características del subordinado y las fuerzas situacionales. De esta forma, el nivel de participación de los subordinados debe ser coherente con las variables contingentes analizadas:

— *Rasgos del administrador.* Antecedentes culturales, conocimientos, formación, experiencia, etc.
— *Características de los subordinados.* Valores culturales, experiencia, madurez profesional, etc.
— *Fuerzas situacionales.* Pueden considerarse la naturaleza del trabajo, la cultura organizacional, las presiones de tiempo, etc.

En base a estas tres variables, los autores proponen un continuo de estilos de liderazgo, donde se reflejan los distintos niveles de autoridad que puede ejercer el líder o el grado de participación que se le puede conceder a los subordinados.

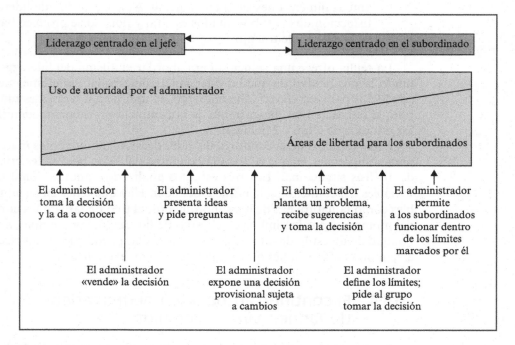

Figura 10.3. El modelo de Tannenbaum y Schmidt. [FUENTE: Tannenbaum, R. y Schmidt, W. (1973).]

Al contrario que la rejilla de Blake y Mouton, el modelo de Tannenbaum y Schmidt debe entenderse como un modelo de *suma cero:* cuánto más se orienta un líder hacia las tareas (autoritario), menos lo hace hacia las relaciones (democrático). Aunque se considera uno de los últimos modelos conductuales, algunas veces es considerado como modelo contingente debido a la influencia de factores situacionales en la conducta del líder.

10.4. LAS TEORÍAS CONTINGENTES DEL LIDERAZGO

10.4.1. El enfoque contingente de Fiedler

En 1967, Fred Fiedler[32] publica un modelo teórico, donde explica que el éxito de un estilo de liderazgo depende del ajuste que se produce entre ese estilo y la situación en la que se debe liderar. A modo introductorio, por ejemplo, este enfoque permite entender que en ciertas situaciones, un estilo democrático no tenga éxito, siendo necesario buscar un líder con estilo autocrático (o viceversa).

El enfoque de Fiedler parte de dos premisas que guiarán la forma en que debe entenderse el modelo:

— *Cada individuo (líder) se caracteriza por un estilo de liderazgo que es muy difícil cambiar* (por ejemplo, una persona que se caracteriza por un estilo de liderazgo autoritario, difícilmente podrá ejercer un estilo democrático). Por ello, el primer paso que propone el enfoque es determinar qué estilo de liderazgo caracteriza a un líder.

— *La situación debe encajar con el estilo de liderazgo.* Según el autor, esto se produce cuando las características de la situación permiten al líder tener el control y ejercer influencia sobre los subordinados. En este enfoque, el segundo paso es identificar las características de la situación y determinar qué estilo de liderazgo es el adecuado.

— *El cuestionario del compañero de trabajo menos preferido* (CTMP). Es la herramienta que Fiedler diseñó para identificar el estilo de liderazgo que caracteriza a cada individuo (primer paso del enfoque). Consiste en 16 valoraciones sobre el compañero con quien menos le agrada trabajar al entrevistado. El resultado permite encasillar al individuo en un estilo de liderazgo concreto. En la figura 10.4 se puede ver una reproducción de dicho cuestionario.

Por ejemplo, en la primera valoración, el entrevistado deberá responder «8» si considera que ese compañero le parece agradable, «1» si le parece desagradable, o una valoración intermedia según sea la percepción que tiene de su compañero menos preferido.

---

[32] Fiedler, F. E. (1967).

Agradable	8	7	6	5	4	3	2	1	Desagradable
Amistoso	8	7	6	5	4	3	2	1	Enemistoso
Recusador	1	2	3	4	5	6	7	8	Aceptador
Colaborador	8	7	6	5	4	3	2	1	Frustrante
Apático	1	2	3	4	5	6	7	8	Entusiasta
Tenso	1	2	3	4	5	6	7	8	Relajado
Distante	1	2	3	4	5	6	7	8	Cercano
Fijo	1	2	3	4	5	6	7	8	Cálido
Cooperativo	8	7	6	5	4	3	2	1	No cooperativo
Munificente	8	7	6	5	4	3	2	1	Hostil
Aburrido	1	2	3	4	5	6	7	8	Interesante
Pendenciero	1	2	3	4	5	6	7	8	Armonioso
Seguro de sí	8	7	6	5	4	3	2	1	Titubeante
Eficiente	8	7	6	5	4	3	2	1	Ineficiente
Melancólico	1	2	3	4	5	6	7	8	Alegre
Abierto	8	7	6	5	4	3	2	1	Reservado
Puntuación total									

Figura 10.4. Cuestionario sobre el compañero de trabajo menos deseado o preferido. [FUENTE: Fiedler, F. E. (1967).]

Así, deberá responder a cada valoración sobre el mismo compañero y sumar todas las puntuaciones obtenidas. Una puntuación total alta sobre el CTMP indica que, aunque al entrevistado le resulta difícil trabajar con él, le valora positivamente (es decir, menor preferencia no impide que le considere una persona digna de su amistad o con atributos de persona ejemplar). En cambio, una puntuación relativamente baja, indica que el entrevistado no percibe atributos positivos en ese compañero (por ejemplo, nunca lo consideraría digno de su amistad, ni resalta cualidades destacables de esa persona).

TABLA 10.2

Resultados del cuestionario sobre el compañero de trabajo menos preferido

Resultado CTMP	Estilo	Rasgos
= 64: alto	Líder orientado a las relaciones	— Es tolerante. — Orientado a las relaciones humanas. — Considera los sentimientos de sus subordinados.
= 57: bajo	Líder orientado a la tarea	— Es autoritario. — Controla las actividades. — Se preocupa menos por las relaciones humanas.

FUENTE: Fiedler, F. E. (1967).

La identificación del estilo del líder se realiza considerando los valores que aparecen en la tabla 10.2. Como puede observarse, las puntuaciones intermedias no encuentran estilo identificado en el enfoque. Estudios empíricos posteriores[33] han demostrado (como crítica al enfoque) que aproximadamente el 16 % de los entrevistados no se identifican con alguno de los dos estilos de liderazgo.

Características de la situación. El segundo paso del enfoque es catalogar la situación. Fiedler identificó tres factores situacionales que influirán en la eficacia del líder. Éstos son:

— *Relación líder-miembro:* Medida en la que los seguidores aprueban y confían en un líder y están dispuestos a seguirlo. Es el único factor que el líder controla directamente (los otros dos vendrán controlados por la organización). Fiedler también diseñó una escala para medir esta variable usando enunciados como «Mis subordinados siempre colaboran conmigo para conseguir que se haga el trabajo». El resultado de la valoración de esta variable puede ser: buena o mala relación.

— *Estructura de la tarea:* Grado en el que las tareas se encuentran definidas (a través de manuales o métodos que explican «paso a paso» cómo deben ser realizadas) y los estándares para el control están claros. En la escala de medición que Fiedler diseñó para esta variable se usan enunciados como: «¿Hay algún plano, dibujo, modelo o descripción detallada disponible del producto terminado o servicio?». Cuando la tarea está estructurada, el líder gozará de mayor poder, dado que sólo deberá recurrir a los manuales

---

[33] Schiflett, S. (1981).

para aclarar alguna controversia. En cambio, si la tarea no está estructurada, las instrucciones del líder no siempre serán válidas y podrán ser cuestionadas. Como resultado de la medición, la estructura de la tarea puede ser alta o baja.

— *Poder del puesto (del líder):* Grado en el que el líder puede premiar o sancionar a los subordinados; por ejemplo, despidiendo a algún individuo u otorgándole recompensas. En la herramienta de medición que Fiedler diseñó se utilizaban afirmaciones como: «¿Es trabajo del líder valorar el rendimiento de los subordinados?». Lógicamente, cuando el líder puede sancionar o recompensar, es capaz de influir más fácilmente en la conducta de sus subordinados. En esta variable, los resultados que se arrojan son: poder fuerte o débil.

El ajuste entre el estilo del líder y la situación. Una vez diseñadas las herramientas de medición del estilo del líder y establecidos los factores situacionales que considera relevantes, Fiedler plantea un modelo teórico para identificar el estilo de liderazgo más eficaz para cada situación (figura 10.5).

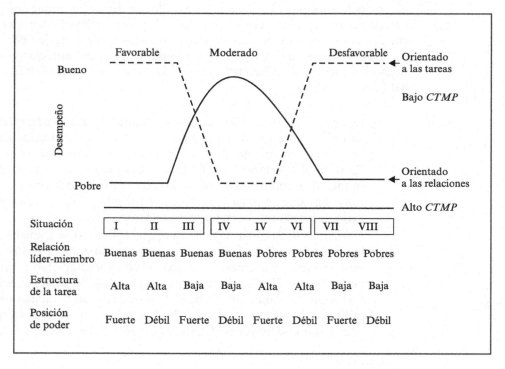

Figura 10.5. Modelo de Fiedler. [Fuente: Fiedler, F. E. (1967).]

De la interpretación de la figura se derivan diferentes lecturas, por ejemplo:

— En situaciones favorables para el líder (I, II, III), el estilo de liderazgo que funciona es el orientado a las tareas (autoritario). La principal razón es que la bondad de la situación (buena relación con subordinados, tareas estructuradas, posición de poder) concede mayor control e influencia al líder, y, por tanto, éste puede dar órdenes con la seguridad de que serán seguidas por los subordinados.
— También en situaciones desfavorables para el líder (VII, VIII), el mejor estilo de liderazgo es el orientado a las tareas (autoritario). En este caso, la situación no es favorable para el líder (no tiene buena relación con subordinados, la tarea no está estructurada, el puesto carece de poder), y por ello, el único recurso que dispone es la autoridad, porque no será capaz de influir usando otro tipo de poder. Los subordinados deberán obedecerle «sólo» porque es el jefe. (A modo de ejemplo, en situaciones de crisis política los líderes recurren a la autoridad, en lugar de buscar acuerdos o consensos.)
— Sólo en situaciones moderadas, el estilo orientado a las relaciones (democrático) es adecuado.

Teniendo en cuenta las premisas que establecía el modelo, cuando el ajuste no se produce, sólo caben dos posibilidades: cambiar al líder o cambiar la situación, modificando algunos factores situacionales, aunque el modelo apuesta claramente por la primera.

El modelo de Fiedler es uno de los enfoques contingentes del liderazgo más ampliamente difundido. En el momento de su publicación fue bastante elogiado por combinar al mismo tiempo rasgos del líder, conductas y variables situacionales. Además, los estudios empíricos posteriores han valorado positivamente su validez[34]. No obstante, entre las críticas más sólidas que se le hacen destaca la débil conceptuación y argumentación del estilo adecuado en situaciones moderadamente favorables[35].

10.4.2. Teoría situacional de Hersey y Blanchard

Paul Hersey y Ken Blanchard[36] diseñaron otro de los modelos de liderazgo más influyente y extensamente divulgado. En concreto, estos autores establecieron una teoría contingente que considera la madurez de los subordinados como única variable situacional. Así, todo el protagonismo que esta teoría atribuye a los subordinados se debe a que el éxito o fracaso de un líder siempre depende-

---

[34] Schriesheim, C. A., Bannister, B. D. y Money, W. H. (1979).
[35] Schriesheim, C. A., Tepper, B. J. y Tetrault, A. (1994).
[36] Hersey, P., Blanchard, K. H. y Dewey, J. (2001).

rá de la aprobación de sus seguidores. Por tanto, los rasgos que definen a estos seguidores deben ser tenidos en cuenta para determinar el estilo de liderazgo adecuado.

Los autores utilizan la madurez de los empleados como principal rasgo de los seguidores. Según esta teoría, se puede considerar que un grupo de seguidores son maduros cuando tienen capacidad para resolver las tareas y disposición para hacerse cargo de responsabilidades nuevas. La madurez será la variable independiente que determine el estilo de liderazgo adecuado.

El modelo también se asienta sobre los estilos de liderazgo que Fiedler utilizó: liderazgo orientado a las tareas (conducta directiva) y liderazgo orientado a las relaciones (conducta de apoyo). Sin embargo, los autores consideran cuatro posibles combinaciones, en función del grado en que el líder recurra a cada conducta (figura 10.6).

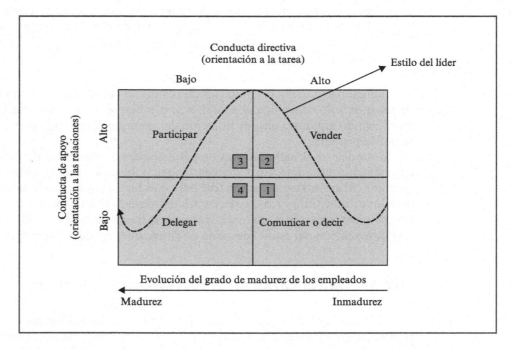

Figura 10.6. Modelo teórico de Hersey y Blanchard. [FUENTE: Hersey, P., Blanchard, K. H. y Dewey, J. (2001).]

— *CELDA 1. Comunicar o decir:* La madurez de los subordinados es muy baja, no tienen capacidad para realizar las tareas independientemente y tampoco están motivados para enfrentarse a retos. El líder tiene que definir las tareas de cada empleado rigurosamente y además debe establecer «cómo» y «cuándo» las harán. Por ello, el estilo se caracteriza por una conducta directiva alta y una conducta de apoyo reducida (su mayor preocupación es que el grupo trabaje, en lugar de fortalecer las relaciones o conseguir un clima cordial).

— *CELDA 2. Vender o convencer:* Los subordinados son algo más maduros, y, si bien su capacidad para las tareas no es elevada, están motivados para aprender y mejorar. El líder también define e impone la carga de trabajo, pero en este caso intenta estimular a los subordinados convenciendo y explicando la validez de los objetivos y la asignación de las tareas. Por ello, aún debe recurrir en gran medida a la conducta directiva (por la baja capacidad de los subordinados) combinada con elevados niveles de conducta de apoyo (para estimular y mejorar el rendimiento del grupo).

— *CELDA 3. Participar:* Los seguidores gozan de capacidad para resolver las tareas, pero en este caso carecen de motivación para asumir nuevos retos. El estilo del líder se caracteriza por bajos niveles de conducta directiva (los subordinados conocen y dominan el trabajo) y elevados niveles de conducta de apoyo (los subordinados necesitan el estímulo del líder para interesarse por el trabajo). Por eso, el estilo del líder se caracteriza por animar a los subordinados para que aporten sugerencias y valoraciones sobre cómo organizar las tareas.

— *CELDA 4. Delegar:* Esta posición representa la mejor situación para el líder. Los subordinados están capacitados y además están motivados para asumir nuevos retos. Por tanto, el estilo de liderazgo ideal no exige elevados niveles de conducta de apoyo y conducta directiva. El líder confía en la capacidad y disposición de los empleados, y por ello permite que sean los subordinados los que definan la forma en que el trabajo se realiza.

Esta teoría de liderazgo situacional recomienda un tipo de liderazgo dinámico y flexible, no estático. Hay que evaluar constantemente la motivación, capacidad y experiencia de los subordinados, a fin de determinar qué combinación de estilos será la más indicada. Si el estilo es el adecuado, no sólo motivará, sino que además llevará al grupo a la madurez. Por consiguiente, el administrador que desarrolle a sus subordinados, aumente su confianza y les ayude a aprender su trabajo cambiará constantemente de estilo.

El modelo de Hersey y Blanchard destaca por ser intuitivo y por considerar un factor relevante que hasta ahora había sido ignorado. Sin embargo, otros factores situacionales, como el poder coercitivo del líder o la cultura de la organización, también pueden influir en su eficacia, aunque el líder utilice la conducta adecuada[37].

---

[37] Graeff, C. L. (1997).

10.4.3. Teoría de la ruta-meta de House

La teoría de liderazgo propuesta por Robert House[38] en 1971 extrae algunas bases de los estudios de la Universidad Estatal de Ohio y la teoría motivacional de las expectativas. En esta teoría, el buen líder es considerado por sus subordinados como una fuente de recompensas. Por eso, un líder es eficaz cuando sus seguidores tienen la creencia de que:

— Será claro al fijar las metas.
— Guiará y suministrará apoyo para eliminar los obstáculos que aparecen en el camino o ruta hacia las metas.

En definitiva, según esta teoría, los subordinados esperan que el líder eficaz aumente la probabilidad de que las metas y recompensas sean alcanzadas por los subordinados. La teoría también combina este planteamiento con dos factores situacionales que son: características personales del subordinado (capacidad, experiencia, etc.) y características del entorno de trabajo (nivel de estructuración de la tarea, sistema de autoridad formal, cohesión del grupo, etc.).

Según House, el estilo de liderazgo no es fijo e innato al líder (como establecía Fiedler), sino que puede ajustarse a los factores situacionales que se consideran en la teoría. El modelo de esta teoría se recoge en la figura 10.7.

Los estilos de liderazgo propuestos son:

1. *Liderazgo directivo (orientado a las tareas)*. El líder detalla el programa de trabajo y la guía necesaria para realizar las tareas que permitan el logro de metas claras. Es adecuado cuando las tareas están poco estructuradas y los seguidores tienen poca capacidad para realizar el trabajo. Este tipo de liderazgo ayuda a superar la ambigüedad inherente al trabajo y a solucionar las debilidades de los subordinados.

2. *Liderazgo de apoyo (orientado hacia las personas)*. El líder se interesa por las necesidades de sus empleados y contribuye a crear relaciones cordiales entre los seguidores. Es adecuado cuando las tareas están estructuradas (e incluso son rutinarias) y además los seguidores tienen capacidad para resolverlas. La conducta del líder se basa en establecer sistemas de incentivos, recompensas, promociones, etc. En una situación como ésta, el liderazgo directivo no sería adecuado, dado que los seguidores no necesitan instrucciones detalladas, que incluso podrían suponerles una redundancia o molestia.

3. *Liderazgo participativo*. El líder permite que los subordinados añadan sugerencias sobre cómo realizar el trabajo.

4. *Liderazgo orientado al logro*. El líder fija metas difíciles y no da demasiadas directrices sobre cómo realizar las tareas; con esto espera que sus se-

---

[38] House, R. J. (1971).

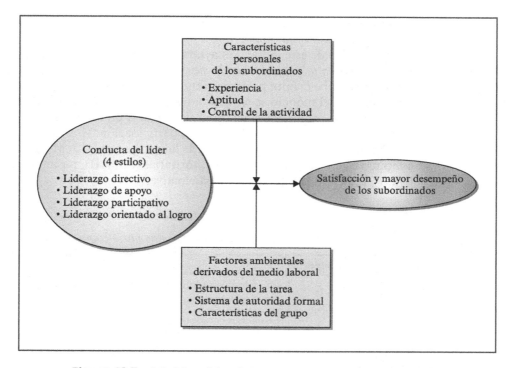

Figura 10.7. Modelo teórico de House. [Fuente: House, R. J. (1971).]

guidores consigan un alto rendimiento. Este estilo encaja cuando los subordinados tienen elevada capacidad y están motivados.

Como valoración final de la teoría, no existe acuerdo sobre su validez empírica. Las variables consideradas son difíciles de medir, y por eso los trabajos empíricos no arrojan resultados concluyentes. Sin embargo, su valor radica en que añade un nuevo planteamiento sobre las funciones de un líder. Con esta teoría podemos entender qué espera el subordinado de un buen líder.

10.4.4. El modelo de participación del líder de Vroom y Yetton

La aportación de Victor Vroom y Phillip Yetton[39] no es estrictamente un modelo o teoría de liderazgo, dado que sólo pretende explicar un aspecto muy aislado de la conducta del líder. Sin embargo, sí puede ser considerado un modelo

---

[39] Vroom, V. H. y Yetton (1973).

contingente, puesto que identifica un conjunto de variables del contexto que influyen en un resultado final.

El objetivo de este modelo es ayudar a decidir *qué nivel de participación de los subordinados es adecuado en cada situación.* Se considera un modelo normativo porque prescribe cuánta participación debe permitir el líder para cada situación. El resultado del modelo se expresa a través de un árbol de decisión que formula preguntas con respuestas sí/no, para dar lugar a un estilo de liderazgo recomendado, en función del nivel adecuado de participación.

El modelo presenta cinco estilos de liderazgo (tabla 10.3) que representan un continuo que va desde posiciones autoritarias (AI; AII), pasando por las consultivas (CI; CII), a la plenamente participativa (GII).

TABLA 10.3

Estilos de liderazgo propuestos por Vroom y Yetton

Estilo de liderazgo	Descripción
AI (autoritario I)	Los administradores solucionan el problema o toman la decisión por sí mismos, usando la información disponible en el momento.
AII (autoritario II)	Los administradores obtienen la información necesaria de los subordinados, y luego deciden por sí mismos sobre la solución al problema, explicando o no cuál es el problema cuando se pide la información. El papel de los subordinados es sólo el de proporcionar la información necesaria en lugar de generar o evaluar soluciones alternativas.
CI (consultivo I)	Los administradores comparten los problemas con los subordinados relevantes en forma individual (es decir, sin reunirlos en grupo), tomando luego la decisión, estén o no de acuerdo con lo expresado por los subordinados.
CII (consultivo II)	Los administradores comparten el problema con los subordinados como un grupo y luego toman la decisión, estén o no de acuerdo con lo expresado por los subordinados.
GII (participativo)	Los administradores comparten el problema con los subordinados. Juntos generan y evalúan las alternativas e intentan llegar a un acuerdo. Los administradores no tratan de influir para que se adopte la postura que ellos prefieren e implantan lo que prefiere el grupo.

FUENTE: Vroom, V. H. y Yetton, P. W. (1973).

Los autores combinaron ocho preguntas, que aluden a las diferentes variables situacionales consideradas en el modelo (tabla 10.4), en un árbol de decisión (figura 10.8) que establece el estilo ideal de liderazgo, en función de las respuestas obtenidas.

TABLA 10.4

Variables situacionales del modelo propuesto por Vroom y Yetton

Variable contingente	Pregunta
Requerimiento de calidad (RQ)	*¿Qué nivel de calidad técnica se requiere para esta decisión?*
Requerimiento del compromiso (RC)	*¿Qué nivel de compromiso de los subordinados se requiere para esta decisión?*
Información del líder (IL)	*¿El líder tiene información suficiente para tomar una buena decisión?*
Estructura del problema (EP)	*¿Está estructurado el problema?*
Probabilidad de compromiso (PC)	*¿Es posible lograr el compromiso de los subordinados con una decisión autocrática?*
Congruencia con la meta (CM)	*¿Persiguen los subordinados alcanzar las mismas metas que la organización al tomar una decisión sobre el problema?*
Conflicto de subordinados (CS)	*¿Es posible que exista conflicto entre los subordinados tras la decisión?*
Información de los subordinados (IS)	*¿Los subordinados disponen de información necesaria para tomar la decisión?*

FUENTE. Vroom, V. H. y Yetton, P. W. (1973)

De los resultados del modelo se obtiene que, cuando las decisiones se deben realizar con rapidez o se debe ahorrar tiempo, los administradores prefieren los estilos de decisión autoritaria. En cambio, si los administradores desean desarrollar el conocimiento y las capacidades de los subordinados para la toma de decisiones, deben escoger los estilos más participativos. De igual modo, se considera que la *efectividad total del liderazgo* es función de la efectividad de las decisiones, menos el coste de tomar la decisión más el valor aportado por el desarrollo de las habilidades de la gente por medio del compromiso de la toma de decisiones.

En 1978, Vroom y Jago[40] desarrollan el modelo añadiendo nuevas dimensiones contingentes a considerar. No obstante, la crítica más generalizada al modelo alude a la complejidad de su aplicación. Resulta difícil imaginar a un gerente que tenga información y disposición para responder con rotundidad a las ocho preguntas que se formulan.

---

[40] Vroom, V. H. y Jago, A. G. (1978).

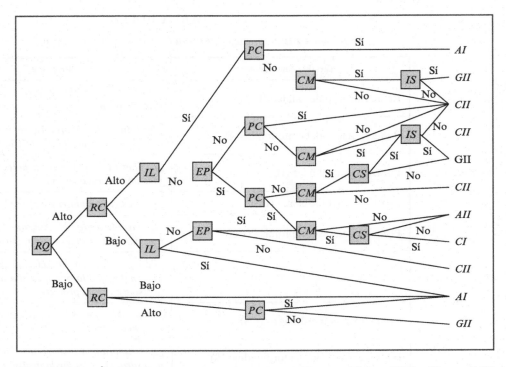

Figura 10.8. Árbol de decisiones de Vroom y Yetton. [Fuente: Vroom, V. H. y Yetton, P. W. (1973).]

10.5. NUEVOS ENFOQUES SOBRE EL LIDERAZGO

En este epígrafe se presentan algunos conceptos actuales sobre el liderazgo. En la investigación del comportamiento organizativo surgen nuevos esquemas o tendencias que pretenden introducir diferentes estilos de liderazgo eficaz. También existen líneas de investigación que incluso cuestionan la validez del liderazgo.

10.5.1. Liderazgo transaccional, transformacional y carismático

Los modelos y teorías presentes en este capítulo se refieren al *liderazgo transaccional*. Con este concepto se alude al trabajo de un líder cuyo interés no va más allá del cumplimiento de las metas y objetivos organizacionales. Su tarea consiste en guiar el comportamiento de los subordinados para que concluyan las tareas con éxito. Sin embargo, el *liderazgo transformacional* define un estilo de liderazgo más ambicioso. Burns[41] introdujo este concepto para explicar el comportamiento de líderes políticos que buscan el entusiasmo y fidelidad de sus seguidores. El líder transformacional no se conforma con lograr las metas, además pretende cambiar el esquema mental o visión de sus subordinados, consiguiendo así su entusiasmo e incluso su desarrollo intelectual y personal. El líder transformacional consigue inspirar nuevos valores en el grupo y es el estilo de liderazgo eficaz cuando se espera que los seguidores sean innovadores, creativos y arriesgados.

La evidencia empírica arroja resultados muy positivos a favor del liderazgo transformacional. Se ha comprobado que se consigue un desempeño extraordinario en grupos dirigidos por líderes que reúnen sus características. En el grupo liderado por un líder transformacional la rotación es menor y los niveles de productividad y satisfacción son superiores[42].

Entre otras tendencias contemporáneas del liderazgo, también destaca el concepto de *líder carismático*. Con este concepto se alude al líder con destacables habilidades comunicativas para establecer lazos emocionales con sus seguidores. En realidad, el carisma de una persona es la capacidad (muchas veces innata) para seducir y atraer a las personas. Por eso, el líder carismático despierta la confianza de sus seguidores y es capaz de convencer más fácilmente sobre su visión. Se han desarrollado bastantes estudios empíricos para probar la efectividad del liderazgo carismático, detectando que la personalidad de este tipo de líderes incrementa la motivación de los seguidores en aquellas tareas que requieren una implicación ideológica, como las actividades altruistas o voluntarias[43].

Algunos autores cuestionan si el liderazgo transformacional y el liderazgo carismático aluden al mismo fenómeno. Sin embargo, el liderazgo transformacional va más allá del liderazgo carismático, intentando contribuir al desarrollo personal del seguidor e inspirando incluso una visión crítica con la que cuestionar a los propios líderes[44]. Por otra parte, el liderazgo carismático se limita al entusiasmo que el líder es capaz de transmitir, usando sus habilidades comunicativas (verbales y no verbales), interpersonales o su autoestima. Esta habilidad para influir en las personas es la que asegura un mayor desempeño y una mayor aceptación.

10.5.2. Sustitutos del liderazgo

Algunos estudios sobre el liderazgo se centran en nuevas líneas de investigación que evalúan la eficacia y utilidad del liderazgo. Kerr y Jermier[45] defienden que en algunas situaciones o contextos, el liderazgo deja de ser eficaz e incluso se

---

[41] Burns, J. M. (1978).
[42] Birasnav, M., Rangnekar, S. y Dalpati, A. (2011).
[43] Shamir, B., House, R. J. y Arthur, M. B. (1993).
[44] Flynn, G. (2002).
[45] Kerr, S. y Jermier, M. (1978).

convierte en innecesario. Es el caso de variables situacionales como una alta madurez de los subordinados, que les permite trabajar con autonomía y autocontrol, respondiendo a motivaciones intrínsecas diferentes del estímulo del líder. También cuando las tareas están muy estructuradas, y no contienen ambigüedad, se cuestiona la utilidad de un líder. En realidad, algunas de las teorías analizadas ya sugieren esta realidad; por ejemplo, de acuerdo con la teoría de Hersey y Blanchard, el papel del líder es menos activo cuanto mayor es la madurez de los subordinados.

RESUMEN

El liderazgo se puede definir como el proceso por el cual un individuo (el líder) influye en el comportamiento de otros (seguidores) con el propósito de lograr objetivos o metas comunes. De esta definición se desprenden cuatro aspectos fundamentales de la naturaleza del liderazgo: la diferencia entre líder y administrador; su relación con el poder y con los distintos tipos de poder; la relación establecida entre el líder y los seguidores; y la orientación del liderazgo hacia unos objetivos compartidos.

La figura del líder y el concepto de liderazgo han sido enfocados por la literatura especializada desde diferentes perspectivas que tradicionalmente se agrupan en tres grandes enfoques: el primero, cronológicamente hablando, es el denominado enfoque de los rasgos, que se centra en hallar los rasgos personales o características distintivas del líder respecto a aquellos que no lo son; el segundo enfoque está constituido por las teorías conductistas, que tratan de explicar el liderazgo desde la óptica del comportamiento de los líderes eficaces y la identificación de diferentes estilos de liderazgo. Este planteamiento tiene importantes implicaciones para el estudio del comportamiento organizativo, ya que los patrones de conducta del líder pueden ser aprendidos y enseñados. Los enfoques conductistas identifican, básicamente, dos tipos de liderazgo: uno orientado a las personas y a las relaciones, y otro orientado a la excelencia en las tareas. Las contribuciones más relevantes de la aproximación conductista al liderazgo son: los estudios experimentales de Kurt Lewin, los estudios de las universidades de Michigan y Ohio, la rejilla gerencial de Blake y Mouton, y el continuo autocrático-democrático de Tannenbaum y Schmidt.

El tercer enfoque incorpora las variables situacionales o de contingencia para paliar las insuficiencias de los enfoques anteriores e intentar armonizar los descubrimientos sobre el liderazgo. El enfoque de contingencias propone que los estilos de liderazgo, orientados a las personas o hacia las tareas, serán eficaces en la medida que se acoplen a las situaciones que rodean el ejercicio del liderazgo. De entre los factores de contingencia analizados por esta perspectiva destacan las características del trabajo a realizar, el poder formal del líder, el nivel de madurez de los empleados a la hora de enfrentarse con su trabajo, las relaciones entre el líder y sus seguidores, y las características del entorno laboral que rodea a los puestos de trabajo. De entre las aportaciones al enfoque del liderazgo situacional se destacan: el enfoque contingente de Fiedler, la teoría situacional de Hersey y Blanchard, la teoría de la ruta-meta de House y el modelo de participación del líder de Vroom y Yetton.

Por último, el capítulo aborda nuevos esquemas o tendencias que pretenden introducir diferentes estilos de liderazgo eficaz, como el liderazgo transformacional y el carismático, e incluso líneas de investigación que cuestionan la validez del liderazgo.

Preguntas de repaso

1. ¿De qué tipo de poder surge el del gerente? ¿Y el del líder?

2. Enumere tres debilidades o limitaciones del enfoque de rasgos del líder.

3. Explique cuáles son las dos dimensiones del comportamiento del líder sobre las que se definen la mayoría de enfoques conductuales del liderazgo.

4. Explique por qué surgen las teorías contingentes del liderazgo.

5. Argumente por qué utiliza Fiedler el *cuestionario del compañero menos preferido*.

6. Razone por qué el modelo de Vroom y Yetton es un modelo normativo.

7. Explique la diferencia entre el liderazgo transaccional y el liderazgo transformacional.

8. Según la teoría de Hersey y Blanchard, ¿cómo debe evolucionar el estilo del liderazgo conforme aumenta la madurez de los subordinados?

CASO PRÁCTICO

¡Peligro! Jefe autoritario a la vista

Hace unos años, trabajando en una agencia de publicidad, fui a presentar, junto a dos de mis compañeros, un anuncio de nuestros clientes. Nos recibió el director de marketing, al que acompañaba todo su equipo. Tras los preámbulos de rigor, hicimos nuestra presentación, y el responsable de marketing, antes de emitir ningún juicio, les pidió a los suyos su opinión. Este proceso se realizaba habitualmente en estricto orden jerárquico, empezando por el más júnior y acabando por el más senior, así que tomó la palabra un asistente que no llevaba más de seis meses en la compañía, y con bastante sentido común y acierto empezó a decir lo que pensaba. A mitad de sus palabras, el director le interrumpió para decirle textualmente: «Para el carro; tu opinión no nos interesa. Tú estás aquí para ver y escuchar. Ya te avisaré cuando considere que puedes opinar».

Se lo dijo delante de todos. De sus compañeros y de nosotros, que no éramos más que un proveedor externo. Me quedé petrificado, pues nunca antes había asistido a una demostración de autoridad tan despótica.

Evidentemente, el asistente en cuestión, impactado por las palabras de su jefe, no dijo nada más. No abrió más la boca ni en aquella reunión ni en las diez siguientes en las que coincidimos, antes de que encontrase otro empleo y dejase la compañía.

El caso que se expone es ilustrativo de muchos ejemplos reales. El profesor Richard Boyatzis, catedrático de conducta de las organizaciones y autoridad mundial en liderazgo, define estos entornos de trabajo como *imperios del miedo*. Y lo son porque generan espacios laborales dominados por la desconfianza y el miedo, cosa que, además de ser emocionalmente muy dura, anula toda iniciativa y toda creatividad. Como afirma Chris Lowney, los jefes autoritarios, «en lugar de liderar, se limitan a presidir lugares de trabajo darwinianos, en los cuales el individuo o nada o se ahoga».

Los líderes autoritarios constituyen una seria amenaza para la estabilidad emocional de todos los que tienen a su alrededor, ya que, como líderes de un grupo humano, son las personas que mayor influencia ejercen en las emociones de los demás. Pero crear imperios del miedo no sólo es perjudicial para las personas que trabajan bajo el mando del líder que los crea, sino que supone un gran riesgo para el futuro de las empresas. Porque las personas angustiadas no rinden y, lejos de dar lo mejor de sí, se limitan a subsistir lo mejor que pueden. Además, las personas lideradas por un jefe autoritario acaban contribuyendo a que el ambiente se degrade, ya que bajo su presión acaban teniendo una gran dificultad en interpretar y gestionar adecuadamente las emociones de los demás. Sergio Cardona dice en su libro *Neuromanagement:* «El miedo paraliza el cerebro y es una buena fuente de mentiras y del hundimiento de las organizaciones».

La autoridad puede manifestarse por dos causas: porque forma parte de nuestra personalidad o porque sin ser personas autoritarias nos sentimos empujados a serlo por las circunstancias. En el primer caso hablaremos de *jefes autoritarios por carácter,* y en el segundo, *jefes autoritarios por rol.* Lidiar con ellos no es fácil nunca, pero nuestras opciones van a ser muy distintas según el caso.

Ante un *jefe autoritario por carácter* sólo podemos esperar dos cosas: que su ineptitud no pase inadvertida a la organización y sea relevado lo antes posible, o que tengamos nosotros la oportunidad de cambiar de trabajo y, consecuentemente, de jefe. Éstas son la mayoría de las veces las únicas opciones posibles, porque partimos de un problema de base y es que estos jefes autoritarios raramente se reconocen como tales. Cuanto peores jefes son, menor autopercepción tienen de su problema.

Sin embargo, ante un jefe que se comporta autoritariamente *por rol* la cosa cambia, y la clave está en que comprendamos el porqué de su comportamiento. Es preciso entender que los jefes autoritarios por rol son víctimas de su inseguridad. A mayor inseguridad, mayor autoritarismo. Cuando no controlan la situación, cuando las cosas se les escapan de las manos, cuando están sometidos a excesiva presión, ejercen su autoridad con todas las consecuencias, sacando a la luz su peor cara.

Estos jefes se comportan así típicamente cuando *estrenan* puesto, durante los primeros meses de una nueva responsabilidad, o en cualquier circunstancia extraordinaria que les suponga estrés o tensión. Pero es bueno saber que en la mayoría de los casos se les pasará. Cuando sientan que dominan la situación bajarán la presión, dejarán de comportarse autoritariamente y mostrarán otras caras con las que es más fácil conectar. Nosotros podemos desempeñar un papel determinante para que cambien: no confrontándoles su actitud, sino contribuyendo a hacerles sentirse seguros. Porque es su inseguridad la que hace emerger su autoridad.

En ambos casos, sean jefes autoritarios por rol o por carácter, es importante no reaccionar, no tomárnoslo como algo personal, pues corremos el riesgo de entrar en una dinámica de ataque y contraataque que convierta la situación en insoportable. Hemos de evitar las reacciones de huida o ataque y mantener la estabilidad interior.

Sin embargo, a pesar de sus inconvenientes, para muchos jefes, la autoridad se convierte en una estrategia preferida. Según Richard Boyatzis, esta estrategia tiene muy poco futuro. Hay que tener en cuenta que la autoridad es, sin duda, una forma efectiva de lograr que los otros «hagan cosas», pero no que las hagan con convencimiento o por propia iniciativa. Los líderes autoritarios son efectivos consiguiendo que el trabajo «salga adelante». Pueden incluso proyectarse una falsa imagen de eficacia y rapidez. Pero la realidad es que el trabajo «sale adelante» a costa de la relación entre las personas, con lo que la estabilidad emocional del equipo y su motivación se vienen abajo. A medio plazo, el resultado es desastroso. Típicamente bajo un liderazgo autoritario la gente acaba «cumpliendo órdenes», renunciando a su iniciativa y a su implicación, dejando de lado cualquier atisbo de creatividad y aportación de valor, con lo que las cosas tarde o temprano dejarán de funcionar. Es el momento en el que el jefe autoritario ha de asumir todo el trabajo en primera persona y tiene la sensación de abandono por parte del equipo.

Es remarcable que los líderes autoritarios, ante los problemas, tienden más a buscar culpables que a encontrar soluciones. Señalan con el dedo a los responsables de los problemas, para salvaguardar su imagen, y esto sin duda no contribuye a generar un ambiente de trabajo que motive. La gente acaba aguantando el tiempo estrictamente necesario para buscar una alternativa. La autoridad puede ser una forma efectiva de manejar una crisis puntual, o incluso una situación de cambio, pero no es una forma de liderazgo que reporte resultados positivos a medio o largo plazo.

Como consecuencia, las últimas tendencias sobre el estudio del liderazgo defienden un liderazgo basado en las emociones. Los grandes líderes son personas que saben manejar las emociones: las propias y las de su equipo. Cuando un líder carece de la capacidad para encauzar adecuadamente las emociones, nada de lo que haga funcionará como es debido. La razón es que debajo de todo problema técnico hay siempre un problema humano. Como jefes no podemos olvidarlo. Debemos preocuparnos por crear entornos emocionales positivos y comprender las motivaciones y los problemas de nuestra gente. Nos recuerda Richard Boyatzis que «cuanto más comprometido sea un trabajo, más empático y comprensivo debe ser el líder».

Fuente:

Adaptado de Ferrán Ramón-Cortés. *El País Semanal.*

PREGUNTAS

1. Indique las diferencias entre los conceptos de poder, autoridad y liderazgo. Ilustre sus comentarios con referencias concretas al caso práctico.

2. Leyendo la experiencia real que se detalla al principio del caso práctico, se deduce que el responsable de marketing ha seguido rigurosamente la teoría de Hersey y Blanchard. Explique por qué.

3. La mayoría de los enfoques conductuales del liderazgo definen el comportamiento del líder utilizando dos dimensiones: interés de la tarea e interés por las personas. Discuta cómo es el estilo de liderazgo descrito en el texto en base a estas dos dimensiones. ¿Dónde lo situaría en la rejilla gerencial de Blake y Mouton?

4. Siguiendo las distintas teorías de liderazgo contingente, ¿cuándo está justificado seguir un estilo de liderazgo autoritario?

5. En el texto se comenta cómo influye el rol de los subordinados en la eficacia del líder y qué pueden hacer aquéllos para evitar que éste ejerza autoridad. Encuentre esa parte y coméntelo usando la teoría de Hersey y Blanchard.

6. De acuerdo con lo que ha leído en el caso práctico, comente la frase de Rabindranah Tagore: «Quien usa el látigo es porque no sabe utilizar las riendas».

7. ¿Es coherente la siguiente frase del texto con la teoría de Fiedler?: «La autoridad puede ser una forma efectiva de manejar una crisis puntual, o incluso una situación de cambio».

8. El último párrafo menciona las corrientes actuales en el estudio del liderazgo. Comente a qué tipo de liderazgo hace mención, ¿liderazgo transaccional o liderazgo transformacional?

11

Grupos de trabajo

Los grupos y equipos de trabajo constituyen un aspecto fundamental para el desarrollo de cualquier actividad de la vida cotidiana, ya que son numerosas las tareas que no pueden ser abordadas individualmente por las personas, sino que precisan de la necesaria colaboración de otras para su desarrollo.

En el campo de la gestión, el trabajo en equipo está adquiriendo en los últimos años una gran importancia para dar respuesta a las necesidades competitivas de las organizaciones, configurándose como un sistema de organización que permite mejorar diversos ámbitos de la misma, como pueden ser el clima laboral, la comunicación interna, la integración de los nuevos miembros, la transmisión de sus valores y cultura, etc. Además, se sostiene que los grupos y equipos de trabajo ayudan al incremento de la productividad, a la mejora de la calidad, a la satisfacción de los clientes, a la satisfacción en el trabajo, al fortalecimiento del compromiso organizativo y a la gestión del conocimiento[1].

Junto con las ventajas que presentan para el desempeño de la organización, grupos y equipos de trabajo permiten a sus integrantes satisfacer sus necesidades de afiliación y posibilitan el desarrollo personal y profesional de los mismos a través del reconocimiento, apoyo e información que proporcionan los compañeros.

Como consecuencia de las ventajas que se derivan, tanto para la organización como para los individuos, no es de extrañar que el uso de grupos y equipos de trabajo vaya en aumento y que se esté extendiendo en la mayoría de las empresas industriales y de servicios. Por tanto, el estudio de los grupos y los equipos permite que los directivos sean capaces, por un lado, de dirigirlos adecuadamente —habilidad ésta que resulta clave en los directivos del siglo XXI—, y por otro, de incorporar el conocimiento de los trabajadores a la organización mejorando así la ventaja competitiva de la misma.

A lo largo del capítulo se abordan las siguientes cuestiones: delimitación conceptual de los términos grupo y grupo de trabajo, tipologías de los grupos de trabajo, análisis de los elementos que conforman un grupo de trabajo, identificación de las diferentes etapas por las que pasa el desarrollo de los grupos, ventajas e inconvenientes que presentan para la organización, y, finalmente, se profundiza en el conocimiento de los equipos de trabajo, por ser ésta la fórmula más empleada en las organizaciones para la mejora de su desempeño.

11.1. GRUPOS Y GRUPOS DE TRABAJO

La literatura sobre administración de empresas hace referencia a dos conceptos que hay que delimitar: grupo y grupo de trabajo.

Un grupo puede definirse como un conjunto de dos o más personas que interactúan entre sí, se identifican sociológicamente y se sienten miembros del mismo. Esta interacción significa que cada persona influye en las demás y éstas le influyen a ella. De un modo más sencillo se puede decir que existe un grupo, si sus miembros:

— Se sienten motivados a estar juntos.
— Perciben al grupo como un conjunto unificado de personas interrelacionadas.
— Contribuyen en diversos grados a los procesos grupales (es decir, algunas personas aportan al grupo más tiempo y energía que otras).
— Establecen acuerdos y tienen desacuerdos a través de diversas formas de interacción.

---

[1] Triadó, X. M. y Gallardo, E. (2007).

Por el contrario, los grupos de trabajo son definidos como *unidades colectivas orientadas a la tarea, compuestas por un pequeño número de miembros organizados y que interactúan entre sí y con su ambiente para conseguir determinados objetivos grupales*[2]. Del concepto anterior se pueden extraer los siguientes elementos:

— Los grupos de trabajo son una unidad colectiva compuesta por un pequeño número de miembros, lo cual sirve para diferenciarlo del grupo social, que se caracteriza por un mayor número de componentes.

— Los grupos de trabajo están orientados a la tarea. Ésta es la característica determinante de este tipo de grupo, donde el propósito principal es la realización de una o varias tareas de trabajo. Esta orientación al trabajo será la que permita diferenciar a estos grupos de aquellos que están orientados a las relaciones de tipo social, donde los individuos se ven movidos por la búsqueda de la satisfacción de determinadas emociones o persiguen algún bienestar personal.

— Los grupos de trabajo están compuestos por personas que se organizan entre sí mediante diferentes mecanismos estructurales. Entre estos mecanismos se pueden citar las normas del grupo, el sistema de estatus, los roles desempeñados por los miembros y la cohesión.

— Los grupos de trabajo son sistemas sociales abiertos, lo que significa que existe una interacción bidireccional con su entorno más próximo, es decir, con otros grupos o unidades de la organización o ajenos a ella.

— Los grupos de trabajo alcanzan sus objetivos grupales con algún grado de eficacia, lo que afectará inevitablemente al desempeño de la organización.

Puede observarse que el elemento diferenciador entre el concepto de grupo en sentido genérico y el concepto de grupo de trabajo se encuentra en la orientación a la tarea de este último, característica que provoca que en este capítulo sean los grupos de trabajo los que son objeto de estudio.

El análisis de los elementos extraídos de la definición de grupo de trabajo muestra su importancia dentro de la empresa. No obstante, para muchos autores, el estudio de los grupos es especialmente valioso cuando se analiza su dinámica. La dinámica grupal comprende el conjunto de interacciones y fuerzas dadas entre los miembros del grupo en situaciones sociales.

La literatura ha reconocido a Kurt Lewin como el precursor de la dinámica grupal. Sin embargo, este concepto ha presentado diferentes connotaciones a lo largo del tiempo:

— Desde un punto de vista normativo, la dinámica grupal describe cómo se debe organizar y dirigir un grupo. Aquí se destaca el liderazgo democrático, la participación de los miembros y la cooperación.

---

[2] Salanova, M., Prieto, F. y Peiró, J. M. (1996).

— En relación a la dinámica grupal como conjunto de técnicas se suele hacer referencia a procedimientos tales como la representación de papeles, la tormenta de ideas, etc.

— Finalmente, la dinámica grupal es vista desde la naturaleza interna de los grupos, es decir, su origen, su estructura y procesos, su funcionamiento, y su repercusión en miembros individuales, en otros grupos y en la organización.

11.2. TIPOLOGÍA DE LOS GRUPOS

De entre los criterios que pueden ser utilizados para clasificar a los grupos de trabajo, se pueden destacar su nivel de formalidad, la dimensión temporal, y el grado de autonomía que presentan. No obstante, es el grado de formalidad de los grupos el criterio que más relevancia presenta para la organización.

11.2.1. Nivel de formalidad

El nivel de formalidad se refiere a la interrelación existente entre el grupo y la estructura organizativa. Se distingue entre grupos formales y grupos informales.

11.2.1.1. *Grupos formales*

Los grupos formales son unidades de la estructura organizativa y, como tales, son diseñados y establecidos por la propia organización para así alcanzar los objetivos de la misma.

Los grupos formales son grupos de trabajo que obedecen a una combinación planificada de personas para la realización de las tareas previamente fijadas. Estos grupos de trabajo son básicamente sistemas para la toma de decisiones, la movilización de recursos, la reunión y transmisión de información y cualquier otra tarea que esté vinculada a la misión, objetivos y planes de la organización[3].

En la figura 11.1 puede observarse una estructura formal estándar, con sus correspondientes grupos formales. Puede verse, a modo de ejemplo, cómo el grupo sin sombrear constituye un grupo formal dentro de la organización. Dicho grupo formal podría ser, por ejemplo, el departamento de comercialización de una empresa, el cual se compone de su responsable funcional y sus correspondientes subordinados, los cuales tienen por objeto el desarrollo de las tareas de comercia-

---

[3] Lincoln, J. R. y Miller, J. (1979).

lización que le han sido asignadas con el fin de ayudar la empresa a conseguir sus objetivos.

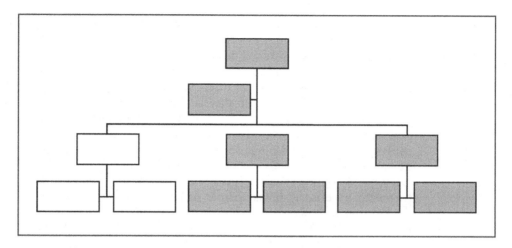

Figura 11.1. Representación gráfica de los grupos formales. (FUENTE: Elaboración propia.)

A su vez, dentro de los grupos formales se establece una nueva clasificación que los divide en grupos de mando y grupos de tareas.

— Los *grupos de mando* son grupos formales que se presentan en la jerarquía de un organigrama y normalmente son los encargados de desarrollar las actividades rutinarias de la empresa. Estos grupos, también denominados grupos verticales o funcionales, están formados por un administrador y sus subordinados. Un ejemplo de estos grupos lo constituye el grupo formado por el responsable de finanzas junto con sus subordinados, es decir, el departamento financiero de la organización.

— Los *grupos de tareas* son grupos formales por medio de los cuales los miembros de una organización interactúan entre sí para desarrollar la mayoría de las actividades no rutinarias de la empresa. Lo normal es que estos grupos estén formados por personas de un mismo nivel jerárquico, si bien, pueden pertenecer a éstos personas de diferentes niveles. Estos grupos, en ocasiones, son denominados grupos interfuncionales. Un ejemplo de estos grupos lo constituyen aquellos que se forman para el desarrollo de un nuevo producto o servicio, grupo que estará compuesto por personas de diferentes departamentos (grupos de mando) y de diferentes niveles jerárquicos.

11.2.1.2. *Grupos informales*

Como se indica en el capítulo 1, estos grupos comienzan a estudiarse tras los experimentos realizados por Elton Mayo en Hawthorne, los cuales revelaron la existencia de relaciones informales entre los miembros de la organización. Estas relaciones influían significativamente sobre el comportamiento de los individuos y consiguientemente sobre el desempeño de los mismos.

Los grupos informales no son diseñados ni establecidos por la organización, sino que son el resultado de diferentes relaciones espontáneas entre distintos miembros de ésta. Al no estar diseñados por la organización, no persiguen el desarrollo de los objetivos organizacionales, sino que más bien surgen con la finalidad de satisfacer las necesidades individuales de sus miembros. Por otro lado, su carácter espontáneo da lugar a que estos grupos presenten una estructura jerárquica de poder lateral, frente a la estructura vertical que siguen los grupos formales, y que se rijan por las normas que establece el propio grupo, llegando a contrarrestar los efectos de las normas formales.

Estos grupos normalmente se crean para cumplir un propósito social y recreativo; no obstante, cuando, dentro del desarrollo de esa actividad, los individuos hablan de problemas relacionados con trabajo y que son de interés para todos, entonces el grupo cumple con un propósito laboral importante.

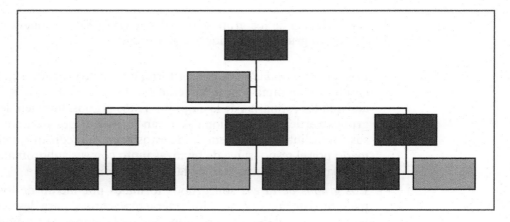

Figura 11.2. Representación gráfica de los grupos informales. (Fuente: Elaboración propia.)

Al igual que ocurre con los grupos formales, dentro de los grupos informales se encuentran diferentes tipos. La literatura sobre administración de empresas distingue entre grupos de interés y grupos de amistad.

— Los *grupos de interés* son grupos informales que logran y mantienen la cohesión de sus miembros fundamentalmente por la existencia de un interés o preocupación común sobre un tema específico, por ejemplo, un grupo de trabajadores que presiona a la gerencia para lograr mejores condiciones salariales o mejores condiciones de trabajo. La razón por la que estos grupos surgen, es decir, el interés común, es igualmente el factor por el que el grupo desaparece, pues una vez que el interés en cuestión se haya agotado, el grupo informal se disuelve.

— Los *grupos de amistad* son grupos informales que existen en las organizaciones debido a la afinidad personal que tienen sus integrantes. Factores en común, como las mismas aficiones, la raza, la edad, el género, la religión, etc., sirven de base para los grupos de amistad. Una particularidad de estos grupos es que suelen extender sus relaciones a actividades fuera del centro de trabajo. Los miembros de estos grupos suelen cambiar a lo largo del tiempo a medida que surgen nuevas amistades o se deterioran las existentes.

Los grupos informales y, consiguientemente, la organización informal, presentan tanto aspectos funcionales como disfuncionales. Si bien los investigadores han colocado el acento en los aspectos disfuncionales, tales como objetivos en conflicto, limitaciones de la producción, conformidad, anulación de la ambición, la inercia y la resistencia al cambio, hay que resaltar que existen importantes aspectos funcionales o beneficios que se derivan de los grupos informales, entre los que se encuentran los siguientes[4]: mejoran la comunicación dentro de la empresa, suponen una válvula de escape para las emociones de los individuos, permiten la integración del sistema total de una forma más eficaz, permiten aligerar la carga de trabajo de los administradores, y compensan las deficiencias en las habilidades de un administrador.

Es muy importante que los directivos consideren simultáneamente los efectos que los grupos formales e informales tienen sobre la productividad de la organización. En este sentido, el estudio de los grupos formales resulta relativamente sencillo, pues son grupos que están perfectamente delimitados en la organización. No obstante, con respecto a los grupos informales resulta vital que el directivo sea capaz de determinar la existencia de los mismos y de comprender su evolución y la influencia que ejercen sobre la organización. Para tal fin, la aplicación de herramientas como la sociometría ayudará a los directivos a identificar qué grupos informales existen en la organización y quiénes son sus miembros, obteniéndose así un mapa de grupos formales e informales y sus interrelaciones.

11.2.2. Dimensión temporal

La dimensión temporal hace referencia al horizonte de tiempo durante el cual el grupo permanecerá en funcionamiento, estableciéndose dos grandes categorías de grupos: los grupos permanentes y los grupos temporales.

---

[4] Leigh, L. T. (2004).

11.2.2.1. *Grupos permanentes*

Los grupos permanentes son aquellos que forman parte de la estructura organizativa y están fundamentalmente dirigidos a la realización de las actividades habituales de la organización, las cuales permiten el funcionamiento diario de las organizaciones. Ejemplos de grupos permanentes los constituyen los departamentos de marketing, producción, finanzas, etc., los cuales se encargan de realizar las actividades propias de la empresa.

Dichos grupos presentan una estructura estable y duradera dentro de la estructura organizativa de la empresa, lo que permite configurar relaciones estables con otras áreas funcionales.

11.2.2.2. *Grupos temporales*

A diferencia de los grupos permanentes, los grupos temporales se crean para la realización de actividades específicas (no repetitivas), como, por ejemplo, desarrollar un producto o servicio, solucionar un problema, rediseñar una planta, etc. El carácter temporal de estos grupos implica que una vez realizada la tarea para la que fueron creados, éstos desaparecen. En la actualidad, este tipo de grupos están adquiriendo una gran relevancia, dado que se han convertido en un instrumento muy útil al alcance de la dirección para resolver problemas o situaciones transitorias que exigen una solución eficaz, pero que no necesitan de la creación de una estructura permanente dentro de la organización. En la mayoría de los casos, estos grupos suponen una segunda tarea para los miembros de la organización. Entre estos grupos se encuentran los comités temporales o grupos *ad hoc*[5], los grupos para el estudio de proyectos[6] y los grupos de negociación.

Estos grupos dotan a la organización de flexibilidad para afrontar los diferentes retos que se le plantean, ya que son creados y diseñados con una finalidad específica, permitiendo así una adaptación rápida y eficaz a las nuevas situaciones.

11.2.3. Grado de autonomía del grupo

En función del grado de autonomía, Hackman[7] distingue tres tipos de grupos:

— *Grupos dirigidos desde el exterior.* Son aquellos que sólo tienen la responsabilidad de ejecutar la tarea que se les ha asignado, ya que la dirección

---

[5] Estos grupos se constituyen cuando la dirección se enfrenta a problemas nuevos que no pueden ser abordados ni resueltos por los departamentos existentes.

[6] Son grupos multidisciplinares formados por personas a tiempo parcial que compaginan sus tareas habituales con las del proyecto. Por ejemplo, los grupos formados para el desarrollo de nuevos productos.

[7] Hackman, R. (1987).

externa es la que se encarga de guiar y dirigir los procesos así como de diseñar el contexto organizacional. Así pues, el desempeño de estos grupos es responsabilidad de la dirección externa. Por ejemplo, la tripulación de un barco.

— *Grupos autodiseñados.* Son aquellos en los que la dirección externa es la responsable del diseño del contexto organizacional, mientras que el grupo es el responsable de su propio diseño, así como de guiar, dirigir y ejecutar sus tareas. En este caso particular, el desempeño del grupo depende más del grupo en sí que de la dirección externa del mismo. Por ejemplo, los grupos de alta dirección.

— *Grupos autodirigidos.* Son aquellos que son responsables de guiar y dirigir los procesos de ejecución, así como de ejecutar las tareas. En este caso, la dirección externa es responsable de diseñar el contexto organizacional, mientras que el grupo en sí es el responsable de la ejecución del trabajo. Por tanto, el desempeño del grupo depende de la dirección y del grupo como tal. Por ejemplo, los círculos de calidad. Las características más relevantes de estos grupos son:

- Carecen de un líder establecido que ejerza el poder, por lo que las decisiones son tomadas de forman conjunta según las necesidades.
- Están basados en la filosofía del *empowerment*. Esta filosofía tiene por objeto facultar al subordinado para que tome las decisiones necesarias para su propio trabajo.
- Las tareas se reparten en función de las preferencias de cada miembro, dejando así de lado la organización tradicional basada en la jerarquía donde cada miembro del grupo realiza una tarea según la complejidad de su puesto.
- Estos grupos son considerados como centros de utilidad con sus propias fronteras administrativas y físicas de las cuales serán responsables. Como tales centros, presentan su propia estructura de costes, reciben sus *inputs*, le agregan valor y destinan los *outputs* a otras unidades organizativas.
- Una de sus grandes aportaciones es la capacitación: el capital humano recibe entrenamiento cruzado, lo que le hace más flexible, pues los trabajadores pueden rotar en distintos puestos.
- Finalmente, esta forma organizativa y de trabajo permite que los miembros se sientan «dueños del negocio», lo que significa que éstos comparten beneficios y riesgos haciendo que se sientan altamente motivados y dispuestos a esforzarse en la consecución de los objetivos del grupo.

Entre las ventajas de la implantación de grupos autodirigidos en las empresas pueden indicarse las siguientes: mejoran la calidad, la productividad y el servicio al cliente, dotan a la organización de mayor flexibilidad, y aumentan el compromiso del empleado con la organización. Por ejemplo, AT&T aumentó un 12% la calidad de sus servicios tras adoptar esa decisión, Federal Express (FedEx) consiguió eliminar un 13% los errores en el servicio, y Johnson & Johnson obtuvo reducciones de inventario cercanas a los seis millones de dólares.

11.2.4. Otros tipos de grupos: los grupos virtuales

Además de las tipologías anteriores, existen otros grupos que están adquiriendo una especial relevancia en las organizaciones. Entre ellos destacan los grupos virtuales. Éstos pueden ser muy eficientes, pues permiten conectar trabajadores que se encuentran ubicados a miles de kilómetros de distancia, evitando así los consiguientes desplazamientos y sus costes. No obstante, mal construidos pueden terminar en un desastre.

El desarrollo experimentado por las tecnologías de la información y la comunicación ha afectado a numerosos aspectos del funcionamiento de las organizaciones, y la forma de trabajar en grupo no constituye una excepción. Se denominan grupos virtuales a aquellos que están formados por personas que se encuentran geográfica u organizacionalmente dispersas y que usan las tecnologías de la información y la comunicación para colaborar en el desarrollo de proyectos y así alcanzar objetivos comunes[8]. Evidentemente es la globalización y la dispersión geográfica del factor humano dentro de la organización la que justifica el desarrollo de tales grupos.

La ventaja fundamental que presentan los grupos virtuales es que permiten a los directivos olvidarse de las distancias geográficas y formar grupos cuyos miembros, que se encuentran dispersos físicamente, poseen conocimientos, habilidades y experiencia para tratar un problema u oportunidad concreta. Para ello se recurre a la utilización de tecnologías, tanto sincrónicas como asincrónicas, y a recursos tales como el correo electrónico, las intranets, las videoconferencias, etc.[9].

Tres son las variables que determinan el tipo y la complejidad de un grupo virtual: el tiempo, el espacio y la cultura. La combinación de estas variables configuran diferentes tipos de grupos virtuales, que van desde los más sencillos, donde hay distintos tiempos pero igual espacio y cultura (dos jefes de turno que comparten información vía correo electrónico pero sin trabajar juntos físicamente), a los más complejos, donde hay distintos tiempos, espacio y cultura, como puede ser un grupo de desarrollo de producto que tiene miembros en América y en Europa con un objetivo común[10].

---

[8] Townsend, A. M., Demarie, S. M. y Hendiickson, A. R. (1998).
[9] Para más detalle, véase el capítulo 6, dedicado a las tecnologías de la información y comunicación.
[10] Molinari, P. (2008).

Estos grupos presentan, entre otras, las siguientes características[11]:

— Son flexibles y dinámicos.
— Pueden ser tanto temporales como permanentes.
— Presentan un liderazgo compartido.
— Los miembros de estos grupos pueden cambiar con rapidez según la tarea que se vaya a desempeñar.
— Su éxito se ve afectado por los miembros que los componen, la utilización eficaz de las tecnologías y la existencia de una cultura de compartir de la información.

Ahora bien, no hay que olvidar que aunque la tecnología es la que permite poner en marcha estos grupos, el principal impedimento que puede surgir se refiere al factor humano. Y es que, finalmente, tendrán éxito aquellos grupos que consigan que sus miembros se sientan motivados, reconocidos y como parte de un grupo, algo que si no se tiene en cuenta desde un principio, puede suponer el principal problema en la dirección de un grupo virtual (al igual que sucede con los grupos tradicionales).

Así pues, el éxito en la gestión de los grupos virtuales proviene no sólo de la tecnología, sino de la aplicación de unas reglas y modos de funcionamiento diferentes a los utilizados en los grupos tradicionales donde sus miembros se encuentran localizados físicamente en el mismo lugar.

Para los líderes, los grupos virtuales suponen todo un reto a la hora de crear un espíritu de grupo.

11.3. ELEMENTOS DE LOS GRUPOS

Los investigadores han mostrado que el funcionamiento y la eficacia de los grupos dependen de sus características y procesos de funcionamiento interno. En este apartado se analizan algunas de las características más relevantes de los grupos de trabajo que inciden sobre su eficacia, es decir, se analiza el tamaño, el liderazgo, las normas, los roles, la cohesión, el estatus, las tareas, y su composición.

11.3.1. Tamaño del grupo

Cuando se habla de tamaño del grupo siempre se presenta la dicotomía entre grupo grande o grupo pequeño. Ciertamente ambos presentan ventajas, si bien la elección debe tener como base fundamental los objetivos para los que se ha crea-

---

[11] Lipnack, J. y Stamps, J. (1993).

do. Así pues, entre las ventajas de los grupos pequeños, es decir, entre 2 y 10 personas aproximadamente, se observa: 1) que la interacción y coordinación entre los miembros es más fácil; 2) que los individuos suelen estar más motivados y comprometidos; 3) que el compartir recursos y conocimiento es más fácil, y 4) que la contribución individual a los objetivos del grupo puede ser identificada fácilmente.

Por el contrario, la ventaja que ofrecen los grupos grandes es la de contar con más recursos, es decir, más conocimientos y habilidades para compartir, mientras que su principal desventaja radica en la mayor dificultad de interacción entre sus miembros.

Evidentemente, el tamaño afecta a la eficacia del grupo. En teoría, sería lógico pensar que a medida que aumenta el tamaño del grupo aumenta su eficacia, todo ello sobre la base de que dos cabezas piensan más que una. No obstante, se pueden indicar dos factores que ponen en entredicho esa relación directa entre tamaño y eficacia. Por un lado, se observa que la dificultad para coordinar grupos crece a medida que aumenta el tamaño de los mismos, con lo que es lógico pensar que la eficacia de los mismos disminuye a medida que aumenta su tamaño. Por otro lado, la práctica evidencia que no necesariamente ha de mejorar la productividad con el aumento del tamaño, pues se observan casos en los que a medida que aumenta el tamaño del grupo se produce una disminución del esfuerzo individual, aspecto éste que se conoce con el nombre de *«pereza social»* o *«efecto Ringelman»*[12], es decir, la tendencia de los miembros a desarrollar un menor esfuerzo cuando trabajan juntos que cuando trabajan solos. Así pues, se puede decir que la probabilidad de que aparezca la pereza social aumenta a medida que se incrementa el tamaño del grupo, incidiendo así negativamente en la eficacia del mismo.

11.3.2. Liderazgo del grupo

Como se indica en el capítulo 10, la figura del líder y el ejercicio del liderazgo es un elemento clave para el éxito de grupos, equipos y organizaciones. El liderazgo es ejercido tanto en grupos formales como en grupos informales; no obstante, la diferencia está, por un lado, en el proceso de designación del líder, y por otro lado, en las fuentes de poder que poseen. En los grupos informales, se observa que el líder surge de manera informal de entre los miembros del grupo, mientras que en el caso de los grupos formales, y dependiendo del tipo de grupo, el líder puede ser el propio administrador, puede ser designado por éste o puede ser designado por los miembros del grupo. En cuanto a las fuentes de poder, se observa que los líderes de grupos formales disponen, entre otros, del poder legítimo que emana del puesto que ocupan, algo de lo que carecen los líderes de grupos

---

[12] Weldon, E. y Mustari, E. L. (1988).

informales, que basan su capacidad de influencia en un cierto poder de referente o en sus habilidades.

El líder, ya sea formal o informal, designado por la gerencia o por los miembros del grupo, tiene como característica fundamental la de ser una persona que ejerce cierta influencia sobre los miembros del grupo. Por tanto, se puede concluir que las habilidades de liderazgo serán uno de los factores determinantes del éxito de un grupo.

Entre las funciones que desarrollan los líderes, con el objeto de fomentar la eficacia de los grupos formales, se pueden citar las siguientes: 1) la estructuración y establecimiento de objetivos; 2) la organización de los recursos necesarios para el trabajo; 3) la eliminación de los obstáculos organizacionales que impiden el desarrollo del trabajo, y 4) la ayuda a los miembros del grupo para fortalecer sus contribuciones personales al grupo, para trabajar en equipo y para facilitar el buen uso de los recursos colectivos[13].

11.3.3. Normas del grupo

Todos los grupos, sean del tipo que sean, necesitan controlar la conducta de sus miembros para que el grupo tenga resultados de excelencia y cumpla con sus objetivos. Este control sobre el comportamiento de los individuos se ejerce fundamentalmente a través de las diferentes normas del grupo, las cuales son estándares de conducta compartidos y seguidos por sus miembros. Entre los aspectos que pueden ser controlados se pueden citar la jornada de trabajo, horarios, vestimenta, cómo compartir la información, etc. En este sentido, las normas lo que hacen es definir las fronteras de lo que es un comportamiento aceptable, proporcionando un marco de referencia entre lo correcto o incorrecto[14].

El desarrollo de normas por parte del administrador o del líder del grupo ha de tener en cuenta algunos aspectos: 1) las normas han de formularse sólo en relación a cosas que tienen significado para el grupo; 2) las normas han de ser aceptadas por los miembros del grupo, y 3) debe alentarse a los miembros a desarrollar normas que contribuyan a los buenos resultados y al logro de los objetivos comunes. Por tanto, se ha observado que el desempeño del grupo mejora cuando las normas que se establecen en él están directamente relacionadas con el esfuerzo, la eficiencia, el control de calidad de los procesos y los resultados del trabajo.

Si bien las normas empiezan a desarrollarse desde las primeras interacciones entre los miembros de un nuevo grupo, hay que tener en cuenta su carácter dinámico, ya que evolucionan a lo largo del tiempo[15]. Por tanto, no basta con la fija-

---

[13] Hackman, J. R. y Wageman, R. (2005).

[14] Resulta interesante hacer una llamada de atención a los aspectos éticos de dichas normas y a los códigos de conducta que se revisan en el capítulo 2 sobre ética y responsabilidad social.

[15] Bettenhausen, K. y Murnighan, J. K. (1985).

ción de normas sin más, sino que el establecimiento de normas o patrones de conducta dentro de un grupo exige un seguimiento de las mismas para observar su grado de cumplimiento así como la eficacia de las mismas. En este sentido, el incumplimiento o desviación de una norma podría dar lugar a tres situaciones: 1) que se presione al incumplidor para que modifique su conducta y la ajuste a la norma incumplida; 2) que se expulse al individuo por incumplidor, o 3) que se modifique la norma para hacerla congruente con la conducta de los individuos. Este último caso da lugar a que el grupo realice un análisis exhaustivo de las normas establecidas procediendo a su modificación y evitando, consiguientemente, que las normas queden obsoletas y sean disfuncionales.

11.3.4. Roles de los miembros del grupo

La investigación sugiere que existe una correlación positiva entre las habilidades y destrezas de los miembros de un grupo y su desempeño[16]. No obstante, es posible que ciertas combinaciones de los miembros del grupo (combinaciones de habilidades y destrezas) sean mejores que otras, y ello depende fundamentalmente del tipo de tarea a desarrollar.

Para entender la relación entre los roles o conductas de los miembros de un grupo y su desempeño, resulta útil revisar el capítulo 10, referido a la función de liderazgo, en el que se indica que los líderes han de desarrollar dos funciones clave dentro del grupo: el mantenimiento del bienestar social de sus miembros y el logro de las tareas del grupo. Así pues, en los grupos exitosos, los requerimientos para el desempeño de las tareas y para la satisfacción social se satisfacen mediante el surgimiento de dos tipos de roles: el especialista de tareas y el socioemocional. Las personas que desempeñan el rol de especialista de tareas invierten tiempo y energía en ayudar al grupo a alcanzar su objetivo. Las personas que adoptan un rol socioemocional apoyan las necesidades emocionales de los miembros del grupo y ayudan a reforzar la entidad social. Además de ambos roles, los investigadores han identificado un tercer rol, el rol no participativo o disfuncional, que se refiere a las personas que contribuyen poco, ya sea a las tareas o a las necesidades sociales de los miembros del grupo. Este último tipo de rol debe evitarse porque tiene el efecto de destruir el grupo o, por lo menos, reducir su eficiencia.

Puesto que los miembros de un grupo pueden adoptar cualquiera de los roles indicados, es posible que se produzcan ciertos desequilibrios en relación con el predominio de uno u otro rol[17]:

— Un grupo está socialmente orientado si la mayoría de los individuos de un grupo desempeña un rol social. Esta situación significa que los miembros

---

[16] Hill, G. W. (1982).
[17] Simon, B. y Stürmer, S. (2003).

no critican ni están en desacuerdo entre sí y no ofrecen opiniones forzadas ni tratan de realizar los trabajos, porque su principal preocupación es mantener feliz al grupo. Así pues, los grupos donde dominan los roles principalmente emocionales pueden ser muy satisfactorios, pero también ser improductivos.

— En el otro lado se encuentra el grupo que presenta un interés singular por el logro de los objetivos y la realización de las tareas y que está compuesto mayoritariamente por especialistas en tareas. Este grupo será eficaz durante un período corto de tiempo, pero no será satisfactorio para los miembros en el largo plazo, pues los especialistas en tareas, en general, transmiten poco interés emocional entre ellos, son desconsiderados e ignoran las necesidades sociales y emocionales de los miembros del grupo. Por tanto, el grupo orientado hacia las tareas puede ser severo e insatisfactorio.

Por otra parte, hay que hacer notar que algunos miembros del grupo pueden desempeñar un rol dual. Las personas que tienen roles duales contribuyen a una tarea y a la vez satisfacen las necesidades emocionales del grupo. La dualidad que presentan estas personas puede hacer que se conviertan en líderes de los grupos.

La conclusión es sencilla, los administradores de los grupos han de procurar que ambos roles estén representados, para así conseguir que dichos grupos sean eficaces, pues un grupo que esté bien equilibrado tendrá un mejor desempeño a largo plazo al ofrecer satisfacción social a los miembros del grupo y permitir el logro de sus tareas.

11.3.5. Cohesión del grupo

La cohesión del grupo es, probablemente, uno de los aspectos que más impacto tiene sobre el desempeño y eficacia del mismo. Se entiende por cohesión el grado en cual los miembros de un grupo se sienten vinculados o son leales al mismo. Dada la importancia que presenta la cohesión, este apartado se descompone en dos partes: una que analiza las consecuencias que la cohesión del grupo tiene sobre el desempeño del mismo, y otra que identifica los determinantes de la cohesión de los grupos.

Lo primero que habría que indicar es que la existencia de cohesión o no dentro del grupo provoca cambios en los comportamientos y actitudes de los miembros. Así, los miembros de grupos altamente cohesionados suelen comprometerse con las actividades, asisten a las reuniones y se congratulan cuando tienen éxito. Por el contrario, los miembros de grupos menos cohesionados suelen estar menos interesados en el bienestar común. Por tanto, altos niveles de cohesión suelen ser considerados como una característica grupal muy atractiva. De este modo, las investigaciones sugieren que aquellos grupos que presentan unos niveles de cohesión moderados podrían contribuir en buena parte a la mejora de la ventaja competitiva de la empresa, pues en dichos grupos los miembros presentan un alto sentido de pertenencia, ven al grupo atractivo y presentan un alto deseo de seguir formando parte de éste. Sin embargo, esta lógica no es respaldada de manera concluyente por la investigación. En general se observa que a medida que aumenta la cohesión de un grupo de trabajo, también aumenta el nivel de conformidad con sus normas, y puede darse el caso de que las normas del grupo sean inconsistentes con las de la organización, con los consiguientes efectos negativos sobre la misma.

Con estas premisas, la investigación[18] señala las siguientes consecuencias que se derivan de la existencia de grupos cohesionados:

— *El nivel de participación en un grupo.* La participación de los miembros dentro del grupo tiene importantes consecuencias para la eficacia del mismo, ya que permite que las tareas del grupo puedan ser llevadas a término. Así pues, se observa que unos niveles adecuados de cohesión dan lugar a que los miembros del grupo incrementen su nivel de participación en el desarrollo de dichas tareas.

— *El nivel de conformidad con las normas.* El aumento de la cohesión del grupo suele producir un incremento de los niveles de conformidad con las normas. En sentido contrario, se ha observado que bajos niveles de cohesión pueden hacer que disminuyan los niveles de conformidad con las normas, pues puede ser difícil controlar la conducta de los miembros para que las cosas se hagan.

— *El logro de los objetivos del grupo.* A medida que aumenta la cohesión, también aumenta el logro de los objetivos, pues la productividad de los miembros tiende a ser más uniforme. Los grupos cohesionados presentan menores diferencias entre la productividad de sus miembros debido a la presión ejercida por el grupo en favor de la uniformidad de aquélla entre sus integrantes. No obstante, hay que indicar que altos niveles de cohesión pueden provocar que los miembros se enfoquen tanto en el logro de los objetivos grupales que pueden tratar de alcanzarlos a cualquier coste, incluso si ello perjudica al desempeño organizacional, mientras que un nivel moderado de cohesión motiva a los miembros del grupo a alcanzar al mismo tiempo los objetivos organizacionales y las grupales. Por otro lado hay que reseñar que los grupos no cohesionados no tienen este control sobre el comportamiento de los miembros y, por tanto, tienden a tener una variación más amplia en su productividad.

— *La moral de los grupos que se encuentran cohesionados es mucho mayor* debido a la existencia de una mejor comunicación entre los miembros, un clima de grupo amistoso, el mantenimiento de una membresía debido al

---

[18] Beal, D. J., Cohen, R. R., Burke, M. J. y McLendon, C. L. (2003).

compromiso, la lealtad y la participación de los miembros en las decisiones que afectan a las actividades del grupo.

— Por último, se puede indicar que *la cohesión del grupo afecta al funcionamiento* del mismo influyendo en su permanencia y en la participación de los miembros en las actividades del grupo. No obstante, como aspecto a vigilar, hay que tener en cuenta que dicha cohesión podría incrementar la conformidad de la mayoría, lo que puede ser perjudicial para determinadas tareas intelectivas y cognitivas como pueden ser los procesos de innovación.

Dadas las importantes consecuencias que se derivan de la cohesión de los grupos, se hace necesario entender cuáles son los factores que conducen a la misma. Entre los factores más destacados se encuentran los siguientes:

— *Tamaño del grupo.* Como se ha indicado, el tamaño es una característica importante de los grupos que afecta a su eficacia. Con respecto a la cohesión, puede observarse que los grupos pequeños favorecen la cohesión, pues al ser reducido el número de miembros, éstos pueden comunicarse e interactuar mejor, fomentándose la motivación y el compromiso. Por el contrario, en los grupos grandes suelen surgir dificultades de comunicación y conocimiento entre sus miembros que repercuten de forma negativa en su cohesión.

— *La diversidad.* La formación de grupos compuestos por personas similares u homogéneas suele ser más fácil que la formación de éstos con personas diferentes o heterogéneas, pues en el primer caso las personas pueden comunicarse abiertamente con sus semejantes facilitando la creación del grupo. No obstante, una de las razones para la formación de grupos reside en la diversidad de sus miembros, ya que éstos aportan variedad de conocimientos, experiencias y otras características necesarias para alcanzar los objetivos. Así pues, los administradores tienen el reto de intentar mantener una diversidad adecuada a los objetivos grupales y organizacionales y a la vez alcanzar determinados niveles de cohesión.

— *La identidad del grupo y la sana competencia.* La creación de grupos con identidad propia, y el fomento de una competencia «sana» entre ellos, da lugar a que los miembros de estos grupos sientan la necesidad de fomentar altos niveles de cohesión en el grupo para así ser más competitivos y tener más éxito.

— *Éxito.* El grado en el que un grupo obtenga éxito y éste sea reconocido por toda la organización afectará a la cohesión del mismo. Recuérdese que la cohesión es definida como la atracción de los miembros hacia el grupo. Así, a mayor éxito del grupo y reconocimiento del mismo, mayor atracción o interés de los miembros por el grupo y, consiguientemente, más cohesión.

— *El grado de interacción de los miembros.* Cuanto más interacción exista y más tiempo pasen juntos, mayor será la cohesión.

— *Objetivos compartidos.* Si los miembros del grupo están de acuerdo con sus objetivos, desearán pertenecer a él, por lo que el grupo presentará una mayor cohesión. El desacuerdo con los objetivos puede dar lugar a la retirada de algunos miembros, afectando negativamente a su cohesión.

— *Atracción personal por el grupo.* Esto significa que los miembros tienen actitudes y valores similares y que disfrutan del hecho de estar juntos. Esta situación dará lugar a altos niveles de cohesión dentro del grupo.

11.3.6. Estatus

El sistema de estatus en un grupo hace referencia al patrón general de influencia social que existe entre sus miembros, que generalmente adquiere un carácter más o menos jerárquico[19]. El estatus y la posición son tan similares que los términos con frecuencia son intercambiables. El estatus asignado a una posición en particular es generalmente una consecuencia de ciertas características que diferencian a una posición de otra. En algunos casos una persona recibe la asignación de un estatus con base en factores como antigüedad en el puesto, edad o capacidad. En este sentido, la investigación muestra que las relaciones entre los miembros de un grupo se ven afectadas por el estatus que éstos posean. Evidentemente, aquellas personas con mayor estatus son las que tienen mayor posibilidad de influencia sobre los demás. Por tanto, existe una alta probabilidad de que los resultados finales del grupo estén influidos por el miembro de mayor estatus, y consiguientemente por los conocimientos (buenos o malos) que éste tenga.

11.3.7. Tareas del grupo

Anteriormente se ha indicado que los grupos de trabajo se configuran con el fin de llevar a cabo una serie de tareas que no sería posible desarrollar de forma individual. En la mayoría de los casos dichas tareas estarán interrelacionadas entre sí. La interdependencia de las tareas se define como la medida en la que el trabajo realizado por un miembro del grupo influye en el trabajo que realizan los demás. Así, cuanto mayor sea la interdependencia de las tareas, más necesaria va a ser la coordinación de los miembros del grupo. Por tanto, se puede concluir que el grado de interdependencia de la tarea afecta al desempeño del grupo.

---

[19] Salanova, M., Prieto, F. y Peiró, J. M. (1996).

11.3.8. Composición

El grado de semejanza entre los miembros del grupo incide en muchas de sus características y resultados. Atendiendo al grado de semejanza entre los individuos, es decir, similitud de características demográficas, de personalidad, habilidades y capacidades, experiencia, etc., pueden encontrarse grupos homogéneos, o sea, aquellos que comparten muchas de estas características y grupos heterogéneos, es decir, compuestos por individuos con pocas o ninguna características similares. Es probable que los grupos homogéneos tengan más cohesión que los heterogéneos, y que los heterogéneos tengan un desempeño mayor que los homogéneos, pues poseen una variedad más amplia de habilidades. Igualmente, a mayor heterogeneidad, mayor será la dificultad para dirigir y manejar el grupo de forma eficaz.

11.4. FORMACIÓN Y DESARROLLO DE GRUPOS

Cuando se habla de grupos de trabajo, uno de los aspectos a tener en cuenta es el grado de desempeño que son capaces de alcanzar. En este sentido, la experiencia indica que la formación de grupos y un alto desempeño de los mismos no es automático. Que un grupo alcance un alto desempeño dependerá del grado de desarrollo en el que se encuentre. Así, el conocimiento del proceso de desarrollo de los grupos resulta determinante para que los administradores encuentren los mecanismos necesarios para conseguir que éstos funcionen mejor.

En este punto es importante distinguir entre dos cuestiones: una referida a la creación de los grupos y otra referida al desarrollo de los grupos.

La creación de un grupo hace referencia a la decisión que toma la organización (los directivos) sobre el tipo de agrupación, es decir, si se forman grupos por similitudes funcionales o por similitudes del flujo de trabajo. Para ello puede verse el capítulo 8 (función de organización), donde se analizan en detalle las bases de agrupación que pueden adoptarse en la organización.

El desarrollo de los grupos hace referencia al modo en el cual sus miembros desarrollan un sentido de identidad y de propósito. A medida que los grupos evolucionan, sus integrantes modifican las tareas del grupo formalmente prescritas, aclaran los roles personales y negocian sus normas.

La investigación muestra que el desarrollo de cada grupo es único y propio de ese grupo, aunque, se sugiere que los grupos, en su desarrollo, pasan por una serie de etapas. Existen diferentes modelos para explicar este desarrollo, cada uno de los cuales suele plantear etapas y contenidos que difieren de unos a otros. Hay que entender que estos modelos de desarrollo son orientativos, pues como se ha indicado cada grupo sigue su propio desarrollo y, por tanto, no todos los grupos pasan por todas las etapas de manera predecible y ordenada. Incluso hay que tener en cuenta que forzar el paso por todas las etapas puede llegar a ser contraproducente para el desarrollo del grupo. Pese a la diversidad de modelos, la mayoría de éstos coinciden en identificar cinco etapas en la formación y desarrollo de los grupos: 1) formación; 2) conflicto; 3) normativa; 4) desempeño, y 5) terminación[20]:

1. *Formación.* Esta etapa se caracteriza por ser aquella en la que se producen los contactos iniciales entre los miembros del grupo. Los integrantes comienzan a conocerse y han de llegar a un entendimiento común de lo que el grupo debe conseguir y la forma en que cada uno de ellos puede contribuir a los objetivos del grupo. Durante esta etapa se establecen algunas normas caracterizadas por ser flexibles pero específicas. Por su parte, los administradores tienen el reto de conseguir que cada individuo se sienta como una parte importante del grupo, para lo cual deben proporcionar tiempo para que los miembros se familiaricen entre sí. Lo que define a esta etapa es la incertidumbre y confusión existente, pues los miembros del grupo no se encuentran seguros sobre los objetivos, estructura, tareas o liderazgo del mismo.

2. *Conflicto.* Superada la etapa anterior, los miembros del grupo comienzan a discutir, debatir y experimentar entre sí. Es una etapa de conflicto donde se intenta avanzar hacia los diferentes roles de liderazgo. En este punto es donde se comienza a configurar la jerarquía del propio grupo. Los administradores deben procurar que dichos conflictos se resuelvan satisfactoriamente para la organización impidiendo que escapen a su control.

3. *Normativa.* A esta etapa se llega una vez resueltos los conflictos y conseguida una cierta armonía y unidad en el grupo. En esta fase, el grupo pasa a ser más eficaz, pues, por un lado, comienza a estar más cohesionado, lo que implica que los miembros se sientan parte de él, y por otro lado, los miembros pasan a tener un consenso sobre los objetivos del grupo y cómo deben actuar para alcanzarlos. Así, la característica fundamental de esta fase es la colaboración y cooperación.

4. *Desempeño.* Esta etapa coincide con la madurez plena del grupo, lo que significa que sus normas, estructura y jerarquía se encuentran perfectamente definidas. Así, la plena consolidación del grupo le permite orientarse plenamente hacia la consecución de los objetivos, facilitando así que alcance sus máximos niveles de eficacia. En esta etapa, el papel de los administradores varía según el tipo de grupo. De este modo, en los grupos funcionales los directivos deben comprobar que los individuos están motivados, mientras que en los grupos autodirigidos deben comprobar que los individuos poseen suficientes responsabilidades y autonomía.

5. *Terminación.* Conseguidos los objetivos y finalizadas las tareas, la cohesión empieza a disminuir, dando lugar, primero, a la desvinculación de algunos miembros y, posteriormente, a la desaparición final del grupo.

[20] Tuckman, B. W. (1965).

Lógicamente esta etapa nunca ocurre en los grupos permanentes, siendo más probable su aparición en los grupos informales, los cuales poseen una duración limitada en el tiempo.

La manera en que el grupo evoluciona a lo largo de estas etapas es uno de los factores determinantes de su desempeño.

Este y otros modelos tienen la particularidad de no ofrecer unas barreras claras y determinantes entre una etapa y otra, pudiendo darse el caso de que los individuos se encuentren simultáneamente en dos fases del proceso. No obstante, el modelo que se presenta ofrece a los directivos un marco de referencia que les permite conocer y ayudar al desarrollo de los grupos para lograr una mayor eficacia.

11.5. CARACTERÍSTICAS DE LOS GRUPOS EFICACES

La literatura muestra un cierto consenso sobre la creciente importancia de los grupos dentro de la organización. No obstante, dado que la formación de grupos no da lugar automáticamente a mejores resultados, es preciso analizar los factores que caracterizan su eficacia.

En primer lugar, hay que indicar lo que se entiende por grupo eficaz. Se puede decir que un grupo es eficaz cuando cumple con los siguientes criterios:

— *Rendimiento.* El grupo debe alcanzar los niveles de rendimiento fijados por la organización, es decir, el trabajo realizado debe cumplir o exceder los niveles de cantidad y calidad exigidos por la organización. Debe recordarse que los grupos se constituyen para desarrollar unas tareas determinadas y, por tanto, el grado en el cual dichas tareas sean desarrolladas constituirá una medida del éxito del grupo. Así pues, con respecto a los criterios para evaluar la eficacia del desarrollo de la tarea, se pueden citar los siguientes:

  • La precisión de la tarea.
  • La velocidad de la misma.
  • La creatividad de la tarea.
  • El coste.

— *Satisfacción de los miembros.* Además del desarrollo de una actividad laboral específica, los miembros de los grupos buscan determinadas satisfacciones personales en su seno. Así pues, en la medida en que los integrantes del grupo se encuentren satisfechos, desearán permanecer en él, dándole así continuidad y estabilidad. Por tanto, la eficacia del grupo también vendrá determinada por el grado en el cual los miembros encuentren satisfacciones a corto plazo y crecimiento y desarrollo personal a largo plazo.

— *Capacidad de cooperación continuada.* La cooperación entre los miembros de un grupo es la base para el correcto funcionamiento del mismo. Así pues, encontramos que los grupos en los que sus miembros no cooperan fracasarán en la ejecución de sus fines, viéndose así comprometida su viabilidad.

En definitiva, un grupo será eficaz en la medida en que sus miembros cooperen estrechamente para desarrollar las tareas encomendadas y encuentren, en su pertenencia al grupo, satisfacciones, crecimiento y desarrollo personal.

Una vez establecido lo que constituye un grupo eficaz, el siguiente aspecto a analizar se refiere a los factores de los que depende dicha eficacia. De entre los numerosos factores que afectan a la eficacia de un grupo de trabajo se destacan los siguientes:

— El contexto de su creación.
— La naturaleza de sus miembros.
— La naturaleza de las tareas.

Estos tres elementos configuran lo que se denomina *clima de trabajo*. La existencia de un clima favorable para el trabajo en grupo depende de las siguientes condiciones[21]:

— Confianza mutua entre los miembros del grupo, lo cual les permitirá compartir conocimientos, experiencias y habilidades.
— Existencia de empatía activa, es decir, saber ponerse en el lugar del otro para ser capaz de entender su situación, intereses y habilidades.
— Juicio clemente. Significa que se es capaz de ofrecer juicios y opiniones moderadas sobre las actuaciones o ideas de los demás miembros del grupo.
— Valentía y confianza por parte de los miembros al exponer sus opiniones.
— Facilitar ayuda a los miembros, lo que supone que existe una disposición a compartir conocimientos con los demás.

11.6. VENTAJAS DE LOS GRUPOS

Los grupos de trabajo pueden ayudar a la empresa a crear una ventaja competitiva, pues permiten:

— *Mejorar el desempeño.* Ésta es una de las ventajas clave de los grupos, ya que el trabajo en grupo permite obtener una mayor producción y mejor calidad de la que se hubiera obtenido si cada persona trabajara de forma

---

[21] Bonache, J. y Zárraga, C. (2005).

individual. Éste es el concepto de sinergia, es decir, el todo es mayor que la suma de las partes.

— *Mejorar la capacidad de respuesta a los clientes.* La formación de grupos de trabajo dentro de la empresa permite la conjunción de diferentes habilidades y conocimientos que se encuentran en diferentes lugares de la organización, y que son necesarios para conformar la capacidad de respuesta a los clientes.

— *Mejorar la innovación.* La innovación se ha convertido en una de las fuentes de ventaja competitiva para la empresa, pues a través del desarrollo de nuevos productos, nuevos procesos o nuevos sistemas de gestión se puede ganar cuota de mercado y/o reducir costes. Dicho proceso, al igual que en el caso anterior, requiere de la combinación de diferentes habilidades y conocimientos que se encuentran dispersos por la organización. La formación de grupos favorece la conjunción de dichos conocimientos, con el consiguiente desarrollo de procesos de innovación más eficaces y eficientes.

— *Mejorar la motivación y satisfacción de los empleados.* Una de las necesidades que la mayoría de los individuos siente es la interacción social. Los grupos de trabajo contribuyen a satisfacer dicha necesidad, favoreciendo de esta forma a la mejora de la motivación de sus integrantes.

Si bien las ventajas que proporcionan los grupos de trabajo a la organización son importantes, es preciso también conocer algunos de sus puntos débiles[22]:

— El trabajo en grupo consume más tiempo que el trabajo individual, pues requiere que tengan que ser coordinadas las diferentes actividades que se llevan a cabo.

— En algunos casos, la pertenencia a un grupo lleva a las personas a mostrar un cierto conformismo con la situación y a no realizar juicios críticos por miedo a ser excluidos del mismo.

— En sentido similar al anterior, es posible encontrar a personas o subgrupos dentro del grupo que intenten controlar y manipular al resto desvirtuando así los objetivos.

— Igualmente, algunos miembros podrían presentar un menosprecio o rechazo hacia otros, dando así lugar a la aparición de sentimientos de inseguridad y pérdida de autoestima de dichos individuos.

— Si bien la filosofía de los grupos de trabajo descansa en la idea de sinergia, es decir, que el resultado del esfuerzo grupal sea mayor que el derivado de la suma de los esfuerzos individuales, puede observarse, sobre todo en grupos grandes, la aparición del fenómeno denominado *pereza social,* que

---

[22] Algunos de estos puntos débiles, como la *mentalidad de grupo* y el *giro de grupo,* se tratan en el capítulo 5, dedicado a la toma de decisiones en grupo.

provoca una disminución del esfuerzo individual y consiguientemente una disminución de la productividad del grupo.

Estos inconvenientes resaltan el importante papel que deben desempeñar los líderes de los grupos para vigilar y atajar dichos problemas en cuanto se pongan de manifiesto.

11.7. EQUIPOS DE TRABAJO

Los equipos de trabajo están adquiriendo cada vez más relevancia dentro de las organizaciones, pues las dotan de una mayor flexibilidad y permiten obtener un mayor desempeño. Para definir lo que es un equipo de trabajo, se realizará una comparación con los grupos de trabajo, pues éstos son el antecedente de los equipos. Concretamente se puede afirmar que los equipos de trabajo se forman una vez que los grupos han madurado y, por tanto, ambos comparten una serie de características:

1. Se forman cuando interactúan dos o más personas.
2. Ofrecen una estructura sólida para el trabajo y la interacción de sus miembros.
3. Sus integrantes desempeñan funciones específicas en términos técnicos, de liderazgo, de resolución de problemas y emocionales.
4. Los miembros comparten uno o más objetivos.

Una vez aclaradas las similitudes, hay que indicar que existen diferencias entre ambos conceptos.

En primer lugar, se puede indicar que todos los equipos de trabajo son grupos de trabajo, pero no todos los grupos de trabajo llegan a convertirse en equipos. Los equipos se inician como grupos, pero no todos los grupos maduran hasta el punto de llegar a ser equipos. De lo anteriormente expuesto pueden extraerse dos conclusiones iniciales: por un lado, los equipos de trabajo son un subconjunto especial de los grupos de trabajo, y por otro, existe un proceso de desarrollo que permite que los grupos de trabajo lleguen a madurar y convertirse en equipos de trabajo. Así, un grupo se convertirá en equipo cuando los miembros estén dispuestos a ayudarse entre sí para alcanzar un objetivo de la organización. Por tanto, se concluye que un grupo de trabajo son dos o más individuos que interactúan para lograr un objetivo en común, mientras que los equipos de trabajo son grupos maduros cuyos miembros tienen cierto grado de interdependencia y motivación que les permite alcanzar objetivos comunes.

Un segundo elemento distintivo entre grupos y equipos radica en las habilidades de sus miembros. Los equipos se caracterizan por tener miembros con habilidades complementarias, las cuales permiten alcanzar un propósito común del que todos los componentes del equipo son mutuamente responsables. Por el contrario, en los grupos el trabajo posee un carácter más individual, y será la suma de esfuerzos la que dará lugar a la consecución del resultado final. En este sentido, resulta muy ilustrativo el mundo del deporte colectivo, donde se observa que los equipos que obtienen mejores resultados son aquellos en los que sus miembros desarrollan una interacción y complementariedad de habilidades, frente a aquellos equipos que están compuestos por varias «estrellas» que desarrollan su trabajo individualmente.

Relacionado con lo anterior, puede observarse una tercera característica distintiva centrada en el grado de responsabilidad de los miembros. En los grupos de trabajo, los miembros son responsables de su trabajo individual y, por tanto, no lo son del resultado del grupo, mientras que en los equipos de trabajo se comparten los objetivos de rendimiento, y, consiguientemente, los individuos son responsables de los resultados finales.

Por último, el grado en el que se producen las interacciones entre los miembros, es decir, la intensidad de la interacción, sirve para marcar diferencias entre grupos y equipos. En los grupos de trabajo esa interacción es menor a la que se produce en los equipos de trabajo, lo cual es lógico si se piensa, como se ha indicado anteriormente, que el concepto de equipo implica un sentido de misión compartida y de responsabilidad colectiva.

Estas y otras diferencias relevantes entre grupos de trabajo y equipos de trabajo quedan recogidas de forma sintética en la tabla 11.1.

TABLA 11.1

Diferencias entre grupos y equipos

Elemento distintivo	Grupo de trabajo	Equipo de trabajo
Liderazgo	Se designa un líder fuerte.	Se comparten o rotan los roles del liderazgo.
Reuniones	Maneja reuniones eficientes.	Las reuniones fomentan una discusión y la resolución de problemas sin propósito específico.
Toma de decisiones	Discute, decide y delega el trabajo a los individuos.	Discute, decide y comparte el trabajo.
Objetivos	Propósito idéntico para el grupo y para la organización.	Visión o propósito específico del equipo.
Resultados	Producto del trabajo individual.	Producto del trabajo colectivo.
Eficacia	Se mide de manera indirecta por medio de la influencia sobre el negocio (por ejemplo, el desempeño financiero).	Se mide directamente mediante la evaluación de un trabajo colectivo.

TABLA 11.1 *(continuación)*

Elemento distintivo	Grupo de trabajo	Equipo de trabajo
Desempeño	Lo evalúa el líder.	Lo evalúan miembros y líderes.
Éxito	Se define en función de las aspiraciones del líder.	Se define en función de las aspiraciones de sus miembros.
Sinergia	Neutral.	Positiva.
Miembros	Responden ante un gerente.	Responden ante los miembros del equipo.
Responsabilidad	Individual.	Individual y mutua (responsables entre sí).
Cultura	Se basa en el cambio y conflicto.	Se basa en la colaboración y el compromiso total con los objetivos comunes.
Habilidades	Los niveles de habilidad suelen ser aleatorios.	Los niveles de habilidad suelen ser complementarios.

FUENTE: Johnson, D. W. y Johnson, F. P. (1994); Katzenbach, J. R. y Smith, D. K. (1995); Katzenbach, J. R. y Smith, D. K. (2006).

Por tanto, puede definirse equipo de trabajo como aquel conjunto de personas, altamente cohesionadas, con habilidades complementarias y responsabilidades, tanto individuales como conjuntas, que trabajan hacia la consecución de un objetivo común[23].

Dado que el equipo de trabajo presenta un nivel de madurez superior al de los grupos de trabajo, suele indicarse que los equipos presentan unos niveles de eficacia superiores a los grupos, por lo que la tendencia actual es el fomento de aquéllos.

---

[23] Triadó, X. M. y Gallardo, E. (2007).

RESUMEN

Los grupos y equipos de trabajo han aumentado su importancia dentro de las organizaciones, pues constituyen un instrumento para la mejora del desempeño de la organización y suponen un instrumento para la satisfacción de los individuos y la consiguiente motivación de los mismos.

Grupo, grupo de trabajo y equipo no son lo mismo. El grupo puede definirse como un conjunto de dos o más personas que interactúan entre sí, se identifican sociológicamente y se sienten miembros del mismo. El grupo de trabajo es una unidad colectiva orientada a la tarea, compuesta por un pequeño número de miembros organizados y que interactúan entre sí y con su entorno para conseguir determinados objetivos grupales. Finalmente, el equipo es aquel grupo de personas, altamente cohesionadas, con habilidades complementarias y responsabilidades, tanto individuales como conjuntas, que trabajan hacia la consecución del objetivo común.

De las tres formas organizativas anteriores, el equipo es la que mayor desempeño proporciona a la organización.

Los grupos de trabajo pueden clasificarse en grupos formales e informales, permanentes y temporales, dirigidos desde el exterior, autodiseñados y autodirigidos, virtuales o presenciales, siendo la clasificación formal e informal la más desarrollada, y los grupos virtuales los más novedosos gracias al reciente desarrollo de las tecnologías de la información y comunicación.

El funcionamiento y la eficacia de los grupos dependen de las características de los mismos. Entre estos factores tenemos: el tamaño del grupo, el liderazgo del mismo, las normas del grupo, los roles desempeñados por los miembros del grupo, la cohesión, el estatus, la tarea y la composición del grupo.

Los grupos de trabajo se crean y desarrollan de forma planificada dentro de la organización. El proceso de creación toma como referencia los tipos de agrupaciones que dentro de la empresa pueden realizarse. Formado el grupo, comienza el desarrollo del mismo, el cual pasa por las siguientes etapas: 1) formación; 2) conflicto; 3) normativa; 4) desempeño, y 5) terminación.

La eficacia de los grupos es un reto para los mismos. Viene medida por su rendimiento, la satisfacción de los miembros y la capacidad de cooperación continuada. Entre los factores que afectan a la eficacia de los grupos se pueden citar el contexto de creación, la naturaleza de los individuos y la naturaleza de las tareas.

Finalmente, se analizan los equipos de trabajo que se configuran en la actualidad como una de las mejores formas para alcanzar altos niveles de desempeño.

El capítulo ha tratado de adentrar al lector en el conocimiento de los grupos y equipos, sus elementos, sus tipos, sus ventajas e inconvenientes y su proceso de desarrollo. Lógicamente no es un tema cerrado, pues presenta muchas interrelaciones con otros aspectos, como son el diseño organizativo, el liderazgo y la motivación de los subordinados, entre otros.

PREGUNTAS DE REPASO

1. Establezca las diferencias entre grupo, grupo de trabajo y equipo.

2. Establezca las diferencias entre grupo formal y grupo informal.

3. ¿Cuáles son las etapas por las que pasa un grupo desde su inicio hasta su consolidación?

4. ¿Qué es un grupo virtual y cuándo se hace recomendable su utilización?

5. Explique la posible incidencia que tiene el tamaño del grupo sobre la eficacia del mismo.

6. ¿Qué características presentan los grupos eficaces?

7. ¿Cuáles son los elementos que configuran un grupo?

8. Enumere alguna de las ventajas que presentan los grupos de trabajo para la empresa.

CASO PRÁCTICO

El trabajo en equipo se impone a las individualidades en la copa del mundo de fútbol

En un torneo donde se esperaba que las grandes figuras se llevaran los titulares y que terminaron siendo simples notas a pie de página, fue el trabajo en equipo el que se convirtió en un factor clave para alcanzar las últimas instancias del mundial de fútbol.

David Villa, Diego Forlán, Miroslav Klose, Arjen Robben, Wesley Sneijder, Bastian Schweinsteiger y Thomas Müller fueron importantes para sus equipos, pero el tema recurrente del torneo fue la falta de protagonismo de las individualidades.

España representa el enfoque mejor que nadie, ya que cada jugador ha alcanzado un nivel supremo de habilidad técnica, concentración y conciencia para ocupar espacios y crear patrones de pases que probablemente no han sido superados por otros equipos.

Villa fue el último eslabón en la mayoría de los ataques producto de un meticuloso juego que culminó con una serie de estrechas pero convincentes victorias, pero Andrés Iniesta, Xavi, Xabi Alonso y Sergio Busquets fueron casi insustituibles en su laberinto del medio campo.

Cuando el delantero Fernando Torres quedó fuera de la semifinal, Pedro tomó su lugar y la máquina siguió funcionando sin problemas.

«Te demuestra que un equipo no es sólo un jugador», dijo Iker Casillas. «Un jugador puede ganar el torneo para ti, como Argentina con (Diego) Maradona (en 1986), pero, al final, todo depende del trabajo en equipo», explicó.

Holanda ha llegado a la final con el mismo enfoque. Robben llama la atención, pero los holandeses han ganado con y sin él. Robin van Persie es delantero de gran renombre pero ha sido Dirk Kuyt quien ha creado más peligro. Sneijder ha sido la base del equipo holandés, anotando cinco goles y obteniendo cuatro veces la distinción al mejor jugador del partido, pero Mark van Bommel y Nigel de Jong sudaron sangre para recuperar el balón y crear espacios para que el conductor de juego operara.

Nueva generación

Alemania, por supuesto, estableció el patrón de trabajo en equipo hace décadas y fue natural que una nueva generación de jugadores tomara sus roles sin problemas en Sudáfrica. La ausencia, a causa de una lesión, de su principal jugador, el capitán Michael Ballack, favoreció a Alemania, ya que jugadores más jóvenes adquirieron más responsabilidad. Los mediocampistas Mesut Ozil, Müller y Schweinsteiger pulieron su reputación, mientras que los delanteros Klose y Lukas Podolski, quienes tuvieron malas temporadas en sus clubes, mejoraron la atmósfera al dar todo por su país. El entrenador Joachim Loew dijo que en vez de elegir automáticamente a los mejores jugadores, tuvo una visión de cómo su equipo actuaría y eligió a quienes sabía que podían llevarla a cabo.

Uruguay, Paraguay y Ghana también basaron su progreso en una voluntad colectiva, pero otros equipos que eran favoritos al inicio del torneo, cuyas esperanzas dependían principalmente de sus grandes nombres, fracasaron. El portugués Cristiano Ronaldo, el inglés Wayne Rooney, los brasileños Kaká y Robinho y el argentino Lionel Messi fallaron en una etapa u otra en parte debido a la incapacidad de que sus grandes nombres produjeran lo que se esperaba.

Maradona reconoció que el tiempo en que un jugador estrella podía ganar un mundial virtualmente sólo se había acabado. «Éramos jugadores más egoístas», dijo. «Yo quería hacerlo todo, pero es un juego muy distinto en estos días», señaló.

Fuente: http://mx.reuters.com/article/topNews/idMXN1012788320100710?pageNumber=2&virtualBrandChannel=0&sp=true.

PREGUNTAS

1. Analice los diferentes elementos de los grupos en relación a la noticia de prensa.

2. ¿Dónde cree que reside el éxito de la selección? Indique los factores determinantes del mismo.

3. En el caso planteado, ¿estamos ante un grupo de trabajo o un equipo de trabajo?

12

Conflicto y negociación

¿Quién no conoce o ha sido testigo de una disputa familiar, de una pelea entre amigos o de enfrentamientos en su lugar de trabajo?: hermanos dirimiendo una herencia que acaban por no dirigirse la palabra; matrimonios enfrentados en un proceso de divorcio que recurren a tácticas propias de la guerra de guerrillas para conseguir la custodia de los hijos; padres e hijos con puntos de vista divergentes sobre cómo afrontar todo tipo de cuestiones sobre la vida que se enzarzan en continuas discusiones involucrando al resto de la familia; enfrentamientos y disputas con otros compañeros de trabajo por un nuevo ordenador o un despacho más amplio; grupos y camarillas dentro de un mismo departamento que se comportan como auténticos «miniejércitos», siempre dispuestos para la batalla, a las «órdenes» de líderes fuertes con personalidades y objetivos radicalmente diferentes; rumores, chismes o malentendidos que acaban con amistades de toda la vida.

El conflicto es un fenómeno de naturaleza social que se manifiesta constantemente en las relaciones entre individuos y grupos, tanto a nivel personal como en el seno de las organizaciones, afectando a la dinámica de desarrollo y al desempeño de las mismas. Del mismo modo, la negociación y la búsqueda de acuerdos es la respuesta más civilizada que tienen los individuos, grupos y organizaciones para resolver sus conflictos antes de que deriven en enfrentamientos graves de consecuencias imprevisibles y a veces costosas y negativas para las partes. Por ello, si la dinámica de las organizaciones está plagada de situaciones conflictivas, también lo está de situaciones en las cuales los directivos tienen que afrontar procesos de negociación.

En este capítulo se aborda el análisis de ambas situaciones tan interconectadas: conflicto y negociación. Se comienza por la identificación de la naturaleza del conflicto, sus tipos y niveles, las etapas que conforman la evolución de los procesos conflictivos y la naturaleza funcional o disfuncional del conflicto en función de los resultados que se derivan de su resolución. A continuación se analizarán las situaciones de negociación, distinguiendo entre dos formas de afrontar el proceso de negociación: la distributiva, basada en un juego de suma cero, y la integradora, en la que se intentan satisfacer las expectativas e intereses de todas las partes implicadas. Para terminar se ofrecen unas recomendaciones prácticas que pueden ayudar a mejorar la habilidad negociadora de los directivos de las organizaciones.

12.1. LA NATURALEZA DEL CONFLICTO

12.1.1. Concepto de conflicto

Como todos los procesos de naturaleza social, el conflicto ha sido objeto de numerosas definiciones. A pesar de que en algunos casos la conceptuación del conflicto ha escorado hacia algún aspecto específico de su naturaleza, es posible extraer unos elementos comunes a la mayoría de las definiciones.

Un conflicto es un *proceso que se manifiesta por una confrontación, explícita o tácita, entre dos o más agentes que surge cuando uno de ellos percibe que la otra parte se opone a sus intereses o trata de perjudicarlos*[1].

En la definición destacan los siguientes aspectos:

— El conflicto es un proceso y, por tanto, tiene un origen, una dinámica de desarrollo y una posible resolución.
— La manifestación de dicho proceso se traduce en un enfrentamiento o confrontación entre las partes implicadas que puede ser visible (explícita) o latente (tácita). La visibilidad del enfrentamiento implica un conflicto *abierto* en el que las partes muestran conductas o actitudes de oposición

---

[1] Robbins, S. P. (1998); Wagner, J. A. y Hollenbeck, J. R. (2004); Díez de Castro, J. y Redondo, C. (1995).

claramente beligerantes. Por otro lado, el conflicto puede estar latente, oculto bajo actitudes de bloqueo muy sutiles y a la espera de aflorar de forma visible en un determinado momento.

— El conflicto es un proceso social protagonizado por personas o grupos: los agentes o partes en conflicto.

— El conflicto sólo existe si las partes implicadas perciben que una situación determinada es conflictiva. Esta afirmación tiene particular importancia en la conceptuación del conflicto. Muchas situaciones de lucha por un recurso escaso (un ascenso, un incremento en la partida presupuestaria del departamento o un trofeo futbolístico) que podrían considerarse como potencialmente conflictivas no lo son, en tanto en cuanto las partes implicadas (compañeros de trabajo, departamentos o equipos de fútbol) no las perciben como tales, sino como situaciones meramente competitivas. La situación de competición está sometida a unas reglas, normas y procedimientos asumidos por los implicados que definen claramente su comportamiento, en contraposición con la dinámica de la situación percibida como conflictiva, de naturaleza mucho más subjetiva[2], en la que las partes se involucran emocionalmente, experimentando hostilidad, tensión, frustración o ansiedad.

— Por último, el conflicto supone una lucha u oposición de una parte contra otra por alcanzar o mantener sus intereses. Recursos escasos (dinero, poder, prestigio, etc.), metas u objetivos enfrentados, valores, actitudes, o habilidades y conductas incompatibles pueden ser objeto de un conflicto.

12.1.2. Conflicto, poder y política

Una de las aproximaciones más interesantes al conflicto es a través de su relación con el poder[3]. Como se apunta en el capítulo 10, el poder es la capacidad para influir en las acciones de los demás y, por tanto, ante un acto de poder se espera una respuesta por parte del sujeto sobre el que se ejerce. Básicamente caben dos tipos de respuestas. El resultado más corriente es la subordinación o la obediencia; la otra opción es la resistencia, es decir, el conflicto. Así pues, bajo esta perspectiva el conflicto es una *consecuencia* o resultado del poder[4].

Por otra parte, la dinámica del proceso del conflicto conlleva una confrontación que las partes implicadas procuran resolver en base a sus expectativas. Esto implica que intentarán influir en el comportamiento y las acciones de la otra parte, es decir, que utilizarán el poder. Así pues, el conflicto también puede considerarse como una *manifestación* del poder. En este sentido, todo conflicto no es sino

---

[2] Luque, P. J., Palomo, A. y Pulido, M. (2008).
[3] Hall, R. H. (1996); Wagner, J. A., Hollenbeck, J. R. y Daft, R. L. (2005).
[4] Hall, R. H. (1996).

una lucha por mantener, desarrollar o ampliar las fuentes de poder de las que disponen las personas o grupos implicados.

El último concepto relacionado con el conflicto es el de política. Desde un punto vista organizacional, la política engloba todas aquellas actividades desarrolladas por individuos o grupos para adquirir, desarrollar y utilizar el poder y otros recursos que les permitan alcanzar los resultados deseados en situaciones de incertidumbre o falta de acuerdo sobre las opciones disponibles[5]. De este modo, el conflicto puede considerarse como el campo de juego donde grupos e individuos ejercen su actividad política, esto es, ponen en juego todas las fuentes de poder de que disponen (legítimo, coercitivo, de recompensa, de referente, o de experto) para conseguir sus objetivos en una situación de enfrentamiento para la que no existen normas, reglas o procedimientos claros para su resolución.

12.2. TIPOS Y NIVELES DEL CONFLICTO

Se pueden distinguir tres tipos o modalidades de conflicto[6]:

— *Conflictos sobre los recursos.* Las desavenencias pueden referirse a la asignación de los recursos materiales. Éste sería el caso del enfrentamiento entre las distintas unidades de un departamento de investigación y desarrollo por conseguir un equipamiento más moderno o una mayor dotación financiera para sus respectivas líneas de investigación y desarrollo de productos; o la lucha entre departamentos universitarios por un mayor espacio para despachos, laboratorios o seminarios en un nuevo edificio; o la clásica reivindicación salarial de los trabajadores. El enfrentamiento también puede orientarse hacia la obtención de recursos inmateriales, como sería el caso de los directivos que pugnan por el acceso a canales de información más rápidos, veraces y exclusivos, o las luchas por alcanzar mayor prestigio, poder o autoridad.

— *Conflictos sobre metas, procesos o tareas.* Se refieren a discrepancias sobre los objetivos, estrategias, políticas y procedimientos a seguir. Los individuos o grupos pueden entrar en conflicto a causa de la política de promoción interna o de remuneraciones, de la orientación estratégica de la compañía o del procedimiento que deben seguir los vendedores para realizar de forma eficaz y eficiente su actividad comercial. El conflicto puede surgir también sobre la forma de realizar el trabajo en cada uno de los procesos de la organización o sobre el contenido (tareas) o

---

[5] Pfeffer, J. (1981).
[6] Walton, R. E. (1987).

metas concretas de cada puesto de trabajo. En todos estos casos, las discrepancias pueden centrarse en la conducta, la planificación, el control, la coordinación, los resultados o la organización de la actividad del grupo.

— *Conflicto de relaciones interpersonales.* Se trata de enfrentamientos marcados por diferencias de personalidad, tanto en el ámbito de los sentimientos y emociones como en el de las ideas, valores u opiniones. En este tipo de conflicto se intensifican las respuestas emocionales de los individuos en forma de sentimientos de odio, ira, miedo, recelo, resentimiento o venganza.

Aunque la anterior tipología es útil a nivel didáctico y analítico, hay que precisar que normalmente todos los conflictos en las organizaciones participan en mayor o menor grado de las tres categorías debido al carácter dinámico del proceso. Así, un conflicto materializado exteriormente como de metas, procesos o tareas puede encubrir en realidad un conflicto de recursos o uno de relaciones interpersonales o ambos; o un conflicto que comienza con un enfrentamiento por un aumento en la contratación de empleados (recursos) puede derivar hacia un enfrentamiento personal entre los responsables de los departamentos implicados.

Como se apuntó anteriormente, el conflicto implica el enfrentamiento de dos o más agentes que pueden ser personas, grupos u organizaciones. En función del tipo de agentes implicados se identifican cuatro niveles de conflicto[7]:

1. *Conflicto intrapersonal.* Tiene lugar en el fuero interno de una persona. Por lo general, consiste en alguna forma de contraposición de motivaciones o metas. El individuo puede entrar en una situación de conflicto intrapersonal ante la actividad o comportamiento que la organización espera de él. Las personas dotadas de gran autonomía y flexibilidad en el desempeño de su trabajo son más propensas a sufrir este tipo de conflicto (puestos directivos y de naturaleza profesional).

2. *Conflicto interpersonal.* Se produce cuando dos o más personas perciben que sus actitudes, conducta o metas son antagónicas y se enfrentan en representación de sus propios intereses, no en representación de los intereses de un grupo.

3. *Conflicto intragrupal.* Las partes implicadas son personas o subgrupos pertenecientes al mismo grupo o unidad.

4. *Conflicto intergrupal.* Hace referencia a la oposición y los choques entre los grupos o equipos de una misma organización.

---

[7] Luque, P. J., Palomo, A. y Pulido, M. (2008).

12.3. PERSPECTIVAS SOBRE EL PAPEL DEL CONFLICTO EN LAS ORGANIZACIONES

Al igual que ha ocurrido con otros muchos conceptos relacionados con la administración de las organizaciones (especialización, control, liderazgo, motivación, estructura, etc.), el significado del conflicto y su papel en las organizaciones ha ido evolucionando con los distintos enfoques y teorías de la administración que se revisan en el capítulo 1. A continuación se presentan tres perspectivas sobre la naturaleza del conflicto y su repercusión en la dinámica de la organización[8]. Es conveniente recordar que, al igual que ha sucedido con la teoría de la administración, los distintos puntos de vista sobre el conflicto han ampliado y enriquecido el significado del concepto, produciendo cada uno de ellos una evolución sobre el anterior y no una ruptura radical. Las tres posturas sobre el conflicto son las siguientes:

— *Perspectiva tradicional.* El conflicto es siempre negativo para la organización y, por tanto, al igual que una enfermedad, hay que diagnosticar sus causas y eliminarlo. Esta perspectiva del conflicto se corresponde con la visión sobre la conducta grupal de los enfoques clásicos de la administración, predominantes hasta la década de los cuarenta del pasado siglo. Así pues, se considera al conflicto como algo destructivo, perjudicial, irracional y, en definitiva, disfuncional para la organización. Entre las causas que originan los conflictos se destacan la baja calidad en las comunicaciones, la falta de confianza entre los individuos y el fracaso de los gerentes a la hora de interpretar y responder a las necesidades de los empleados.

— *Perspectiva de las relaciones humanas.* El conflicto es inherente a la dinámica de las organizaciones y, por tanto, hay que aceptar que siempre estará presente y que no se puede eliminar de forma absoluta. Además, se considera que no todos los conflictos son perjudiciales para la organización, ya que algunos pueden repercutir de forma positiva en su desempeño, es decir, que distingue entre conflictos *disfuncionales* y *funcionales*. Los esfuerzos de la gerencia por eliminar los conflictos deben centrarse en los disfuncionales, en aquellos que entorpecen o perjudican la consecución de los objetivos de la organización. Por el contrario, los conflictos con un potencial beneficioso para la organización, los funcionales, deben ser identificados y administrados de forma que realmente su dinámica y resolución contribuyan a mejorar el desempeño de los grupos o de la organización. El aspecto crítico del conflicto funcional no es, por tanto, el conflicto en sí mismo, sino la forma en la que se maneja. Esta visión del conflicto, que fue predominante hasta la década de los setenta, se identifica con los postulados de la escuela administrativa de las relaciones humanas.

---

[8] Robbins, S. P. (1996).

— *Perspectiva interaccionista.* El conflicto es inevitable pero se centra más en sus efectos positivos que en los negativos, por lo que la organización debe mantener cierto nivel de conflicto e incluso fomentar su existencia. Esta visión del conflicto se apoya en la creencia de que los equipos armónicos, colaborativos, pacíficos, en definitiva, obedientes, pueden devenir en apáticos, conformistas y estáticos, siendo, por tanto, inoperantes para afrontar procesos de innovación y cambio. Es por esto por lo que la gerencia debe mantener un nivel de conflicto suficiente para que los grupos se mantengan o lleguen a ser más creativos, autocríticos y viables. Evidentemente, este nivel de conflictividad mínimo se refiere a conflictos funcionales. Es importante resaltar que el enfoque interaccionista no niega la existencia de conflictos disfuncionales o potencialmente destructivos que habrán de ser evitados, cortocircuitados o resueltos con el mínimo de efectos perniciosos para los grupos y la organización.

12.4. EL PROCESO DEL CONFLICTO

Como se apuntaba en su definición, el conflicto es un proceso en el que se pueden identificar cuatro etapas: antecedentes, materialización, dinámica conductual y resultados (figura 12.1).

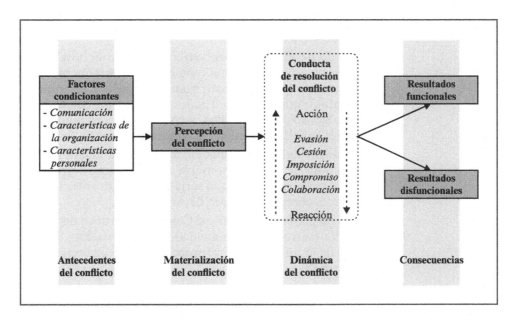

Figura 12.1. El proceso del conflicto. [FUENTE: Adaptado de Robbins, S. P. (1998).]

12.4.1. Antecedentes

El análisis del proceso del conflicto debe comenzar por la identificación de su origen. Existen una serie de factores que actúan como condiciones o antecedentes de una situación de conflicto. Es importante aclarar que la existencia de cualquiera de estos factores no tiene por qué provocar de forma necesaria un conflicto, pero cualquier conflicto tiene su origen en alguno de ellos. Así pues, estas variables actúan aumentando la probabilidad de aparición de conflictos aunque no la determinan. Los factores antecedentes del conflicto se han agrupado en tres categorías generales[9]:

— *Comunicación*. Es una fuente tradicional de conflictos. Los «ruidos» en el canal de comunicación o el empleo de jergas o lenguajes especializados, son algunos de los de factores que actúan como una barrera para la comunicación eficaz entre grupos o individuos[10] y que pueden originar situaciones conflictivas. Asimismo, el grado de eficacia de los canales formales para transmitir información de manera rápida y veraz, las redes informales de comunicación, o los actos deliberados por controlar, filtrar e incluso manipular la información pueden ser la causa de la aparición de divergencias que deriven en conflictos.

— *Características organizacionales:*

  • Incompatibilidad en los objetivos. La posibilidad de conflicto aumenta cuando la consecución de las metas de un grupo interfiere en el logro de los objetivos de otro.

  • Grado de diferenciación vertical (número de niveles jerárquicos) y de diferenciación horizontal (número de departamentos, grupos o puestos especializados). Un mayor número de niveles jerárquicos y de departamentos o grupos especializados en cada nivel conlleva una proliferación de objetivos diferenciados, y con ellos, la posibilidad de incompatibilidades entre los mismos y la aparición de conflictos.

  • Ambigüedad en la asignación de responsabilidades. La falta de claridad a la hora de hacer responsable a una persona o grupo de una tarea aumenta el potencial de que surja un conflicto entre las partes que se consideran competentes para llevarla a cabo.

  • Interdependencia de tareas. Cuando los grupos dependen unos de otros en el desarrollo de su actividad, en la asignación de los recursos o en el uso de la información, la probabilidad de aparición de conflictos se incrementa.

---

[9] Robbins, S. P. y Judge, T. A. (2010); Luque, P. J., Palomo, A. y Pulido, M. (2008); Van de Vliert, E. (1998); Daft, R. L. (2005); Wagner, J. A. y Hollenbeck, J. R. (2004).

[10] Las barreras a la comunicación son tratadas en el capítulo 6.

- Sistemas de retribuciones y de evaluación del desempeño. La ambigüedad en los criterios de evaluación de desempeño, en las políticas de promoción y en los sistemas de retribución favorece la actividad conflictiva, sobre todo si los individuos o grupos se sienten perjudicados o discriminados respecto a otros.
- Factores culturales. Los factores relacionados con la cultura del grupo pueden ser el origen de un conflicto cuando entran en oposición con los valores y normas que conforman la cultura de otro grupo.

— *Características personales.* Una mayor heterogeneidad de los individuos en cuanto a su nivel de educación, formación, experiencia, religión, etnia o sexo puede contribuir a la aparición de determinados conflictos basados sobre todo en la dificultad para cooperar, relacionarse o comunicarse, pero también en aspectos más emotivos como la suspicacia, el recelo o los prejuicios. Asimismo, algunos rasgos de la personalidad pueden actuar como detonantes de una situación de conflicto. Los individuos que muestran un comportamiento autocrático, egoísta, ambicioso o irascible suelen ser calificados como personas conflictivas. No obstante, otros rasgos de la personalidad menos negativos, como por ejemplo una fuerte confianza en sí mismo, pueden también propiciar la aparición de conflictos.

12.4.2. Materialización del conflicto

Los antecedentes crean una potencial situación de conflicto, pero éste no se materializará hasta que una o más de las partes implicadas perciban tal situación como una amenaza a sus intereses y estén dispuestos a involucrarse emocional y activamente en el conflicto.

La importancia de esta fase del conflicto radica en que es en dónde se definen las cuestiones sobre las que gira el conflicto, lo cual a su vez va ser indicativo de su posible evolución y del conjunto de resoluciones posibles. Esto es lo que se denomina *campo de conflicto*[11], es decir, las condiciones o estados posibles hacia los que un conflicto podría moverse.

12.4.3. Dinámica del conflicto

En esta fase las partes exhiben conductas de enfrentamiento y oposición que hacen visible el conflicto. Al comienzo de esta etapa, una de las partes realiza una acción deliberada orientada a frustrar los intentos de la otra de alcanzar sus intereses. A partir de ese momento, a cada comportamiento o acción de una de las partes sucede una reacción de la otra que a su vez provoca una nueva acción de

---

[11] Hall, R. H. (1996).

la primera. Resultaría imposible hacer un catálogo de estas acciones porque abarcan una amplia gama de conductas, desde las más sutiles e indirectas hasta las más explícitas y directas, desde las más pacíficas, respetuosas y controladas hasta las más agresivas, violentas y descontroladas, y desde las más racionales hasta las más irracionales. El círculo acción-reacción-acción describe una dinámica del conflicto en la que cada parte va ajustando sus respuestas de un modo que cree congruente con las de su oponente. Así, si una de las partes exhibe una conducta más agresiva o coercitiva es bastante probable que la otra le imite. Esta dinámica puede implicar, no sólo cambios o ajustes en la forma de afrontar el conflicto (comportamientos), sino también un replanteamiento de la postura inicial, es decir, de la intención estratégica de partida con la que cada parte inició el conflicto e incluso involucrar en el mismo a otros grupos o personas en forma de aliados o coaliciones. De este modo, el campo de conflicto puede modificarse o ampliarse hacia estados no contemplados inicialmente.

Las acciones emprendidas por las partes en esta etapa del proceso delimitan la forma en que cada una de ellas afronta o maneja el conflicto. Aunque estos comportamientos para gestionar el conflicto pueden empezar a manifestarse en la etapa de materialización, es ahora, cuando el conflicto se hace visible y el enfrentamiento es abierto, cuando tales conductas alcanzan su razón de ser.

Se pueden identificar cinco estilos para gestionar o afrontar el conflicto: evasión, cesión, imposición, colaboración y compromiso[12]. Cada uno de los estilos es el resultado de la influencia de dos dimensiones: el grado de *egoísmo* y el grado de *cooperación*. La primera refleja el grado en el cual se intentan satisfacer los intereses propios, y la segunda, el grado en el cual se intentan satisfacer los intereses de las otras partes en conflicto. La figura 12.2 refleja los cinco estilos para el manejo de conflictos en relación con las dos dimensiones consideradas.

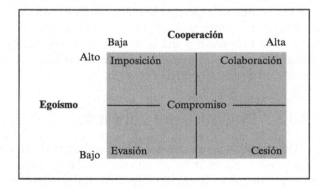

Figura 12.2. Estilos para el manejo de conflictos. [FUENTE: Adaptado de Thomas, K. W. (1992).]

---

[12] Thomas, K.W. (1992).

— *Imposición.* Se caracteriza por un alto grado de egoísmo y un bajo interés por los deseos de la otra parte. Este comportamiento implica alcanzar las propias metas a costa de las de los demás, por lo que el individuo que sigue este estilo tiene el convencimiento de que una parte tiene que ganar y la otra tiene que perder. La imposición puede incluir conductas coercitivas y actos de fuerza, y no debe entenderse sólo como el recurso utilizado por alguien que quiere imponerse a toda costa, ya que este comportamiento también puede reflejar el convencimiento de que se está defendiendo algo que es justo contra algo que no lo es. La utilización del poder legítimo (emanado de la posición jerárquica) es un recurso de gran importancia para la eficacia de este estilo. La imposición puede ser un modo útil de afrontar un conflicto cuando se dirimen cuestiones triviales, cuando el conflicto gira en torno a la implantación de medidas impopulares o cuando es preciso resolver el conflicto de forma rápida.

— *Cesión.* Estilo caracterizado por un bajo grado de interés por las metas propias y un alto grado de cooperación con la otra parte. La cesión es una forma de resolver conflictos anteponiendo las necesidades e intereses de la otra parte por encima de las propias, por eso también se le denomina estilo servicial, complaciente o acomodaticio. Este estilo puede resultar conveniente cuando se considera que la cuestión en disputa es más importante para la otra parte, pero también puede ser utilizado de forma estratégica buscando un comportamiento recíproco de la otra parte en futuros conflictos.

— *Evasión.* Se caracteriza por un bajo nivel de egoísmo y un bajo interés por la cooperación. Representa un intento de retirada o de evitar afrontar el conflicto, al menos en ese momento. El estilo de evasión indica aversión por las situaciones tensas y por los enfrentamientos abiertos. También puede utilizarse para poner de manifiesto el desinterés por la cuestión que se dirime y/o por las partes o, simplemente, la negación del conflicto. Puede ser eficaz cuando se considera que el conflicto es trivial, o cuando existe una gran tensión entre las partes enfrentadas y es necesario tiempo para rebajarla. Asimismo, este estilo es útil cuando se considera que los beneficios potenciales de adoptar una posición más beligerante y egoísta son menores que los costes que ésta puede acarrear.

— *Colaboración.* Caracterizado por un elevado grado de egoísmo y un elevado interés por la cooperación. La colaboración implica afrontar el conflicto de tal forma que su resolución satisfaga los objetivos propios y los de la otra parte. Se trata, por tanto, de actuar buscando una solución ventajosa para todas las partes y con la que todos se sientan ganadores. Para ello es fundamental una comunicación franca y directa entre las partes que sirva para plantear el problema con todas sus alternativas y consecuencias, lo cual facilita las soluciones creativas, imaginativas y valiosas para las partes.

El estilo de cooperación es especialmente útil cuando han de afrontarse problemas importantes, de naturaleza estratégica. También es una forma eficaz de afrontar los conflictos cuando no existen presiones de tiempo para su resolución.

— *Compromiso*. Hace referencia a comportamientos caracterizados por un nivel intermedio de cooperación y egoísmo. Implica que las partes tienen que ceder o hacer concesiones, al objeto de lograr una solución aceptable para todos. Se intenta racionalizar el objeto del conflicto a fin de que pueda ser «repartido» entre las partes en litigio y, si no es «divisible», se intenta indemnizar a la otra parte ofreciendo algo de valor sustitutivo[13]. El compromiso resulta muy útil cuando las partes en conflicto tienen un poder similar y también ante problemas que comprometen el desempeño de ambas partes. Asimismo, puede ser eficaz cuando se requiere una solución rápida o cuando es conveniente alcanzar un acuerdo temporal a un problema muy complejo.

12.4.4. Consecuencias del conflicto: resultados funcionales y resultados disfuncionales

El proceso de interacción dinámica del conflicto acción-reacción-acción descrito en la etapa anterior provoca una serie de consecuencias, cuyo efecto puede ser positivo o negativo para el desempeño de las personas, de los grupos o de la organización. En base a ello, se puede hablar de resultados funcionales y disfuncionales del conflicto.

A pesar de que en la actualidad se reconoce que algunos conflictos pueden tener efectos positivos sobre los grupos y la organización, la carga semántica del término es tan negativa (enfrentamiento, combate, disputa, pugna, colisión, dificultad) que es difícil pensar en él de forma constructiva. Por tanto, parece pertinente destacar los efectos positivos o **funcionales** que pueden derivarse de conflicto[14]:

— Mejora la calidad de las decisiones. El conflicto permite un análisis más profundo de las alternativas y considera un mayor número de opciones o de puntos de vista, sobre todo de los sostenidos por grupos minoritarios. De esta forma, el conflicto actúa contra la aparición del fenómeno de la mentalidad de grupo[15].

---

[13] Robbins, S. P. (1998).

[14] Wagner, J. A. y Hollenbeck, J. R. (2004); Robbins, S. P. y Judge, T. A. (2010); Priem, R. L., Harrison, D. A. y Muir, N. K. (1995); Jehn, K. A. y Mannix, E. A. (2001).

[15] Un análisis más detallado sobre la mentalidad de grupo puede consultarse en el capítulo 5.

— Estimula la creatividad y la innovación. La dinámica de oposición del conflicto ayuda a mantener el nivel de estímulo necesario para trabajar de forma innovadora. Cualquier conflicto supone poner en tela de juicio el *statu quo* y, por tanto, crea un contexto ideal para el fomento de la curiosidad y la actitud crítica, el desarrollo de nuevas ideas, la reconsideración de objetivos y procedimientos de trabajo y, en definitiva, para la búsqueda y adaptación al cambio.

— Proporciona una válvula de escape a tensiones y estrés acumulado entre los miembros del grupo ayudando a estabilizar e integrar las relaciones.

— El conflicto proporciona un mapa sobre cuál es la distribución real del poder en la organización o en el grupo.

— En un conflicto intergrupal, la amenaza externa materializada en la otra parte provoca una mayor cohesión de los grupos implicados, lo cual deriva en una mayor identificación de los individuos con sus propios grupos.

— El conflicto también estimula la competencia y, por tanto, una mayor inclinación hacia el desempeño de las tareas por parte de los miembros de cada una de las partes. El objetivo es vencer al adversario y, así, los intereses particulares se desplazan a un segundo plano y el esfuerzo se centra en mejorar los resultados del grupo al que se pertenece.

En cuanto a las consecuencias negativas o **disfuncionales** del conflicto, éstas son bien conocidas a través de la propia experiencia cotidiana de cualquier individuo en el ámbito de su familia, de su círculo de amistades o de su entorno laboral, como se recogía en la introducción al capítulo. Asimismo, los medios de comunicación (prensa, radio, televisión e Internet) informan sobre toda clase de conflictos y de sus consecuencias negativas (entre países, entre empresas, entre personas, entre partidos políticos). Y, por supuesto, los resultados disfuncionales del conflicto se hallan también muy documentados en las investigaciones académicas[16], donde se destacan algunos de los efectos más perniciosos del conflicto para el desempeño y eficacia del grupo[17]:

— La presencia de un conflicto hace disminuir la cohesión del grupo al que pertenecen las partes implicadas.

— El conflicto conlleva la subordinación de las metas del grupo a los deseos y prioridades de las partes.

— El conflicto puede derivar hacia un aumento de las conductas hostiles y agresivas entre los grupos enfrentados que se traducen en un sentimiento

---

[16] Algunas referencias a estudios sobre la disfuncionalidad del conflicto pueden encontrarse en Robbins, S. P. y Judge, T. A. (2010).

[17] Wagner, J. A. y Hollenbeck, J. R. (2004); Gibson, J. L., Ivancevich, J. M. y Donnelly, J. H. (1996); Ivancevich, J. M., Konopaske, R. y Matteson, M. T. (2006).

antagónico *nosotros-ellos*. Cada parte se considera en posesión de la verdad, la razón, la honradez y de todas las virtudes imaginables y reduce a la otra a la belicosa categoría de enemigo. Todo ello conlleva una distorsión de las percepciones sobre la otra parte siempre en sentido negativo y en clave de amenaza.

— Las actitudes y percepciones negativas conducen a una disminución, a veces drástica, de la comunicación entre las partes enfrentadas que se sustituye por una vigilancia permanente y creciente para conseguir información sobre las actitudes, comportamientos, intenciones y debilidades de la otra parte.

12.5. LA NEGOCIACIÓN. CONCEPTO Y CARACTERÍSTICAS

Del mismo modo que el concepto de conflicto es percibido de manera frecuente y casi inconsciente como algo negativo, la negociación está asociada a un proceso positivo. Esto es así porque en la negociación subyacen términos como colaboración, entendimiento o acuerdo que están en franca oposición a otros, tales como enfrentamiento, lucha o desacuerdo asociados tradicionalmente al conflicto. La negociación, además, es considerada como el modo más civilizado y racional de afrontar un conflicto, ya que su objetivo es la resolución del mismo a través de una solución que satisfaga y sea aceptada por las partes en disputa, es decir, mediante un acuerdo.

Así pues, la negociación se puede definir como un *proceso para afrontar y resolver un conflicto en el que las partes implicadas interactúan durante un tiempo determinado en una dinámica de ofertas y contraofertas, al objeto de alcanzar un acuerdo satisfactorio para todas.*

Puesto que, como se ha comentado en los epígrafes anteriores, los individuos y los grupos se enfrentan constantemente a situaciones conflictivas, no es de extrañar que la negociación esté continuamente presente en la vida diaria. Se negocia con los proveedores de telefonía el contrato más ventajoso, o con un concesionario de automóviles el precio final y las prestaciones de un vehículo; los amigos negocian las actividades recreativas del fin de semana; los miembros de una familia negocian entre sí los horarios de entrada y salida de los hijos, la elección del canal de televisión o el destino vacacional; los empleados negocian con el gerente los sueldos o los horarios, y los compañeros de trabajo negocian entre sí el intercambio de turnos o de determinadas tareas; los partidos políticos negocian con el Gobierno los presupuestos generales del Estado, y éste, a su vez, negocia con las comunidades autónomas su sistema de financiación y con el resto de países de la Unión Europea una nueva directiva de regulación de la inmigración.

Los ejemplos anteriores sirven para ilustrar las características de toda situación de negociación[18]:

---

[18] Lewicki, R. J., Barry, B. y Saunders, D. M. (2008).

— Existencia de un conflicto, es decir, de un desacuerdo que enfrenta a dos o más partes respecto a una determinada cuestión.

— Se carece de reglas o procedimientos establecidos para resolver el conflicto, o bien, las partes prefieren trabajar al margen de dichas reglas y procedimientos para desarrollar una solución específica al conflicto.

— Las partes prefieren llegar a un arreglo antes que materializar el conflicto de forma violenta, agresiva o llevar la disputa a una autoridad superior para que la dirima.

— Las partes negocian de forma voluntaria porque están convencidas de que al negociar pueden obtener un mejor resultado que el que se deriva de aceptar lo que la otra parte le concede o le permite. Es difícil obligar u ordenar a alguien a que negocie, ya que en última instancia, si no se quiere negociar, siempre se puede recurrir a tácticas obstruccionistas o dilatorias que imposibiliten el acuerdo y hagan fracasar la negociación.

— Toda negociación lleva implícito un proceso de «dar y recibir», es decir, que ambas partes esperan que la otra se aleje de sus posiciones o demandas iniciales para poder alcanzar un acuerdo.

— En el proceso de negociación intervienen una serie de factores motivacionales o psicológicos de los negociadores que actúan al margen del objeto formal de la negociación (el precio de un bien, o los términos de un acuerdo laboral) y pueden tener una gran influencia, tanto en cómo se desarrolla el proceso como en los resultados del mismo. Algunos de estos factores son:

  • La necesidad de ganar o, al menos, no perder ante la otra parte.
  • La necesidad de mostrarse firme y competente ante las personas a las que se representa.
  • La necesidad de defender unos valores o un principio que se considera importante e irrenunciable.
  • La necesidad de proteger la propia reputación pareciendo justo y honrado.

En el ámbito de la organización, la negociación supone un medio de dirimir conflictos que evita la intervención directa de la gerencia en su resolución mediante la autoridad formal. Pero además, los procesos de negociación adquieren especial relevancia en la organización al estar muy relacionados con otros aspectos de la gestión y la dinámica organizacional. A este respecto hay que recordar, en primer lugar, que uno de los roles directivos de naturaleza decisional propuestos por Mintzberg[19] es el de *negociador,* es decir, que la negociación forma parte esencial del trabajo de cualquier gerente. La negociación también puede considerarse

---

[19] Los roles directivos son tratados en el capítulo 1.

como un complejo proceso de comunicación, ya que las partes implicadas intercambian mensajes en un determinado contexto social. Por tanto, los elementos que intervienen en la comunicación pueden influir positiva o negativamente en el proceso de negociación[20]. La búsqueda negociada de una solución a un problema o conflicto implica que toda negociación es en sí misma un proceso de toma de decisiones en el que cada parte ha de decidir sobre sus objetivos, sobre las distintas alternativas aceptables, su prioridad y sobre la estrategia y tácticas de negociación más adecuadas. Posteriormente, las partes habrán de decidir conjuntamente, es decir, en grupo, qué alternativa es la que mejor satisface sus intereses. Los objetivos, las líneas estratégicas e incluso los planes operativos establecidos en el proceso de planificación pueden servir como «líneas rojas» que marquen los límites de lo que pueden o no pueden hacer los negociadores[21]. Por último, la negociación, al igual que el conflicto, puede considerarse como un contexto en el que las partes exhiben y ponen a prueba su poder de tal modo que el acuerdo se interpreta, al margen de su contenido objetivo respecto del problema en cuestión, desde la perspectiva del mantenimiento o aumento de poder de los implicados.

12.6. TIPOS DE NEGOCIACIÓN

Se han identificado dos situaciones o tipos de negociación muy diferentes: la negociación distributiva y la negociación integradora[22].

12.6.1. La negociación distributiva

En una negociación de tipo distributivo las partes compiten por una cantidad fija de recursos de modo que utilizarán una serie de estrategias al objeto de maximizar su resultado a expensas de lo que consiga el otro. La negociación distributiva es, por tanto, un juego de suma cero. En términos monetarios esto significa que cada euro que una de las partes consiga ganar en la negociación lo dejará de ganar, o si se prefiere, lo perderá la otra. A este tipo de negociación también se la suele denominar como de «ganar-perder». Hay que precisar que la negociación distributiva no se corresponde con el estilo de *imposición* en el manejo del conflicto, aunque éste también se haya descrito con la expresión ganar-perder, sino más bien con el estilo de *compromiso* en el que las partes tienden a ceder o a hacer concesiones mutuas. La negociación entablada entre el comprador y el vendedor sobre el precio final de un automóvil o de una vivienda o las negociaciones colec-

---

[20] Luque, P. J., Palomo, A. y Pulido, M. (2008).
[21] Stoner, J. A. F., Freeman, R. E. y Gilbert, D. R. (1996).
[22] Walton, R. E. y Mckersie, R. B. (1965).

tivas entre sindicatos y patronal sobre los salarios son ejemplos de negociaciones distributivas.

12.6.1.1. *La situación de la negociación distributiva*

Una situación de negociación distributiva está caracterizada por una serie de elementos que delimitan el punto de partida y el desarrollo del proceso negociador[23]. En la figura 12.3 se muestran dichos elementos utilizando el ejemplo de una negociación de compraventa de un automóvil.

— *El punto objetivo.* Define lo que se quiere alcanzar y es desconocido para la otra parte.
— *El punto de resistencia.* Indica el menor resultado admisible. Marca la línea de resistencia, el límite por debajo del cual no se está dispuesto a aceptar un acuerdo, lo que implicaría la ruptura de la negociación. El punto de resistencia de cada parte es desconocido para la otra.
— *El rango de acuerdo.* Se define como la distancia entre los puntos de resistencia de cada parte y representa la zona donde el acuerdo es posible, ya que fuera de la misma las ofertas serán rechazadas de inmediato por situarse más allá de los límites marcados por los puntos de resistencia.
— *Oferta o posición inicial.* Indica el punto de partida de la negociación. Suele ser más favorable que el punto objetivo, con el fin de alejarse el máximo posible del punto de resistencia y ampliar el rango de posibles concesiones.
— *Rango de aspiraciones.* Representa el margen de maniobra del que dispone cada parte para presentar sus ofertas. Se define como la distancia entre la oferta inicial y el punto de resistencia.

En el ejemplo de la figura 12.3 se ha representado la oferta inicial del comprador y la del vendedor. Esto no significa que existan dos ofertas iniciales, sino que ésta puede provenir de cualquiera de las dos partes. La oferta inicial marca el inicio de la negociación y, como han mostrado numerosas investigaciones, tanto el hecho de hacerla como el que sea agresiva o conservadora, puede tener efectos muy importantes para el desarrollo de la negociación e incluso para su resultado final. Se ha demostrado que los individuos con poder tienen una mayor propensión no sólo a realizar la primera oferta, sino también a iniciar una situación de negociación. Así pues, el hacer la primera oferta indica a la otra parte que se tiene poder, lo cual puede condicionar su conducta negociadora[24]. Además, en situaciones en las cuales existe una gran incertidumbre para evaluar o estimar los puntos objetivo y de resistencia de las partes, el hacer la primera oferta desenca-

---

[23] Lewicki, R. J., Barry, B. y Saunders, D. M. (2008); Robbins, S. P. y Judge, T. A. (2010).
[24] Magee, J. C., Galinsky, A. D. y Gruenfeld, D. H. (2007).

dena lo que se conoce como *sesgo de anclaje:* se asume por la otra parte que la oferta inicial representa una estimación aproximada del valor del objeto de la negociación, y a partir de ahí los individuos generan un conocimiento selectivo que sea consistente con el valor de anclaje. De este modo, si un negociador realiza una primera oferta agresiva, está fijando un anclaje muy favorable para sus intereses que le permitirá obtener unos mejores resultados de la negociación[25]. Obviamente, esta primera oferta no debe ser tan agresiva que resulte ridículamente alta o exagerada para la otra parte.

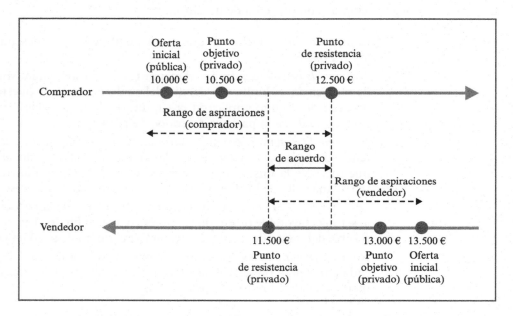

Figura 12.3. Negociación distributiva. (FUENTE: Elaboración propia.)

El sesgo de anclaje propiciado por una primera oferta agresiva provoca una distorsión en la percepción que tiene la otra parte sobre los puntos objetivo y de resistencia de su oponente y, por tanto, los estima más desfavorables para sus propios intereses de lo que en realidad son. De este modo, las sucesivas ofertas y contraofertas se sitúan en una zona donde las posibles soluciones son más beneficiosas para el negociador que ha realizado una primera oferta agresiva. Los efectos negativos del anclaje pueden aminorarse o evitarse si la parte que no realiza la primera oferta se centra en sus propios intereses y adopta la perspectiva o punto de vista del otro negociador para comprender sus intenciones[26].

---

[25] Galinsky, A. D. y Mussweiler, T. (2001); Magee, J. C., Galinsky, A. D. y Gruenfeld, D. H. (2007).

[26] Galinsky, A. D. y Mussweiler, T. (2001).

Supóngase que el ejemplo anterior se refiere a la compraventa de un automóvil de segunda mano realizada entre dos particulares para aumentar así la incertidumbre sobre el precio real del vehículo y sobre los puntos objetivo y de resistencia de las partes (figura 12.4*a*). La primera oferta ha sido realizada por el vendedor, que, en lugar de ofertar un precio próximo a su punto objetivo —como se representa en la situación de la figura 12.3—, ha optado por una primera oferta más agresiva de 15.000 €. Este precio es asumido por el comprador como una primera aproximación válida al precio *real* del automóvil, provocando un sesgo de anclaje en torno a dicha cifra. El anclaje se afianza cuando el comprador, por sí mismo o influido por el vendedor, encuentra información accesible que es congruente con esa primera oferta, como por ejemplo, que el automóvil es de una marca de prestigio, el perfecto estado de la carrocería, el bajo kilometraje o el equipamiento extra. Una vez producido el anclaje alrededor de los 15.000 €, las estimaciones que el comprador realiza de los puntos objetivo y de resistencia del vendedor se ven influidas por él, de forma que los sitúa en 14.000 € y 12.000 € respectivamente, unas cifras más altas que las que en realidad maneja el vendedor y que le favorecen. Puede apreciarse cómo el rango del acuerdo se estrecha dejando fuera las soluciones comprendidas entre los 11.500 € y los 12.000 €, que en principio podrían ser aceptables para el vendedor. La situación derivada del sesgo de anclaje de la primera oferta puede ser aún más favorable para el vendedor si la

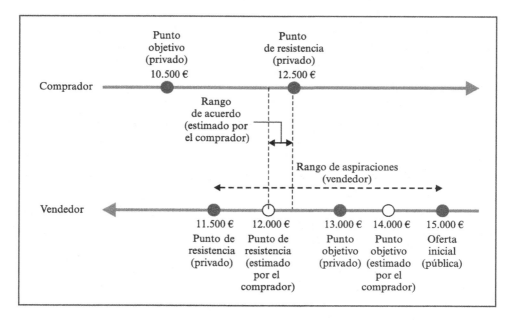

Figura 12.4*a*. El sesgo del anclaje en una negociación distributiva. (FUENTE: Elaboración propia.)

estimación de su punto de resistencia realizada por el comprador es superior a su propio punto de resistencia, como se muestra en la figura 12.4*b*. Esta situación lleva al comprador a modificar al alza su punto de resistencia si quiere seguir negociando y, por tanto, el rango del acuerdo englobaría precios finales mucho más beneficiosos para el vendedor que los que se planteaban en la situación descrita en la figura 12.3, con una primera oferta más modesta de 13.500 €.

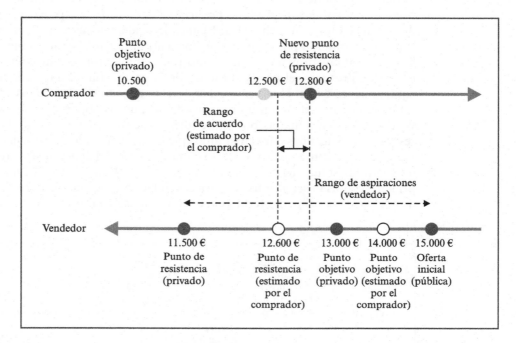

Figura 12.4*b*. El sesgo del anclaje en una negociación distributiva. (FUENTE: Elaboración propia.)

12.6.1.2. *Estrategias y técnicas de negociación*

El objetivo último de toda negociación distributiva es la maximización del valor del acuerdo a expensas de la otra parte. Para alcanzar este objetivo, el negociador dispone de tres estrategias básicas[27]:

1. Impulsar la negociación lo más cerca posible del punto de resistencia (desconocido) de la otra parte para situar el rango del acuerdo en posiciones más cercanas a los objetivos propios.

---

[27] Lewicki, R. J., Barry, B. y Saunders, D. M. (2008).

2. Convencer o influir en la otra parte para que desplace su punto de resistencia hacia el propio objetivo, a fin de ampliar el rango del acuerdo con soluciones más favorables.

3. Convencer a la otra parte para que crea que un determinado acuerdo es el mejor posible, evitando, al mismo tiempo, transmitir que dicho acuerdo es lo máximo que puede obtener, o que es incapaz de obtener más y, sobre todo, de que el acuerdo significa una derrota. La diferencia de matiz entre conseguir el mejor acuerdo posible y las otras interpretaciones, aunque puede parecer sutil, se justifica en aras de conceder a la otra parte ciertos resultados *intangibles* de la negociación relacionados con los factores motivacionales y psicológicos citados anteriormente como una de las características de toda negociación (la necesidad de no perder ante la otra parte, de proteger la propia reputación, etc.).

Cualquiera de las estrategias citadas descansa en estimar, de la forma más ajustada posible, el punto de resistencia de la otra parte y en influir en el mismo. Para ello, el negociador necesita disponer de una información veraz, tanto sobre el objeto de la negociación como sobre su oponente: motivaciones, personalidad, presiones a las que se puede ver sometido, comportamiento en otras situaciones de negociación similares, etc. Al mismo tiempo, el negociador ha de procurar ocultar o distorsionar cualquier información sobre él mismo que pueda ser de utilidad a la otra parte. La información se convierte así en un recurso estratégico clave en cualquier proceso de negociación, y su obtención y adecuada utilización, en una habilidad de suma importancia para el negociador.

Así pues, disponer de una información precisa permite al negociador emplear una serie de tácticas encaminadas a alguna de las estrategias fundamentales anteriores. De entre estas tácticas se pueden destacar las siguientes[28]:

— Valorar el punto objetivo y el punto de resistencia de la otra parte.

— Estimar el coste que supone para el oponente un retraso en la finalización de la negociación para poder presionarlo con una manipulación de la fecha de terminación.

— Dirigir las impresiones de la otra parte sobre los propios puntos objetivo y de resistencia hacia unas estimaciones que convengan al negociador. En esta táctica resulta crucial tanto el tipo de información que se transmite como la información que se encubre de forma deliberada.

— Modificar las percepciones que la otra parte tiene de sus propios puntos objetivo y de resistencia intentando demostrar que los resultados derivados parezcan menos atractivos o mayores los costes para lograrlos.

---

[28] Ibíd.

En el desarrollo de un proceso de negociación distributiva, el negociador puede recurrir a una serie de técnicas de presión orientadas a vencer la resistencia de la otra parte. A pesar de que estas técnicas son muy citadas en toda clase de publicaciones, científicas o divulgativas sobre la negociación, es preciso aconsejar mucha prudencia en su utilización, ya que no está demostrada su eficacia y, por ser bien conocidas, es difícil ponerlas en práctica sin que la otra parte las detecte y las contrarreste. El prestar demasiada atención a cuál de estas técnicas utilizar y cuándo emplearlas puede distraer al negociador de un análisis más profundo y riguroso de la situación de negociación. Además, algunas de estas técnicas rozan comportamientos éticamente reprobables y pueden causar más perjuicios que beneficios en la persona que las utiliza, como daño a su reputación, sentimientos de venganza de la otra parte, pérdida del acuerdo o publicidad negativa. Por todo ello, el negociador ha de conocer dichas técnicas, no tanto para ponerlas en práctica, como para poder identificarlas cuando se utilicen contra él y poder neutralizarlas. A continuación se recogen algunas de las técnicas de presión más conocidas[29].

— *Policía bueno-policía malo.* Inspirada en las series de TV y en las películas policíacas, la parte negociadora que emplea esta técnica realiza un reparto de papeles entre dos de sus negociadores, asignando a uno un comportamiento agresivo y amenazador y a otro un comportamiento conciliador y amistoso. Ambos se van turnando en la representación de su papel, normalmente uno a espaldas del otro, con el objeto de forzar a la otra parte a aceptar el acuerdo propuesto por el negociador «bueno». Esta técnica es tan conocida que resulta fácilmente identificable y, además, es difícil de representar con la necesaria credibilidad.

— *Ofertas exageradas.* Comenzar la negociación con una oferta ridículamente alta o baja que se sabe inalcanzable para forzar a la otra parte a modificar su objetivo y su punto de resistencia. Esta técnica trata de llevar al extremo el sesgo de anclaje de la primera oferta comentado anteriormente. El riesgo evidente de esta técnica es que la otra parte considere que la negociación no se está llevando en serio y la cancele o que responda con una contraoferta igual de exagerada pero en sentido contrario. En el mejor de los casos, la otra parte puede poner de manifiesto lo ridículo de la oferta aportando datos e información relevante y precisa e insistir en que dicha oferta se reconsidere de forma más razonable, con lo que el negociador que ha realizado la oferta exagerada puede quedar en una posición de debilidad.

— *Fingimiento.* Consiste en atribuir mucha importancia a una cuestión que en realidad no la tiene para ofrecerla a cambio de concesiones de la otra

---

[29] Ibíd.

parte sobre las que sí se tiene un interés real. Esta técnica puede ser eficaz cuando se identifica una cuestión de gran importancia para la otra parte pero de poco valor para sí mismo. El mayor peligro de recurrir al fingimiento es que al final la otra parte acceda a conceder la cuestión sobre la que no se tiene ningún interés, bien porque tiene fundadas sospechas de que se trata de una posición fingida, o, lo que es peor, porque los argumentos esgrimidos le han resultado convincente, lo que llevaría a la paradoja de que el negociador que está fingiendo acabe cayendo en su propia trampa.

— *Intimidación y conducta agresiva.* Comprende una serie de comportamientos encaminados a presionar a la otra parte mediante conductas agresivas, tales como pedir constantes explicaciones ante cualquier oferta o presionar con determinación para que la otra parte realice sucesivas ofertas, o trampas emocionales, como mostrar enojo o indignación ante una oferta, o cuestionar la capacidad o integridad de la otra parte.

— *Atosigamiento.* Consiste en abrumar a la otra parte con una cantidad ingente de información, empleando a veces un lenguaje técnico, de forma que le sea complicado discernir lo auténticamente relevante de lo que se ofrece tan sólo como distracción.

— *Deformación del tiempo.* Realizar ofertas válidas solamente por un tiempo determinado, presionar para que se acepten fechas tope fijadas de forma arbitraria, o detener o demorar el proceso de negociación. Esta técnica resulta eficaz si se estima que la otra parte sufre algún tipo de presión externa en cuanto a la fecha de finalización de la negociación, o cuando se cree que tiene que asumir unos elevados costes por demorar o retrasar el acuerdo.

12.6.2. La negociación integradora

En la negociación de tipo integrador cada parte implicada afronta el proceso negociador con la intención de alcanzar tanto las metas propias como las de la otra parte. Este tipo de negociación supone que los intereses de las partes no son excluyentes y, por tanto, pueden lograrse de forma conjunta mediante una colaboración franca y con mutua confianza en el intercambio de información. La negociación integradora no se salda con ganadores y perdedores, sino con un acuerdo con el que todas las partes ganan, lo que conlleva diseñar soluciones creativas y novedosas. Se la suele denominar también negociación de cooperación o colaboración, de *ganar-ganar,* de ganancias mutuas o de solución de problemas.

En términos generales, la negociación integradora es preferible a la distributiva, porque establece relaciones a largo plazo y facilita trabajar juntos hacia una solución y acuerdos más estables. Vincula a los negociadores y deja que cada uno tenga la sensación de que ha obtenido una victoria. La negociación distributiva, en contraste, deja a una parte con la sensación de perdedora, lo que facilita que el problema se vuelva a retomar y que el acuerdo alcanzado sea más inestable al no perdurar en el tiempo; tiende a crear animadversión y divisiones profundas entre personas que deben trabajar juntas a largo plazo, dificultando las soluciones colaborativas o integradoras en futuras negociaciones[30].

La negociación integradora difiere de la distributiva no sólo en el tipo de resultados que producen, sino también en la propia dinámica del proceso negociador. El acuerdo integrador está precedido de una serie de elementos que lo caracterizan y lo condicionan. Estas características de la negociación integradora se pueden sintetizar en: un flujo de información libre basado en la confianza; un adecuado planteamiento del problema; la comprensión de las necesidades e intereses de la otra parte; la generación de soluciones alternativas y creativas orientadas hacia una ganancia mutua; y la selección de la solución (figura 12.5). A continuación se comentan con más detalle[31].

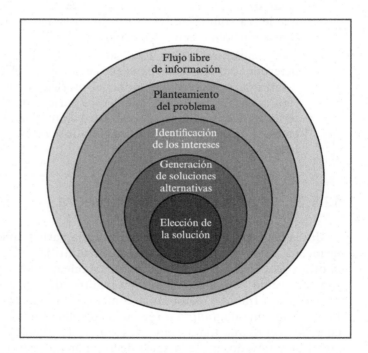

Figura 12.5. Características de la negociación integradora. (FUENTE: Elaboración propia.)

---

[30] Robbins, S. P. y Judge, T. A. (2010); Stoner, J. A. F., Freeman, R. E. y Gilbert, D. R. (1996).
[31] Lewicki, R. J., Hiam, A. y Olander, K. W. (2007); Lewicki, R. J., Barry, B. y Saunders, D. M. (2008).

Un flujo libre de información basado en la confianza. La existencia de un intercambio de información veraz y eficaz entre las partes constituye más que una característica, una condición necesaria para alcanzar soluciones integradoras. Los negociadores deben estar dispuestos a revelar sus verdaderos objetivos e intereses, y para ello deben propiciar un entorno adecuado para una comunicación libre y abierta que genere la confianza necesaria para iniciar y mantener el proceso negociador. En una negociación integradora la información no puede ser manejada del mismo modo que en un proceso distributivo. Este último parte de una premisa de desconfianza mutua y, por tanto, las partes encubren y manipulan la información, la transmiten parcialmente de acuerdo con sus propios intereses y les interesa recabar información del oponente en la medida en que dicha información puede favorecer su posición. Por el contrario, en la colaboración los intereses del otro son tan importantes como los propios y su conocimiento exige compartir información de forma abierta y franca para que el acuerdo final convierta a todos en ganadores.

Planteamiento del problema. En toda negociación integradora el primer acuerdo fruto de la colaboración se refiere a la identificación del problema. Es preciso que todas las partes implicadas estén de acuerdo en cuál es el problema a tratar y, por tanto, han de trabajar estrechamente para definirlo desde un punto de vista común que refleje las necesidades y prioridades de ambas partes. Los siguientes aspectos deben ser tenidos en cuenta por negociadores a la hora de identificar un problema desde una perspectiva integradora:

— Distinguir entre las personas y el problema. Es preciso separar los aspectos importantes del problema de los juicios personales sobre la otra parte.
— Evitar definir las soluciones antes de haber definido completamente el problema.
— Plantear el problema como una meta común centrándose en los aspectos esenciales del mismo y dejando de lado los secundarios.
— Ver el problema desde el punto de vista de la otra parte.

Identificación de los intereses de la otra parte. Para alcanzar un acuerdo integrador resulta clave la comprensión y satisfacción de los intereses mutuos. Los intereses son los deseos, preocupaciones, temores y necesidades implícitos que motivan a un negociador a adoptar una postura concreta. Los intereses son, por tanto, lo que hay detrás de las posiciones explícitas del negociador. Las posiciones explícitas que las partes manifiestan en el curso de una negociación suelen ser fijas e inflexibles, y modificarlas exige que las partes hagan concesiones que las alejan de su punto objetivo. Por el contrario, los intereses que subyacen en las posiciones reflejan de un modo más amplio lo que preocupa a las personas. Además, tras una posición determinada suele haber múltiples motivaciones e intereses, lo que puede conducir a considerar diferentes enfoques para afrontar un problema y, por tanto, a encontrar soluciones alternativas. Las partes deben preguntarse mutuamente el porqué de sus posiciones para indagar y comprender sus intereses. En una negociación entran en juego diferentes tipos de intereses. Los intereses *sustantivos* se refieren al objeto central de la negociación, como los aspectos económicos y financieros de un problema o el reparto de un determinado recurso. Los intereses pueden referirse al propio *proceso* de negociación, al modo en que se afronta y por qué. Por ejemplo, alguien puede estar interesado en negociar de forma distributiva porque disfruta con la competición, o bien puede estar interesado en negociar porque se quiere demostrar la valía profesional o afianzar el prestigio dentro del grupo o de la organización. Los intereses pueden estar orientados a la *relación* personal entre ambas partes y a que ésta no resulte dañada en el curso de la negociación. Por último, los intereses pueden referirse a la defensa de ciertos *principios:* lo que es justo, lo que es correcto o lo que es ético.

Generación de soluciones alternativas. En una negociación integradora las partes interactúan para encontrar una serie de soluciones que garanticen una ganancia mutua, seleccionando después la mejor alternativa para ambos. Las soluciones pueden generarse recurriendo a técnicas de toma de decisiones en grupo (tormenta de ideas, grupo nominal) o utilizando técnicas que hagan posible redefinir el problema, lo cual implica que las partes tienen que definir claramente sus necesidades para poder encontrar soluciones creativas y válidas para todos. Si el problema se basa en recursos escasos y es poco probable que las partes alcancen un acuerdo que satisfaga sus intereses, aquél se puede redefinir intentando agregar recursos o ampliar la inversión para que ambas partes alcancen sus objetivos plenos. Otra forma de redefinir el problema es ofreciendo algún tipo de compensación a la otra parte por aceptar la solución más favorable a los propios intereses. Estas compensaciones —monetarias o no— deben estar orientadas a satisfacer intereses importantes para la otra parte, estén o no ligados al problema en litigio.

Selección de la solución. De entre las soluciones generadas las partes han de elegir aquella que cumpla ciertos estándares de calidad y aceptabilidad. Los criterios para la evaluación y selección de la solución han de ser objetivos y deben ser fijados de antemano de mutuo acuerdo. Asimismo, las partes pueden solicitar la ayuda de un mediador experto que aporte su opinión sobre las distintas alternativas o recurrir a antecedentes objetivamente justos que sirvan como marco de referencia para legitimar la solución elegida.

12.7. LA NEGOCIACIÓN EN LA PRÁCTICA

Como se recordaba en el epígrafe de introducción a este análisis de la negociación, el gerente ha de asumir que negociar es una actividad de suma importancia en el marco de su trabajo como administrador. Por ello, en este último epígrafe se proponen una serie de consejos o recomendaciones prácticas orientados a mejorar las habilidades de negociación y la eficacia del negociador[32]. En esta relación de «buenas prácticas» en la negociación se ha intentado recoger y destilar los conceptos teóricos tratados anteriormente con una orientación claramente aplicada, de modo que el negociador pueda hacer frente a los procesos negociadores de forma más ordenada, metódica y científica.

1. *Planificar.* Como en cualquier actividad humana en la que se comprometen recursos para alcanzar un objetivo, toda negociación ha de ser planificada antes de su comienzo. Es necesario reflexionar para poder determinar de forma clara cuál es la naturaleza del conflicto sobre el que se va a negociar, cuál ha sido su dinámica hasta llegar a la negociación y con quién se va a negociar. Asimismo, es preciso definir las metas e intereses propios asignándolos prioridades e intentar evaluar los que persigue el oponente. Una buena planificación también ha de incluir cómo de alta va a ser la oferta con la que se inicien las negociaciones. Hay que recordar que una primera oferta alta puede mejorar el resultado final de la negociación, pero si es tan alta como para parecer ridícula, puede provocar un efecto negativo. También resulta conveniente planificar diferentes escenarios a la primera contraoferta de la otra parte para disponer de una respuesta adecuada. Para toda esta planificación resulta imprescindible una recopilación de información, tanto cualitativa como cuantitativa, lo más exhaustiva posible no sólo sobre el problema objeto de la negociación, sino también sobre el oponente: sus intereses, sus rasgos de personalidad, sus principios, su historial como negociador, las presiones a las que se encuentra sometido, etc.

2. *Pactar las reglas del juego.* Antes del inicio de la negociación es necesario acordar con la otra parte el objeto principal de la negociación y los temas secundarios que deben ser tratados, así como los criterios para la selección de la solución final en el caso de tratarse de una negociación de tipo integrador. Asimismo, es recomendable fijar de antemano aspectos de procedimiento como el lugar o lugares de las reuniones, quiénes serán los participantes, y cuál será el plazo de la negociación (si es que se decide establecerlo). También debería quedar claro qué personas pueden estar implicadas en el acuerdo final, bien para autorizarlo o para implementarlo.

3. *Diagnosticar la situación negociadora.* La utilización de estrategias y tácticas propias de una negociación distributiva en una situación claramente integradora, y viceversa, es muy probable que no conduzcan a resultados óptimos. Por ello es necesario que el negociador asuma de forma consciente si va a afrontar la negociación desde una u otra perspectiva. Ade-

---

[32] Lewicki, R. J., Barry, B. y Saunders, D. M. (2008); Robbins, S. P. y Judge, T. A. (2010); Fisher, R. y Ertel, D. (2002).

más, hay que tener presente que en muchas negociaciones se pueden suceder fases distributivas e integradoras, por lo que se debe estar preparado para identificarlas y actuar en consecuencia.

4. *Definir el punto de resistencia (y el del oponente) y aplicarlo.* El punto de resistencia marca el nivel mínimo de acuerdo que se está dispuesto a asumir. Por tanto, es muy importante tenerlo siempre en mente para evaluar las ofertas del oponente y compararlo con los posibles acuerdos a los que se puede llegar. De igual modo el negociador también necesita estimar el punto de resistencia de su oponente e identificar cómo se compara con las ofertas que se le hacen.

5. *La «racionalidad», la «lógica» y la «imparcialidad» son relativas.* El negociador debe ser consciente de que la racionalidad, la lógica o la imparcialidad de sus propuestas o posiciones lo son en gran parte debido a que son beneficiosas para él y, por tanto, debe asumir que su oponente tiene la misma percepción sesgada respecto a sus propias propuestas. Ante esta situación, el negociador debe replantearse sus propias percepciones sobre lo justo o lo racional, al tiempo que procurar ver el problema desde la perspectiva del oponente. De igual modo se ha de pedir a la otra parte que realice unas reflexiones similares respecto a sus propuestas.

6. *Tener presente que las motivaciones e intereses no siempre tienen que ver con el objeto material de la negociación.* El negociador debe recordar que tanto él como su oponente pueden comportarse de acuerdo a motivaciones tales como la necesidad de ganar o de no perder, la necesidad de parecer firme, justo o imparcial ante los demás, o la necesidad de defender la propia reputación, un principio o un valor considerado irrenunciable. Las conductas con apariencia de «extrañas», «irracionales» o «sin sentido» pueden indicar que un negociador se mueve por este tipo de intereses que, por otra parte, difícilmente se explicitan en el proceso de negociación. El negociador ha de ser capaz de detectar la existencia de tales factores ajenos al objeto de la negociación y de evaluar su incidencia en el resultado de la misma.

7. *Buscar aliados (e impedir que los consiga el oponente).* El negociador puede llegar a acuerdos con otros grupos o individuos con intereses similares, al objeto de formar coaliciones que dejen a su oponente en una situación de inferioridad.

8. *Aprender de la experiencia.* Los mejores negociadores son aquellos que aprenden continuamente de su experiencia en las negociaciones en las que participan. Este conocimiento es acumulativo, puesto que no existen dos negociaciones iguales y, por tanto, de cada una es preciso extraer enseñanzas específicas que ayuden a mejorar las habilidades de negociación.

RESUMEN

Un conflicto es un proceso de naturaleza social que se manifiesta por una confrontación, explícita o tácita, entre dos o más agentes que surge cuando uno de ellos percibe que la otra parte se opone a sus intereses o trata a perjudicarlos. Debido a su propia naturaleza, el conflicto puede considerarse como una manifestación y a la vez el resultado de las relaciones de poder entre las partes implicadas, y como el marco en el que desarrolla la dinámica de la política organizacional. Los conflictos pueden referirse a la disputa por recursos escasos; también pueden estar causados por discrepancias sobre los objetivos, estrategias, políticas y procedimientos a seguir en la organización o por enfrentamientos marcados por diferencias de personalidad, en el ámbito de los sentimientos y emociones. En función del tipo de agentes o partes implicadas se identifican cuatro niveles de conflicto: intrapersonal, interpersonal, intragrupal e intergrupal.

Aunque el conflicto se ha considerado tradicionalmente como un fenómeno negativo o disfuncional que hay que identificar y eliminar, las perspectivas actuales sobre el mismo hacen hincapié, tanto en la inevitabilidad del mismo en las organizaciones como en la posibilidad de que el conflicto pueda resultar funcional o positivo para el desempeño —visión de las relaciones humanas—. La perspectiva interaccionista del conflicto apunta, además, a la necesidad de mantener cierto nivel de conflicto funcional en la organización para que los grupos se mantengan o lleguen a ser más creativos, autocríticos y viables.

El conflicto es un proceso en el que se pueden identificar cuatro etapas. En primer lugar se sitúan los *antecedentes* o factores que pueden desencadenar el conflicto (la comunicación, los factores de naturaleza organizacional y las características personales); la segunda etapa es la de *materialización,* en la que el conflicto es percibido como tal; a continuación el conflicto entra en una *dinámica* que lo hace visible según el esquema de acción-reacción-acción. Durante esta etapa es pueden identificar cinco estilos para gestionar o afrontar el conflicto: evasión, cesión, imposición, colaboración y compromiso, cada uno de los cuales es el resultado de la influencia de dos dimensiones: el grado de *egoísmo* y el grado de *cooperación.* La última etapa hace referencia a las *consecuencias* del conflicto que pueden ser positivas (funcionales) o negativas (disfuncionales) para el desempeño de las personas, de los grupos o de la organización.

La negociación se puede definir como un proceso para afrontar y resolver un conflicto en el que las partes implicadas interactúan durante un tiempo determinado en una dinámica de ofertas y contraofertas, al objeto de alcanzar un acuerdo satisfactorio para todas. En el ámbito de la organización, la negociación supone un medio de dirimir conflictos que evita la intervención directa de la gerencia en su resolución mediante la autoridad formal. Pero además, los procesos de negociación adquieren especial relevancia en la organización al estar muy relacionados con otros aspectos de la gestión y la dinámica organizacional, como la toma de decisiones, el poder, la planificación o los roles directivos.

Existen dos situaciones o tipos de negociación: la negociación *distributiva* y la negociación *integradora.* En la negociación distributiva, las partes compiten por una cantidad fija de recursos, al objeto de maximizar su resultado a expensas de lo que consiga el otro. En este tipo de negociación se puede recurrir a diversas estrategias y tácticas, así como a conocidas técnicas de presión con el fin de alcanzar el objetivo de maximizar el valor del acuerdo. Por otra parte, en la negociación integradora, los participantes afrontan el proceso negociador con la intención de alcanzar tanto las metas propias como las de la otra parte. Este tipo de negociación supone que los intereses de las partes no son excluyentes y, por tanto, pueden lograrse de forma conjunta mediante una colaboración franca y una mutua confianza en el intercambio de información. La negociación integradora no se salda con ganadores y perdedores, sino con un acuerdo con el que todas las partes ganan, lo que conlleva diseñar soluciones creativas y novedosas.

A modo de conclusión del capítulo se proponen una serie de consejos o recomendaciones prácticas orientados a mejorar las habilidades de negociación y la eficacia del negociador, de modo que el negociador pueda hacer frente a los procesos negociadores de forma más ordenada, metódica y científica.

PREGUNTAS DE REPASO

1. ¿Cómo se pueden relacionar los conceptos de conflicto, poder y política?

2. ¿Cuál es la diferencia entre un conflicto de recursos y un conflicto intergrupal?

3. ¿En qué se diferencia la perspectiva de las relaciones humanas de la perspectiva interaccionista sobre el conflicto?

4. Describa brevemente los efectos positivos o funcionales más relevantes que pueden derivarse de conflicto.

5. Relacione los dos tipos de negociación estudiados con los estilos para el manejo de conflictos.

6. Explique con la ayuda de un gráfico el funcionamiento de una situación de negociación distributiva.

7. Enuncie las principales estrategias que se persiguen en una negociación distributiva.

8. Indique los aspectos que deben ser tenidos en cuenta por los negociadores a la hora de identificar un problema desde una perspectiva integradora.

CASO PRÁCTICO

¿Controladores, «controlados»?

En agosto de 2010 se alcanzó un acuerdo que puso fin —por el momento— al largo conflicto que enfrentó al sindicato de los controladores aéreos (USCA) por una parte y al Ministerio de Fomento y AENA por otra.

Los orígenes del conflicto pueden situarse en el año 2004 cuando, ante la falta de acuerdo para renovar el convenio colectivo firmado en 1999, se recurrió a la prórroga del anterior, muy favorable para los intereses de los controladores, sobre todo porque la respuesta que daba a la necesidad de ampliar la jornada para atender al aumento de tráfico era el recurso a horas extras, pagadas al triple de las ordinarias. Ello condujo a un incremento de las remuneraciones de esos empleados (un colectivo cifrado en 2.400 trabajadores), lo que repercutía, según AENA, en que las tasas aéreas españolas fueran las más elevadas de Europa.

El enorme poder del colectivo de controladores estaba basado en su capacidad para provocar con su inactividad graves problemas a la navegación aérea del país. Desde esta posición de fuerza, los controladores consiguieron que el convenio colectivo siguiera prorrogándose año tras año al fracasar todos los intentos por renovarlo. Pero la llegada de la crisis económica y su repercusión negativa en el tráfico aéreo y, por extensión, en las cuentas de AENA (el gestor público de los aeropuertos y de la navegación aérea en España) introdujo un factor nuevo al conflicto. A principios del año 2009, AENA, al objeto de reducir costes, introdujo un recorte en la dotación de las torres de control y en el número de horas extras que los controladores podían asumir. Según AENA, en España existía un exceso de controladores en relación con el volumen del tráfico aéreo, lo cual justificaba el ajuste, y más aún en tiempos de crisis. Los controladores, por su parte, negaban esta explicación arguyendo que la existencia de una gran cantidad de horas extraordinarias era un indicador de que la dotación de recursos humanos era insuficiente. La respuesta de los controladores fue una sucesión de huelgas encubiertas disfrazadas de bajas laborales a lo que AENA replicó difundiendo algunos datos sobre sueldos y condiciones laborales de los controladores para presentarlos a la opinión pública como un colectivo aferrado a unos privilegios insostenibles en época de crisis. Además, ante la persistencia de bajas laborales sospechosamente concertadas, AENA solicitó inspecciones de trabajo para detectar posibles fraudes e imponer sanciones disciplinarias.

Este clima de tensión se prolongó durante todo el año 2009 haciendo imposible llegar a un mínimo acuerdo en la negociación del convenio laboral, hasta que en febrero de 2010 AENA da por rotas las negociaciones y pone el conflicto en manos del Ministerio de Fomento para que arbitre una solución. Pocos días después, el Ministerio modificó por decreto las condiciones laborales de los controladores. Por una parte, se fijaba una jornada equivalente a la que realmente hacían si se incluían las horas extras, con lo que éstas dejaban de ser pagadas al triple. Por otra, se suprimía la capacidad práctica de organizar su trabajo autónomamente. A la vez, se abrió la posibilidad legal de contratar el servicio con empresas privadas. Ante esta solución unilateral del conflicto, los controladores acudieron a los tribunales para denunciar la posible inconstitucionalidad del decreto-ley, a la vez que se recrudecían las bajas médicas sospechosamente coincidentes y la negativa de los propios controladores a suplirlas, lo cual provocó no pocos problemas de retrasos en los aeropuertos españoles. En este pulso, el Ministerio recibió dos importantes avales: en mayo, la Audiencia Nacional falló a favor del Ministerio desestimando la demanda de los controladores, y en julio, Eurocontrol, la organización intergubernamental de seguridad aérea europea, señaló a los controladores españoles como los causantes de los retrasos que venían sufriendo los aeropuertos españoles.

El conflicto alcanzó su punto álgido con la llegada del verano y la amenaza de los controladores de convocar una huelga formal para el mes de agosto pero sin especificar fecha concreta. Ante esta situación se intensificó el ritmo de las negociaciones entre AENA y el sindicato de los controladores, tomando como punto de partida el decreto aprobado en febrero por el Gobierno (luego ratificado como ley en el Congreso). Esta normativa recogía una nueva jornada laboral más amplia (de 1.200 a 1.750 horas mensuales) que, en la práctica, reducía el sueldo una media del 40 % (de unos 350.000 a unos 200.000 euros) al convertir parte de la jornada extraordinaria (que se pagaba al triple) en ordinaria. Los controladores en principio acataban la rebaja de sueldo pero exigían una jornada laboral menor (unas 1.400 horas), un aumento de la edad de jubilación de 57 a 60 años y una mayor regulación de los turnos de guardia obligatorios para reducirlos. Tras varios días de reuniones y negociaciones maratonianas, a mediados de agosto se llega a un acuerdo calificado por ambas partes como de mínimos: salario medio de 200.000 euros hasta 2013 con una jornada máxima de 1.670 horas anuales. Además se fijan cuatro tipos de turnos (1.200 horas al año, 1.300, 1.400 y 1.500) en función del centro de trabajo, y el sueldo se reduce de forma proporcional, descartándose así una rebaja gradual de la jornada hasta 2013, como pedía USCA; en el caso de que en un centro haga falta trabajar más horas, ambas partes han acordado la creación de una bolsa voluntaria, acabándose así, como reclamaban los controladores, con los servicios obligatorios que establecía AENA desde que en febrero se publicó el decreto que modificó la jornada y el sueldo del colectivo de controladores. Con este acuerdo, AENA podrá rebajar las tasas aéreas un 15 % y poner fin a su déficit de 200 millones anuales.

A pesar del acuerdo alcanzado en agosto, con la llegada del otoño los controladores volvieron a adoptar medidas de presión contra AENA aduciendo que el Gobierno no estaba cumpliendo los compromisos adoptados en verano. De este modo, en el mes de septiembre, unos 200 controladores en edad de jubilación anticipada solicitaron la rescisión de su contrato y la baja definitiva a lo que AENA replicó negando tales solicitudes, ya que la empresa pública no podía prescindir de tantos profesionales a la vez. La falta de entendimiento entre los controladores y AENA y la batalla soterrada que disputan estalla de forma dramática el viernes 3 de diciembre, cuando, en respuesta al anuncio del Gobierno de privatizar parte de la gestión de los aeropuertos españoles, el 90 % de los controladores abandonan sus puestos de trabajo por motivos médicos y sumen a los aeropuertos españoles en el caos. La fecha elegida para protesta es especialmente significativa, ya que supone el inicio de unas minivacaciones de 5 días aprovechando que tanto el lunes como el miércoles son días festivos en España, lo cual supone que centenares de miles de personas queden atrapadas en los aeropuertos. La situación llevó a que el espacio aéreo español quedara cerrado durante 24 horas y sólo el decreto de estado de alarma que aprobó el Gobierno a mediodía del sábado —una medida extrema y también inédita en la democracia española— logró devolver a su labor a los controladores, convertidos en personal militar y bajo la amenaza de ser detenidos por un delito de desobediencia castigado con penas de cárcel por el código penal castrense. El resultado de este último asalto del conflicto deja a los controladores enfrentados a expedientes disciplinarios e incluso a penas de cárcel y a una opinión pública que exige medidas contundentes contra ellos. Por su parte, el Gobierno, a pesar de haber tenido que enfrentarse a una situación catastrófica con pérdidas multimillonarias para los sectores del transporte aéreo y el turismo, salió fortalecido en su pugna con el sindicato de controladores, anunciando que se tomarían todas las medidas necesarias para que la situación de caos provocada por la protesta de los controladores no se volviera a repetir. El conflicto pareció cerrado... ¿definitivamente?

Fuentes:

El País. 4/1/2009: El caos vuelve a apoderarse de Barajas. http://www.elpais.com/articulo/economia/caos/vuelve/apoderarse/Barajas/elpepieco/20090104elpepieco_2/Tes

El País. 6/1/2009: AENA y el sindicato de controladores aéreos se inhiben del caos de Barajas. http://www.elpais.com/articulo/economia/AENA/sindicato/controladores/aereos/inhiben/caos/Barajas/elpepieco/20090106elpepieco_9/Tes

El País. 4/2/2010: AENA reclama medidas a Aviación Civil tras romper con los controladores. http://www.elpais.com/articulo/economia/AENA/reclama/medidas/Aviacion/Civil/romper/controladores/elpepueco/20100204elpepieco_10/Tes

El País. 6/2/2010: El Gobierno da amplios poderes a AENA sobre los controladores. http://www.elpais.com/iphone/index.php?module=iphone&page=elp_iph_visornoticias&idNoticia=20100206elpepieco_8.Tes&seccion=

El País. 13/5/2010: La Audiencia Nacional avala a AENA frente a los controladores. http://www.elpais.com/articulo/economia/Audiencia/Nacional/avala/AENA/frente/controladores/elpepueco/20100513elpepieco_7/Tes

El País. 27/7/2010: Europa culpa a los controladores de causar retrasos. http://www.elpais.com/articulo/economia/Europa/culpa/controladores/causar/retrasos/elpepieco/20100727-elpepieco_9/Tes

El País. 4/8/2010: Los controladores apoyan ir a la huelga y tensan el pulso con el Gobierno. http://www.elpais.com/articulo/economia/controladores/apoyan/ir/huelga/tensan/pulso/Gobierno/elpepueco/20100804elpepieco_3/Tes

El País. 14/8/2010: Los controladores y AENA firman la paz con un acuerdo de mínimos. http://empleo.elpais.com/noticia-mercado-trabajo/Empleo/controladores/AENA/firman/paz/acuerdo/minimos/20100814claclaeml_1/Tes

El País. 4/9/2010: Unos 200 controladores aéreos solicitan el despido a AENA. http://www.elpais.com/articulo/economia/200/controladores/aereos/solicitan/despido/AENA/elpepieco/20100904elpepieco_7/Tes

PREGUNTAS

1. ¿Qué tipo de conflicto describe la situación expuesta en el caso? ¿Se trata de un conflicto funcional o disfuncional?

2. Describa la fase de materialización del conflicto, así como la dinámica del conflicto entre los controladores y AENA. ¿Qué estilo adoptan las partes para afrontar el conflicto?

3. En el caso práctico se hace referencia a que tanto el sindicato de controladores como AENA entablan negociaciones para solucionar el conflicto. Identifique si dicho proceso de negociación cumple con las características presentes en toda situación negociadora. ¿Podría explicarse el fracaso de las negociaciones en base a la presencia o ausencia de alguna o algunas de esas características?

4. Explique por qué las partes afrontan la negociación del convenio colectivo de forma distributiva, e intente plasmar gráficamente sus posiciones y la evolución de las mismas antes de la ruptura final que da lugar al caos aéreo de diciembre de 2010.

5. ¿Qué pasos o acciones concretas habría seguido usted si hubiera tenido que afrontar este conflicto mediante un proceso de negociación integradora? ¿En qué aspectos clave de la negociación habría hecho énfasis?

13

Control

Los planes mejor formulados e implementados dejan de ser efectivos y pierden su funcionalidad, conforme el ambiente interno y el externo de la organización van evolucionando. Es por esta razón por lo que el control organizacional se convierte en un factor clave para los directivos de las organizaciones.

El control es el proceso por el que la dirección supervisa continuamente, tanto las actividades reales como los problemas u oportunidades potenciales, con objeto de que la organización mantenga su eficacia. El control sirve para observar si el rendimiento obtenido responde a lo esperado y establecido por la organización. Ayuda a la comunicación dentro de la organización y a que cada persona reciba la información precisa y a tiempo para poder responsabilizarse de su trabajo.

Este capítulo sirve para presentar un marco de referencia que puede guiar los esfuerzos de los gerentes o directivos para evaluar las actividades administrativas, para asegurarse de que todo está funcionando tal y como se ha planificado, y para poder realizar los cambios oportunos que permitan una adaptación eficaz al entorno empresarial. Así, tras la introducción de las ventajas e inconvenientes del control organizacional, se presentan los distintos controles que se pueden realizar, dependiendo del nivel jerárquico al que se quiera llegar. A continuación, se explica el proceso de control en la organización, y se definen las características fundamentales para que una organización sea eficaz en el siglo XXI. El control ocasiona tensiones y reacciones en las personas sobre las que se aplica, por lo que parece oportuno analizar estas consecuencias y orientar sobre el modo de afrontarlas por parte de los directivos. Por último, se presentan algunos sistemas de planificación y control que vienen a constatar que no sólo en el campo teórico, sino también en la práctica de la gestión, ambas funciones gerenciales son inseparables.

13.1. EL CONCEPTO Y LOS NIVELES DEL CONTROL

13.1.1. Concepto de control

El control se define como la función administrativa mediante la cual *se vigila el desempeño real, se compara con las metas fijadas con antelación y se emprenden las acciones que hicieran faltan para corregir las desviaciones significativas.* Por medio del control la dirección supervisa tanto las actividades como los resultados reales de la organización, con el objeto de garantizar que se ajustan a los planificados. El control se erige de este modo como una función indisoluble de la planificación, pudiendo afirmase que aquél empieza donde ésta acaba. Mientras que la planificación permite establecer los objetivos que persigue la organización y los medios para alcanzarlos, los controles confirmarán si los comportamientos y resultados reales están en la línea marcada o, por el contrario, conducen a alejarse de los objetivos, debiéndose tomar, en ese caso, las medidas correctivas correspondientes. La función de control permite a los gerentes evaluar la eficacia y la eficiencia no sólo de su actividad planificadora, sino también del resto de tareas asociadas con las funciones de organización y dirección. Por tanto, aunque el control se sitúe como la última etapa en la secuencia de las funciones administrativas, sin duda no es la última en importancia. De hecho, al margen de su objetivo primordial, que es la evaluación de la eficacia y la eficiencia de la organización, la función de control permite:

— Estandarizar la actuación de la organización a través de normas, reglas, inspecciones, procedimientos escritos o programas de producción.
— Mantener la calidad de los productos o servicios vendidos a los clientes gracias al entrenamiento, inspecciones, control estadístico de calidad y sistemas de incentivos.
— Delimitar el nivel de autoridad que puede ser ejercida por directivos y otros empleados utilizando descripciones de trabajo, políticas, reglas y presupuestos.

— Medir y dirigir la actuación individual y departamental por las evaluaciones de actuación, supervisión directa e informes sobre cantidad y calidad de los resultados.

— Proteger los activos de una organización del robo, desperdicio o mal uso mediante requisitos de conservación de registros, auditorías y asignación de responsabilidades de trabajo.

Aunque el control es un medio de previsión y corrección de problemas, en algunos casos puede ser causa de dificultades o tener consecuencias no deseadas:

— *Coste elevado.* No hay que olvidar que la implantación de cualquier sistema de control conlleva un coste. Para su cálculo se debe incluir tanto el coste técnico derivado de la creación e implantación del sistema en sí mismo como el valor de las numerosas horas que los directivos le dedican, pudiendo ocurrir, en algunos casos, que dicho montante sea mayor que el beneficio económico que reporta.

— *Excesiva presión.* Algunos directivos presionan tanto a los empleados tratando de controlar su comportamiento, que llegan a desarrollar conductas represivas que generan frustración, ansiedad y tensión en sus subordinados, lo que a su vez puede derivar en menores niveles de desempeño.

— *Falseamiento de la información.* En ocasiones, los miembros de la organización pueden manipular los datos o realizar informes que no se ajustan a la realidad, con el fin de que los resultados parezcan más favorables, y la situación mejore.

Controlar, en esencia, es un proceso de toma de decisiones cuya finalidad es desarrollar un conjunto de objetivos, con base en información continua sobre las actividades del sistema. De esta manera, el objetivo se convierte en el criterio o modelo de control y en la evaluación del desempeño. De igual modo que las instrucciones de uso de un aparato electrónico muestran cómo se debe utilizar para su correcto funcionamiento, los objetivos establecidos por la organización marcan el resultado a obtener. Esta idea presenta la estrecha relación existente entre la función de planificación y el control, ya que si, a la hora de la planificación, no se establecen los correctos puntos críticos, la función de control será ineficaz.

13.1.2. El control por niveles jerárquicos

En general, el control se aplica a todos los miembros y partes de la organización. Todos los aspectos del desempeño de una institución deben evaluarse en sus tres niveles jerárquicos principales: estratégico, funcional (administrativo) y operativo (tabla 13.1).

TABLA 13.1

Niveles de control en las organizaciones

Tipo de nivel	Tareas a realizar
Estratégico	— Adecuación de los planes estratégicos al ambiente. — Desempeño global de la organización. — Eficacia en el consumo de recursos.
Funcional	— Cantidad y calidad de productos. — Eficacia en el esfuerzo. — Índices de desempeño de los trabajadores.
Operativo	— Consumo de recursos. — Rendimiento de las actividades. — Control operativo.

FUENTE: Elaboración propia.

Control estratégico. El control a nivel estratégico es el complemento para la planificación estratégica. Una vez que ésta trabaja con la definición de la misión, estrategias, objetivos y ventajas competitivas, el control estratégico intenta supervisar:

— El grado de realización de la misión, estrategias y objetivos estratégicos.
— La adecuación de la misión, objetivos y estrategias a las amenazas y oportunidades del ambiente.
— La competencia y otros factores externos.
— La eficiencia y otros factores internos.

A partir de la supervisión de esta información, los directivos pueden redefinir su planificación estratégica para asegurar sus posiciones, defenderse de la competencia, mejorar la competitividad de sus sistemas internos, o explotar sus oportunidades, por ejemplo.

Control funcional o administrativo. En una organización, los controles administrativos o funcionales se realizan en los departamentos, tales como el de producción, marketing o finanzas. A partir de estos controles se consigue información especializada, que posibilita la toma de decisiones en cada una de las áreas de la organización. Cada uno de los departamentos establece sus propios criterios o estándares de control, como por ejemplo, la cantidad y la calidad de los productos para el departamento de producción o los índices de rotación, absentismo y número de retrasos para el departamento de recursos humanos.

Control operativo. El control operativo se enfoca en las actividades y el consumo de recursos en cualquier nivel de la organización. Para el control a nivel operativo se utilizan los mismos mecanismos que para la planificación operativa, es decir, los cronogramas, los diagramas de precedencia, los presupuestos, la programación operativa, y, en general, cualquier procedimiento de operaciones.

13.2. EL PROCESO DE CONTROL

Se ha definido el control como un proceso que permite a los directivos medir, comparar y corregir las actividades de la organización[1], con el fin de que se cumplan los objetivos propuestos y se desarrollen correctamente los planes establecidos. Según esto, el proceso de control se puede dividir en cuatro fases o etapas:

1. *Determinar puntos críticos de control*[2]. Existen distintos factores de referencia fundamentales para el correcto funcionamiento de cada plan denominados puntos críticos. No existen unos puntos críticos comunes para todas las organizaciones, ni para todos los planes, ni para todos los programas de una misma organización, sino que dependiendo del sector, la zona geográfica, el tipo de cliente, o el momento específico existirán unos puntos críticos u otros (un mismo programa, llevado a cabo en distintos momentos del tiempo, puede tener dos puntos críticos distintos, dependiendo de para qué se esté utilizando en cada situación).

    Los puntos seleccionados para el control se consideran críticos, ya que son factores restrictivos de una operación específica, o factores que puedan indicar, de manera más eficiente, si se está realizando bien un plan o no. A partir de la determinación de estos puntos críticos o estándares, un directivo puede supervisar a mayor número de subordinados y aumentar su tramo de autoridad. Además, sirven como mecanismo de supervisión de las operaciones de los empleados, ya que el directivo o encargado no siempre puede realizar una cuidadosa observación del trabajo dejando el resto de sus tareas aparte.

2. *Establecer normas o estándares de control.* Una norma o estándar es una guía establecida con anterioridad que establece una referencia para considerar los resultados que se deben ir alcanzando en las sucesivas etapas del proceso de control. Es la expresión de los objetivos que deben ser alcanzados por la organización, por el departamento o por una unidad funcional específica.

    Los estándares para medir el rendimiento pueden estar referidos tanto a unidades monetarias (ingresos, beneficios, costes, ventas, etc.) como a unidades físicas y/o unidades producidas, las horas trabajadas, el volumen de un pedido de materias primas, etc.

---

[1] Díez de Castro, J., Redondo, C., Barreiro, B. y López, M. A. (2008).
[2] Stoner, J. A. F., Freeman, R. E. y Gilbert, D. R. (1996).

Cada punto crítico de control debe tener asociado su estándar correspondiente para poder compararlo con el desempeño o el rendimiento real.

3. *Medición del desempeño.* Esta etapa consiste en analizar si los resultados que se van consiguiendo se ajustan a las normas o estándares que se han establecido con anterioridad.

    En esta etapa existen dos dificultades. En primer lugar, cómo medir algunos desempeños, como en el caso de un investigador que trabaja sin saber si obtendrá algún nuevo producto, o el trabajo del responsable de relaciones públicas, del que no se puede medir si el aumento de ventas es por causa suya o de las cualidades del producto.

    El segundo problema se refiere a la frecuencia de la medición. Lo ideal es una medición continua, pero su coste, relevancia e imposibilidad práctica lo complica demasiado. Salvo en casos concretos como la producción continua, hay que reducir el control a momentos muy específicos de tiempo.

4. *Corrección de las desviaciones.* La última de las etapas puede ser la más importante, ya que si no se corrigen las desviaciones peligrosas que se detectan, los objetivos establecidos no se podrán conseguir.

    Lo fundamental de esta etapa es corregir la causa de la desviación. Eliminar un síntoma no resuelve el problema, ya que el síntoma es la señal de que algo no va bien, pero no es la causa del mismo, sino más bien su consecuencia. Por ejemplo, un profesor detecta en un examen parcial un número inusualmente alto de suspensos, lo que constituye un síntoma de que algo no funciona bien en sus clases. Puede ser que la metodología docente no sea la más adecuada, que el material didáctico de que disponen los estudiantes sea demasiado complejo y de difícil comprensión o que los propios alumnos tengan una carencia formativa previa que dificulte el progreso en la asignatura en cuestión. La tarea del profesor ha de ser investigar cuál de estas causas ha provocado el aumento del índice de suspensos y poner en marcha las medidas correctivas que considere más adecuadas. Obviamente, el profesor podría actuar directamente sobre el síntoma del problema aprobando de forma indiscriminada a cuantos alumnos fuera necesario para disminuir el índice de suspensos, pero con ello tan sólo conseguiría enmascarar el problema, no solucionarlo.

    La corrección de las desviaciones puede ocasionar la modificación de los objetivos o la reestructuración de alguna de las variables relevantes para la organización, como por ejemplo, una reasignación de personal o un cambio en la política retributiva. Además, los controles pueden revelar la existencia de fallos en el propio proceso de control al poner de manifiesto una elección errónea de los puntos críticos de control, unos estándares inadecuados (demasiado altos o bajos), e incluso errores en la forma de medir el rendimiento.

Por último, hay que precisar que existen desviaciones positivas que no deben ser corregidas. Cuando los resultados obtenidos superan los resultados estimados es necesario analizar las razones para encontrar una explicación, ya que esta información puede ser de gran importancia para una mayor comprensión de las capacidades y funcionamiento de la organización.

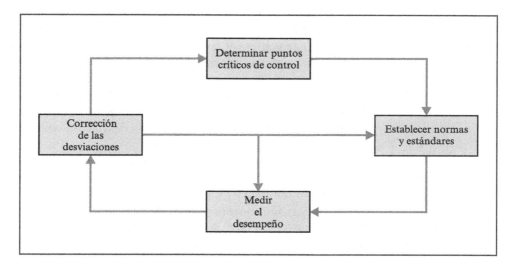

Figura 13.1. Proceso de control. (FUENTE: Elaboración propia.)

La información obtenida a través del proceso de control permite tomar decisiones sobre nuevos objetivos y nuevos patrones de control. De esta manera, el control complementa a la planificación, y viceversa. En numerosas ocasiones, la planificación sólo es posible debido a la gran cantidad de información recibida de la función de control.

13.3. REQUISITOS PARA UN CONTROL EFICAZ

Un sistema de control proporciona información sobre el desempeño de un sistema para que alguien pueda tomar decisiones. Proponer un sistema de control implica definir los procedimientos y las herramientas para la producción, el procesamiento y la presentación de la información. Para que toda esta información sea eficaz, el sistema de control debe tener las siguientes características[3]:

---

[3] Koontz, H. y Weihrich, H. (2004).

— *Debe reflejar la naturaleza y necesidades de la actividad.* Dependiendo del tipo de actividad que haya que controlar, habrá que ajustar el tipo de control. Habrá que tener en cuenta las necesidades de la actividad, porque no puede ser igual el control del departamento de producción que el de personal o el de la organización en su conjunto. A su vez, debe poder adaptarse a los problemas de cada puesto, ya que no se realiza el mismo control a la alta dirección que a los operarios de primera línea.

— *Debe enfocarse en los puntos dudosos de cada plan.* El control se debe realizar en los sitios donde es más fácil que existan problemas o donde se considera más factible el error o la mejora, ya que las situaciones controladas son las que más información aportan a los directivos, por lo que será más fácil corregirlas.

— *Deben mostrar rápidamente las desviaciones.* En la mayoría de los casos, el control debe anticiparse al problema, pero no es siempre factible. Por eso, el control debe señalar lo antes posible la desviación ocurrida para reducir el daño.

— *Deben ser flexibles.* Uno de los requisitos de un objetivo bien formulado es su flexibilidad, por lo que el control que opera respecto al mismo debe estar dotado también de esta cualidad.

— *Deben ser económicamente viables.* No es razonable que un sistema de control ocasione mayor coste a la organización que los beneficios que reporta su implantación. Los sistemas y técnicas de control deben ser, por tanto, eficientes, es decir, que deben detectar las causas de las desviaciones reales o potenciales con respecto a los planes con el mínimo de costes y de consecuencias indeseables. En este sentido, cualquier sistema de control debe orientarse a maximizar la diferencia entre el coste de implantación de dicho sistema y la variación de resultados derivada del uso de un mayor control.

— *Deben ser comprensibles, aceptables y comprometedores.* Para que los trabajadores de la organización puedan desarrollar un sistema de control, deben comprender exactamente lo que busca y considerar que es lo adecuado. Esto ayuda a que los empleados no se manifiesten en contra del sistema, y que lo acepten y se sientan comprometidos con éste y con la organización.

— *Los sistemas de medición deben ser globales, objetivos y sensibles.* La integridad, objetividad y sensibilidad ante los esfuerzos de los empleados son cualidades positivas de cualquier método de control, ya que de este modo se mejora la motivación, al poner de relieve la relación entre esfuerzos y resultados. Las mediciones completas (globalidad) ayudan a concentrarse en todos los aspectos del trabajo, en lugar de centrarse sólo en algunos —los que se miden— descuidando los que no se miden. Con una medición objetiva se evitan los prejuicios y resentimientos que pueden surgir en evaluaciones personales y subjetivas. Por último, los sistemas de medición han de ser lo suficientemente sensibles como para captar los resultados derivados de un mayor esfuerzo o nivel de desempeño[4].

— *Deben poner el énfasis en señalar las excepciones en los puntos críticos.* Frederick Taylor[5] presentó su principio de excepción como un sistema de información que presenta sus datos sólo cuando los resultados, efectivamente verificados en la práctica, son divergentes o se distancian de los resultados previstos. Lo que ocurre dentro de los estándares normales no debe preocupar demasiado la atención del administrador; éste debe verificar con prioridad los hechos que estén fuera de los estándares, las *excepciones*[6], para corregirlas de manera adecuada y tomar las decisiones pertinentes.

De esta manera, y al ser imposible controlarlo todo, debe ponerse un énfasis especial en las excepciones. Un sistema de excepciones intenta enfocar la atención de la administración en lo que es esencial. Una desviación grande en un departamento poco importante puede no tener una trascendencia tan significativa como una pequeña desviación en el coste de una simple pieza, si el plan de producción estima la realización de miles de unidades de ese producto.

13.4. CLASIFICACIONES DE LOS TIPOS DE CONTROL

Se puede hablar de control desde diferentes puntos de vista[7] dependiendo de varios criterios. Así, existen clasificaciones del control según el momento en que se realicen, según la persona y el modo en que establece las normas, clasificaciones dependiendo del espacio de tiempo para el que se realiza el control y, por último, según cómo se materializa el control.

1. Según el *momento*[8]. Todo control intenta asegurar la idónea realización de una actividad. Para esto, se puede controlar antes, durante o tras la ejecución de la acción. Según esta clasificación se encuentran controles previos, controles concurrentes y controles a posteriori, respectivamente.

— Control *a priori,* previo o preventivo. Es el tipo ideal para la organización, ya que prevé los errores que pueda cometer la organización. Surge de la observación de la realidad a través de la cual se deduce la

---

[4] Hampton, D. R. (1994).
[5] Taylor, F. W. (1987).
[6] Münch, L. (2006).
[7] Donnelly, J. H., Gibson, J. L. e Ivancevich, J. M. (1999).
[8] Amaru, A. C. (2009).

existencia de perturbaciones que pueden alterar los resultados establecidos. Es el tipo de control asociado con la mayor eficacia, tratando de eliminar el problema antes de que se produzca. Un ejemplo de este tipo de control es el establecimiento de una edad máxima para poder optar a ser policía.

— Control *concurrente*. Busca producir las medidas correctivas precisas mientras la actividad está siendo ejecutada. Es la forma de reconducir la situación antes de que se deteriore más, dando motivo al incumplimiento de objetivos finales. La ITV de los automóviles constituye un ejemplo de este tipo de control, así como los exámenes parciales que realizan los alumnos mientras que se imparte la asignatura.

— Control *a posteriori,* de retroalimentación o corrector. Son los que se realizan cuando la actividad ha sido ejecutada. Se trata de un control de resultados, basado en la retroalimentación que la organización recoge a través de informes. Es un control periódico, cuantitativo, esencialmente orientado a los resultados financieros y a corto plazo. El problema de este tipo de control es que la acción ya está terminada, por lo que si ha existido algún problema, no se ha podido resolver. La comprobación de la calidad de algunos productos ya terminados es un ejemplo de este tipo de control.

Estos tres tipos de control están intensamente desarrollados en las organizaciones. Se basan en la idea de querer aprender de los errores que se encuentran para seguir mejorando, es decir, todo lo que el control a posteriori detecta debe ser mejorado a través del control a priori y/o concurrente.

2. Según el *objeto de control*. Esta clasificación de los tipos de control plantea tres posibilidades: control burocrático, de mercado o de clan[9].

— Control *burocrático*. Es el que se asemeja al tipo de administración burocrática. Utiliza como mecanismos habituales los planes de uso permanente, tales como manuales y reglamentos, la división y especialización del trabajo y las comunicaciones verticales, a través de la cadena formal de autoridad. Es un control que intenta establecer previamente la forma de trabajar, lo que implica formalizar el comportamiento para evitar los posibles errores de actuación de los trabajadores. El ejemplo más fácil es el establecimiento de una hora controlada de entrada y salida del trabajo.

— Control *de mercado*. Utiliza índices de productividad, cuotas de mercado, precios o costes unitarios de producción para detectar posibles

---

[9] Daft, R. y Lengel, R. (1986).

ineficiencias en la organización. De esta manera, se controla con respecto a los competidores, estableciendo un modo de actuación en el mercado.

— Control de *clan*[10]. Utiliza los valores culturales de la organización como normas de referencia. Emplea valores compartidos, hábitos y compromisos para regular la conducta de los empleados de la organización. Se trata de un tipo de control informal y no requiere reglas escritas o medibles. La organización que utiliza este tipo de control requiere confianza entre sus empleados; de hecho, los mismos empleados suelen participar en el establecimiento de los estándares.

Se puede observar que el primer tipo, el burocrático, se orienta sobre todo hacia un control preliminar y concurrente; el segundo tipo, el de mercado, se refiere a un control claramente de retroalimentación, mientras que el último, el de clan, podría considerarse un control concurrente.

3. Según el *período de tiempo* preciso para que se recoja la información pertinente. En este caso, se distingue entre controles diferidos y controles a tiempo real.

— Control *diferido*. Requiere un período de tiempo para que la información obtenida sea procesada para su verificación.

— Control a *tiempo real*. Es el que procesa información de forma continua para detectar de inmediato cualquier desviación y actuar a continuación. Este tipo de controles no habrían sido posibles sin el desarrollo tecnológico de los últimos años, ya que las computadoras reciben y procesan la información rápidamente.

4. Según *quién y cómo se ejerce:*

— Control *directivo*. Se basa en la utilización de la autoridad formal del directivo y en el ejercicio de la supervisión directa[11] para controlar los comportamientos y los resultados de los individuos que se hayan bajo su responsabilidad. El control directivo puede ceñirse a una mera comprobación de que los empleados cumplen lo establecido en estrictas reglamentaciones o procedimientos, o puede ser ejercido con mayor discrecionalidad cuando el directivo tiene un mayor margen para establecer los objetivos a lograr, los estándares mínimos, las actividades a realizar, los sistemas de medición y evaluación del desempeño, y las recompensas y sanciones a emplear.

---

[10] Daft, R. L. y Steers, R. M. (1992).

[11] En el capítulo 8, sobre la función de organización, se analiza la naturaleza de la supervisión directa como mecanismo de coordinación de actividades.

— Control *social*. Lo ejerce un conjunto de personas sobre cualquiera de sus miembros. En el momento en que una persona acepta las creencias y valores de un grupo, también se están aceptando sus normas de comportamiento y los castigos o recompensas derivados de la adaptación o no a las mismas.

— Control *técnico*. Este último caso se diferencia de los demás en que el control no viene ejercido por otra persona o grupo de personas, sino por un sistema. Un ejemplo de este tipo de control se encuentra en el funcionamiento de una maquinaria compleja o en la aplicación de estrictos protocolos o procedimientos de actuación. En ambos casos, los individuos tienen predefinidas cada una de las tareas que deben realizar, quedando su trabajo establecido y controlado de antemano.

13.5. EFECTOS DISFUNCIONALES DEL CONTROL

Los físicos saben hace tiempo que el mero hecho de medir un sistema determinado altera el comportamiento de lo que se pretende medir. Del mismo modo, el ser humano, por su propia naturaleza, ve afectado su comportamiento cuando es sometido a cualquier tipo de control. Los sistemas de control pretenden, en última instancia, cambiar la forma de hacer las cosas para conseguir que los resultados se ajusten a lo previsto. Sin embargo, cuando un individuo se ve sometido a un control se desencadenan una serie de hechos de naturaleza cognitiva, perceptiva, conductual y motivacional que pueden provocar efectos disfuncionales o no deseados por el propio sistema de control.

La reacción más común cuando una persona es controlada es la de recelo o autodefensa. El sentimiento mayoritario entre los trabajadores es el de desconfianza ante las medidas de observación del rendimiento. Existen tres perspectivas para el estudio de la influencia que ejerce el control sobre el ser humano, que responden a tres preguntas específicas[12]:

1. *¿Cuáles son las razones por las que existe oposición al control?*

— Preferencia por los resultados a corto plazo. Las actividades que son controladas por la organización suelen tener un enfoque a corto plazo, por lo que se presiona al trabajador para que se obtengan resultados hoy, sin pensar en que, en algunas situaciones o en trabajos específicos como por ejemplo los de investigación, no es fácil obtener resultados rápidos.

---

[12] Díez de Castro, J., Redondo, C., Barreiro, B. y López, M. A. (2008).

— Desequilibrio entre el objetivo y el control. En ocasiones, el objetivo es muy complicado de alcanzar, obteniéndose resultados negativos que provocan malas relaciones directivos-empleados.

— Desequilibrio social. El trabajador se encuentra ante un problema que enfrenta su posición social en el grupo al que pertenece a la necesidad de lograr incrementos en su eficacia para la organización.

— Actitud sancionadora. Todo resultado negativo de un proceso de control significa una sanción, pérdida de prestigio o incluso el abandono de la organización. El miedo del trabajador a cualquiera de estas consecuencias provoca el rechazo a los controles que las ocasionan.

2. *Para la organización, ¿cuáles son las principales consecuencias negativas de la resistencia al control?*[13]

— Conducta defensiva. Ante las consecuencias negativas ocasionadas por una evaluación negativa, el trabajador adopta una posición defensiva, empeorando su eficacia y nivel de desempeño. Esta actitud lleva aparejada conductas tales como la manipulación de los controles o las cifras y la ralentización del trabajo.

— Baja motivación. Un sistema de control excesivamente estricto, poco objetivo o poco sensible a reflejar las mejoras derivadas de un mayor desempeño puede desmotivar al trabajador o al grupo que se pretende controlar.

— Dificultades en el logro de los objetivos. En determinadas situaciones, el tiempo dedicado a satisfacer las acciones derivadas del control puede resultar tan excesivo que entorpezca el logro de los objetivos comprometiendo, por tanto, la eficacia de la organización, del grupo o del individuo[14].

3. *¿Cómo se puede conseguir una actitud positiva del trabajador frente al proceso de control?*

Los directivos no pueden evitar que sus trabajadores se opongan a los sistemas de control, porque hasta ellos mismos son reacios al control al que se ven sometidos por sus accionistas. Lo que sí puede hacer la organización o la gerencia es influir en las personas para reducir su aversión a ser controladas. El comportamiento del directivo debe, por tanto, orientarse a reducir las causas de dicha oposición. Algunas de estas medidas son:

---

[13] Elkins, A. (1984).
[14] Robbins, S. y Coulter, M. (2005).

— Participación. Una de las mejores formas de conseguir la aceptación de los controles es involucrar en su diseño e implantación a los que se ven afectados por él[15].

— Flexibilidad. El control se debe ajustar al nivel de actividad de la organización. Al igual que las ventas de muchos productos no son continuas, sino estacionales, el trabajador tiene momentos de mayor o menor fatiga, y en esos momentos negativos se debe flexibilizar el control.

— Adecuación del control a la situación. En muchos casos, los controles vienen establecidos por personas ajenas al verdadero funcionamiento de lo controlado: analistas financieros, de producción, de recursos humanos, las propias maquinarias y sistemas. Es por esto por lo que hay que saber implantar el control para cada situación, con el objeto de adecuarlo a lo que verdaderamente se busca, que es la obtención de una información que permita la mejora continua de la organización.

13.6. SISTEMAS FORMALES DE PLANIFICACIÓN Y CONTROL

Como se ha venido comentando a lo largo de este capítulo, la planificación y el control son dos funciones gerenciales indisolubles en la práctica, algo así como las dos caras de una misma moneda. Es por ello que a la hora de formalizarlas para que sean comprendidas y aceptadas por los miembros de la organización se hayan desarrollado sistemas de gestión que integran las tareas asociadas a ambas funciones, la planificación y el control. No obstante, es necesario precisar que la influencia de estos sistemas formales de planificación y control se extiende tanto a la función organizativa como a la de dirección, debido a la interrelación existente entre las cuatro funciones gerenciales. Por esta razón algunos de estos sistemas son considerados más como sistemas globales de gestión que como meras herramientas de planificación y control.

A continuación se detallan los sistemas formales de planificación y control más comunes en las organizaciones: el cuadro de mando integral, el presupuesto base cero, el sistema de planes, programas y presupuestos, y la administración por objetivos (APO).

13.6.1. El cuadro de mando integral

El cuadro de mando integral (CMI) o *balanced scorecard,* desarrollado por Robert Kaplan y David Norton[16], es una técnica de gestión y control estratégico que pretende unir el control operativo de los objetivos cercanos, es decir, a

---

[15] En el capítulo 4, sobre el cambio organizacional, pueden consultarse las técnicas para reducir la oposición al cambio.

[16] Kaplan, R. S. y Norton, D. P. (1997).

corto plazo, con la misión y la estrategia a largo plazo de la organización. Un cuadro de mando integral eficaz[17] contiene una combinación cuidadosamente escogida de objetivos estratégicos y financieros adaptados al negocio de la organización.

El CMI parte de una serie de premisas:

— La capacidad de *adaptación* de las organizaciones es un reto continuo, ya que están rodeadas de un entorno cambiante.
— El verdadero valor de una organización radica en sus *recursos intangibles,* en la manera de hacer las cosas o de organizarse.
— El *equilibrio* entre el corto y el largo plazo es fundamental.
— Una organización no se considera *rentable* sólo por su beneficio a corto plazo, sino por la obtención de un buen posicionamiento el día de mañana.

Así, el cuadro de mando se considera integral si expresa un equilibrio entre el control basado en el beneficio-mercado[18] y el control basado en otro tipo de indicadores, referidos, por ejemplo, al volumen de ventas, las quejas o la satisfacción del cliente.

El CMI utiliza cuatro perspectivas[19] distintas para evaluar el correcto funcionamiento de la organización:

1. *Perspectiva financiera.* Representa lo que los propietarios esperan con respecto a la rentabilidad o el crecimiento de la organización. Se apoya en indicadores tales como el ingreso por empleado, los costes totales o el valor de mercado.
2. *Perspectiva del cliente.* Identifica los segmentos de clientes, sus gustos y la manera de satisfacer la demanda. Se considera el centro del cuadro de mando, debido a que, en última instancia, la supervivencia de la organización descansa en la venta de sus productos y servicios.
3. *Perspectiva del proceso interno.* Identifica todos los procesos que realiza la organización, desde el análisis de las necesidades del cliente hasta el servicio posventa. Algunos de sus indicadores son la entrega a tiempo, el porcentaje de productos defectuosos o el tiempo de espera entre pedido y entrega.
4. *Perspectiva de aprendizaje y crecimiento.* Identifica el modo de asegurar la capacidad de renovación a largo plazo. Trata de mantener y desarrollar el conocimiento necesario para comprender y satisfacer las necesidades de

---

[17] Domínguez Machuca, J. A. (1995).
[18] Olve, N., Roy, J. y Wetter, M. (2002).
[19] Miles, R. E. y Snow, C. C. (1995).

los clientes. Sus indicadores son el tiempo dedicado a la formación, la tasa de absentismo o la productividad por trabajador.

El proceso de elaboración de un CMI aúna el proceso de planificación y el de control, empezando por la formulación de la misión, de las estrategias adecuadas y de los distintos tipos de objetivos. A continuación identifica los factores críticos para tener éxito empresarial a partir de la superación satisfactoria de unos indicadores que permitirán desarrollar el cuadro de mando global o integral. El último paso del proceso es el desarrollo de un plan de acción que especifique las acciones para alcanzar los objetivos y la misión.

Un CMI desarrollado de manera eficaz ofrece una serie de ventajas relacionadas con la gestión de la organización:

— Permite identificar objetivos y comportamientos personales y departamentales.
— Facilita la transformación del largo plazo en acciones a corto.
— Facilita la vinculación de los objetivos estratégicos con los presupuestos anuales.
— Motiva a los trabajadores para se sientan implicados con la obtención de mejores resultados a través de distintos tipos de indicadores marcados por ellos mismos.
— Al establecer indicadores a corto plazo relacionados con el largo plazo, es muy útil en entornos cambiantes.

El desarrollo e implantación de un CMI es un proceso complejo que también presenta inconvenientes. Los más relevantes se refieren a las repercusiones negativas que un exceso de control puede tener sobre la motivación y el rendimiento de los empleados, y a la dificultad para implicar a toda la organización en la puesta en marcha del sistema (véase tabla 13.2).

13.6.2. El presupuesto base cero

Fue desarrollado por Peter Pyhrr[20] en 1973 como técnica para la ayuda en la toma de decisiones de carácter económico o elaboración de presupuestos. En la mayoría de los casos, las organizaciones utilizan el presupuesto del año en curso como base para el presupuesto del año siguiente. Esto significa que lo que fue aceptado como gasto en un período de tiempo anterior sigue siendo correcto en otro momento, sin llegar a examinar si es conveniente o no. En cambio, el presupuesto base cero (PBC) considera que se debe *partir de cero* a la hora de conside-

---

[20] Pyhrr, P. (1973).

TABLA 13.2

Ejemplo de cuadro de mando integral

Área de objetivos	Medida o meta	Expectativa del tiempo	Responsabilidad principal
Clientes 1. 2. 3. 4.			
Gerentes/empleados 1. 2. 3. 4.			
Operaciones/procesos 1. 2. 3. 4.			
Responsabilidad social/y ante la comunidad 1. 2. 3. 4.			
Ética empresarial/ecológica 1. 2. 3. 4.			
Finanzas 1. 2. 3. 4.			

FUENTE: Adaptado de David, F. R. (2008).

rar cada una de las actividades, objetivos y recursos futuros necesarios para desarrollar el presupuesto del período o año siguiente.

Dentro de las actividades de una organización existen dos tipos: las actividades productivas (sujetas a los gastos directos de producción) y las actividades de apoyo (actividades comerciales, de control de calidad, de recursos humanos, etc.). Son las actividades de apoyo sobre las que se puede aplicar el PBC, ya que, normalmente, los directivos pueden elegir entre distintas opciones y así evaluar cuál les reportará mejores resultados.

Este sistema de planificación y control presenta dos problemas básicos: el elevado coste en tiempo que necesita y la desconfianza que puede generar en los presupuestos de la organización, ya que en el momento de planificar la siguiente actividad se está dudando de la que se está realizando. No obstante, al igual que el CMI, el presupuesto base cero aporta importantes elementos para la mejora de la gestión:

— Es un sistema participativo y motivador.
— Permite identificar continuamente los centros de gasto.
— Reduce costes al permitir conocer el coste mínimo de cada actividad.
— Evita crecimientos injustificados del gasto, ya que cada año empieza de cero.

13.6.3. El sistema de planificación, programación y presupuestación

Con el nombre de sistema de planificación, programación y presupuestación (PPBS por sus siglas en inglés), se designa a un método integrado de planificación y control en el que se intenta reflejar de una forma cuantitativa, a través de los presupuestos, los objetivos fijados por la organización a corto plazo, mediante el establecimiento de los oportunos programas, sin perder la perspectiva del largo plazo, puesto que ésta condicionará los planes que permitirán la consecución del fin último al que va orientada la gestión de la organización.

Este sistema fue desarrollado a mediados de los años sesenta del pasado siglo por la administración pública de Estados Unidos, y presenta cuatro elementos distintos para su correcto funcionamiento: planes, programas, presupuestos[21] y control.

Una vez que los presupuestos han sido ejecutados, y con ellos los distintos programas de la organización, se inicia el proceso de control, con el fin de verificar si los resultados son los esperados, o se deben tomar las medidas correspondientes. De esta manera, el control se centra en un análisis de la eficacia de las acciones, ya que se basa en resultados obtenidos. Se trata de una manera de poder

---

[21] Estos conceptos han sido definidos en el capítulo 7.

corregir las posibles desviaciones, modificando tanto los planes como los programas y sus presupuestos asociados, tal y como muestra la figura 13.2[22].

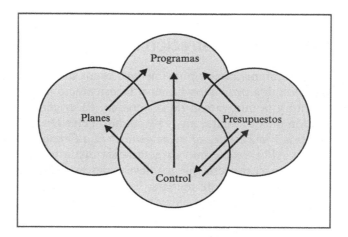

Figura 13.2. Elementos de PPBS. [Fuente: Adaptado de Menguzzato, M. y Renau, J. J. (1991).]

El **PPBS** integra la planificación a corto plazo a través de los presupuestos; el medio plazo, a partir de los programas, y el largo plazo, con el desarrollo de los planes generales de la organización. Este sistema se separa de la estructura organizativa clásica, ya que cada plan, programa o presupuesto puede afectar a cualquier parte de la organización, y a cualquiera de sus trabajadores, por lo que no se ajusta a las unidades departamentales.

El sistema de planificación, programación y presupuestación permite:

— Coordinar los planes y objetivos con los presupuestos de manera continua y rigurosa.
— Evitar el despilfarro de recursos, ya que realiza un control continuo de los presupuestos.
— Lograr una gestión más eficaz al ofrecer información de los costes reales, lo cual va a permitir compararlos con los previamente presupuestados por la organización.

A su vez, también presenta distintos inconvenientes, como la complejidad de superponer una planificación desarrollada a través de programas interfuncionales con una estructura de responsabilidades especializada por funciones; o la

___

[22] Iborra, J. M., Ferrer, C. y Dasi, M. A. (2006).

dificultad de descomponer todas las actividades de la organización en distintos programas con carácter autónomo que buscan la consecución de un único objetivo.

13.6.4. Administración por objetivos (APO)

La administración por objetivos es un sistema de planificación y control que parte de dos principios básicos: la orientación a los resultados, y el comportamiento y la motivación de la persona. El origen formal de esta herramienta de gestión puede situarse en 1954, cuando Peter Drucker introduce este concepto en su obra *The Practice of Management (La Gerencia de Empresas)*[23].

La APO tiene como característica distintiva que los objetivos se establecen mediante un proceso que los lleva a descender en forma de cascada por toda la organización. De esta manera, los objetivos generales de la organización se traducen en objetivos específicos para cada nivel subsiguiente (división, departamento, individuo). Como los gerentes de las unidades de nivel más bajo participan en el establecimiento de sus propios objetivos, la APO funciona en un doble sentido ascendente-descendente. El resultado es una pirámide que liga los objetivos de un nivel con los del siguiente.

La APO consiste en un conjunto formal de procedimientos a través del cual superiores y subordinados establecen de modo conjunto tanto sus metas y objetivos como la evaluación del desempeño. Cada miembro, con la ayuda de un superior, define su área de responsabilidad, fija sus propios objetivos y desarrolla medidas de actuación que se utilizan para evaluar su contribución a la organización. Además, plantea que si un trabajador se siente motivado, es más fácil que busque nuevas responsabilidades, facilitando que se obtengan los objetivos lo antes posible, lo que significa mejoras en la productividad y rentabilidad organizacional.

Los programas de APO varían enormemente. Algunos están destinados a emplearse en departamentos o unidades y otros se usan en la organización en general. Algunos se centran en la planificación corporativa, mientras que otros se orientan más a la motivación individual. No obstante esta variabilidad, es posible detallar de modo genérico las etapas o fases de implantación de cualquier programa de administración por objetivos (figura 13.3):

Fase 1. Definición de objetivos

El superior transmite a los trabajadores las directrices establecidas por la alta dirección y lo que, a partir de ahí, cada trabajador deberá realizar. Estas premisas son los factores clave de resultados. A partir de estos factores clave, el subordina-

---

[23] Drucker, P. F. (1988).

do desarrolla personalmente una lista de objetivos que reflejan sus obligaciones potenciales, y que va a ser supervisada y aprobada por el supervisor a partir de un acuerdo mutuo. El superior no dicta objetivos, ni el trabajador acepta metas que sean inviables, sino que se busca un punto intermedio que comprometa a ambas partes. En esta etapa, el compromiso es algo fundamental para una correcta actuación.

Fase 2. Desarrollo de planes de acción

Se lleva a cabo estableciendo las secuencias o etapas necesarias para realizar todas las tareas y actividades que conducirán a la consecución de los objetivos. Para ello, se establecen los recursos y el tiempo necesario para cada acción. Lo interesante de la APO es que los trabajadores tienen libertad para decidir qué tienen que hacer para conseguir los objetivos, cómo lo van a realizar y cuándo lo realizarán.

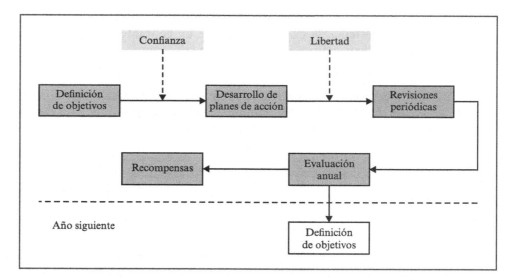

Figura 13.3. Proceso de administración por objetivos (APO). (FUENTE: Elaboración propia.)

Fase 3. Revisiones periódicas

Consiste en establecer un sistema de controles que supervise las acciones y determine si llevarán a la consecución de los objetivos propuestos. Estas mediciones deben ser claras, simples, explícitas y dignas de confianza, tanto para el trabajador como para el superior. La existencia de estas revisiones periódicas no es sólo para controlar al trabajador, sino también para poder modificar los objetivos y las actuaciones a realizar.

Fase 4. Evaluación anual de resultados

Esta revisión tiene una forma similar a las anteriores, pero en un aspecto más amplio y con un enfoque integrado en el que se consideran todas las contribuciones individuales, analizándose sus aportaciones a todo el departamento o al conjunto de la organización. La evaluación se realiza comparando los resultados con los estándares fijados entre superior y subordinado para poder señalar cualquier anomalía o desviación considerable. Esta etapa señala las acciones incorrectas que se han realizado y que marcan el punto de partida de la APO del siguiente año. Si existen muchas incorrecciones, se tendrá que cambiar o modificar para el siguiente curso (reiniciándose el proceso). En cambio, si todo ha ido bien, se pasaría a la siguiente etapa.

Fase 5. Recompensas

El sistema de evaluación recoge un conjunto de incentivos que pueden ser económicos o no, como por ejemplo la promoción o el prestigio. Con esto se justifica el compromiso de los trabajadores, que observan que su esfuerzo e integración, por y para la organización, es gratificado.

Como sucede con los otros sistemas de planificación y control, la implantación de un programa de administración por objetivos no está exenta de problemas entre los que destacan los siguientes[24]:

— Exige una cultura corporativa basada en la participación activa del personal de la organización en todos los niveles y en la descentralización.
— Se requieren habilidades gerenciales adecuadas relacionadas con la capacidad de delegar, la motivación y el liderazgo.
— Ha de guardar relación con la estructura de poder de la organización.

No obstante, estos problemas pueden verse compensados e incluso superados por las implicaciones positivas de la APO, entre las que cabe resaltar:

— Permite una planificación más eficaz basada en el establecimiento de objetivos claros y medibles, lo que facilita el proceso de control.
— Estimula la creatividad entre los empleados al obligarles a pensar cómo y con qué medios se pueden conseguir los objetivos fijados.
— Consigue que los trabajadores se sientan motivados, creando un espíritu de iniciativa común en la organización.

---

[24] Hampton, D. R. (1994).

TABLA 13.3

Resumen de los sistemas de planificación y control

Sistemas de planificación y control	
CMI	El énfasis está en los activos intangibles de la organización que son la base para alcanzar los objetivos estratégicos. El punto de partida se sitúa en la misión y en la estrategia empresarial. Mide los resultados con respecto al corto y largo plazo.
PBC	El énfasis está en la creación de nuevos presupuestos cada período. Cada año, hay un nuevo punto de partida. Todas las actividades reciben un análisis coste-beneficio como si fueran nuevas.
PPBS	El énfasis está en la creación de planes y programas que responden a un presupuesto fijado. Se inicia con la creación del plan, que se realiza a través de distintos programas, materializados en presupuestos. Cada actividad es controlada y evaluada.
APO	El énfasis se sitúa en la implicación de los trabajadores y los directivos con los objetivos establecidos. El punto de partida es el establecimiento de los objetivos consensuados entre directivos y trabajadores. Se aplica un sistema de autocontrol.

FUENTE: Elaboración propia.

RESUMEN

El control administrativo es un proceso mediante el cual los gerentes se aseguran de que las actividades actuales se ajusten a los planes establecidos. En consecuencia, el control es útil para evaluar la eficacia de la planificación, la organización y la dirección.

El proceso de control consiste en establecer normas y métodos para medir el desempeño, determinar si tal desempeño se ajusta a los estándares y, en caso de que se requiera, tomar las medidas correctivas para que la organización pueda desempeñar sus tareas planificadas de la mejor manera posible.

Pese a que existen distintas clasificaciones de los tipos de control, la más aceptada es la que distingue entre control preliminar (el que se realiza previo a la acción), control concurrente (el que establece las medidas de corrección conforme va sucediendo la acción) y control a posteriori (el que toma medidas correctoras una vez que se ha ejecutado la tarea).

Para que un control sea eficaz y aporte las medidas correctoras adecuadas, tanto para los directivos como para los trabajadores, debe reflejar las necesidades y la naturaleza de cada actividad, debe fijarse en los factores críticos de la organización y poder mostrar rápidamente sus desviaciones. Además, debe ser flexible para poder modificarse con facilidad, comprensible y comprometedor para los trabajadores y, por supuesto, económico.

Pero el control administrativo no siempre ocasiona beneficios para la organización, ya que, pese a que presenta efectos positivos, como la mejora en el rendimiento como consecuencia de la retroalimentación, también los presenta negativos, como los provocados por la presión y tensión a la que se ve sometido el trabajador cuya actividad se mide, ya que la evaluación continua de lo que uno está haciendo puede llevar a la desconfianza.

El desarrollo empresarial ha llevado a las empresas a desarrollar nuevos métodos de gestión. A tales métodos se los conoce como sistemas de planificación y control. Estos mecanismos son sistemas formales que conjuntan las tareas de planificación y de control a partir de mecanismos que interrelacionan cada una de las partes de la organización. Los más conocidos son el cuadro de mando integral, el presupuesto base cero, el sistema de planificación, programación y presupuestación, y la administración por objetivos (APO).

PREGUNTAS DE REPASO

1. Justifique la necesidad del control en las organizaciones.

2. En el proceso de control, ¿qué se busca a través de la corrección de las desviaciones? ¿Por qué?

3. ¿Por qué se dice que el control debe ser global y sensible?

4. Establezca las diferencias entre los tipos de control según el momento en que se realice.

5. ¿Cuáles son las principales consecuencias negativas de la resistencia al control?

6. Identifique las principales diferencias entre los distintos sistemas de planificación y control.

7. ¿Con qué otra función directiva se relaciona más estrechamente el control? ¿Por qué?

8. ¿Qué mide el control en el nivel funcional de las organizaciones?

CASO PRÁCTICO

Continental Airlines

Continental Airlines fue fundada en 1934 por Walter T. Varney y su socio Louis Mueller como Varney Speed Lines. El 15 de julio de 1934, esta precursora de Continental realizó su primer vuelo en una ruta de 530 millas desde Pueblo (Colorado) a El Paso (Texas) con escalas en Las Vegas, Santa Fe y Albuquerque (Nuevo México). El mismo año, Varney cedió el control a Mueller. En julio de 1936, Mueller vendió el 40 % de la nueva compañía a Robert F. Six, quien estuvo a cargo de ella durante más de 40 años, y que al año siguiente cambió el nombre de la compañía a Continental Airlines. En 2009, Continental Airlines celebró sus 75 años de servicio. La historia de la compañía es muy extensa desde sus humildes principios como compañía de transporte de correo hasta ser reconocida en 2009 como la aerolínea más admirada del mundo por la revista *Fortune*.

Antecedentes corporativos

Continental Airlines es la quinta línea aérea más grande del mundo. Continental, junto con Continental Express y Continental Connection, tiene más de 2.750 salidas diarias en América, Europa y Asia, y llega a 133 destinos nacionales y 132 destinos internacionales. Más de 750 destinos adicionales se atienden actualmente mediante aerolíneas asociadas. Con más de 43.000 empleados, Continental tiene centros de operaciones en Nueva York, Houston, Cleveland y Guam y, junto con sus socios regionales, transporta aproximadamente 67 millones de pasajeros por año.

A finales de los años setenta del pasado siglo —después de la promulgación de la ley de desregulación de las aerolíneas—, y hasta los primeros años de la década de los noventa, Continental atravesó algunos de sus días más difíciles, batallando durante años de pérdidas financieras, un sinnúmero de fusiones y adquisiciones y dos procesos de quiebra, todo ello complicado por una tensión en las relaciones laborales que la llevó hasta el punto de ruptura.

Hasta ese momento, el funcionamiento era semejante al de otras compañías de vuelos; la empresa buscaba encontrar la forma más eficiente de volar, sin pensar en lo que ocasionaba para la satisfacción de los clientes, ni la de sus propios trabajadores. De esta manera, cada vuelo llevaba un supervisor cuya función era, exclusivamente, supervisar que todo fuera como se había planificado, presentando al finalizar cada vuelo un *informe de errores de vuelo.* Existía, además, una política de reducción de costes máxima, que no permitía ofrecer servicios a los trabajadores en los vuelos de larga distancia, debiendo, por ejemplo, llevar comida propia.

Aun en medio de aquellas épocas tan amargas, Continental alcanzó grandes logros, basados en el cambio de la estrategia empresarial, a partir de la reestructuración del modo de vuelo. De esta manera, los vuelos irían supervisados sólo por el piloto (persona de mayor rango a bordo), consiguiendo, de esta manera, que las encuestas de satisfacción de los trabajadores dieran un giro drástico, pasando a ser la empresa con menor número de abandonos del sector, menor tasa de absentismo laboral y menor número de bajas laborales.

En 1987 instituyó su programa de *viajeros frecuente OnePass,* y en 1992 lanzó al mercado su servicio de cabina *premium BusinessFirst,* orientado a brindar servicio de primera clase a tarifas de clase ejecutiva. Asimismo, durante este período se conformaron los centros de distribución de vuelos con los que actualmente opera Continental en los Estados Unidos. En febrero de 1987, la fusión de Continental con People Express puso los cimientos para que la compañía creciera y cultivara una presencia de liderazgo en el estratégico mercado de Nueva York.

El plan «Marcha hacia adelante» (The go forward plan)

Durante quince años consecutivos, Continental está operando bajo el esquema de su plan «Marcha hacia adelante», el plan maestro de la aerolínea para el éxito. Este plan, en constante evolución, abarca cuatro aspectos fundamentales y ayuda a la empresa a definir y comunicar sus metas. Desde su implantación, en 1995, el plan «Marcha hacia adelante» ha llevado a la compañía a niveles superiores en términos de excelencia en servicio y resultados financieros en comparación con su red de competidores.

Este plan se basa en los siguientes cuatro aspectos que son continuamente medidos por la organización:

— «*Volar para ganar.* Lograr utilidades por encima del promedio en un entorno de la industria que ha sufrido cambios significativos. Hacer crecer la empresa de modo que pueda ser rentable y continuar mejorando la combinación de clientes de negocios/clientes de viajes de placer.
  Maximizar los canales de distribución y rebajar al mismo tiempo los costes de distribución, eliminando aquellos costes que no generen valor añadido.

— *Proveer para el futuro.* Administrar el activo de la compañía a fin de maximizar el valor para los accionistas.
Reducir los costes mediante el uso de la tecnología. Generar un flujo de efectivo positivo y mejorar la flexibilidad financiera de la empresa incrementando el saldo de efectivo.

— *Hacer de la confiabilidad una realidad.* Entregar un producto líder en la industria que la aerolínea se enorgullezca en vender. Ubicarse entre las mejores aerolíneas de la industria según los indicadores clave del Departamento de Transporte de los E.U.A.: llegadas a tiempo, manejo de equipaje, quejas y abordajes denegados involuntariamente. Mejorar el producto día tras día.

— *Trabajar juntos.* Ayudar a los empleados bien capacitados a desarrollar carreras que disfruten todos los días. Tratarse unos a otros con dignidad y respeto. Concentrarse en la seguridad, facilitar el uso de los programas para el personal y seguir mejorando la comunicación. Mantener sueldos y prestaciones apropiados tanto para los empleados como para la empresa».

Premios y reconocimientos

Esta forma de trabajar ha llevado a la compañía a conseguir diversidad de premios, como los siguientes:

— 100 Mejores Compañías para Trabajar en los E.U.A. Revista *Fortune* (1998-2004).

— N.º 1 «Aerolínea más Admirada de los E.U.A.», Revista *Fortune* (mar./07, 2 años consecutivos).

— N.º 1 en Encuesta Anual de Aerolíneas, *Business Travel News (nov./08).*

Programa de incentivos

El programa de incentivos de puntualidad, desarrollado para los empleados de nivel gerencial hacia abajo, reparte incentivos mensuales cuando la aerolínea cumple sus metas de puntualidad, según la evaluación del Departamento de Transporte de los Estados Unidos. Los empleados elegibles reciben un bono de 100 dólares cuando Continental se clasifica en primer lugar en puntualidad entre las seis aerolíneas estadounidenses de cobertura global, y reciben 65 dólares cuando Continental se clasifica en segundo o tercer lugar en puntualidad entre las seis aerolíneas estadounidenses de cobertura global, o cuando mantiene un promedio de puntualidad del 80 % o más, aun cuando no quede clasificada entre las tres primeras.

En 1996, Continental también puso en marcha un programa de incentivos por asistencia. Se considera que este programa ha contribuido a lograr una de las tasas de absentismo más bajas en la industria. Los empleados con asistencia interrumpida en un período de seis meses participan en un sorteo donde pueden ganar un vehículo. La compañía ha obsequiado entre sus empleados 138 vehículos nuevos, con todos los impuestos y gastos de registro incluidos.

FUENTE: Extraído y adaptado de www.continental.com.

PREGUNTAS

1. ¿Qué ha cambiado en la empresa para que pase a ser una de las mejores compañías aéreas?

2. ¿Qué tipo de control se realiza durante ambas etapas en Continental Airlines? ¿Encuentra alguna consecuencia, positiva o negativa, derivada de este control?

3. ¿Encuentra relación con algún sistema de planificación y control de la organización? Defínalo y justifique cada relación con el texto.

4. ¿Podría establecer relaciones entre las fases del proceso de control y el texto?

Glosario

Adaptación mutua. Es el mecanismo que consigue la coordinación del trabajo mediante la simple comunicación informal.

Administración por objetivos (APO). Es un sistema de gestión que pretende el compromiso de los directivos y trabajadores de la organización a través del establecimiento conjunto de unos objetivos y unas áreas de responsabilidad que van a marcar el funcionamiento diario de la organización.

Agente de cambio. Persona encargada de llevar a cabo el proceso para pasar de la situación actual a la situación futura deseada.

Alternativa satisfactoria. Es la primera solución lo «bastante buena» o lo «suficientemente razonable».

Artefactos. Elementos visibles de la cultura empresarial, como el lenguaje, la vestimenta, los rituales y las costumbres. Son indicativos de los valores y creencias de una cultura.

Auditoría social. Es el proceso de medir las actividades de responsabilidad social presentes en una organización y para evaluar su desempeño en esta área.

Autoridad. Es el poder legítimo.

Barreras de la comunicación. Son elementos del proceso de comunicación que explican cómo se distorsiona la información.

Burocracia o estructura mecanicista. Es aquella estructura cuyo comportamiento es predecible o está predeterminado, es decir, normalizado. Se caracteriza por las relaciones jerárquicas rígidas, por una comunicación de arriba hacia abajo y por un énfasis en que las personas trabajen independientemente.

Cambio evolutivo. Es un cambio dirigido a adaptar de forma gradual la estrategia y estructura de una organización a los cambios que ocurren en el entorno.

Cambio organizacional. Proceso por el que las organizaciones pasan de un estado actual a un estado futuro deseado.

Cambio revolucionario. Es una modificación drástica de la naturaleza de la organización e implica una transformación a todos los niveles.

Campo de conflicto. Las condiciones o estados posibles hacia los que puede moverse un conflicto.

Canal. Es el medio elegido para hacer llegar el mensaje al destinatario.

Centralización de la estructura. Dimensión estructural que representa el grado en el que el poder para la toma de decisiones está localizado en un único punto de la organización.

Certeza. Situación para tomar decisiones en la que los directivos cuentan con información exacta, mensurable y confiable sobre los resultados de las diversas alternativas.

Códigos éticos. Son una declaración mediante la que se establece la filosofía de la organización y los valores éticos que guiarán la conducta de los miembros de la organización en sus relaciones con los *stakeholders*.

Cohesión del grupo. Grado en el cual los miembros de un grupo o equipo se sienten vinculados o son leales al mismo.

Complejidad de la estructura. Dimensión de la estructura que tiene dos componentes: horizontal y vertical. La complejidad horizontal hace referencia al número de tareas distintas que han de ser desarrolladas por la organización y al grado en el cual están subdivididas, es decir, a la intensidad de la división del trabajo. La complejidad vertical de la organización crece con el número de niveles jerárquicos o niveles de supervisión.

Complejidad del entorno. Dimensión que refleja el volumen de conocimiento especializado y específico que es necesario para entenderlo y comprenderlo, a saber, de productos, clientes u otros factores.

Conflicto. Proceso que se manifiesta por una confrontación, explícita o tácita, entre dos o más agentes y que surge cuando uno de ellos percibe que la otra parte se opone a sus intereses o trata de perjudicarlos.

Conflicto de metas y procesos. Conflicto referido a discrepancias sobre los objetivos, estrategias, políticas y procedimientos a seguir.

Conflicto de personas. Enfrentamientos marcados por diferencias de personalidad, tanto en el ámbito de los sentimientos y emociones como en el de las ideas, valores u opiniones.

Conflicto de recursos. Conflicto referido a la asignación de recursos escasos.

Conflicto disfuncional. Aquellos que entorpecen o perjudican la consecución de los objetivos de la organización.

Conflicto funcional. Conflicto del que se derivan efectos positivos sobre el desempeño de los grupos y la organización.

Conflicto intergrupal. Conflicto entre los grupos o equipos de una misma organización

Conflicto interpersonal. Se produce cuando dos o más personas perciben que sus actitudes, conducta o metas son antagónicas y se enfrentan en representación de sus propios intereses, no en representación de los intereses de un grupo.

Conflicto intragrupal. Conflicto en el que las partes implicadas son personas o subgrupos pertenecientes al mismo grupo o unidad.

Conflicto intrapersonal. Conflicto que se desarrolla en el fuero interno de una persona. Por lo general, consiste en alguna forma de contraposición de motivaciones o metas.

Control. Es la función administrativa mediante la cual se vigila el desempeño real, se compara con las metas fijadas con antelación y se emprenden las acciones que hicieran faltan para corregir las desviaciones significativas.

Control a posteriori. Sistema de control basado en el control de resultados, a partir de la retroalimentación que la organización recoge con los informes de acción o departamentales.

Control a priori. Sistema de control que intenta prever las desviaciones futuras para evitar que lleguen a ocurrir, evitando de esta manera las desviaciones de los planes establecidos.

Control a tiempo real. Sistema técnico de control que procesa información de forma continua, a través de la tecnología, para detectar de inmediato cualquier desviación y actuar a continuación.

Control burocrático. Sistema de control basado en la formalización del comportamiento a través de la cadena formal de autoridad, la división del trabajo y especialización del puesto.

Control concurrente. Control que busca producir las medidas correctivas precisas para que no existan desviaciones mientras la actividad está siendo ejecutada.

Control de clan. Utiliza los valores culturales de la organización como normas de referencia para, a partir de los hábitos y compromisos de los trabajadores, regular la conducta de éstos en la organización.

Control de mercado. Se basa en índices de productividad, cuotas de mercado, precios o costes unitarios de producción para detectar posibles ineficiencias en la organización.

Control diferido. Sistema de control basado en la utilización diferida de información.

Control directivo. Utilización de la supervisión directa y de la autoridad formal del directivo o supervisor para controlar los comportamientos y los resultados de los individuos que se encuentran bajo su responsabilidad.

Control social. Control ejercido por el conjunto de personas que rodean a cada uno de los miembros de la organización.

Control técnico. Sistema de control que se ejerce a través de los distintos procesos que delimitan la manera de trabajar de la organización.

Creencias. Supuestos inconscientes que condicionan la valoración de los hechos que ocurren en la realidad.

Cuadro de mando integral. Es un sistema de gestión que enlaza el control operativo de los objetivos a corto plazo, con la misión, la estrategia a largo plazo y las finanzas de la organización.

Cultura dominante. Subcultura que puede identificarse en una organización, y que está compuesta por aquellos valores profundamente asimilados por la mayoría o la totalidad de sus miembros.

Cultura fuerte. Aquella cultura que contiene valores profundamente asimilados por la mayoría o la totalidad de los miembros de una organización.

Cultura organizacional. Conjunto de valores y creencias que guían el comportamiento de los miembros de una organización.

Decisiones estratégicas. Son decisiones que tienen una perspectiva a largo plazo y afectan a la organización en su conjunto. Se refieren a cuestiones esenciales de la organización relacionadas con su ámbito de actividad.

Decisiones no programadas. Son decisiones únicas, que no se repiten con asiduidad y que requieren soluciones a medida. Suelen utilizarse para afrontar problemas no estructurados.

Decisiones operativas. Orientadas al corto plazo y referidas a las actividades de operaciones de la organización.

Decisiones programadas. Son decisiones rutinarias y recurrentes que se toman para resolver un problema sencillo, familiar o conocido y fácil de definir, es decir, un problema estructurado.

Decisiones tácticas. Son decisiones que tienen una perspectiva a medio-corto plazo y en donde se ve involucrada un área funcional de la organización.

Delegación de autoridad. Variable de diseño estructural que representa la dispersión del poder en la toma de decisiones hacia aquellas partes de la empresa con la información y los conocimientos adecuados sobre el problema a tratar.

Departamentalización. Variable de diseño mediante la cual el diseñador decide cómo agrupar los puestos de trabajo en unidades o departamentos, éstos a su vez en otros de orden superior, y así sucesivamente, hasta abarcar en el conjunto final la totalidad de la organización.

Desempeño. Medida de la eficacia y eficiencia. Grado en el que se alcanzan los objetivos perseguidos en relación con los recursos empleados.

Dirección. Es la función administrativa mediante la cual se influye en las personas de la organización para que aporten su máximo esfuerzo en el trabajo.

Disonancia cognitiva. Es la ansiedad que aparece después de una decisión. El resultado de este proceso es que la persona que decide tiene dudas sobre la elección efectuada.

Eficacia. Medida de la consecución de los objetivos, es decir, de la capacidad para alcanzar objetivos y resultados. En términos globales, capacidad de una organización para satisfacer las necesidades del ambiente o mercado.

Eficiencia. Ejecutar bien y correctamente las tareas. Relación entre costes y beneficios, entradas y salidas, es decir, relación entre lo conseguido y lo que puede conseguirse. Significa ejecutar las actividades correctas con los medios adecuados. El trabajo eficiente es un trabajo bien ejecutado. Se relaciona con los medios o métodos utilizados.

Emisor. Es la persona que inicia el proceso de la comunicación cuando quiere compartir una idea, dar una orden o hacer llegar cierta información a otros miembros de la organización.

Empresa. Organización destinada a la producción o comercialización de bienes y servicios. Su objetivo es el lucro. Existen cuatro categorías de empresas según el tipo de producción: agrícolas, industriales, comerciales y financieras, cada una de las cuales tiene su propio modo de funcionamiento.

Enfoque contingente. Enfoque organizativo que determina que aquellas organizaciones que tienen estructuras que se acoplan mejor a los requerimientos del contexto (situación) serán más eficaces que aquellas que no las tienen.

Enfoque de los rasgos. Asume que los líderes poseen ciertas características estables o rasgos que los diferencian del resto de las personas. Dichos rasgos son considerados en su mayoría innatos, por lo que no se pueden adquirir o aprender, de lo que se concluye que según este enfoque el líder nace, no se hace.

Enfoque del patrón de atributos. Defiende la influencia de ciertas características personales, tanto en la emergencia del líder como en su eficacia, pero en contraste con el enfoque de rasgos tradicional, sostiene que dicha influencia se manifiesta a través de patrones de atributos que caracterizan a cada persona y no a través de cada atributo individual.

Enfoque descriptivo y explicativo. Es el enfoque que se preocupa en describir y explicar los fenómenos organizacionales, sin la preocupación de establecer reglas o principios generales de aplicación.

Enfoque prescriptivo y normativo. Es el enfoque que se preocupa por establecer reglas y principios generales de aplicación como recetarios para el administrador.

Equidad. Hace referencia a la idea de justicia que se basa en una percepción de proporcionalidad.

Equipo de trabajo. Aquel conjunto de personas, altamente cohesionadas, con habilidades complementarias y responsabilidades, tanto individuales como conjuntas, que trabajan hacia la consecución de un objetivo común.

Estabilidad del entorno. Dimensión que hace referencia a la frecuencia y previsibilidad de los cambios que afectan al desempeño de la organización e incluso a su supervivencia.

Estilo de cesión. Estilo para el manejo de conflictos caracterizado por un bajo grado de interés por las metas propias y un alto grado de cooperación con la otra parte. Implica una forma de resolver conflictos anteponiendo las necesidades e intereses de la otra parte por encima de las propias.

Estilo de colaboración. Estilo para el manejo de conflictos caracterizado por un elevado grado de egoísmo y un elevado interés por la cooperación. Implica afrontar el conflicto de tal forma que su resolución satisfaga los objetivos propios y los de la otra parte.

Estilo de compromiso. Estilo para el manejo de conflictos caracterizado por un nivel intermedio de cooperación y egoísmo. Implica que las partes tienen que ceder o hacer concesiones, al objeto de lograr una solución aceptable para todos.

Estilo de evasión. Estilo para el manejo de conflictos caracterizado por bajo nivel de egoísmo y un bajo interés por la cooperación. Representa un intento de retirada o de evitar afrontar el conflicto.

Estilo de imposición. Estilo para el manejo de conflictos caracterizado por un alto grado de egoísmo y un bajo interés por las necesidades de la otra parte. Este comportamiento implica alcanzar las propias metas a costa de las de los demás.

Estilo de toma de decisiones. Es la forma en que los directivos toman sus decisiones. Los estilos varían en dos dimensiones: la forma de pensar y la tolerancia a la ambigüedad.

Estructura orgánica. Es la estructura que se define como la ausencia de normalización en la organización. Prefiere la colaboración, tanto vertical como horizontal, y la comunicación informal, poniendo su énfasis en los equipos de trabajo.

Ética. Conjunto de valores y reglas que definen los comportamientos correctos e incorrectos.

Ética en los negocios. Guías o estándares de conducta para la toma de decisiones éticas de empleados y directivos.

Expectativa. Es la probabilidad subjetiva o creencia subjetiva que tiene el individuo de que un determinado esfuerzo le conducirá a un específico nivel de desempeño.

Extranet. Es una red de comunicación externa privada que usa protocolos de Internet y que funciona de manera similar a Intranet, pero que permite a la organización comunicarse (mediante datos estructurados y no estructurados) con sus proveedores y/o clientes u otros socios comerciales.

Factores de contingencia. Son las condiciones de contexto o circunstancias condicionantes de la organización para establecer, en función de éstas, el diseño estructural apropiado y las técnicas administrativas más adecuadas. De esta forma, existe una relación de causalidad entre las condiciones de contexto de la organización y el diseño de una organización eficaz y eficiente.

Factores de mantenimiento o de higiene. Son aquellos relacionados con las condiciones del trabajo. Son factores extrínsecos que crean las condiciones para el desempeño de las tareas.

Factores de motivación. Son aquellos relacionados con la realización de la tarea. Son factores intrínsecos que quedan bajo el control del trabajador.

Formalización de la estructura. Dimensión estructural que representa el grado en el que los trabajos de la organización están estandarizados y en el que las normas y procedimientos guían el comportamiento de sus miembros.

Formalización del comportamiento. Variable de diseño estructural que se refiere a la existencia de descripciones explícitas (escritas) o implícitas relativas a reglas, procedimientos y procesos de toma de decisiones, de comunicación de instrucciones y de transmisión de información que indican en todo momento lo que ha de hacer el trabajador.

Gestión de datos maestros (MDM por sus siglas en inglés, *Master Data Management*). Construida sobre las TIC, hace referencia a la gestión de las bases de datos estructurados no relacionados con transacciones que permiten aunar información financiera, logística, comercial, de recursos humanos y de operaciones sentando las bases para una gestión integrada del la organización.

Giro de grupo. Aparece cuando los miembros de un grupo tienden a adoptar posiciones distintas a las que asumirían individualmente.

Grupo. Conjunto de dos o más personas que interactúan entre sí, se identifican sociológicamente y se sienten miembros de un grupo.

Grupo de trabajo. Unidades colectivas orientadas a la tarea, compuestas por un pequeño número de miembros organizados y que interactúan entre sí y con su ambiente para conseguir determinados objetivos grupales.

Grupo formal. Son unidades de la estructura organizativa diseñadas y establecidas por la propia organización para la consecución de los objetivos de la misma.

Grupo informal. Son grupos resultantes de relaciones espontáneas entre los distintos miembros de la organización. No son diseñados ni establecidos por la organización y surgen para cumplir con unos fines sociales y recreativos.

Grupo permanente. Aquel que forma parte de la estructura organizativa y está orientado a la realización de las actividades habituales de la organización.

Grupo temporal. Aquel que es creado específicamente para la realización de una actividad puntual y, por tanto, no repetitiva.

Grupos autodirigidos. Aquellos que son responsables de guiar y dirigir los procesos de ejecución, así como de ejecutar las tareas.

Grupos autodiseñados. Aquellos en los que la dirección externa es la responsable del diseño del contexto organizacional, mientras que el grupo es el responsable de su propio diseño, así como de guiar, dirigir y ejecutar sus tareas.

Héroes. Miembros de la organización que son reconocidos por cumplir y promulgar los valores de la organización.

Hipótesis de frustración regresiva (frustración-regresión). Propone que las necesidades deben ser satisfechas simultáneamente.

Hipótesis de satisfacción progresiva (satisfacción-progresión). Propone que de las necesidades debidamente ordenadas, solamente una ejerce como motivadora, determinando así el comportamiento de las personas.

Hombre administrativo. Concepto del ser humano que procura la «forma satisfactoria» y no la mejor forma de actuar. El comportamiento administrativo es satisfactorio y no busca la optimización.

Hombre económico. Es el concepto del ser humano motivado por recompensas y sanciones salariales y materiales.

Hombre social. Es el concepto del ser humano motivado por recompensas y sanciones sociales simbólicas, en contraposición al hombre económico.

Incertidumbre. Situación para tomar decisiones en la que los directivos no pueden estimar la probabilidad de alcanzar un determinado resultado de un modo razonable.

Individualismo. Grado en el que las personas se esfuerzan por conseguir resultados que sólo provocarán el beneficio propio.

Instrumentalidad. Es la percepción que tiene el individuo de que como consecuencia del nivel de desempeño alcanzado obtendrá una determinada recompensa.

Intercambio electrónico de datos (EDI por sus siglas en inglés, *Electronic Data Interchange*). Construido sobre las TIC, hace referencia al intercambio de datos de manera estructurada entre diferentes terminales que deben seguir un mismo protocolo de codificación y descodificación.

Intereses. Son los deseos, preocupaciones, temores y necesidades implícitos que motivan a un negociador a adoptar una postura concreta. Los intereses son, por tanto, lo que hay detrás de las posiciones explícitas del negociador.

Intereses de principios. Referidos a la defensa de ciertos principios o valores: lo que es justo, lo que es correcto o lo que es ético.

Intereses de proceso. Se refieren al propio proceso de negociación, al modo en que se afronta y por qué.

Intereses de relación. Orientados a la relación personal entre ambas partes y a que ésta no resulte dañada en el curso de la negociación.

Intereses sustantivos. Se refieren al objeto central de la negociación como los aspectos económicos y financieros de un problema o el reparto de un determinado recurso.

Internet. Es un conjunto de redes que permite mejorar las comunicaciones en tiempo real. Conocida como la *red de redes,* a través de ella la información (mediante datos estructurados y no estructurados) generada en un punto, llega a lugares remotos.

Intranet. Es una red de comunicación interna privada que usa protocolos de internet y que facilita en gran medida la comunicación dentro de una organización mediante la transmisión de datos estructurados y no estructurados.

Líder rienda suelta. Es aquel estilo de liderazgo que se caracteriza por la plena libertad que el líder concede a sus subordinados.

Liderazgo. Es el proceso por el cual un individuo (el líder) influye en el comportamiento de otros (seguidores) con el propósito de lograr objetivos o metas comunes.

Liderazgo carismático. Es aquel estilo de liderazgo que ejerce una persona cuando usa sus características individuales (por ejemplo, habilidades de comunicación) para lograr seducir y emocionar a las personas, sin necesidad de ejercer el poder formal.

Liderazgo transaccional. Es aquel estilo de liderazgo que usa las recompensas y el castigo para conseguir las metas fijadas en la organización.

Liderazgo transformacional. Nueva tendencia del liderazgo que describe una influencia más ambiciosa del líder, inspirando nuevos valores y consiguiendo el compromiso de sus subordinados.

Mensaje. Es aquello que se quiere compartir, el resultado de la codificación de lo que se quiere transmitir.

Mentalidad de grupo (o pensamiento dominante). Aparece cuando la presión para adaptarse al grupo impide que se evalúen de forma crítica las opiniones discordantes, minoritarias o poco populares.

Meta. Fin que pretende alcanzar la organización. Con frecuencia, las organizaciones tienen más de una meta. Las metas son elementos fundamentales de las organizaciones.

Misión. Razón de ser y propósito por el que surge la organización.

Modelo de favorito implícito. Es el modelo de toma de decisiones según el cual los individuos resuelven los problemas complejos simplificando el proceso. En este caso, la simplificación está en que no se entra en la difícil etapa de la evaluación de alternativas para tomar la decisión hasta que una de las alternativas se identifica como «favorita» implícita.

Modelo de justicia. Incluye la evaluación de decisiones y comportamientos respecto a la equidad con que se distribuyen los costes y beneficios entre individuos y grupos.

Modelo de los derechos morales. Sostiene que las decisiones deben guardar congruencia con los derechos y los privilegios fundamentales.

Modelo de racionalidad limitada. Es el modelo de toma de decisiones según el cual, quienes toman las decisiones tienden a aceptar la primera alternativa que cubre los requerimientos mínimos aceptables en vez de continuar buscando la alternativa que ofrezca los mejores resultados.

Modelo racional de toma de decisiones. Es el modelo que describe la forma en la que deben comportarse los individuos para maximizar u optimizar el resultado de su decisión.

Motivación. Los procesos responsables del deseo de un individuo de realizar un gran esfuerzo para lograr los objetivos organizacionales, condicionado por la capacidad del esfuerzo de satisfacer alguna necesidad individual.

Necesidad dominante. Es aquella necesidad insatisfecha de rango inferior que determina el comportamiento.

Necesidades básicas o de orden inferior. Son aquellas necesidades que se satisfacen mediante recompensas extrínsecas.

Necesidades intrínsecas. Son aquellas que el individuo satisface de manera interna.

Negociación. Proceso para afrontar y resolver un conflicto en el que las partes implicadas interactúan durante un tiempo determinado en una dinámica de ofertas y contraofertas, al objeto de alcanzar un acuerdo satisfactorio para todas.

Negociación distributiva. Las partes compiten por una cantidad fija de recursos de modo que utilizarán una serie de estrategias al objeto de maximizar su resultado a expensas de lo que consiga el otro. Se la suele denominar como de ganar-perder.

Negociación integradora. Cada parte implicada afronta el proceso negociador con la intención de alcanzar tanto las metas propias como las de la otra parte. Se la suele denominar como de ganar-ganar.

Normalización de los procesos de trabajo. La normalización supone la especificación de las tareas concretas o procedimientos de trabajo que los empleados deben realizar para cumplir con sus responsabilidades.

Objetivos. Son fines concretos, normalmente cuantificables y con un horizonte temporal delimitado, a los que se dirige la actividad de una organización. Especifican las situaciones futuras que el gerente espera lograr.

Organización. Entidad social compuesta por personas y recursos, estructurada y orientada deliberadamente hacia un objetivo común.

Organización ética. Es aquella que posee un conjunto de valores éticos aceptados y asumidos por todos los miembros de la organización.

Organizar. Es la función administrativa por la que se diseña el armazón material y humano (estructura) que actuará de soporte para la ejecución de los planes establecidos.

Percepción. Es el proceso mediante el cual los individuos organizan e interpretan sus impresiones sensoriales con el fin de darle significado a su entorno.

Pereza social. Tendencia de los miembros de un grupo a desarrollar menos esfuerzo cuando trabajan juntos que cuando trabajan solos.

Plan. Guía realizada por la dirección que establece lo deseado, lo que debe hacerse para alcanzarlo y los recursos que se aplicarán en ese esfuerzo.

Plan de contingencia. Es un plan alternativo que puede ponerse en práctica en caso de que ciertos hechos no ocurran como se espera.

Planificar. Es la función administrativa que consiste en la fijación de los objetivos o metas de la organización y la mejor manera de alcanzarlos.

Poder. Es la capacidad de los individuos para afectar (influir en) el comportamiento de otros individuos de manera que éstos actúen de acuerdo con la voluntad de los primeros.

Poder coercitivo. Es la capacidad de influir a través de la amenaza o la imposición de castigos —físicos, materiales o psicológicos— o la negación de recompensas, tanto materiales como simbólicas.

Poder de experto. Es la capacidad de influencia que puede ejercerse al disponer de habilidades, destrezas o conocimientos especialmente valiosos para otra persona o grupo.

Poder de recompensa. Es aquel que proviene de la capacidad para otorgar beneficios a otros o para eliminar elementos que pueden serles perjudiciales. Las recompensas pueden ser de naturaleza material o simbólica.

Poder de referente. Un individuo tiene poder de referente sobre otro cuando este último desea parecerse o identificarse con el primero. Esto implica que el influido puede adaptar su conducta para agradar o parecerse a la persona objeto de su identificación.

Poder legítimo. Es aquel que se basa en el reconocimiento y aceptación de una serie de reglas o disposiciones que otorgan a un individuo el derecho legítimo a influir en los demás.

Política. Desde un punto vista del poder, engloba todas aquellas actividades desarrolladas por individuos o grupos para adquirir, desarrollar y utilizar el poder y otros recursos que les permitan alcanzar los resultados deseados en situaciones de incertidumbre o falta de acuerdo sobre las opciones disponibles.

Política. Desde el punto de vista de la planificación, es una orientación genérica que define en líneas generales el curso de acción a seguir cuando se presenta un determinado problema.

Presupuesto. Es la expresión económica de un plan, que muestra la asignación de recursos para llevarlos a cabo.

Presupuesto base cero. Es un sistema de gestión que considera que cada año se deben reconsiderar cada una de las actividades, objetivos y recursos futuros antes de desarrollar sus presupuestos asociados.

Problema. Es la discrepancia entre la situación (estado) actual y la situación (estado) deseada.

Procedimiento. Descripción detallada de secuencias de actividades que deben llevarse a cabo para que sea posible cumplir un objetivo. Estandarizan la conducta, evitando que un mismo problema se resuelva de distintas maneras dependiendo de la persona que lo resuelva.

Proceso de la comunicación. Describe los pasos que son necesarios para que emisor (inicio del proceso) y receptor (final del proceso) compartan unos determinados conocimientos o información.

Programa. Es un plan de uso único que contiene especificaciones de tiempo, lugares y recursos para la realización de tareas concretas.

Programa ético. Es un proceso continuo que incluye todas las actividades que se realizan para prevenir y detectar las conductas no éticas.

Propensión al riesgo. Es la tendencia del individuo a enfrentarse a riesgos.

Puestos ampliados o enriquecidos. Puestos de trabajo que constan de múltiples funciones o tareas sobre las cuales el trabajador tiene cierta capacidad de control y de decisión.

Puestos de enlace. Son diseñados para intentar mejorar la coordinación y evitar conflictos entre departamentos con distintas orientaciones funcionales pero con importantes interdependencias.

Puestos especializados. Puestos de trabajo que constan de pocas tareas diferenciadas que se han de repetir constantemente, lo cual conlleva que el individuo que las ejecuta apenas si tiene control sobre cualquier aspecto relacionado con las mismas (forma de llevarlas a cabo, tiempo, orden, etc.).

Punto crítico. Es el punto que sirve para detectar el funcionamiento de la organización, bueno o malo, y poder comprobar si se está funcionando tal y como se ha establecido.

Punto de resistencia. En una negociación distributiva indica el menor resultado admisible. Marca el límite por debajo del cual no se está dispuesto a aceptar un acuerdo, lo que implicaría la ruptura de la negociación.

Punto objetivo. En una negociación distributiva define lo que se quiere alcanzar.

Rango de acuerdo. En una negociación distributiva se define como la distancia entre los puntos de resistencia de cada parte y representa la zona donde el acuerdo es posible.

Rango de aspiraciones. En una negociación distributiva representa el margen de maniobra de que dispone cada parte para presentar sus ofertas.

Receptor. Es la persona a la que va destinada la comunicación. Recibe la información enviada por el emisor, la descodifica e interpreta. Para ello es necesario que tanto emisor como receptor compartan significados.

Red de comunicación. La forma en que se configuran los canales de comunicación dentro de una organización.

Refuerzo. Cualquier consecuencia que sigue inmediatamente a una respuesta y que aumenta la probabilidad de que el comportamiento se repita.

Regla. Son mandatos que determinan la disposición, la actitud o el comportamiento en situaciones específicas.

Responsabilidad social. Creencia de que las empresas tienen un compromiso con la sociedad en la que operan, y, por tanto, algunos de sus recursos deben ser empleados para promover el interés de la sociedad.

Resultados intangibles. Resultados de la negociación derivados de la existencia de factores motivacionales o psicológicos de los negociadores que actúan al margen del objeto formal de la negociación (el precio de un bien, o los términos de un acuerdo laboral) como la necesidad de ganar o la necesidad de mostrarse firme y competente ante las personas a las que se representa.

Retroalimentación. Mediante la retroalimentación se cierra el proceso de la comunicación. Consiste en verificar que el receptor ya ha recibido y entendido el mensaje que inicialmente le envió el emisor. En la retroalimentación, emisor y receptor intercambian sus papeles, el receptor inicial es ahora el nuevo emisor, mientras que el emisor inicial se convierte en el receptor.

Riesgo. Situación para tomar decisiones en la que los directivos pueden estimar razonablemente la probabilidad de alcanzar un determinado resultado.

Rituales. Conjunto de celebraciones o ceremonias que se desarrollan con cierta periodicidad para difundir y reforzar la cultura de la organización.

Ruido. El ruido es todo aquello que, interponiéndose entre el emisor y el receptor, dificulta (cuando no impide) el proceso de la comunicación.

Sesgo de anclaje. Tendencia a aferrarse a la información inicial y no ser capaz de ajustarse debidamente a la información posterior.

Sistema de planificación, programación y presupuestación. Es un método integrado de planificación y control en el que los programas actúan como elementos esenciales para la organización.

Sistemas de gestión de relaciones con los clientes (CRM por sus siglas en inglés, *Customer Relationship Management*). Son herramientas de gestión integradas construidas sobre las TIC que sirven para gestionar las relaciones con los clientes de un modo ágil mediante el intercambio de datos estructurados.

Sistemas de gestión de relaciones con los proveedores (SRM por sus siglas en inglés, *Suppliers Relationship Management*). Son herramientas integradas de gestión construidas sobre las TIC que sirven para gestionar las relaciones con los proveedores de un modo ágil mediante el intercambio de datos estructurados.

Sistemas de planificación de recursos (ERP por sus siglas en inglés, *Enterprise Resource Planning*). Son herramientas de gestión integradas construidas sobre las TIC orientadas a integrar diferentes áreas de la organización para mejorar la gestión del ciclo entrada-producción-salida. Están basados en el intercambio de datos estructurados relacionados con transacciones.

Sistemas de planificación y control. Son sistemas formales de gestión de organizaciones que surgen a partir de mecanismos que interrelacionan cada una de las partes de la organización.

Socialización. Proceso mediante el cual los individuos pertenecientes a una comunidad o cultura aprenden e interiorizan un conjunto de normas, valores y formas de percibir la realidad.

***Stakeholders* (grupos de interés).** Grupos o individuos que poseen interés en el resultado de la empresa y en cómo ésta usa sus recursos, incluyendo empleados, clientes y accionistas.

Subcultura. Conjunto de valores y creencias compartidos por un grupo de la organización.

Supervisión directa. Consigue la coordinación del trabajo al hacer responsable a un individuo del trabajo de los demás.

Sustitutos del liderazgo. Conjunto de variables personales y del trabajo (como la cualificación, la experiencia, el autocontrol) que logran que los individuos trabajen de forma autónoma, sin la necesidad de una recompensa o líder que los motive.

Tabúes. Delimitaciones de lo que no se debe hacer o lo que no está bien visto entre los miembros de la organización.

Técnica del grupo nominal. Es la técnica para tomar decisiones en grupo, donde los participantes se reúnen frente a frente para reunir opiniones de manera sistemática e independiente.

Técnica *Delphi*. Es la técnica de toma de decisiones en grupo similar a la técnica de grupo nominal, pero que no permite que los miembros del grupo se reúnan frente a frente.

Técnicas de presión. Técnicas que pueden emplearse en el desarrollo de un proceso de negociación distributiva para vencer la resistencia de la otra parte: policía bueno-policía malo, ofertas exageradas, fingimiento, etc.

Tecnología de operaciones. Abarca los instrumentos utilizados por los operarios para convertir los *inputs* en *outputs*.

Teoría contingente de liderazgo. Aquella que establece que el estilo de liderazgo adecuado debe ajustarse a la situación y el contexto.

TIC. Tecnologías de la información y la comunicación. Hacen referencia a las herramientas que basan su diseño y su utilización sobre el desarrollo de la informática y de las telecomunicaciones.

Toma de decisiones. Es el proceso que lleva a la selección y ejecución de una acción que da respuesta a un problema.

Toma intuitiva de decisiones. Es el acto de tomar decisiones a partir de la experiencia, los sentimientos y el buen juicio acumulado.

Tormenta de ideas. Técnica de generación de ideas creativas para resolver problemas reduciendo las reacciones críticas y de juicio sobre las ideas por parte de los miembros del grupo.

Tramo de control. Define el número de subordinados que pueden agruparse de manera eficaz y eficiente bajo el mando de un solo directivo.

Unidades de apoyo. Son unidades, departamentos o puestos de carácter complementario a la estructura de línea cuya tarea genérica es la de asesorar o ayudar a la realización de las funciones típicas de la organización representadas por el núcleo de operaciones (operarios), sus directivos intermedios, e incluso la alta dirección.

Unidades de línea. Se identifican con la realización de las actividades básicas de la organización de forma que con su trabajo contribuyen directamente a los objetivos con los que se identifica la organización.

Utilitarismo. Tomar decisiones en función de lo que es mejor para el mayor número de personas.

Valencia. Explica el valor que para el individuo tiene la recompensa asociada a un nivel de desempeño.

Valores. Principios, enunciados o juicios sobre lo que está bien o mal. Son guías que una persona puede utilizar cuando se enfrenta a situaciones en las que debe hacer una selección.

Visión. Es el enunciado deseado en el futuro para la organización.

Bibliografía

Capítulo 1

Chiavenato, I. (1981): *Introducción a la teoría de la organización.* Bogotá: McGraw-Hill.

Chiavenato, I. (2004): *Introducción a la teoría general de la administración* (7.ª ed.). México: McGraw-Hill.

Díez de Castro, J. y Redondo, C. (1999): *Administración de empresas.* Madrid: Pirámide, 35.

Drucker, P. F. (1969): *The Age of Discontinuity. Guidelines to Our Charanging Society.* Nueva York: Harper and Row. (Existe versión en español: *La gran ruptura, Nuevas metas para una nueva sociedad,* Buenos Aires: Ediciones Troquel.)

Etzioni, A. (1972): *Organizaciones modernas.* México: UTEHA.

Fayol, H. (1987): *Administración industrial y general* (3.ª ed.). Barcelona: Orbis.

Gulick, L. y Urwick, L. (1937): *Papers on the sciencia of administration.* Columbia University Press.

Hernández, S. (2002): *Administración: pensamiento, proceso, estrategia y vanguardia.* México: McGraw-Hill.

Hersey, P. y Blanchard, K. H. (1976): *Psicología para administradores de empresas: A utilizaçao de recursos humanos.* São Paulo: Editorial Pedagógica e Universitária.

Kast, F. E. y Rosenzweig, J. E. (1992): *Administración en las organizaciones. Enfoque de sistemas y de contingencias* (4.ª ed.). México: McGraw-Hill.

Katz, R. L. (1974): Skills of an effective administrator. *Harvard Business Review,* 52, septiembre-octubre, 90-102.

Lau, A. W. y Pavett, C. M. (1980): The nature of managerial work: A comparison of public and private sector managers. *Group and Organization Studies,* 5 (4), 453-466.

Lawrence, P. R. y Lorsch, J. W. (1967): *Organization and enviroment: Managing differentation and integration.* Bostom MA: Harvard Business School. [Existe versión en castellano: *Organización y ambiente.* Barcelona: Labor (1973).]

Mahoney, T. A., Jerdee, T. H. y Carroll, S. J. (1965): The job(s) of management. *Industrial Relations,* 4 (2), 97-110.

Mayo, E. (1977): *Los problemas humanos de una civilización industrial.* Buenos Aires: Nueva visión.

Miller, E. J. y Rice, A. K. (1967): Systems of organizations. Londres: Tavistock Publications.

Mintzberg, H. (1983): *La naturaleza del trabajo directivo*. Barcelona: Ariel.

Oliveira da Silva, R. (2002): *Teorías de la administración*. México: International Thomson Editores.

Robbins, S. y Coulter, M. (2005): *Administración* (8.ª ed.). México: Pearson Educación.

Simon, H. A. (1976): *Administrative behavior* (3.ª ed.). Nueva York, NY: Free Press. [Existe versión en castellano: *El comportamiento administrativo*. Madrid: Aguilar (1971).]

Stoner, J. A. F., Freeman, R. E. y Gilbert, D. R. (1996): *Administración* (6.ª ed.). México: Prentice Hall.

Suárez, A. (2003): *Curso de economía de la empresa*. Madrid: Pirámide.

Suárez, A. S. (1987): Burocracia y eficiencia administrativa. *Revista Venezolana de Gestión*, 4 (2), 73-80.

Taylor, F. W. (1987): *Principios de la administración científica* (3.ª ed.). Barcelona: Orbis.

Capítulo 2

Baron, M., Slote, M. y Pettit, P. (1997): *Three methods of ethics*. Oxford: Blackwell.

Bauer, R. A. y Fenn, D. H. (1973): What is a corporate social audit? *Harvard Business Review*, 51 (1), 37-48.

Berenbeim, R. E. (2000): Global ethics. *Executive Excellence*, 17 (5), 7.

Bounds, G. M., Dobbins, G. H. y Fowler, O. S. (1995): *Management: a total quality perspective*. Cincinnati, OH: South-Western.

Bowen, H. R. (1953): *Social responsibility of the businessman*. Nueva York, NY: Harpen and Brothers.

Cátedra Nebrija Grupo Santander en Análisis de la Responsabilidad Social de la Empresa. http://www.nebrija.com/nebrija-santander-responsabilidad-social/index.htm (consultado el 24 de octubre de 2010).

El País. http://www.elpais.com/articulo/carreras/capital/humano/Etica/directivos/elpepuec oneg/20100905elpnegser_1/Tes (consultado el 5 de septiembre de 2010).

Ferrell, O. C., LeClair, D. T. y Ferrell, L. (1998): The federal sentencing guidelines for organisations; a framework for ethical compliance. *Journal of Business Ethics*, 17 (4), 353-363.

Fisher, C. (2001): Manager's perceptions of ethical codes: dialectics and dynamics. *Business Ethics: A European Review*, 10 (2), 145-156.

Fraedrich, J. P. (1992): Signs and signals of unethical behavior. *Business Forum,* 17 (2), 13-17.

Gellerman, S. W. (1989): Managing ethics from the top down. *Sloan Management Review*, 30 (2), 73-79.

Guadamillas Gómez, F. (2005): Ética, responsabilidad social y dirección estratégica de la empresa. En J. V. Guarnizo García (ed.). *Ética y responsabilidad social* (pp. 65-86): Toledo: Fundación Caja Rural de Toledo.

Guerras Martín, L. A. y López Hermoso, J. J. (2002): La responsabilidad social de la empresa. Perspectivas desde la dirección estratégica de la empresa. *Revista del Instituto de Estudios Económicos*, 4, 263-275.

Hite, R. E., Bellizi, J. A. y Fraser, C. (1988): A content analysis of ethical policy statements regarding marketing activities. *Journal of Business Ethics*, 7 (10), 771-776.

Jenkins, R. (2001): *Corporate codes of conduct: self-regulation in a global economy*. Geneva: United Nations Research Institute for Social Development.

Jones, G. R. y George, J. M. (2006): *Administración contemporánea*. México: McGraw-Hill.

Jose, A. y Thibodeaux M. S. (1999): Institutionalization of ethics: the perspective of mangers. *Journal of Business Ethics*, 22, 133-143.

Krell, E. (2010): How to conduct an ethics audit. *HR Magazine*, 55 (4), 48-51.

Langlois, C. C. y Schlegelmilch, B. B. (1990): Do corporate codes of ethics reflect national character? Evidence from Europe and the United States. *Journal of International Business Studies*, 21 (4), 519-539.

Mahoney, J. T., Huff, A. S. y Huff, J. O. (1994): Toward a new social contract theory in organization science. *Journal of Management Inquiry*, 3 (2), 153-168.

McDonald, G. M. y Zepp, P. A. (1989): Business ethics: practical proposals. *Journal of Management Development,* 8 (1), 55-66.

McDonald, G. M. y Zepp, R. A. (1990): What should be done? A practical approach to business ethics. *Management Decision,* 28 (1), 9-14.

McDonald, G. y Nijhof, A. (1999): Beyond codes of ethics: an integrated framework for stimulating morally responsible behaviour in organizations. *Leadership & Organization Development Journal,* 20 (3), 133-146.

McDonald. G. M. (2009): An anthology of codes of ethics. *European Business Review,* 21 (4), 344-372; Wood, G., op. cit.

McWilliams, A. y Siegel, D. (2001): Corporate social responsibility: a theory of the firm perspective. *Academy of Management Review*, 26 (1), 117-127.

Rawls, J. (1971): *A Theory of justice*. Cambridge, MA: Harvard University Press.

Reidenbach, R. E. y Robin D. P. (1991): A conceptual model of corporate moral development. *Journal of Business Ethics,* 10, 273-284.

Robbins, S. y Coulter, M. (2005): *Administración* (8.ª ed.). México: Pearson Educación.

Sethi, S. P. (1975): Dimensions of corporate social performance: an analytical framework, *California Management Review*. 17 (3), 58-64.

Shaub, M. K., Finn D. W. y Munter P. (1993): The effects of auditor's ethical orientation on commitment and ethical sensitivity. *Behavioral Research in Accounting,* 5, 145-169.

Shea, G. F. (1988): *Practical ethics*. Nueva York: American Management Association.

Stead, E. W., Worrell, D. L. y Stead, J. G. (1990): An integrative model for understanding and managing ethical behaviour in business organizations. *Journal of Business Ethics*, 9 (3), 233-242.

Stevens, B. (1994): An analysis of corporate ethical codes studies: where do we go from here? *Journal of Business Ethics,* 13 (1), 63-69.

Stevens, B., op. cit.; Svensson, G., Wood, G. y Callaghan, M. (2006): Codes of ethics in corporate Sweden. *Corporate Governance*, 6 (5), 547-566.

Taylor, N. (2009): Consequentialism and the ethics of planning research. En Lo Piccolo, F. y Thomas, H. (eds.), *Ethics and planning research,* Ch. 2. Farnham Ashgate, 13-28.

Trevino, L. K. (1986): Ethical decision making in organizations: a person-situation interactionist model. *Academy of Management Review,* 11, 601-617.

Trullenque, F. (2008): La responsabilidad social corporativa como necesidad estratégica: casos prácticos. *Harvard Deusto Business Review*, 48-54.

Weber, J. (1981): Institutionalizing ethics into the corporation. *MSU Business Topics*, 29 (2), 47-51.

Weber, J. (1993): Institutionalizing ethics into business organizations: a model and research agenda. *Business Ethics Quarterly,* 3 (4), 419-436.

Webley, S. (1993): *Codes of business ethics – why companies should develop them.* Londres: Institute of Business Ethics. http://www.globalreporting.org. http://www.pactomundial.org.

Wimbush, J. S. y Shepard, J. M. (1994): Toward an understanding of ethical climate: its relationship to ethical behaviour and supervisory influence. *Journal of Business Ethics,* 13, 637-647.

Wood, G. (2002): A partnership model of corporate ethics. *Journal of Business Ethics,* 40, 61-73.

Wotruba, T. R., Chonko, L. B. y Loe, T. W. (2001): The impact of ethics code familiarity on managerial behavior. *Journal of Business Ethics,* 53, 59-69.

Capítulo 3

Allaire, Y. y Firsirotu, M. E. (1984): Theories of organizational culture. *Organizations Studies,* 5 (3), 193-226.

Becker, H. S. (1982): Culture: A sociological review. *Yale Review,* 71 (summer), 513-528.

Chatman J. A. y Jehn, K. A. (1994): Assessing the relationship between industry characteristics and organizational culture: how different can you be? *Academy of Management Journal,* 37 (3), 522-553.

Flamholtz, E. (2002): La cultura empresarial y la cuenta de resultados. *Harvard Deusto Business Review,* 107, 62-69.

George, G., Sleeth, R. G. y Siders, M. A. (1999): Organizational culture: leader roles, behaviors, and reinforcement mechanisms. *Journal of Business & Psychology,* 13 (4), 545-560.

Harrison, J. R. y Carroll, G. R. (1991): Keeping the faith: a model of cultural transmission in formal organizations. *Administrative Science Quarterly,* 36 (4), 552-582.

Hofstede, G. H. (1991): *Cultures and organizations: software of the mind.* Londres: McGraw-Hill.

Johnson, G. y Scholes, K. (2001): *Dirección estratégica.* Madrid: Prentice-Hall.

Meyerson, D. y Martin, J. (1987): Cultural change: An integration of three different views. *Journal of Management Studies,* 24 (6), 623-647.

O'Reilly, C. A. y Chatman, J. A. (1996): Culture as social control: Corporations, culture and commitment. En B. M. Staw y L. L. Cummings (eds.), *Research in Organizational Behavior,* 18 (pp. 157-200). Greenwich, CT: JAI Press.

Raz, A. E. (2009): Transplanting management: participate change, organizational development, and the globalization of corporate culture. *The Journal of Applied Behavioral Science,* 45 (2), 280-304.

Schein, E. H. (1996): Culture: the missing concept in Organization Studies. *Administrative Science Quarterly,* 41 (2), 229-240.

Schein, E. H. (1996): *Leadership and organizational culture.* San Francisco, CA: Jossey-Bass.

Sorensen, J. B. (2002): The strength of corporate culture and the reliability of firm performance. *Administrative Science Quarterly,* 47 (1), 70-91.

Van Maanen y Schein, E. H. (1977): *Career development.* Santa Monica, CA: Goodyear.

Vandenberghe, C. (1999): Organizational culture, person-culture fit, and turnover: a replication in the health care industry. *Journal of Organizational Behavior,* 20 (2), 175-184.

Wanberg, C. R. y Kammeyer-Mueller, J. D. (2000): Predictors and outcomes of proactivity in the socialization process. *Journal of Applied Psychology*, 85 (3), 373-385.

Capítulo 4

Amabile, T. M. (1988): A model of creativity and innovation in organizations. En B. M. Staw y L. L. Cummings (eds.). *Research in Organizational Behavior* (126). Greenwich, CT: JAI Press.

Beer, M. (1980): *Organizational change and development*. Santa Mónica, CA: Goodyear.

Bower M. y Walton, C. L. Jr. (1973): Gearing a business to the future. En *Challenge to Leadership*. Nueva York, NY: The Conference Board.

Burgelman, R. A. y Maidique, M. A. (1988): *Strategic Management of Technology and Innovation*. Homewood: Irwin.

Burnes, B. (2004): Kurt Lewin and the planned approach to change: a re-appraisal. *Journal of Management Studies*, 41 (6), 977-1002.

Cherns, A. (1987): Principals of sociotechnical design revisited. *Human Relations*, 40, 153-162.

Ciampa, D. (1992): *Total quality: a user's guide for implementation*. Reading, MA: Addison-Wesley, 100-104.

Cooper, A. C. y Schendel, D. (1976): Strategic responses to technological threats. *Business Horizons*, 19 (1), 61-69.

Csikszentmihalyi, M. (1997): *Creativity: Flow and Psychology of Discovery and Invention*. Nueva York, NY: Harper-Collins.

Damanpour, F. (1991): Organizational innovation: a meta-analysis of effects of determinants and moderators. *Academy of Management Journal*, 34 (3), 555-590.

Dixon, J. R., Arnold, P., Heineke, J., Kim, J. y Mulligan, P. (1994): Business process reengineering: improving in new strategic directions. *California Management Review*, 36 (4), 93-108.

Douglas, T. J. y Judge, W. Q. Jr. (2001): Total quality management implementation and competitive advantage: the role of structural control and exploration. *Academy of Management Journal*, 44 (1), 158-169.

Fazel, F. (2003): TQM vs. BPR. *Quality Progress*, 36 (10), 59-62.

Ginsberg, A. y Abrahamson, E. (1991): Champions of change and strategic shifts: the role of internal and external change advocates. *Journal of Management Studies*, 28 (2), 173-190.

Hammer, M. y Champy, J. (1993): *Reengineering the corporation*. Nueva York, NY: Harper-Collins.

Hammer, M. y Champy, J. (1993b): Reengineering the corporation. *Small Business Reports*, 18 (11), 65-68.

Hammer, M. y Stanton, S. A. (1997): *La revolución de la reingeniería*, Madrid: Díaz de Santos.

Hannan, M. y Freeman, J. (1984): Structural inertia and organizational change. *American Sociological Review*, 49 (2), 149-164.

Haveman, H. (1992): Between a rock and a hard place: organizational change and performance under conditions of fundamental environmental transformation. *Administrative Science Quarterly*, 37 (1), 48-75.

Hedberg, B. (1981): How organizations learn and unlearn. En P. C. Nystrom, y W. H. Starbuck (eds.): *Handbook of organizational design* (pp. 3-27). Nueva York, NY: Oxford University Press.

Hill, C. y Jones, G. (2005): *Administración estratégica. Un enfoque integrado para la estrategia* (6.ª ed.). México: McGraw-Hill.

Jones, G. R. (1995): *Organizational theory: text and cases.* Reading, MA: Addison-Wesley.

Jones, G. R. (2008): *Teoría organizacional: diseño y cambio en las organizaciones* (5.ª ed.). México: Pearson.

Kelly, P. y Amburgey, T. (1991): Organizational inertia and momentum: a dynamic model of strategic change. *Academy of Management Journal,* 34 (3), 591-612.

Kotter, J. P. (1996): Successful change and the force that drives it. *The Canadian Manager,* 21 (3), 20-24.

Kotter, J. P. y Schlesinger, L. A. (1979): Choosing strategic for change. *Harvard Business Review,* 57 (2), 106-114.

Lacey, M. (1995): Internal consulting: perspectives on the process of planned change. *Journal of Organizacional Change Management,* 8 (3), 75-84.

Lewin, K. (1951) *Field-theory in social science.* Nueva York, NY: Harper y Row.

Meyer, A., Brooks, G. y Goer, J. (1990): Environmental jolts and industry revolutions: organizational responses to discontinuous change. *Strategic Management Journal,* 11 (5), 93-110.

Miller, D. (1982): Evolution and revolution: a quantum view of structural change in organizations. *Journal of Management Studies,* 19 (2), 131-151.

Miller, D. (1980): Momentum and revolution in organizational adaptation. *Academy of Management Journal,* 23 (4), 591-614.

Pfeffer, J. (1981): *Power in organizations.* Boston, MA: Pitman.

Porras, J. I. y Silvers, R. C. (1991): Organization development and transformation. *Annual Review of Psychology,* 42 (1), 51-78.

Powell, T. C. (1995): Total quality management as competitive advantage. *Strategic Management Journal,* 16 (1), 15-37.

Prahalad, C. K. y Doz, Y. L. (1987): *The multinational mission: balancing local demands and global vision.* Nueva York, NY: Free Press.

Robbins, S. y Coulter, M. (2005): *Administración* (8.ª ed.) México: Pearson Educación.

Ross, J. (1993): *Total quality management: text, cases and readings.* Delray Beach, FL: St-Lucie Press.

Schein, E. H. (1996): Kurt Lewin's change theory in the field and in the classroom: notes towards a model of management learning. *Systems Practice,* 9 (1), 27-47.

Shandler, M. y Egan, M. (1994): Leadership for quality. *Journal for Quality and Participation,* 17 (2), 66-71.

Smircich, L. y Stubbart, C. (1985): Strategic management in an enacted world. *Academy of Management Review,* 10 (4), 724-736.

Trist, E. (1981): *The evolution of socio-technical systems.* Toronto, Ontario: Quality of Working Life Centre.

Trist, E. L y Bamforth, K. W. (1951): Some social and psychological consequences of the longwall method of coal-getting. *Human Relations,* 4, 3-38.

Trist, E. L., Higgins, G., Murray, H. y Pollock, A. G. (1965): *Organizational choice.* Londres: Tavistock.

Capítulo 5

Agor, W. (1986): The logic of intuition: How top executives make important decisions. *Organizational Dynamics*, 14 (3), 12-13.

Archer, S. A. (1964): The structure of management decision theory. *Academy of Management Journal, diciembre*, 7 (4), 269-287.

Bonabeau, E. (2009): Decisiones 2.0: el poder de la inteligencia colectiva. *Harvard Deusto Business Review*, 177, 20-29.

Burke, L. A. y Miller, M. K. (1999): Taking the mystery out of intuitive decision making. *Academy of Management Executive*, 13 (4), 91-99.

Call Jr., M. W. y Kaplan, R. E. (1985): *Whatever it takes: Decision makers at work*. Upper Saddle River, NJ: Prentice-Hall.

Certo, S. C. (2001): *Administración moderna* (8.ª ed.). Bogotá: Pearson Educación.

Chugh, D. y Bazaerman, M. (2008): Los límites de la percepción: los peligros de la información imperfecta. *Harvard Business Review*, 165, 18-24.

Daft, R. L. y Marcic, D. (2006): *Introducción a la administración* (4.ª ed.). México: Thomson.

Delbecq, A. L., Van de Ven, A. H. y Gustafson, D. H. (1975): *Group techniques for program planning*. Glenview, IL: Scott, Foresman.

Díez de Castro, E. P., García del Junco, J., Martínez Jiménez, F. y Periáñez Cristóbal, R. (2001): *Administración y dirección*. Madrid: McGraw-Hill.

Festinger, L. (1957): *A theory of cognitive dissonance*. Nueva York, NY: Harper & Row.

Gómez-Mejía, L. R. y Balkin, D. B. (2003): *Administración*. Madrid: McGraw-Hill.

Harrison, E. F. (1975): *The managerial decision making process*. Boston, MA: Houghton Mifflin.

Harrison, E. F. (1981): *The managerial decision-making process* (2.ª ed.). Boston, MA: Houghton Mifflin.

Hitt, M. A., Black, J. S. y Porter, L. W. (2006): *Administración*. México: Pearson Educación.

March, J. G. (1994): *A primer on decision making*. Nueva York, NY: Free Press.

Mintzberg, H. (2009): *La estructuración de las organizaciones* (9.ª reimpresión). Barcelona: Ariel.

Nutt, P. C. (1990): Strategic decisions made by top executives and middle managers with data and process dominant styles. *Journal of Management Studies*, 27 (2), 175-192.

Pounds, W. (1969): The process of problem finding. *Industrial Management Review*, 11 (1), 1-19.

Renwick, P. A. y Tosi, H. (1978): The effects of sex, marital status and educational background on selected decisions. *Academy of Management Journal*, 21 (1), 93-103.

Robbins, S. P y Coulter, M. (2005): *Administración* (8.ª ed.). México: Pearson Educación.

Robbins, S. P. (1996): *Comportamiento organizacional: Teoría y práctica* (7.ª ed.). México: Prentice-Hall.

Rowe, A. J. y Boulgarides, J. D. (1992): *Managerial Decision Making*. Nueva York, NY: Macmillan Publishing Company.

Simon, H. A. (1976): *Administrative behavior* (3.ª ed.). Nueva York, NY: Free Press.

Simon, H. A. (1987): Making management decisions: The role of intuition and emotion. *Academy of Management Executive*, 1 (1), 57-64.

Simon, H. A. (1977): *The new science of management decision*. Upper Saddle River, NJ: Prentice-Hall.

Soelberg, P. O. (1967): Unprogrammed decision making. *Industrial Management Review*, 8 (2), 19-29.

Staw, B. M. (1981): The escalation of commitment to a course of action. *Academy of Management Review*, 6 (4), 577-587.

Stoner, J. A. F., Freeman, R. E. y Gilbert, D. R. (1996): *Administración* (4.ª ed.). México: Prentice- Hall Hispanoamericana.

Wally, S. y Baum, R. (1994): Personal and structural determinants of the pace of strategic decision making. *Academy of Management Journal, 37* (4), 932-957.

Capítulo 6

Cross, R. y Prusak, L. (2002): The people who make organizations go-or-stop. *Harvard Business Review*, 80 (6), 105-112. [Existe versión en castellano: Cross, R. y Prusak, L. (2002): Redes informales: identifique a las personas clave, *Harvard Deusto Business Review,* 110, 50-60.]

Davis, K. (1953): Management Communication and the Grapevine. *Harvard Business Review*, 31 (5), 53-49.

Expansión. http://archivo.expansionyempleo.com/2009/03/04/desarrollo_de_carrera/12361 72352.html (consultado el 20 de enero de 2011).

Expansión. http://archivo.expansionyempleo.com/2010/09/17/desarrollo_de_carrera/12847 36381.html (consultado el 20 de enero de 2011).

Haney, W. V. (1962): Serial communication of information in organizations. En S. Marlick y E. Van Ness (eds.), *Concepts and issues in administrative behavior* (pp. 150-164): Englewood Cliffs, NJ: Prentice-Hall.

Krackhardt, D. y Hanson J. R. (1993): Informal Networks: The Company Behind the Chart. *Harvard Business Review*, 71 (4), 104-111.

Laudon, K. C. y Laudon, J. P. (2004): Sistemas de información gerencial (8.ª ed). México D. F.: Pearson Educación, www.sap.com, www.oracle.com.

Manuales Plan Avanza. La factura electrónica (2006): Madrid: Red.es y ASIMELEC.

Mintzberg, H. (2009): La estructuración de las organizaciones (9.ª reimpresión). Barcelona: Ariel Economía.

Vázquez Casielles, R., Díaz Martín, Ana M. y Suárez Vázquez, Ana (2004): Cómo usan Internet las líneas aéreas para desarrollar relaciones estables con los clientes, *Universia Business Review – Actualidad Económica*, 2, 35-47.

Capítulo 7

Ackoff, R. L. (1990): *El arte de resolver problemas: las fábulas de Ackoff*. México: Limusa.

Aguer, M., Pérez, E. y Martínez J. (2004): *Administración y dirección de empresas: teoría y ejercicios resueltos*. Madrid: Centro de Estudios Ramón Areces.

Amaru, A. C. (2009): *Fundamentos de administración: teoría general y proceso administrativo*. Madrid: Pearson.

Bateman, T. S. y Snell, S. A. (2005): *Administración. Un nuevo panorama competitivo* (6.ª ed.). México: McGraw-Hill Interamericana.

Certo, S. C. (2001): *Administración moderna* (8.ª ed.). Bogotá: Pearson Educación.

Díez de Castro, J., Redondo, C., Barreiro, B. y López, M. A. (2008): *Administración de empresas: dirigir en la sociedad del conocimiento.* Madrid: Pirámide.

Domínguez Machuca, J. A. (1995): *Dirección de Operaciones: Aspectos estratégicos en la producción y los servicios.* Madrid: McGraw-Hill.

Hampton, D. R. (1994), *Administración* (3.ª ed.). México: McGraw-Hill.

Iborra, J. M., Ferrer, C. y Dasi, M. A. (2006): *Fundamentos de dirección de empresas: conceptos y habilidades directivas.* Madrid: Paraninfo.

Johnson, G. y Scholes, K. (1997): *Dirección estratégica. Análisis de la estrategia de las organizaciones.* Madrid: Prentice-Hall.

Koontz, H. y O'Donnell, C. (1976): *Management: A systems and contingency analysis of management functions.* Nueva York: McGraw-Hill.

Kopelman, R. E. (1998): Managing for productivity: One-Third of the Job. *National Productivity Review,* vol. 17.

Linneman, R. y Chandran, R. (1991): *Planeamiento para reducir el riesgo de daños causados por los productos.* Argentina: Ediciones Unired.

Mintzberg, H. (1991): *Mintzberg y la dirección.* Madrid: Díaz de Santos.

Münch, L. (2006): *Planificación estratégica: guía práctica para confeccionar un plan de negocio.* Sevilla: Trillas.

Robbins, S. y Coulter, M. (2005): *Administración* (8.ª ed.). México: Pearson Educación.

Makridakis, S. y Wheelwright, S. C. (1998): *Métodos de pronósticos.* México: Limusa-Noriega.

Stoner, J. A., Freeman, R. E. y Gilbert, D. R. (1996): *Administración.* México: Prentice-Hall.

Wagner, J. A. y Hollenbeck, J. R. (2004): *Comportamiento organizativo: consiguiendo la ventaja competitiva* (4.ª ed.). Madrid: Thomson.

Capítulo 8

Bateman, T. S. y Snell, S. A. (2001): *Administración: una ventaja competitiva* (4.ª ed.). México: McGraw-Hill.

Burns, T. y Stalker, G. M. (1966): *The management of innovation.* Londres: Tavistock.

Chandler, A. (1962), *Strategy and structure: Chapters in the history of the industrial enterprise.* Boston, MA: MIT Press.

Chiavenato, I. (2004): *Introducción a la Teoría General de la Administración* (7.ª ed.). México: McGraw-Hill, 814.

Daft, R. L. (2005): *Teoría y diseño organizacional* (8.ª ed.). México: Thomson.

Davis, S. M. y Lawrence, P. R. (1977): *Matrix.* Reading, MA: Addison-Wesley.

Dewar, R. D. y Simet, D. P. (1981): A level-specific prediction or spans of control examining the effects of size, technology, and specialization. *Academy of Management Journal,* 24 (1), 5-24.

García-Tenorio, J. (coord.) (2006): *Organización y dirección de empresas.* Madrid: Thomson.

Geerwin, D. (1981): Relationships between structure and technology. En Nystrom, P. y Starbuck, W. (eds.): *Handbook of organizational design.* Nueva York: Oxford University Press.

Gibson, J. L., Ivancevich, J. M. y Donnelly, J. H. (1996): *Organizaciones. Comportamiento, estructura, procesos* (8.ª ed.). Madrid: Irwin.

Gómez-Mejía, L. R. y Balkin, D. B. (2003): *Administración.* Madrid: McGraw-Hill, 231.

Hage, J. y Aiken, M. (1967): Relationship of centralization to other structural properties. *Administrative Science Quarterly*, 12 (1), 72-92.

Hall, R. H. (1996): *Organizaciones. Estructuras, procesos y resultados* (6.ª ed.). México: Prentice-Hall Hispanoamericana.

Hodge, B. J., Anthony, W. P. y Gales, L. M. (1998): *Teoría de la Organización. Un enfoque estratégico*. Madrid: Prentice-Hall Ibérica.

Iborra, M., Dasí, A., Dolz, C. y Ferrez, C. (2006): *Fundamentos de Dirección de Empresas. Conceptos y habilidades básicas*. Madrid: Thomson.

Ivancevich, J. M., Lorenzi, P., Skinner, S. P. y Crosby, P. B. (1996): *Gestión, calidad y competitividad*. Madrid: Irwin.

Khandwalla, P. N. (1977): *Design of organizations*. Nueva York, NY: Harcourt Brace Jovanovich, Inc.

Knight, K. (1976): Matrix organizations: A review. *The Journal of Management Studies*, 13 (2), 111-130.

Kolodny, H. (1979): Evolution to a matrix organization. *Academy of Management Review*, 4 (4), 543-553.

Lawrence, P. y Lorsch, J. W. (1967), *Organization and environment: Managing differentiation and integration*. Boston, MA: Harvard Business School. [Existe versión en castellano: *Organización y ambiente*. Barcelona: Labor (1973).]

Lawrence, P. R., Kolodny, H. F. y Davis, S. M. (1977): The human side of matrix organizations. *Organizational Dynamics*, 6 (1), 43-71.

Miles, R. S. y Snow, C. C. (1978): *Organizational strategy, structure and process*. Nueva York, NY: McGraw-Hill.

Mintzberg, H. (2009): *La estructuración de las organizaciones* (9.ª reimpresión). Barcelona: Ariel.

Perrow, Ch. (1967): A framework for the comparative analysis of organizations. *American Sociological Review*, 32 (2), 194-208.

Robbins, S. y Coulter, M. (2005): *Administración* (8.ª ed.). México: Pearson Educación.

Robbins, S. P. (1996): *Comportamiento organizacional: Teoría y práctica* (7.ª ed.). México: Prentice-Hall.

Stoner, J. A. F., Freeman, R. E. y Gilbert, D. R. (1996): *Administración* (6.ª ed.). México: Prentice-Hall Hispanoamericana.

Taylor, F. W. (1987): *Principios de la administración científica* (3.ª ed.). Barcelona: Orbis.

Thompson, J. D. (1967), *Organizations in action*. Nueva York, NY: McGraw-Hill.

Van Fleet, D. D. (1983): Span of management research and issues. *Academy of Management Journal,* 26 (3), 546-552.

Van Fleet, D. D. y Bedeian, A. G. (1977): A history of the span of management. *Academy of Management Review,* 2 (3), 356-372.

Woodward, J. (1965), *Industrial Organization: Theory and Practice*. Nueva York: Oxford University Press.

Capítulo 9

Adams, J. S. (1963): Toward an understanding of inequity. *Journal of Abnormal and Social Psychology*, 67 (5), 422-436.

Alderfer, C. P. (1969): An empirical test of a new theory of human needs. *Organizational Behavior and Human Performance,* 4 (2), 142-175.

Alderfer, C. P. (1972): *Existence, relatedness, and growth: human needs in organizational settings.* Nueva York, NY: Free Press.

Chiavenato, I. (2004): *Introducción a la teoría general de la administración* (7.ª ed.). México: McGraw-Hill.

Hackman, J. R. y Oldham, G. R. (1975): Development of the job diagnostic survey. *Journal of applied psychology,* abril, 159-170.

Hackman, J. R. y Oldham, G. R. (1976): Motivation through design of work. *Organizational behaviour and human performance,* 16, 250-279.

Hackman, J. R. y Oldham, G. R. (1980): *Work redesign.* Reading, MA: Addison-Wesley.

Herzberg, F. (1966): *Work and the nature of man.* Cleveland, OH: World.

Herzberg, F., Mausner, B. y Snyderman, B. (1959): *The motivation to work.* Nueva York, NY: John Wiley.

Kast, F. E. y Rosenzweig, J. E. (1992): *Administración en las organizaciones. Enfoque de sistemas y de contingencias* (4.ª ed.). México: McGraw-Hill.

Locke, E. A. (1993): Facts and fallacies about goal theory: reply to Deci. *Psychological Science,* enero, pp. 63-64.

Maslow, A. H. (1943): A theory of human motivation. *Psychological Review,* 50, 370-396.

Maslow, A. H. (1954/1970): *Motivation and personality.* Nueva York, NY: Harper & Row.

McClelland, D. C. y Burnham, D. H. (1976): Power is the great motivator. *Harvard Business Review,* marzo-abril, pp. 100-110.

McGregor, D. (1966): The human side of enterprise. En *Leadership and Motivation,* Cambridge: The M.I.T. Press, Mass., 3-20.

McGregor, D. (1987): *El aspecto humano de la empresa.* México: Diana.

Porter, L. W. y Lawler III, E. E. (1968): *Managerial attitudes and performance.* Homewood, IL: Irwin.

Robbins, S. y Coulter, M. (2005): *Administración* (8.ª ed.). México: Pearson Educación.

Skinner, B. F. (1953): *Science and human behavior.* Nueva York: Free Press.

Skinner, B. F. (1972): *Beyond freedom and dignity.* Nueva York: Knopf.

Stoner, J. A. F., Freeman, R. E. y Gilbert, D. R. (1996): *Administración* (6.ª ed.). México: Prentice-Hall Hispanoamericana.

Vroom, V. H. (1964): *Work and Motivation.* Nueva York, NY: Wiley.

Capítulo 10

Bass, B. M. (1981): *Stogdill's Handbook of leadership.* Nueva York: The Free Press.

Bateman, T. S. y Snell, S. A. (2001): *Administración: una ventaja competitiva* (4.ª ed.). México: McGraw-Hill.

Birasnav, M., Rangnekar, S. y Dalpati, A. (2011): Transformational leadership and human capital benefits: the role of knowledge management. *Leadership & Organization Development Journal,* 32 (2), 106-126.

Blake, R. R. y Mouton, J. S. (1964): *The managerial grid.* Houston, TX: Gulf.

Bolden, R., Gosling, J., Marturano, A. y Dennison, P. (2003): *A review of leadership theory and competency frameworks.* Centre for Leadership Studies. University of Exeter. http://www.leadership-studies.com.

Burns, J. M. (1978): *Leadership.* Nueva York, NY: Harper & Row.

Certo, S. C. (2001): *Administración moderna: diversidad, calidad, ética y el entorno global* (8.ª ed.). Bogotá: Pearson Educación.

Díez de Castro, J. y Redondo, C. (1995): *Administración de empresas*. Madrid: Pirámide.

Fiedler, F. E. (1967): *A Theory of Leadership Effectiveness*. Nueva York, NY: McGraw-Hill.

Flynn, G. (2002): A legal examination of Testing. *Workforce*, 81 (6), 92-94.

Foti, R. J. y Hauenstein, N. M. A. (2007): Pattern and variable approaches in leadership emergence and effectiveness. *Journal of Applied Psychology*, 92 (2), 347-355.

French, J. R. P. y Raven, B. (1959): The bases of social power. En D. Cartwright (ed.). *Studies in social power* (pp. 150-167): Ann Arbor, MI: Institute for Social Research, University of Michigan.

Galbraith, J. K. (1983): *The anatomy of power*. Boston, MA: Houghton Mifflin.

Gibson, J. L., Ivancevich, J. M. y Donnelly, J. H. (1996): *Organizaciones. Comportamiento, estructura, procesos* (8.ª ed.) Madrid: Irwin.

Graeff, C. L. (1997): Evolution of situational leadership theory: a critical review. *Leadership Quarterly*, 8 (2), 153-170.

Hall, R. H. (1996): *Organizaciones. Estructuras, procesos y resultados* (6.ª ed.). México: Prentice-Hall Hispanoamericana.

Hersey, P., Blanchard, K. H. y Dewey, J. (2001): *Management of Organizational Behavior: Leading Human Resources*. Nueva York, NY: Prentice-Hall.

Hodge, B. J., Anthony, W. P. y Gales, L. M. (1998): *Teoría de la Organización. Un enfoque estratégico*. Madrid: Prentice-Hall Ibérica.

House, R. J. (1971): A path-goal theory of leader effectiveness. *Administrative Science Quarterly*, 16 (3), 321-339.

Ivancevich, J. M., Lorenzi, P., Skinner, S. P. y Crosby, P. B. (1996): *Gestión, calidad y competitividad*. Madrid: Irwin.

Judge, T. A., Piccolo, R. F. y Illies, R. (2004): The forgotten ones? The validity of consideration and initiating structure in leadership research. *Journal of Applied Psychology*, 89 (1), 36-51.

Kahn, R. y Katz, D. (1960): Leadership practice in relation to productivity and morale, en D. Cartwright y A. Zander, *Group Dynamics: Research and Theory* (2.ª ed.). Nueva York, NY: Elmsford.

Katz, D. y Kahn, R.L. (1989): *Psicología social de las organizaciones*. México: Trillas.

Kaufmann, A. (1993): *El poder de las organizaciones. Comportamiento, estructura y entorno*. Madrid: Ediciones de la Universidad de Alcalá de Henares/ESIC.

Kerr, S. y Jermier, M. (1978): Substites for leadership: their meaning and measurement. *Organizational Behavior and Human Performance*, 22 (3), 375-403.

Kirkpatrick, S. A. y Locke, E. A. (1991): Leadership: do traits matter? *Academy of management executive*. 5 (2), 48-60.

Larson, L. L., Hunt, J. G. y Osborn, R. N. (1976): The great Hi-Hi leader behavior myth: a lesson form Occam's Razor. *Academy of Management Journal*, 19 (4), 628-641.

Lewin, K. (1951): *Field theory in social science*. Nueva York, NY: Harper & Row.

Mintzberg, H. (1992): *El poder en la organización*. Barcelona: Ariel.

Pfeffer, J. (1981): *Power in organizations*. Marshfield, MA: Pitman.

Robbins, S. P. (1996): *Comportamiento organizacional. Conceptos, controversias y aplicaciones* (6.ª ed.). México: Prentice Hall Hispanoamericana.

Robbins, S. P. (1998): *Fundamentos de comportamiento organizacional* (5.ª ed.). México: Prentice-Hall Internacional.

Sánchez, E. (2008): Liderazgo y dirección. En V. Zarco y A. Rodríguez (dirs.), *La psicología de los grupos y las organizaciones* (pp. 136-164): Madrid: Pirámide.

Schiflett, S. (1981): Is there a problem with the LPC Score in Leader Match? *Personnel Psychology*, 34 (4), 765-769.

Schriesheim, C. A., Bannister, B. D. y Money, W. H. (1979): Psychometric properties of the LPC Scale: An extension of Rice's review. *Academy of Management Review*, 79 (4), 287-290.

Schriesheim, C. A., Tepper, B. J. y Tetrault, A. (1994): Least preferred coworker score, situational control, and leadership effectiveness: a meta-analysis of contingency model performance predictions. *Journal of applied psychology,* 79 (4), 561-573.

Schriesheim, C. C., Cogliser y Neider, L. L. (1995): Is it «Trustworthy»? A multiple-levels-of-analysis reexamination of an Ohio State leadership study, with implications for future research. *Leadership Quarterly*, 6 (2), 111-145.

Shamir, B., House, R. J., Arthur, M. B. (1993): The motivational effects of charismatic leadership: a self-concept based theory. *Organization Science*, 4 (4), 577-594.

Smith, J. A. y Foti, R. J. (1998): A pattern approach to the study of leader emergence. *Leadership Quarterly.* 9, 147-160.

Stogdill, R. M. (1974): *Handbook of leadership: a survey of theory and research.* Nueva York: The Free Press.

Stoner, J. A. F., Freeman, R. E. y Gilbert, D. R. (1996): *Administración* (6.ª ed.). México: Prentice-Hall Hispanoamericana.

Tannenbaum, R. y Schmidt, W. (1973): How to choose a leadership pattern. *Harvard Business Review.* 51 (3), 162-180.

Vroom, V. H. y Jago, A. G. (1978): On the validity of the Vroom-Yettom Model. *Journal of Applied Psychology*, 63 (2), 151-162.

Vroom, V. H. y Yetton, P. W. (1973): *Leadership and Decision-Making. Pittsburgh.* PA: University of Pittsburgh Press.

Wagner, J. A. y Hollenbeck, J. R. (2004): *Comportamiento organizativo. Consiguiendo la ventaja competitiva* (4.ª ed.). Madrid: Thomson.

Weihrich, H. y Koontz, H. (1994): *Administración. Una perspectiva global* (10.ª ed.). México: McGraw-Hill.

Zaccaro, S. J. (2007): Trait-based perspectives of leadership. *American Psychologist.* 62 (1), 6-16.

Zaleznik, A. (1992): Managers and leaders: are they different? *Harvard Business Review*, 70 (2), 126-135.

Capítulo 11

Beal, D. J., Cohen, R. R., Burke, M. J. y McLendon, C. L. (2003): Cohesion and performance in groups: a meta-analytic clarification of construct relations. *Journal of Applied Psychology*, 88 (6), 989-1004.

Bettenhausen, K. y Murnighan, J. K. (1985): The emergence of norms in competitive decision-making groups. *Administrative Science Quarterly*, 30 (3), 350-372.

Bonache, J. y Zárraga, C. (2005): The impact of team atmosphere on knowledge outcomes in self-managed teams. *Organization Studies*, 26 (5), 661-681.

Hackman, J. R. y Wageman, R. (2005): A theory of team coaching. *Academy of Management Review*, 30 (2), 269-287.

Hackman, R. (1987): *The design of work teams.* En J. Lorsch (ed.). *Handbook of organizational behavior.* Englewwod Cliffs, NJ: Prentice-Hall.

Hill, G. W. (1982): Group versus individual performance: are N + 1 heads better than one?, *Psychological Bulletin*, 91 (3), 517-539.

Johnson, D. W. y Johnson, F. P. (1994): *Joining together: group theory and group skills* (5.ª ed.). Boston, MA: Allyn and Bacon.

Katzenbach, J. R. y Smith, D. K. (1995): The discipline of teams, *Harvard Business Review*, 111-120.

Katzenbach, J. R. y Smith, D. K. (2006): *The wisdom of teams: creating the high-performance organization*. Nueva York: Harper Collins.

Leigh, L. T. (2004): *Making the team.* Upper Saddle River, NJ: Prentice-Hall.

Lincoln, J. R. y Miller, J. (1979): Work and friendship ties in organizations: a comparative analysis of relational networks. *Administrative Science Quarterly*, 24 (2), 181-199.

Lipnack, J. y Stamps, J. (1993): Virtual teams: the new way to work. *Strategy & Leadership*, 27 (1), 14-19.

Molinari, P. (2008): La gestión de equipos virtuales. *Revista Fortuna*, n.º 2.

Salanova, M., Prieto, F. y Peiró, J. M. (1996): *Grupos de trabajo*. En J. M. Peiró y F. Prieto (eds.), *Tratado de psicología del trabajo*, Madrid: Síntesis.

Simon, B. y Stürmer, S. (2003): Respect for group members: intragroup determinants of collective identification and group-serving behavior. *Personality and Social Psychology Bulletin*, 29 (2), 183-193.

Townsend, A. M., Demarie, S. M. y Hendiickson, A. R. (1998): Virtual teams: technology and the workplace of the future. *Academy of Management Executive*, 12 (3), 17-29.

Triadó, X. M. y Gallardo, E. (2007): Cuando el trabajo en equipo no es sólo un grupo de trabajo. *Capital Humano*, 206, 98-102.

Tuckman, B. W. (1965): Developmental sequence in small groups. *Psychological Bulletin*, 63 (6), 384-399.

Weldon, E. y Mustari, E. L. (1988): Felt dispensability in groups of coactors: The effects of shared responsibility and explicit anonymity on cognitive effort. *Organizational Behavior and Human Decision Processes*, 41 (3), 330-351.

Capítulo 12

Daft, R. L. (2005): *Teoría y diseño organizacional* (8.ª ed.). México: Thomson.

Díez de Castro, J. y Redondo, C. (1995): *Administración de empresas*. Madrid: Pirámide.

Fisher, R. y Ertel, D. (2002): *Obtenga el sí en la práctica*. Barcelona: Gestión 2000.

Galinsky, A. D. y Mussweiler, T. (2001): First offers as anchors: the role of perspective-taking and negotiator focus. *Journal of Personality and Social Psychology*, 81 (4), 657-669.

Gibson, J. L., Ivancevich, J. M. y Donnelly, J. H. (1996): *Organizaciones. Comportamiento, estructura, procesos* (8.ª ed.). Madrid: Irwin.

Hall, R. H. (1996): *Organizaciones. Estructuras, procesos y resultados* (6.ª ed.). México: Prentice-Hall Hispanoamericana.

Ivancevich, J. M., Konopaske, R. y Matteson, M. T. (2006): *Comportamiento organizacional* (6.ª ed.). México: McGraw-Hill.

Jehn, K. A. y Mannix, E. A. (2001): The dynamic nature of conflict: a longitudinal study of intragroup conflict and group performance. *Academy of Management Journal*, 44 (2), 238-251.

Lewicki, R. J., Barry, B. y Saunders, D. M. (2008): *Fundamentos de negociación* (4.ª ed.). México: McGraw-Hill Interamericana.

Lewicki, R. J., Hiam, A. y Olander, K.W. (2007): Implementing a collaborative strategy. En R. J. Lewicki, B. Barry y D. M. Saunders (eds.), *Negotiation: readings, exercises, and cases*, 5.ª ed. (pp. 117-133): Singapore: McGraw-Hill.

Luque, P. J., Palomo, A. y Pulido, M. (2008): Conflicto y negociación. En V. Zarco y A. Rodríguez (dirs.), *La psicología de los grupos y las organizaciones* (pp. 225-256): Madrid: Pirámide.

Magee, J. C., Galinsky, A. D. y Gruenfeld, D. H. (2007): Power, propensity to negotiate, and moving. First in competitive interactions. *Personality and Social Psychology Bulletin*, 33 (2), 200-212.

Pfeffer, J. (1981): *Power in organizations*. Marshfield, MA: Pitman.

Priem, R. L., Harrison, D. A. y Muir, N. K. (1995): Structured conflict and consensus outcome in group decision making. *Journal of Management*, 21 (4), 691-710.

Robbins, S. P. (1996): *Comportamiento organizacional. Conceptos, controversias y aplicaciones* (6.ª ed.). México: Prentice-Hall Hispanoamericana.

Robbins, S. P. (1998): *Fundamentos de comportamiento organizacional* (5.ª ed.). México: Prentice-Hall Internacional.

Robbins, S. P. y Judge, T. A. (2010): *Introducción al comportamiento organizativo*. Madrid: Prentice-Hall.

Stoner, J. A. F., Freeman, R. E. y Gilbert, D. R. (1996): *Administración* (6.ª ed.). México: Prentice-Hall.

Thomas, K. W. (1992): Conflict and negotiation processes in organizations. En M. D. Dunnette y L. M. Hough (eds.), *Handbook of industrial & organizational psychology*, vol. 3 (pp. 651-717): Palo Alto, CA: Consulting Psychologists Press.

Van de Vliert, E. (1998): Conflict and conflict management. En P. J. D. Drenth, H. Thierry y C. J. de Wolff (eds.), *Handbook of work an organizational* psychology (2.ª ed.), vol. 3 (pp. 351-376): Hove. Psychology Press.

Wagner, J. A. y Hollenbeck, J. R. (2004): *Comportamiento organizativo. Consiguiendo la ventaja competitiva* (4.ª ed.). Madrid: Thomson.

Walton, R. E. (1987): *Managing conflict: interpersonal dialogue and third-parties roles* (2.ª ed.). Reading, MA: Adisson-Wesley.

Walton, R. E. y Mckersie, R. B. (1965): *A behavioral theory of labor negotiations: an analysis of a social interaction system*. Nueva York, NY: McGraw-Hill.

Capítulo 13

Amaru, A. C. (2009): *Fundamentos de administración: teoría general y proceso administrativo*. Madrid: Pearson.

Daft, R. L. y Steers, R. M. (1992): *Organizaciones. El comportamiento del individuo y de los grupos humanos*. México: Limusa.

Daft, R. y Lengel, R. (1986): Organizational information requirements, media richness and structural design. *Management Science*, 32 (5), 554-571.

Díez de Castro, J., Redondo, C., Barreiro, B. y López, M. A. (2008): *Administración de empresas: Dirigir en la sociedad del conocimiento*. Madrid: Pirámide.

Domínguez Machuca, J. A. (1995): *Dirección de operaciones: Aspectos estratégicos en la producción y los servicios*. Madrid: McGraw-Hill.

Donnelly, J. H., Gibson, J. L. e Ivancevich, J. M. (1999): *Fundamentos de dirección y administración de empresas.* Bogotá: McGraw-Hill.

Drucker, P. F. (1988): *La gerencia de empresas.* Barcelona: EDASA.

Elkins, A. (1984): *Administración y Gerencia.* México: Fondo Educativo Interamericano.

Hampton, D. R. (1994): *Administración* (3.ª ed.). México: McGraw-Hill.

Iborra, J. M., Ferrer, C. y Dasi, M. A. (2006): *Fundamentos de dirección de empresas: conceptos y habilidades directivas.* Madrid: Ediciones Paraninfo.

Kaplan, R. S. y Norton, D. P. (1997): *Cuadro de mando integral.* Barcelona: Gestión 2000.

Koontz, H. y Weihrich, H. (2004): *Administración: una perspectiva global* (12.ª ed.). México: McGraw-Hill.

Miles, R. E. y Snow, C. C. (1995): The New Network Firm: A spherical structure built on a human investment philosophy. *Organizational Dynamics*, 23 (4), 5-18.

Münch, L. (2006): *Planificación estratégica: guía práctica para confeccionar un plan de negocio.* Sevilla: Trillas.

Olve, N., Roy, J. y Wetter, M. (2002): *Implantando y gestionando el cuadro de mando integral.* Barcelona: Gestión 2000.

Pyhrr, P. (1973): *Zero-base budgeting.* Nueva York, NY: John Wiley & Sons.

Robbins, S. y Coulter, M. (2005): *Administración* (8.ª ed.). México: Pearson Educación.

Stoner, J. A. F., Freeman, R. E. y Gilbert, D. R. (1996): *Administración* (6.ª ed.) México: Prentice-Hall.

Taylor, F. W. (1987): *Principios de la administración científica* (3.ª ed.). Barcelona: Orbis.

TÍTULOS RELACIONADOS

ADMINISTRACIÓN DE EMPRESAS, *G. Sánchez Vizcaíno (coord.)*.

CREACIÓN Y DESARROLLO DE EMPRESAS, *T. Priede Bergamini, C. López-Cózar Navarro, S. Benito Hernández (Coords.)*

CREACIÓN DE EMPRESAS PARA EMPRENDEDORES, *I. Castro Abancéns y J. I. Rufino Rus.*

CURSO BÁSICO DE ECONOMÍA DE LA EMPRESA. Un enfoque de organización, *E. Bueno Campos.*

CURSO DE ECONOMÍA DE LA EMPRESA, *A. S. Suárez Suárez.*

DE LA START-UP A LA EMPRESA, *I. Castro Abancéns.*

ECONOMÍA DE LA EMPRESA. Análisis de las decisiones empresariales, *E. Bueno Campos, I. Cruz Roche y J. J. Durán Herrera.*

INTRODUCCIÓN A LA ECONOMÍA DE EMPRESA, *A. Martínez Martínez y M.ª del C. Martínez López.*

INTRODUCCIÓN A LA ECONOMÍA Y ADMINISTRACIÓN DE EMPRESAS, *A. M.ª Castillo Clavero (dir. y coord.).*

FACTORÍA DE ECONOMÍA DE LA EMPRESA. Problemas resueltos, *M. García Rodríguez (Coord.).*

LA FRANQUICIA. Tratado práctico y jurídico, *G. Burgos Pavón y M.ª S. Fernández Iglesias.*